ΚΛΙΚ
στα ελληνικά

επίπεδο Β1

ΕΛΛΗΝΙΚΗ ΔΗΜΟΚΡΑΤΙΑ
ΥΠΟΥΡΓΕΙΟ ΠΑΙΔΕΙΑΣ ΚΑΙ ΘΡΗΣΚΕΥΜΑΤΩΝ
ΚΕΝΤΡΟ ΕΛΛΗΝΙΚΗΣ ΓΛΩΣΣΑΣ
ΜΕΛΟΣ ΤΗΣ ΕΥΡΩΠΑΪΚΗΣ ΟΜΟΣΠΟΝΔΙΑΣ
ΕΘΝΙΚΩΝ ΙΔΡΥΜΑΤΩΝ ΓΙΑ ΤΗ ΓΛΩΣΣΑ (EFNIL)

Μαρία Καρακύργιου
Βικτωρία Παναγιωτίδου

Επιμέλεια Α΄ έκδοσης: Θωμαΐς Ρουσουλιώτη, Μαρία Χρίτη

Επιμέλεια Β΄ έκδοσης: Ευδοξία Μητρούση

Σχεδιασμός βιβλίου - εξωφύλλου: Καλλιόπη Πιπελίδου

Ηθοποιοί: Μιχάλης Σιώνας

Ευανθία Σωφρονίδου

Κων/νος Χατζησάββας

Μουσικοί: Θάνος Αστεριάδης (ενορχήστρωση, βιολί)

Απόστολος Γκρεκ (σύνθεση, ενορχήστρωση, κλασική κιθάρα, φωνή)

Φίλιππος Μουζάς (ηλεκτρική κιθάρα)

Ελένη Νοταρίδου (φωνή)

Αστέρης Σαμαράς (σύνθεση, ενορχήστρωση, ακουστική κιθάρα, φωνή)

Ιωάννης Στεργιάδης (σύνθεση, ενορχήστρωση, πιάνο, φωνή)

Στίχοι: Βικτωρία Παναγιωτίδου

© Κέντρο Ελληνικής Γλώσσας

Καραμαούνα 1, Πλατεία Σκρα, 551 32 Καλαμαριά, Θεσσαλονίκη

τηλ.: +302313331500

ηλεκτρονικό ταχυδρομείο: centre@komvos.edu.gr
ιστοσελίδα: https://www.greeklanguage.gr/

Θεσσαλονίκη 2014

Ανατύπωση 2022

ISBN: 978-960-7779-62-5
ΚΕΝΤΡΙΚΗ ΔΙΑΘΕΣΗ: ΚΕΝΤΡΟ ΕΛΛΗΝΙΚΗΣ ΓΛΩΣΣΑΣ

ΕΛΛΗΝΙΚΗ ΔΗΜΟΚΡΑΤΙΑ
ΥΠΟΥΡΓΕΙΟ ΠΑΙΔΕΙΑΣ ΚΑΙ ΘΡΗΣΚΕΥΜΑΤΩΝ
ΚΕΝΤΡΟ ΕΛΛΗΝΙΚΗΣ ΓΛΩΣΣΑΣ

ΚΛΙΚ
στα ελληνικά

*Μέθοδος εκμάθησης της ελληνικής
ως δεύτερης / ξένης γλώσσας*

επίπεδο Β1
Ανεξάρτητος Χρήστης

*Κατά τα νέα επίσημα
εγκεκριμένα επίπεδα*

**Εγχειρίδιο έντυπο
και ηλεκτρονικό**

Μαρία Καρακύργιου   **Βικτωρία Παναγιωτίδου**

Θεσσαλονίκη

ΠΡΟΛΟΓΙΚΑ

Η καταστατική αποστολή του Κέντρου Ελληνικής Γλώσσας (ΚΕΓ), ως φορέα του Υπουργείου Παιδείας, είναι «η προβολή και η διάδοση της ελληνικής γλώσσας εντός και εκτός της Ελλάδας, η οργάνωση της διδασκαλίας της σε αλλοδαπούς και ομογενείς, η στήριξη των διδασκόντων και η παραγωγή διδακτικού υλικού». Το ΚΕΓ εκπόνησε και εμπλουτίζει ολοκληρωμένα ψηφιακά περιβάλλοντα φιλολογικής εργασίας: τον «ΚΟΜΒΟ» (www.komvos. edu.gr), την «ΠΥΛΗ» (www.greek-language.gr) και τις «ΨΗΦΙΔΕΣ» (www.greek-language.gr/digitalResources/) για την ελληνική γλώσσα, όλα ελεύθερα προσβάσιμα και με υψηλότατη αποδοχή διεθνώς. Επίσης, οργανώνει συνέδρια, σεμινάρια και επιμορφώσεις (workshops). Προσφέρει πιστοποιημένη επιμόρφωση των εκπαιδευτικών με το εννεάμηνο εξ αποστάσεως Πρόγραμμα «ΔΙΑΔΡΟΜΕΣ» (elearning.greek-language.gr) — και με τον τρίμηνο «ΔΙΑΥΛΟ». Οργάνωσε και λειτουργεί —εδώ και πολλά χρόνια— στοχευμένα προγράμματα συνεχούς επιμόρφωσης, τις κλειστές ψηφιακές κοινότητες πρακτικής «ΦΡΥΚΤΩΡΙΕΣ» για εκπαιδευτικούς αποσπασμένους σε έδρες ελληνικών σε πανεπιστήμια του εξωτερικού και τις «ΝΕΕΣ ΦΡΥΚΤΩΡΙΕΣ» για φιλολόγους που υπηρετούν σε μονάδες τυπικής ή άτυπης εκπαίδευσης εξωτερικού — μία για την Κωνσταντινούπολη και μία για τη Μ. Βρετανία.

Κατ᾽ ανάθεση του Υπουργού Παιδείας, από το 1998 το ΚΕΓ εκπόνησε το θεωρητικό πλαίσιο και εφεξής διεξάγει ανελλιπώς τις «Εξετάσεις Πιστοποίησης Επάρκειας της Ελληνομάθειας» για όλες τις κατηγορίες υποψηφίων, με 120 εξεταστικά κέντρα στην Ελλάδα και σε όλη την υφήλιο. Επίσης, διεξάγει Εξετάσεις Ελληνομάθειας για επαγγελματικούς σκοπούς, καθώς και για μετανάστες που επιδιώκουν να αποκτήσουν το καθεστώς του επί μακρόν διαμένοντος στη χώρα. Το ΚΕΓ εναρμονίστηκε πλήρως με τις επιταγές της Ευρωπαϊκής Ένωσης και έτσι επισήμως διεξάγονται από τον Μάιο του 2011 και για την ελληνική γλώσσα εξετάσεις σε έξι επίπεδα (Α1, Α2, Β1, Β2, Γ1, Γ2), σύμφωνα με το Κοινό Ευρωπαϊκό Πλαίσιο Αναφοράς για τις Γλώσσες. Πέραν των έξι επιπέδων στα οποία διενεργούνται εξετάσεις για την Πιστοποίηση Επάρκειας της Ελληνομάθειας και για να τονωθεί η ελληνομάθεια από μικρή ηλικία, το ΚΕΓ δημιούργησε ειδική εξέταση στο επίπεδο Α1 για παιδιά 8-12 ετών. Επιπροσθέτως, το ΚΕΓ εξέδωσε στα ελληνικά τον πολύτιμο θεωρητικό τόμο του Συμβουλίου της Ευρώπης με τίτλο: *Κοινό Ευρωπαϊκό Πλαίσιο Αναφοράς για τις Γλώσσες: Εκμάθηση, Διδασκαλία, Αξιολόγηση* (ΚΕΠΑ· Θεσσαλονίκη: ΚΕΓ, 2008· διάθεση από το ΚΕΓ). Έπειτα, με βάση τα νέα επίπεδα ελληνομάθειας, ο φορέας προχώρησε στη σύνταξη και δημοσίευση νέου Αναλυτικού Προγράμματος Διδασκαλίας, το οποίο, υπό τον τίτλο *Πιστοποίηση Επάρκειας της Ελληνομάθειας: Νέο Αναλυτικό Εξεταστικό Πρόγραμμα*, συνιστά το απολύτως απαραίτητο vade mecum των διδασκόντων (Θεσσαλονίκη: ΚΕΓ, 2013· διάθεση από το ΚΕΓ).

Τέλος, με τη σειρά «ΚΛΙΚ στα Ελληνικά», το ΚΕΓ ανοίγει ένα νέο κεφάλαιο στη συστηματοποίηση της διδασκαλίας και αξιολόγησης της ελληνομάθειας. Το πρώτο εγχειρίδιο, για τα επίπεδα Α1–Α2, κυκλοφόρησε τον Σεπτέμβρη του 2013, συνάντησε άμεση ενθαρρυντική υποδοχή από όλο τον κόσμο, εξαντλήθηκε — και ήδη ανατυπώνεται. Και τούτο όχι μόνο διότι, για πρώτη φορά, στο προαναφερθέν εγχειρίδιο η διδακτέα ύλη οργανώνεται με βάση τις τέσσερις εξεταζόμενες δεξιότητες, αλλά διότι οι δύο εξειδικευμένες συνεργάτιδες του ΚΕΓ, Β. Παναγιωτίδου και Μ. Καρακύργιου, ακολούθησαν τις αρχές της σύγχρονης γλωσσοδιδακτικής.

Επιπλέον, παρέχονται: ηλεκτρονικά και ηχητικά αρχεία με ακουστικό εξεταστικό υλικό (προσβάσιμο στη διεύθυνση https://greeklanguage.gr/klikstaellinikaB1) και με τραγούδια ειδικά σχεδιασμένα για την κάθε ενότητα του βιβλίου, όπως και πρόσβαση στην «Πύλη για την Ελληνική Γλώσσα» του ΚΕΓ, όπου προσφέρεται στον χρήστη δωρεάν συμπληρωματικό υλικό για κάθε ενότητα του βιβλίου — τακτικά ανανεούμενο. Οι τεχνικές και οι ουσιαστικές καινοτομίες που εισάγει η εγχειριδιακή αυτή, έντυπη, ηλεκτρονική και διαδικτυακή πρόταση του ΚΕΓ δικαιώνουν τον χαρακτηρισμό της ως πραγματικά καινοτόμου. Ακριβώς πάνω στα χνάρια του περσινού εγχειριδίου συντέθηκε από τις ίδιες συγγραφείς και ο ανά χείρας δεύτερος τόμος *ΚΛΙΚ στα Ελληνικά, Επίπεδο Β1*, που αναμένουμε να τύχει της ίδιας υποδοχής από το διεθνές κοινό.

Θερμές οι ευχαριστίες μου προς τους συντελεστές και αυτής της έκδοσης: καταρχήν προς τις δύο συγγραφείς του τόμου, τη σύμβουλο κ. Γλ. Φίστα, τους επιμορφούμενους φιλολόγους και δασκάλους του προγράμματος «ΔΙΑΔΡΟΜΕΣ», και έπειτα αφενός προς το επιστημονικό, οικονομικό και διοικητικό επιτελείο του ΚΕΓ, και, αφετέρου, προς τους συνεργάτες που εργάστηκαν άψογα για την καλλιτεχνική και τυπογραφική επιμέλεια του δεύτερου αυτού εγχειριδίου της σειράς.

Καθηγητής Ι. Ν. Καζάζης,
Πρόεδρος του Δ.Σ. του Κέντρου Ελληνικής Γλώσσας

Σημείωμα για τον δάσκαλο

Αγαπητοί συνάδελφοι,

Με χαρά σας καλωσορίζουμε στις σελίδες του διδακτικού εγχειριδίου *ΚΛΙΚ στα ελληνικά* για το επίπεδο Β1. Και αυτό, όπως και τα προηγούμενα βιβλία, έχει γραφτεί με πολύ κέφι και μεράκι και η κύρια φιλοδοξία του είναι να αποτελέσει μια ευχάριστη συντροφιά για μαθητές και διδάσκοντες, κατά τη διάρκεια της προσπάθειάς τους να μάθουν και να διδάξουν την ελληνική γλώσσα αντίστοιχα. Το βιβλίο που κρατάτε στα χέρια σας είναι ένα σύγχρονο, καινοτόμο και δυναμικό διδακτικό εγχειρίδιο: απευθύνεται σε εφήβους και ενηλίκους οι οποίοι είτε *α)* ενδιαφέρονται να συμμετάσχουν στις Εξετάσεις Πιστοποίησης Επάρκειας της Ελληνομάθειας επιπέδου Β1 του Κέντρου Ελληνικής Γλώσσας (ΚΕΓ) είτε *β)* έχουν στόχο την ανάπτυξη της επικοινωνιακής τους ικανότητας στην ελληνική γλώσσα. Μετά το τέλος των ενοτήτων, οι μαθητές θα ανταποκρίνονται σχετικά ανεξάρτητα και χωρίς να χρειάζονται ιδιαίτερη βοήθεια σε ποικίλες καθημερινές περιστάσεις επικοινωνίας. Το περιεχόμενο του βιβλίου ακολουθεί πιστά την περιγραφή του επιπέδου Β1, όπως αυτή πραγματοποιείται στον τόμο *Πιστοποίηση Επάρκειας της Ελληνομάθειας: Νέο Αναλυτικό εξεταστικό πρόγραμμα* και στο *Κοινό Ευρωπαϊκό Πλαίσιο Αναφοράς για τις Γλώσσες* του Συμβουλίου της Ευρώπης (ΚΕΠΑ).

Επίπεδο Β1

Το επίπεδο Β1 είναι το επίπεδο στο οποίο οι μαθητές αναπτύσσουν περισσότερες γλωσσικές δεξιότητες και αποκτούν περισσότερα γλωσσικά μέσα από τα επίπεδα Α1 και Α2, για να ανταποκρίνονται επιτυχώς σε ζητήματα που έχουν σχέση με την καθημερινή ζωή και την επικαιρότητα. Στο συγκεκριμένο επίπεδο ο χρήστης της γλώσσας αποκτά *σχετική ανεξαρτησία* στην επικοινωνία του. Για τον λόγο αυτό, το επίπεδο Β1 αποτελεί έναν σημαντικό σταθμό, ένα σκαλοπάτι στο οποίο πρέπει να πατήσει σταθερά ο μαθητής, για να προχωρήσει με επιτυχία στην πορεία για την εκμάθηση της γλώσσας. Οι γλωσσικές ικανότητες των μαθητών αναπτύσσονται σε όλες τις επικοινωνιακές δεξιότητες. Καταρχήν αυξάνεται η έκταση και το εύρος των κειμενικών ειδών με τα οποία είναι εξοικειωμένοι οι μαθητές. Στο ρεπερτόριο των δεξιοτήτων τους εντάσσεται η ικανότητά τους να κατανοούν τα κύρια σημεία τηλεοπτικών ή ραδιοφωνικών προγραμμάτων, απλά άρθρα σε εφημερίδες, περιοδικά και σύντομες αναφορές. Επίσης, οι ομιλητές του επιπέδου αυτού αναπτύσσουν την ικανότητα να εκφράζουν τα συναισθήματά τους, να περιγράφουν με απλό τρόπο τις καθημερινές τους εμπειρίες, να αιτιολογούν τις απόψεις ή τις αποφάσεις τους και να αφηγούνται μια ιστορία (προσωπική, βιβλίου, ταινίας). Τέλος, οι χρήστες της γλώσσας σε αυτό το επίπεδο θα πρέπει να είναι σε θέση να γράφουν απλά προσωπικά ή τυπικά μηνύματα, επιστολές παραπόνων, απλές αναφορές ή περιγραφές, προσωπικές εντυπώσεις και απόψεις.

Προκειμένου να ανταποκριθεί ο μαθητής στις απαιτήσεις του συγκεκριμένου επιπέδου, είναι απαραίτητο να αποκτήσει αρκετά γλωσσικά μέσα επικοινωνίας. Ως προς το λεξιλόγιο, στο συγκεκριμένο επίπεδο οι γνώσεις δεν περιορίζονται στην κυριολεκτική σημασία των λέξεων. Οι μαθητές έρχονται πια σε επαφή με τις διαφορετικές σημασίες που μπορεί να έχει μια λέξη, με τις συγγενικές σημασίες που έχουν κάποιες άλλες, με τις παγιωμένες φράσεις και εκφράσεις που χρησιμοποιούνται συχνά στον λόγο, με τις διαφορετικές λεξιλογικές επιλογές που κάνει ο χρήστης της γλώσσας ανάλογα με την περίσταση επικοινωνίας στην οποία συμμετέχει. Ως προς τη γραμματική, οι δομές της γλώσσας με τις οποίες εξοικειώνεται ο χρήστης του επιπέδου Β1 γίνονται συνθετότερες, Τέλος, σε επίπεδο προφοράς οι ομιλητές του επιπέδου Β1, εκτός από την περαιτέρω εξοικείωση με την παραγωγή όλων των φθόγγων, μπορούν να κατανοήσουν τη διαφορετική σημασία μιας πρότασης ανάλογα με τον τρόπο εκφοράς της.

Επομένως, οι απαιτήσεις του επιπέδου Β1 είναι αυξημένες σε σχέση με τα προηγούμενα επίπεδα και οι δραστηριότητες του βιβλίου προσαρμόζονται σε αυτές. Στο παρόν διδακτικό εγχειρίδιο εισάγονται νέες ασκήσεις που υπηρετούν τους αντίστοιχους στόχους. Οι ασκήσεις του βιβλίου παρουσιάζονται αναλυτικότερα στη συνέχεια.

Κοινό στόχος

Το υλικό που περιλαμβάνεται στο παρόν εγχειρίδιο απευθύνεται σε εφήβους και ενηλίκους που μαθαίνουν την ελληνική γλώσσα εντός ή εκτός της Ελλάδας. Η έντονη ανομοιογένεια του κοινού ως προς τα ιδιαίτερα χαρακτηριστικά του (ηλικία, πολιτισμικό υπόβαθρο, στόχοι και προσδοκίες από το μάθημα) κατέστησε ιδιαίτερα δύσκολη τη συλλογή και συγγραφή του υλικού του παρόντος τόμου. Ωστόσο, πιστεύουμε ότι τελικά καταφέραμε να καλύψουμε τις ανάγκες της ομάδας-στόχου με την ποικιλία των ασκήσεων και των δραστηριοτήτων που συμπεριλαμβάνονται σε αυτό. Δεν είναι, βέβαια, απαραίτητο ο δάσκαλος να κάνει όλες τις ασκήσεις που υπάρχουν σε κάθε ενότητα. Μπορεί να μελετήσει τη λογική και τα είδη των δραστηριοτήτων και να εφαρμόσει κάποιες από αυτές στην τάξη του, να επιλέξει δηλαδή αυτές που είναι καταλληλότερες για τους μαθητές του.

Πηγές

Το υλικό που υπάρχει στο συγκεκριμένο βιβλίο είναι αποτέλεσμα:

Α. Της μακροχρόνιας ενασχόλησης του ΚΕΓ με i) τη διδασκαλία της ελληνικής ως ξένης γλώσσας,

ii) την κατάρτιση των δασκάλων που διδάσκουν την ελληνική και iii) την καταγραφή των αναγκών τους·

Β. της εμπειρίας του ΚΕΓ στις Εξετάσεις Πιστοποίησης Επάρκειας της Ελληνομάθειας από την οποία προκύπτει η άριστη γνώση των επιπέδων ελληνομάθειας και των δυσκολιών ή των αδυναμιών των υποψηφίων.

Η επιλογή των θεμάτων και των επικοινωνιακών περιστάσεων που συμπεριλαμβάνονται στο βιβλίο είναι σύμφωνη με τον τόμο *Πιστοποίηση Επάρκειας της Ελληνομάθειας: Νέο αναλυτικό εξεταστικό πρόγραμμα*. Επιπλέον, για την παρουσίαση της ύλης της γραμματικής συμβουλευτήκαμε αρκετά βιβλία αναφοράς, όπως είναι η *Γραμματική της Ελληνικής Γλώσσας* των David Holton, Peter Mackridge και Ειρήνης Φιλιππάκη-Warburton, η *Νεοελληνική Γραμματική* του Τριανταφυλλίδη, η *Γραμματική Νέας Ελληνικής Γλώσσας Α΄, Β΄, Γ΄ Γυμνασίου* των Σωφρόνη Χατζησαββίδη και Αθανασίας Χατζησαββίδη κ.ά., ενώ για την παρουσίαση του λεξιλογίου αξιοποιήσαμε τα ηλεκτρονικά μαθησιακά εργαλεία του ΚΕΓ:

α) το *Λεξικό της Κοινής Νεοελληνικής (Τριανταφυλλίδη)*, διαθέσιμο στην ιστοσελίδα

http://www.greek-language.gr/greekLang/modern_greek/tools/lexica/triantafyllides/index.html και

β) τα σώματα κειμένων που βρίσκονται στην ηλεκτρονική σελίδα

http://www.greek-language.gr/greekLang/modern_greek/tools/corpora/index.html

Τέλος, για τον σχεδιασμό των ασκήσεων και των δραστηριοτήτων του βιβλίου λήφθηκαν υπόψη θεωρητικά και πρακτικά βιβλία που αναφέρονται στη διδασκαλία των ξένων γλωσσών.

Στόχοι

Στόχοι του βιβλίου είναι:

- η προετοιμασία των μαθητών για τις Εξετάσεις Πιστοποίησης Επάρκειας της Ελληνομάθειας·
- η ανάπτυξη της επικοινωνιακής τους ικανότητας·
- η ανάπτυξη κινήτρων στους μαθητές για την εκμάθηση της ελληνικής γλώσσας·
- η ανάπτυξη εύστοχων στρατηγικών μάθησης·
- η καλλιέργεια της αυτονομίας και της αυτενέργειας του μαθητή·
- η ένταξη των νέων τεχνολογιών στην τάξη της ελληνικής ως ξένης γλώσσας·
- η τροφοδότηση του δασκάλου με προτάσεις για ένα ευχάριστο και αποτελεσματικό μάθημα που καλλιεργεί την αυτοπεποίθηση και την αυτενέργεια των μαθητών του.

Προκειμένου να επιτευχθούν οι παραπάνω στόχοι:

α. υιοθετούνται όσα αναφέρονται στον τόμο *Πιστοποίηση Επάρκειας της Ελληνομάθειας: Νέο αναλυτικό εξεταστικό πρόγραμμα* του ΚΕΓ ως προς το λεξιλόγιο και τη γραμματική, τις τέσσερις επικοινωνιακές δεξιότητες που αναπτύσσονται και τις θεματικές ενότητες που επιλέγονται·

β. δίνονται συμβουλές για την επιτυχή συμμετοχή των υποψηφίων στις εξετάσεις·

γ. επιλέγεται η επαγωγική μέθοδος διδασκαλίας, δηλαδή επιδιώκεται η καλλιέργεια της παρατήρησης και προωθείται η ανακάλυψη της γνώσης από τους ίδιους τους μαθητές·

δ. υπάρχει πληθώρα ασκήσεων ελεγχόμενων, καθοδηγούμενων και επικοινωνιακών, από τις οποίες ο δάσκαλος μπορεί να επιλέξει όσες και όποιες είναι σύμφωνες με το προφίλ και τα χαρακτηριστικά των μαθητών του·

ε. ενθαρρύνεται η συνεργασία των μαθητών μέσα στην τάξη·

στ. ενθαρρύνεται η αξιοποίηση των ηλεκτρονικών μαθησιακών εργαλείων του ΚΕΓ·

ζ. παρέχεται η δυνατότητα χαλάρωσης και διασκέδασης με παιχνίδια και τραγούδια·

η. ενθαρρύνεται η αυτοαξιολόγηση.

Διδακτική Μεθοδολογία

Το παρόν εγχειρίδιο δεν υιοθετεί μία μόνο διδακτική προσέγγιση. Το υλικό που υπάρχει σε αυτό προέρχεται από τον συνδυασμό ποικίλων μεθόδων, έτσι ώστε το βιβλίο να ανταποκρίνεται στις ανάγκες και τις ιδιαιτερότητες όλων των μαθητών που θα το χρησιμοποιήσουν. Τα στοιχεία που κυριαρχούν στο βιβλίο είναι επικοινωνιακά, όπως η έμφαση στις τέσσερις επικοινωνιακές δεξιότητες, το πλήθος επικοινωνιακών ασκήσεων, η διδασκαλία της γραμματικής και του λεξιλογίου με αφορμή τα κείμενα. Ωστόσο, υπάρχουν ασκήσεις παραδοσιακού τύπου, οι οποίες δίνουν μεγαλύτερη βαρύτητα στην ακρίβεια της χρήσης της γλώσσας παρά στην επικοινωνία. Πιστεύουμε ότι η επιλογή δραστηριοτήτων από ποικίλες και διαφορετικές προσεγγίσεις διδασκαλίας κάνει το παρόν υλικό ιδιαίτερα ενδιαφέρον και κατάλληλο για διαφορετικούς τύπους μαθητών, παρέχοντας το ανάλογο περιθώριο ευελιξίας στον δάσκαλο να επιλέξει και να εφαρμόσει τις κατάλληλες ασκήσεις για την τάξη του.

Δομή - Ενότητες

Το βιβλίο αποτελείται από 12 ενότητες: *α)* 9 ενότητες που προετοιμάζουν τον μαθητή για το επίπεδο Β1·
β) 3 επαναληπτικές ενότητες, στις οποίες γίνεται επανάληψη του λεξιλογίου και της γραμματικής. Στο πλαίσιο των επαναληπτικών ενοτήτων, οι μαθητές έχουν την ευκαιρία να παίξουν ένα επιτραπέζιο παιχνίδι, κατά το οποίο παράγουν προφορικό λόγο σχετικά με τις θεματικές των ενοτήτων που προηγήθηκαν.

Όλες οι ενότητες έχουν την ίδια δομή. Εξετάζεται μια θεματική περιοχή και στις τέσσερις επικοινωνιακές δεξιότητες, ενώ διδάσκεται το λεξιλόγιο, η γραμματική και η προφορά με αφορμή τα κείμενα του βιβλίου. Πιο συγκεκριμένα, η δομή κάθε ενότητας είναι η εξής:

Α. Κατανόηση γραπτού λόγου

Λεξιλόγιο

Γραμματική

Β. Κατανόηση προφορικού λόγου

Λεξιλόγιο

Πολιτισμικά στοιχεία

Προφορά

Γραμματική

Γ. Παραγωγή προφορικού λόγου

Δ. Παραγωγή γραπτού λόγου

Ε. Τραγούδι

ΣΤ. Αυτοαξιολόγηση

Στο τέλος του βιβλίου παρατίθεται ένα αυθεντικό τεστ ελληνομάθειας, έτσι ώστε οι μαθητές να έχουν την ευκαιρία να εξακριβώσουν κατά πόσο μπορούν να συμμετάσχουν στις εξετάσεις του επιπέδου Β1.

Κατανόηση Γραπτού και Προφορικού Λόγου

Οι δεκτικές δεξιότητες είναι ιδιαίτερα κυρίαρχες στην καθημερινή ζωή και γι' αυτό στο συγκεκριμένο βιβλίο δίνεται ιδιαίτερη έμφαση στην ανάπτυξη και στην καλλιέργειά τους. Σε κάθε ενότητα υπάρχει ένα κεντρικό κείμενο για την ανάπτυξη της κατανόησης του γραπτού λόγου και ένα για την ανάπτυξη της κατανόησης του προφορικού λόγου. Τα κείμενα που αξιοποιούνται στις δεκτικές δεξιότητες αντλούν τη θεματολογία τους από τις θεματικές περιοχές που περιγράφονται στον τόμο *Πιστοποίηση Επάρκειας της Ελληνομάθειας: Νέο αναλυτικό εξεταστικό πρόγραμμα.* Οι προδιαγραφές που αναφέρονται στο αναλυτικό αυτό εξεταστικό πρόγραμμα ακολουθούνται πιστά και ως προς τα κειμενικά είδη με τα οποία οφείλει να είναι εξοικειωμένος ο υποψήφιος στο επίπεδο Β1. Ωστόσο, αρκετά συχνά τα κείμενα του βιβλίου είναι εκτενέστερα από αυτά των εξετάσεων. Η επιλογή αυτή έγινε, για να δοθούν στους μαθητές ικανοποιητικά περιθώρια εξοικείωσής τους με το λεξιλόγιο που πρέπει να γνωρίζουν. Όλα τα κείμενα του βιβλίου είναι κείμενα των οποίων η δυσκολία αντιστοιχεί στα επίπεδα Β1 και Β1+, σύμφωνα με τα αποτελέσματα που προέκυψαν από τη στάθμισή τους στο ειδικά σχεδιασμένο λογισμικό αναγνωσιμότητας κειμένων του ΚΕΓ που βρίσκεται στην ιστοσελίδα με το υλικό για την πιστοποίηση της ελληνομάθειας.

Πέρα από τα κύρια κείμενα των δεκτικών δεξιοτήτων, στο εγχειρίδιο που κρατάτε υπάρχουν πολλά ακόμη κείμενα σε κάθε ενότητα, τα οποία μπορούν να αξιοποιηθούν για την καλλιέργεια των δεκτικών δεξιοτήτων. Σε κάποια από αυτά οι ασκήσεις ακολουθούν την τυπολογία των Εξετάσεων Πιστοποίησης Επάρκειας της Ελληνομάθειας. Ωστόσο, σε πολλά κείμενα οι ερωτήσεις είναι ανοιχτού τύπου, ενώ δεν είναι λίγα και εκείνα στα οποία ο δάσκαλος έχει τη δυνατότητα να επιλέξει ο ίδιος τον τρόπο με τον οποίο θα ελέγξει την κατανόησή τους από τους μαθητές του. Πρόκειται για τα κείμενα που υπάρχουν στις ασκήσεις του λεξιλογίου και της γραμματικής και τα οποία προσφέρονται για περαιτέρω εξάσκηση των μαθητών στις δεκτικές δεξιότητες. Στη συνέχεια αναφέρονται αναλυτικά τα στάδια που ακολουθούνται στο συγκεκριμένο βιβλίο για τη διδασκαλία της κατανόησης προφορικών και γραπτών κειμένων.

- **Δραστηριότητες πριν από την ανάγνωση ή την ακρόαση του κειμένου**

A. **Ερωτήσεις γενικού ενδιαφέροντος:** στοχεύουν στην εξοικείωση των μαθητών με το θέμα της ενότητας, την κινητοποίηση του ενδιαφέροντος, τη διδασκαλία του καινούριου λεξιλογίου και την ενεργοποίηση του παθητικού.

B. **Άσκηση ανάπτυξης της τεχνικής της γρήγορης ανάγνωσης:** βοηθάει στην κατανόηση της κεντρικής ιδέας του κειμένου και των πολύ γενικών πληροφοριών που υπάρχουν σε αυτό.

Οι διδάσκοντες δεν πρέπει να προσπεράσουν βιαστικά το συγκεκριμένο στάδιο. Αντίθετα, θα πρέπει να ενθαρρύνουν τους μαθητές τους να απαντήσουν στις ερωτήσεις του σταδίου αυτού, για να τους εντάξουν ομαλά στο θέμα της ενότητας. Μπορούν να γράψουν στον πίνακα τις λέξεις τις οποίες θα χρειαστούν και να προετοιμάσουν επιτυχώς την τάξη τους για την ανάγνωση, την ακρόαση και την κατανόηση του κειμένου. Το συγκεκριμένο στάδιο είναι ιδιαίτερα απαραίτητο, γιατί αποτελεί μια ουσιαστική προθέρμανση κατά την οποία οι μαθητές ενεργοποιούν λεξιλόγιο και προϋπάρχουσες σχετικές γνώσεις και προετοιμάζονται κατάλληλα, για να ανταποκριθούν στις απαιτήσεις των ακουστικών ή των γραπτών κειμένων που ακολουθούν.

- **Δραστηριότητες λεπτομερούς κατανόησης του κειμένου**

Οι περισσότεροι τύποι των ασκήσεων που υπάρχουν στο συγκεκριμένο μέρος του βιβλίου είναι ίδιοι με αυτούς στους οποίους εξετάζονται οι υποψήφιοι στις Εξετάσεις Πιστοποίησης Επάρκειας της Ελληνομάθειας του επιπέδου Β1. Έτσι, οι μαθητές έχουν την ευκαιρία να εξοικειωθούν με την τυπολογία των εξεταστικών θεμάτων. Πριν από κάθε άσκηση αυτού του επιπέδου υπάρχουν συμβουλές οι οποίες στοχεύουν να διευκολύνουν τους μαθητές να ανταποκριθούν επικοινωνιακά, να κατανοήσουν, δηλαδή, το περιεχόμενο των κειμένων. Έτσι οι μαθητές αναπτύσσουν χρήσιμες στρατηγικές για την αποτελεσματική ανάγνωση και ακρόαση του κειμένου.

Ο δάσκαλος πρέπει να δώσει έμφαση στις ασκήσεις κατανόησης γραπτού ή προφορικού λόγου, ιδιαίτερα μάλιστα αν οι μαθητές του πρόκειται να πάρουν μέρος στις εξετάσεις. Είναι πολύ σημαντικό ο δάσκαλος να προετοιμάσει κατάλληλα τους μαθητές για τη συγκεκριμένη τυπολογία ασκήσεων, αλλά και να τους διδάξει τον αποτελεσματικό έλεγχο του γραπτού τους. Προτείνεται να τους εξηγήσει ότι κατά τον έλεγχο του γραπτού δεν αρκεί μια παθητική ανάγνωση των απαντήσεων. Είναι απαραίτητο οι μαθητές να ακούσουν ή να διαβάσουν ξανά το κείμενο, δίνοντας πολύ μεγάλη προσοχή στα ερωτήματα της άσκησης, καθώς και να ξανασκεφτούν αν οι απαντήσεις τους είναι σωστές. Επίσης, οι διδάσκοντες μπορούν να ζητήσουν από τους μαθητές τους να ελέγξουν αν απάντησαν σε όλα τα ερωτήματα της άσκησης.

- **_Δραστηριότητες μετά την κατανόηση του κειμένου_**

Οι συγκεκριμένες δραστηριότητες έχουν στόχο την καλλιέργεια των παραγωγικών δεξιοτήτων. Με τις ασκήσεις που υπάρχουν στο μέρος αυτό, οι μαθητές έχουν την ευκαιρία να αναπαραγάγουν το περιεχόμενο του κειμένου που άκουσαν ή διάβασαν και να παραγάγουν προφορικό και γραπτό λόγο, έχοντας ως αναφορά ένα γνωστό, οικείο και επεξεργασμένο κείμενο. Οι συγκεκριμένες δραστηριότητες παρέχουν την ευκαιρία στον διδάσκοντα να διδάξει, αν το κρίνει σκόπιμο, επιπλέον λεξιλόγιο στους μαθητές. Οι διδάσκοντες θα πρέπει να αξιοποιήσουν τη γνώση που έχουν ήδη από τα κείμενα οι μαθητές, για να καλλιεργήσουν τις παραγωγικές δεξιότητες και να τονώσουν την αυτοπεποίθηση των μαθητών τους.

Λεξιλόγιο

Στο συγκεκριμένο βιβλίο δόθηκε ιδιαίτερη έμφαση στο λεξιλόγιο. Πέρα από την κυριολεκτική σημασία των λέξεων, επιχειρείται μια πρώτη επαφή των μαθητών με τις πολύσημες λέξεις, τις μεταφορικές σημασίες κάποιων λέξεων, τις εκφράσεις που χρησιμοποιούνται στον λόγο, τις λέξεις με τις συγγενικές σημασίες και τις λέξεις με διαφορετικές υφολογικές διακυμάνσεις. Στο πλαίσιο της ανάπτυξης της αυτονομίας του μαθητή, πολλές από τις ασκήσεις που συμπεριλαμβάνονται σε αυτό ενθαρρύνουν τους μαθητές να χρησιμοποιήσουν το _Ηλεκτρονικό Λεξικό Τριανταφυλλίδη_. Οι ασκήσεις του λεξιλογίου είναι πολλές και ποικίλων τύπων, ελεγχόμενες, καθοδηγούμενες, επικοινωνιακές, κλειστού ή ανοιχτού τύπου, με τη μορφή παιχνιδιού ή όχι. Δεν είναι, βέβαια, απαραίτητο να γίνουν όλες οι ασκήσεις από όλους τους μαθητές. Ο δάσκαλος, αφού τις μελετήσει, μπορεί να επιλέξει αυτές που ο ίδιος θα κρίνει καταλληλότερες για τον κάθε μαθητή. Παρακάτω περιγράφονται οι συχνότεροι τύποι ασκήσεων που αξιοποιούνται για την κατανόηση, την εμπέδωση και τη χρήση του λεξιλογίου.

- _Αντιστοίχιση συνώνυμων ή ορισμών:_ Οι μαθητές αντιστοιχίζουν κάποιες από τις λέξεις των κειμένων των δεκτικών δεξιοτήτων με τις συνώνυμές τους ή με τον ορισμό τους. Για να ανταποκριθούν στη συγκεκριμένη δραστηριότητα, οι μαθητές θα πρέπει να κάνουν επιτυχή αξιοποίηση των συμφραζομένων.

- _Αντιστοίχιση αντίθετων:_ Με την άσκηση αυτή επιχειρείται η επέκταση του λεξιλογίου, αξιοποιώντας τις σχέσεις αντωνυμίας. Συχνά οι μαθητές καλούνται να κάνουν προτάσεις με τις λέξεις, για να εμπεδώσουν τη σημασία τους μέσα από τη χρήση τους στον λόγο. Πρόκειται για έναν συνδυασμό ελεγχόμενης και καθοδηγούμενης δραστηριότητας που οδηγεί στην απομνημόνευση των λέξεων.

- _Αντιστοίχιση φράσεων:_ Συχνά στον λόγο χρησιμοποιούνται παγιωμένες στερεότυπες εκφράσεις, οι οποίες μπορεί κάποιες φορές να έχουν μια διαφορετική σημασία από αυτή που έχουν οι λέξεις που την αποτελούν μία-μία ξεχωριστά. Τέτοιες εκφράσεις καλούνται να αντιστοιχίσουν οι μαθητές με τη βοήθεια των κειμένων που προτείνονται για την καλλιέργεια των δεκτικών δεξιοτήτων.

- _Κρυπτόλεξο:_ Πρόκειται για μια δραστηριότητα ευχάριστη, με τη μορφή παιχνιδιού, κατά την οποία οι μαθητές καλούνται να συμπληρώσουν απλούς ορισμούς με λέξεις που ανακαλύπτουν μέσα από ένα κρυπτόλεξο. Μέσα από τη διαδικασία ανακάλυψης της λέξης, οι μαθητές απομνημονεύουν αποτελεσματικά τόσο τη μορφή όσο και τη σημασία της.

- _Σωστό λάθος:_ Είναι μια ελεγχόμενη δραστηριότητα που εξετάζει την κατανόηση της σημασίας των λέξεων. Οι μαθητές καλούνται να διαβάσουν κάποιες προτάσεις και να τις χαρακτηρίσουν ως σωστές ή λάθος, ανάλογα με το αν διακρίνουν σε αυτές κάποια νοηματική παραβίαση.

- *Οικογένειες λέξεων:* Στο επίπεδο αυτό, οι μαθητές έρχονται για πρώτη φορά σε επαφή με τις οικογένειες λέξεων. Στο πλαίσιο της συγκεκριμένης άσκησης, οι μαθητές θα πρέπει να συμπληρώσουν έναν πίνακα με τις λέξεις που τους δίνονται, για να δημιουργήσουν οικογένειες λέξεων. Με τον τρόπο αυτό εμπλουτίζουν το λεξιλόγιό τους και αυξάνουν τις λεξιλογικές τους επιλογές, εξασφαλίζοντας, βέβαια, ικανοποιητική άνεση και ανεξαρτησία, τόσο στην κατανόηση όσο και στην παραγωγή του λόγου.

- *Συμπλήρωση κενών:* Κλασική ελεγχόμενη δραστηριότητα που αξιολογεί την κατανόηση της σημασίας των λέξεων και της χρήσης τους σε επίπεδο κειμένων. Για να ανταποκριθούν οι μαθητές στην άσκηση αυτή, θα πρέπει να είναι σε θέση να αξιοποιήσουν ικανοποιητικά τα συμφραζόμενα. Σημειώνουμε ότι τα κείμενα που χρησιμοποιούνται για την εμπέδωση του λεξιλογίου μπορούν να αποτελέσουν υλικό στο οποίο ο δάσκαλος θα στηριχτεί, για να ελέγξει την κατανόηση του λόγου με ανοιχτές ερωτήσεις, αναπτύσσοντας –παράλληλα με το λεξιλόγιο– τις επικοινωνιακές δεξιότητες των μαθητών του.

- *Πολύσημες λέξεις:* Η πολυσημία συχνά δημιουργεί προβλήματα στην επικοινωνία. Τα προβλήματα αυτά γίνονται αντιληπτά από το επίπεδο Β1. Γι' αυτόν τον λόγο, οι μαθητές συχνά καλούνται να διαβάσουν τις διαφορετικές σημασίες κάποιας λέξης με αρκετά υψηλή συχνότητα χρήσης στον λόγο και να αποφασίσουν με ποια από αυτές χρησιμοποιείται μέσα στο κείμενο. Και σε αυτή την άσκηση είναι απαραίτητη η αξιοποίηση των συμφραζομένων, αφού, για να απαντήσουν, οι μαθητές θα πρέπει να κατανοήσουν το περικείμενο.

- *Σταυρόλεξα:* Πρόκειται για μια δραστηριότητα με επικοινωνιακό πλαίσιο. Οι μαθητές γίνονται ζευγάρια και καθένας επιλέγει το ένα από τα δύο σταυρόλεξα. Κρύβει το σταυρόλεξο του συμμαθητή/της συμμαθήτριάς του και του/της κάνει ερωτήσεις, για να μπορέσει να συμπληρώσει τα κενά που έχει το σταυρόλεξό του. Στην άσκηση αυτή οι μαθητές πρέπει *α)* να βρουν έναν τρόπο να εξηγήσουν τις λέξεις που χρειάζεται ο συμμαθητής τους και *β)* να κατανοήσουν τις λέξεις που περιγράφει/εξηγεί ο συμμαθητής τους. Πρόκειται για μια ευχάριστη αλλά και απαιτητική δραστηριότητα, η οποία βοηθάει τους μαθητές να αναπτύξουν τον λόγο τους.

- *Λέξεις, φράσεις και εκφράσεις:* Μια αντιπροσωπευτική λέξη σχετική με τη θεματική της ενότητας παρουσιάζεται μέσα από έναν πίνακα με προτάσεις. Οι μαθητές πρέπει να αντιστοιχίσουν τις διαφορετικές σημασίες της περιγραφόμενης λέξης με τα παραδείγματα που περιγράφουν την καθεμιά από αυτές. Μέσα από αυτή τη διαδικασία οι μαθητές έρχονται σε επαφή με τις διαφορετικές σημασίες, αλλά και με τις διαφορές στα επίπεδα ύφους που μπορεί να υπάρχουν στον λόγο. Συνέχεια της συγκεκριμένης δραστηριότητας είναι η δημιουργία αντίστοιχου πίνακα από τους μαθητές με τη βοήθεια του *Λεξικού της Κοινής Νεοελληνικής (Τριανταφυλλίδη)* και των σωμάτων κειμένων του ΚΕΓ. Οι δύο αυτές δραστηριότητες είναι αρκετά απαιτητικές, βοηθούν, ωστόσο, πολύ στην ανάπτυξη της αυτονομίας των μαθητών, γιατί τους εξοικειώνουν με τη χρήση των λεξικών, αλλά και στην εισαγωγή των ΤΠΕ στη διδασκαλία της ξένης γλώσσας.

- *BINGO:* Η δραστηριότητα αυτή αποτελεί ένα ευχάριστο παιχνίδι, στο πλαίσιο του οποίου οι μαθητές αξιοποιούν το λεξιλόγιο που διδάχτηκαν, για να περιγράψουν εικόνες και αναπτύσσουν –παράλληλα– τον προφορικό τους λόγο.

- *ΠΟΣΟ ΚΛΙΚ ΚΑΝΕΙΣ;* Στο τέλος της κατανόησης του γραπτού λόγου, οι μαθητές –αν το επιθυμούν– κάνουν ένα τεστ, για να ανακαλύψουν πτυχές του χαρακτήρα τους σχετικά με κάποιο ζήτημα που έχει σχέση με τη θεματική της ενότητας. Πρόκειται για μια δραστηριότητα που πιστεύουμε ότι ανταποκρίνεται στα χαρακτηριστικά της εφηβικής ηλικίας, θα κερδίσει τους εφήβους μαθητές και θα τους κεντρίσει το ενδιαφέρον με αποτέλεσμα να αναπτύξουν τόσο τη δεξιότητα κατανόησης όσο και τη δεξιότητα παραγωγής γραπτού λόγου.

- *Στην Ελλάδα:* Μετά το τέλος της κατανόησης προφορικού λόγου υπάρχει πάντα μια στήλη πολιτισμού. Μέσα από τη στήλη αυτή, μαθητές και δάσκαλοι έρχονται σε επαφή με την Ελλάδα, τους ανθρώπους και τα τοπία της και γνωρίζουν πολιτισμικά στοιχεία της χώρας στην οποία χρησιμοποιείται η γλώσσα που μαθαίνουν ή διδάσκουν.

- *Ακροστιχίδα:* Η συγκεκριμένη δραστηριότητα συνοδεύει πάντα την παραγωγή γραπτού λόγου και στοχεύει στην ανάκληση του λεξιλογίου της ενότητας και στην ταξινόμηση των λέξεων με βάση την ορθογραφία τους. Πιστεύουμε ότι η δραστηριότητα αυτή θα βοηθήσει τους μαθητές να απομνημονεύσουν καλύτερα το διδασκόμενο λεξιλόγιο. Τις λέξεις που θα σημειώσουν στην ακροστιχίδα θα τις χρησιμοποιήσουν στο κείμενο που πρέπει να γράψουν στη συνέχεια.

Προφορά

Εκτός από το λεξιλόγιο και τη γραμματική, σημαντικό ρόλο στη διδασκαλία της ξένης γλώσσας παίζει η προφορά. Στο πλαίσιο αυτό, διδάσκονται οι φωνητικές ιδιαιτερότητες μιας γλώσσας όσον αφορά τους ήχους, τον τόνο κτλ. Ο μαθητής εξοικειώνεται κυρίως με τα τεμαχιακά στοιχεία της γλώσσας, αλλά παράλληλα έρχεται σε επαφή με κάποια υπερτεμαχιακά στοιχεία.

Η παρουσίαση της ύλης γίνεται με την ακρόαση ενός κειμένου στο οποίο δίνεται έμφαση στην εκφορά κάποιου φθόγγου ή στη διαφορά του από κάποιον άλλο. Στη συνέχεια, παρατίθενται ελεγχόμενες και μηχανιστικές ασκήσεις με στόχο την εξοικείωση των μαθητών με το νέο φαινόμενο. Συχνά οι μαθητές καλούνται να διαβάσουν δυνατά φράσεις στις οποίες γίνεται επανάληψη του φθόγγου ή των φθόγγων που διδάσκονται σε κάθε ενότητα. Οι φράσεις αυτές έχουν ευχάριστο περιεχόμενο και στοχεύουν τόσο στην εξάσκηση της παραγωγής των φθόγγων όσο και στη χαλάρωση των μαθητών στην τάξη.

Η διδασκαλία της προφοράς ολοκληρώνεται με μια καθοδηγούμενη δραστηριότητα, στο πλαίσιο της οποίας οι μαθητές καλούνται να γράψουν και να πουν μια ιστορία στην τάξη τους χρησιμοποιώντας λέξεις-κλειδιά, ώστε να εκφέρουν τον συγκεκριμένο φθόγγο.

Σε περίπτωση που σε μια τάξη οι μαθητές είναι ομιλητές της ίδιας γλώσσας, ο δάσκαλος μπορεί να δώσει έμφαση στους ήχους της ελληνικής που δεν υπάρχουν στη γλώσσα των μαθητών του και, κυρίως, στις διαφορές που επηρεάζουν την αποτελεσματικότητα στην επικοινωνία.

Γραμματική

Η διδασκαλία της γραμματικής έχει προκαλέσει πολλές συζητήσεις και αντιπαραθέσεις, καθώς συχνά αμφισβητήθηκε η χρησιμότητά της για τη διδασκαλία της ξένης γλώσσας. Ωστόσο, τα τελευταία χρόνια έχει αναγνωριστεί η επικοινωνιακή διάσταση της γραμματικής, καθώς και αυτή είναι φορέας σημασίας και συνδέεται με την αποτελεσματικότητα στην επικοινωνία. Στο συγκεκριμένο βιβλίο, η γραμματική, όπως βέβαια και το λεξιλόγιο και η προφορά, διδάσκεται επαγωγικά μέσα από κείμενα και παραδείγματα ακολουθώντας το τρίπτυχο Παρουσίαση-Πρακτική-Παραγωγή.

- ### *Παρουσίαση-πρακτική-παραγωγή*

Η παρουσίαση της γραμματικής ξεκινά με την παράθεση ενός κειμένου, το οποίο οι μαθητές καλούνται να κατανοήσουν, για να απαντήσουν σε συγκεκριμένες ερωτήσεις. Με τον συγκεκριμένο τρόπο δίνεται έμφαση στο σημασιολογικό φορτίο της γραμματικής και συνδέεται με την κατανόηση του γραπτού ή/και προφορικού λόγου και με την επικοινωνία. Στη συνέχεια, οι μαθητές διαβάζουν προτάσεις και, απαντώντας σε ερωτήσεις που τους καθοδηγούν, παρατηρούν τον σχηματισμό και τη χρήση των γραμματικών φαινομένων. Με την καθοδηγούμενη παρατήρηση, οι μαθητές μαθαίνουν να ανακαλύπτουν τις ομοιότητες και τις διαφορές στη γλώσσα όσον αφορά τον τύπο και τη χρήση κάθε φαινομένου. Έτσι, καλλιεργείται η αυτονομία και η αυτενέργεια των μαθητών, των οποίων η γνώση δεν στηρίζεται στη στείρα απομνημόνευση και την αποστήθιση, αλλά στην παρατήρηση και την ανακάλυψη. Ακολουθούν πίνακες με παραδείγματα κλίσης, στους οποίους πάντα υπάρχει παραπομπή στα κλιτικά παραδείγματα του *Λεξικού της Κοινής Νεοελληνικής (Τριανταφυλλίδη)*. Τέλος, συχνά γίνεται αναφορά σε προηγούμενα κεφάλαια σε σχέση με το υπό διδασκαλία φαινόμενο, έτσι ώστε οι μαθητές να κάνουν επανάληψη και να επαναφέρουν στη μνήμη τους προηγούμενες γνώσεις.

Ακολουθούν τα στάδια της πρακτικής και της παραγωγής με ασκήσεις ελεγχόμενες, καθοδηγούμενες και επικοινωνιακές, κλειστού και ανοιχτού τύπου που έχουν στόχο την εμπέδωση και τη χρήση του φαινομένου.

Καταρχήν, στο πλαίσιο των ελεγχόμενων δραστηριοτήτων, οι μαθητές καλούνται να παρατηρήσουν το φαινόμενο που διδάσκονται και να το αναγνωρίσουν. Αναλυτικότερα, οι ασκήσεις που υπάρχουν σε αυτό το στάδιο είναι οι εξής:

- *Παίζουμε τένις:* Με τη συγκεκριμένη άσκηση οι μαθητές καλούνται να μελετήσουν τον σχηματισμό των γραμματικών φαινομένων και να παίξουν με τον συμμαθητή τους.
- *Λαβύρινθος:* Στην άσκηση αυτή οι μαθητές καλούνται να εντοπίσουν το φαινόμενο που μελετούν, για να μπορέσουν να βγουν από τον λαβύρινθο.
- *Βρες το λάθος:* Αφού έχουν μελετήσει τον σχηματισμό των φαινομένων, οι μαθητές καλούνται να εντοπίσουν και να διορθώσουν λάθη σε προτάσεις.

Ακολουθούν ελεγχόμενες ασκήσεις, στις οποίες οι μαθητές θα πρέπει να συμπληρώσουν τα κενά σε προτάσεις και να βάλουν λέξεις στη σωστή σειρά, για να κάνουν μια πρόταση. Στις ασκήσεις αυτές, δίνεται έμφαση στη σημασία που έχουν οι γραμματικοί τύποι.

Στη συνέχεια, οι μαθητές με τις καθοδηγούμενες ασκήσεις καλούνται να παραγάγουν λόγο πιο αυθόρμητα, έχοντας, ωστόσο, την απαραίτητη καθοδήγηση. Στο συγκεκριμένο πλαίσιο, οι μαθητές παράγουν προφορικό ή γραπτό λόγο εφαρμόζοντας στην πράξη το φαινόμενο που διδάχτηκαν, ενώ παράλληλα χρησιμοποιούν λέξεις-κλειδιά που τους δίνονται. Τέτοιες ασκήσεις είναι οι ασκήσεις με πληροφοριακό κενό, η σύνταξη προτάσεων με τη χρήση συγκεκριμένων λέξεων, η περιγραφή εικόνων κτλ.

Τέλος —όπου επιτρέπεται— οι μαθητές καλούνται να παραγάγουν αυθόρμητο λόγο με επικοινωνιακές ασκήσεις (παιχνίδια ρόλων, προσωπικές ερωτήσεις κτλ.).

Παραγωγή Προφορικού Λόγου

Η παραγωγή του προφορικού λόγου είναι μια δύσκολη δεξιότητα, καθώς πολύ συχνά οι μαθητές, πέρα από τις γλωσσικές δυσκολίες που αντιμετωπίζουν, δεν ξέρουν τι να πουν κι έτσι αποφεύγουν να μιλήσουν. Στο βιβλίο αυτό, έγινε προσπάθεια οι μαθητές να διδαχτούν πώς να εμπλουτίζουν τον λόγο τους, έτσι ώστε να αποφεύγονται οι μονολεκτικές απαντήσεις στις εξετάσεις, αλλά και να επιτυγχάνεται ολοκληρωμένη και αποτελεσματική επικοινωνία έξω από την τάξη σε αυθεντικές περιστάσεις επικοινωνίας. Καταρχήν, υπάρχουν ερωτήσεις σχετικές με τη θεματική της κάθε ενότητας, στις οποίες οι μαθητές καλούνται να απαντήσουν έχοντας στη διάθεσή τους βοηθητικό λεξιλόγιο.

Ακολουθεί η περιγραφή εικόνων κατά το πρότυπο των Εξετάσεων Πιστοποίησης Επάρκειας της Ελληνομάθειας. Αν ο δάσκαλος κρίνει ότι οι μαθητές του έχουν ανάγκη να εξασκηθούν περισσότερο στην περιγραφή των εικόνων, το συγκεκριμένο βιβλίο παρέχει πληθώρα επιλογών που μπορούν να αξιοποιηθούν προς τη συγκεκριμένη κατεύθυνση. Τέλος, οι μαθητές προετοιμάζονται για το παιχνίδι ρόλων το οποίο αποτελεί μέρος της εξεταστικής διαδικασίας.

Παραγωγή Γραπτού Λόγου

Η παραγωγή γραπτού λόγου ίσως είναι η δυσκολότερη δεξιότητα κατά την εκμάθηση της ξένης γλώσσας. Όπως προκύπτει από τα γραπτά των Εξετάσεων Πιστοποίησης Επάρκειας της Ελληνομάθειας, συχνά οι υποψήφιοι δεν προλαβαίνουν να ολοκληρώσουν το γραπτό τους στον προβλεπόμενο χρόνο ή δεν αναπτύσσουν πάντα επιτυχώς το θέμα που τους δίνεται, καθώς δεν απαντούν σε όλα τα ερωτήματά του. Επίσης, υποψήφιοι που φαίνεται ότι έχουν κατακτήσει ικανοποιητικά τη γλώσσα, παρουσιάζουν κείμενα «φτωχά» ως προς την ανάπτυξη του περιεχομένου και ανεπαρκή ως προς την τήρηση των συμβάσεων που υπάρχουν στα κειμενικά είδη. Προκειμένου να ξεπεραστούν τα παραπάνω προβλήματα στην παραγωγή γραπτού λόγου, στο συγκεκριμένο βιβλίο δίνεται έμφαση στις στρατηγικές γραφής ενός κειμένου και στον αποτελεσματικό επανέλεγχό του.

Πιο συγκεκριμένα, πριν γράψουν οι μαθητές το δικό τους κείμενο, έχουν την ευκαιρία να δουν ένα κείμενο-πρότυπο και να συμπληρώσουν πλαγιότιτλους, για να παρατηρήσουν τη δομή και τα στοιχεία συνοχής και συνεκτικότητας των παραγράφων και των νοημάτων. Τα κείμενα αυτά παρέχουν σημαντικές πληροφορίες για τα χαρακτηριστικά διαφορετικών κειμενικών ειδών, ενώ παρέχουν, επίσης, πολύτιμο λεξιλόγιο και ιδέες για την παραγωγή γραπτού λόγου σε αντίστοιχο θέμα.

Επίσης, η παραγωγή γραπτού λόγου διακρίνεται σε στάδια και έτσι όλη η διαδικασία γίνεται ευκολότερη, ενώ οι μαθητές υιοθετούν σταδιακά συγκεκριμένες στρατηγικές που κάνουν τον τρόπο που γράφουν αποτελεσματικότερο. Τέλος, μαθαίνουν πώς να ελέγχουν διεξοδικά το γραπτό κείμενο που παράγουν.

Μουσική

Πριν από το τέλος της ενότητας, οι μαθητές χαλαρώνουν με την ακρόαση ενός τραγουδιού που έχει γραφτεί ειδικά για το συγκεκριμένο διδακτικό εγχειρίδιο. Η θεματολογία των τραγουδιών είναι σύμφωνη με τη θεματική της ενότητας που συνοδεύουν. Οι μαθητές με την ακρόαση των τραγουδιών διασκεδάζουν και χαλαρώνουν. Επίσης, μέσα από τους στίχους των τραγουδιών εμπεδώνουν το λεξιλόγιο που είναι σχετικό με την κάθε θεματική. Στο τέλος κάθε ενότητας, έχουν την ευκαιρία να έρθουν σε επαφή με ακούσματα της ελληνικής έντεχνης και λαϊκής μουσικής.

Έτσι, οι διδάσκοντες έχουν στη διάθεσή τους ένα ιδιαίτερα ευχάριστο υλικό, το οποίο μπορούν να αξιοποιήσουν πολλαπλώς. Τα τραγούδια αποτελούν υλικό που προσφέρεται για χαλάρωση, η οποία πολύ συχνά είναι απαραίτητη στη μαθησιακή διαδικασία, αλλά και για την εκμάθηση της γλώσσας γενικότερα. Τα τραγούδια του βιβλίου ακολουθούνται από ασκήσεις, σίγουρα, όμως, ο δάσκαλος μπορεί να τα αξιοποιήσει με πολλούς ακόμη τρόπους και να εντάξει στο μάθημά του μια ευχάριστη νότα διδασκαλίας. Τα τραγούδια κινητοποιούν το ενδιαφέρον των μαθητών για τη γλώσσα. Μπορούν να αξιοποιηθούν ως αφόρμηση για συζήτηση, προβληματισμό, ανάπτυξη των επικοινωνιακών γλωσσικών δεξιοτήτων, εμπέδωση του λεξιλογίου και −φυσικά− διασκέδαση, χαλάρωση και παιχνίδι.

Αυτοαξιολόγηση

Προτού οι μαθητές ξεκινήσουν μια νέα ενότητα, έχουν τη δυνατότητα να διαπιστώσουν τι μπορούν να κάνουν και τις γνώσεις που αποκόμισαν από την ενότητα η οποία μόλις έχει τελειώσει. Με τον τρόπο αυτό, μαθαίνουν να ελέγχουν την πρόοδό τους και αναπτύσσουν αυτονομία στη μαθησιακή τους πορεία.

Κλείνοντας το εισαγωγικό αυτό κείμενο, θέλουμε να ευχαριστήσουμε θερμά τον Καθηγητή Ι. Ν. Καζάζη, Πρόεδρο του Δ.Σ. του ΚΕΓ, για την εμπιστοσύνη του και τη στήριξή του. Επίσης, ευχαριστούμε από καρδιάς τους υποψήφιους των Εξετάσεων Πιστοποίησης Επάρκειας της Ελληνομάθειας, τους καταρτιζόμενους εκπαιδευτικούς, την κ. Γλυκερία Φίστα για τον συμβουλευτικό της ρόλο καθώς και τις συναδέλφους Μαρία Αραποπούλου και Μαρία Δημητρακοπούλου για τις εποικοδομητικές παρατηρήσεις για το υλικό του βιβλίου.

Ευχόμαστε και αυτό το βιβλίο της σειράς «ΚΛΙΚ στα ελληνικά» να αποτελέσει ένα σημαντικό μαθησιακό εργαλείο στα χέρια εκπαιδευτικών και μαθητών, να κερδίσει τους χρήστες του και... να τους «κάνει κλικ».

Μαρία Καρακύργιου   Βικτωρία Παναγιωτίδου

Περιεχόμενα

Προλογικά σ. 5

Σημείωμα για τον δάσκαλο σ. 7

	Ενότητα	Κατανόηση Γραπτού Λόγου	Λεξιλόγιο	Γραμματική	Κατανόηση Προφορικού Λόγου	Λεξιλόγιο
1	Το μήλο κάτω απ' τη μηλιά θα πέσει σσ. 21-56	Χαρακτηριστικά και Χαρακτήρας σ. 22	Χαρακτήρας, χαρακτηριστικά σ. 24	Ισοσύλλαβα ουσιαστικά σ. 33	Λωξάντρα σ. 38	Οικογένεια σ. 39
2	Αν δεν παινέσεις το σπίτι σου... σσ. 57-94	Σπίτια του κόσμου σ. 58	Κατοικία, υλικά κατασκευής σ. 60	Αριθμοί, Άρθρο σ. 68	Μετακόμιση και ανακαίνιση σ. 76	Εσωτερικοί χώροι ενός σπιτιού σ. 77
3	Για όλα υπάρχει χρόνος σσ. 95-134	Ο ελεύθερος χρόνος των εφήβων σ. 96	Ελεύθερος χρόνος, δραστηριότητες σ. 100	Παθητική Φωνή σ. 110	STOMP! Ένα νεανικό συγκρότημα σ. 117	Τέχνες και θεάματα σ. 118

Ώρα για επανάληψη (Ενότητες 1-3) σσ. 135-138

	Ενότητα	Κατανόηση Γραπτού Λόγου	Λεξιλόγιο	Γραμματική	Κατανόηση Προφορικού Λόγου	Λεξιλόγιο
4	Πες μου τον φίλο σου, να σου πω ποιος είσαι σσ. 139-174	Γράμματα σε περιοδικό σ. 140	Σχέσεις, συναισθήματα σ. 142	Επίθετα σε -ής, -ιά, -ί, -ύς, -ιά, -ύ, -ης, -α, -ικο σ. 151	Σχολικός εκφοβισμός σ. 156	Συναισθήματα σ. 157
5	Όρτσα τα πανιά!!! σσ. 175-216	Πακέτα διακοπών σ. 176	Διακοπές, ξενοδοχεία σ. 178	Παρατατικός, Αόριστος σ. 190	Αεροπορικά ταξίδια σ. 198	Ταξίδια σ. 199
6	Η φτήνια τρώει τον παρά σσ. 217-254	Ψώνια κι εκπτώσεις σ. 218	Ρούχα, χρώματα σ. 220	Χρήση των πτώσεων (Γενική, Αιτιατική) σ. 231	Αγορές από το διαδίκτυο σ. 236	Ηλεκτρονικές αγορές σ. 237

Ώρα για επανάληψη (Ενότητες 4-6) σσ. 255-258

	Ενότητα	Κατανόηση Γραπτού Λόγου	Λεξιλόγιο	Γραμματική	Κατανόηση Προφορικού Λόγου	Λεξιλόγιο
7	Ένα μήλο την ημέρα... σσ. 259-300	Γευστικά πρωινά από όλο τον κόσμο σ. 260	Τρόφιμα, διατροφή σ. 262	Προστακτική (συνοπτική, μη συνοπτική) σ. 275	Τροφική δηλητηρίαση σ. 281	Υγεία, γιατροί, μέλη του σώματος σ. 282
8	Μάθε τέχνη κι ασ' τηνε... σσ. 301-336	Συμβουλές για εξετάσεις σ. 302	Εκπαίδευση, σχολική ζωή σ. 304	Δευτερεύουσες αναφορικές προτάσεις σ. 314	Σύμβουλοι καριέρας σ. 318	Επαγγέλματα σ. 319
9	Από Μάρτη καλοκαίρι και από Αύγουστο χειμώνα σσ. 337-372	Δελτίο καιρού σ. 338	Καιρικές συνθήκες σ. 340	Δευτερεύουσες επιρρηματικές προτάσεις σ. 349	Προβλήματα στο περιβάλλον σ. 353	Περιβάλλον σ. 354

Ώρα για επανάληψη (Ενότητες 7-9) σσ. 373-376

Εξετάσεις Ελληνομάθειας (Επίπεδο Β1) σσ. 377-383

Στην Ελλάδα	Προφορά	Γραμματική	Παραγωγή Προφορικού Λόγου	Παραγωγή Γραπτού Λόγου	Τραγούδι
Ήθη και έθιμα, γάμος σ. 44	[j], [ç] σ. 45	Ανισοσύλλαβα ουσιαστικά σ. 46	Παρουσιάζω τον εαυτό μου και τους άλλους σ. 52	Παρουσιάζω τον εαυτό μου και τους άλλους σ. 54	Η Μαρία και η Μαίρη σ. 56
Έθιμα της Πρωτοχρονιάς σ. 84	[k], [c] σ. 85	Οριστικές (*ο ίδιος, μόνος*), Δεικτικές αντωνυμίες (*τέτοιος, τόσος*) σ. 86	Περιγράφω ένα σπίτι σ. 89	Περιγράφω ένα κτίριο σ. 92	Το σπίτι μου σ. 94
Ελληνική μουσική σ. 123	[x], [ç] σ. 124	Υποτακτική (συνοπτική, μη συνοπτική) σ. 125	Συζητώ για τον ελεύθερο χρόνο σ. 129	Παρουσιάζω μια ταινία, ένα βιβλίο σ. 132	Ο Χρόνης και ο Χρόνος σ. 134
Ελληνική φιλοξενία σ. 161	[γ], [j] σ. 162	Βαθμοί επιθέτων, επιρρημάτων σ. 163	Συζητώ για τα προβλήματα των σχέσεων σ. 168	Περιγράφω μια εκδήλωση σ. 172	Γειτονιά σ. 174
Ελληνικά νησιά σ. 204	[θ], [f], [s], [t] σ. 205	Αόριστος (ανώμαλα ρήματα), Παρακείμενος, Υπερσυντέλικος σ. 206	Συζητώ για τις διακοπές μου σ. 210	Περιγράφω έναν τόπο σ. 214	Σαμοθράκη σ. 216
Παραδοσιακές ενδυμασίες σ. 242	[δ], [d], [z] σ. 243	Αόριστες αντωνυμίες (*κάποιος, άλλος, καθένας, μερικοί*) σ. 244	Συζητώ για τις αγορές μου σ. 248	Γράφω μια επιστολή παραπόνων σ. 252	Το νόμισμα σ. 254
Ρακόμελο σ. 288	[l], [m], [n] [ʎ], [ɱ], [ɲ] σ. 289	Μέλλοντας (μη συνοπτικός, συντελεσμένος) σ. 290	Συζητώ για τη διατροφή μου και την υγεία σ. 294	Γράφω μια κριτική σ. 298	Οι ντομάτες σ. 300
Κωνσταντίνος Καραθεοδωρή σ. 324	Προφορικός λόγος (Ηχηροποίηση, Επιτονισμός) σ. 325	Πλάγιος λόγος σ. 327	Μιλώ για το επάγγελμά μου, δίνω συνέντευξη σ. 330	Παρουσιάζω ένα επάγγελμα σ. 334	Ο τζίτζικας και ο μέρμηγκας σ. 336
Το Δέλτα του Έβρου σ. 360	Διακριτική λειτουργία του τόνου σ. 361	Υποθετικοί λόγοι σ. 362	Συζητώ για το περιβάλλον σ. 366	Γράφω ένα άρθρο για το περιβάλλον σ. 370	SOS από τη γη! σ. 372

- Δες τους ανθρώπους στις φωτογραφίες.
- Ποιος πιστεύεις ότι είναι ο πιο:
  • όμορφος;
  • καλός;
  • ευαίσθητος;
  • νευρικός;
  • ήρεμος;

1. Όσοι έχετε:
   - γαλανά μάτια, πηγαίνετε στην πάνω αριστερή γωνία της τάξης.
   - πράσινα μάτια, πηγαίνετε στην πάνω δεξιά γωνία της τάξης.
   - καφέ μάτια, πηγαίνετε στην κάτω δεξιά γωνία της τάξης.

2. Όσοι έχετε:
   - κοντά μαλλιά, πηγαίνετε στην πάνω αριστερή γωνία της τάξης.
   - μακριά μαλλιά, πηγαίνετε στην πάνω δεξιά γωνία της τάξης.
   - ίσια μαλλιά, πηγαίνετε στην κάτω δεξιά γωνία της τάξης.

3. Όσοι αγαπάτε:
   - τη ροκ μουσική, πηγαίνετε στην πάνω αριστερή γωνία της τάξης.
   - την ποπ μουσική, πηγαίνετε στην πάνω δεξιά γωνία της τάξης.
   - τη ραπ μουσική, πηγαίνετε στην κάτω δεξιά γωνία της τάξης.

4. Όσοι:
   - έχετε έναν αδερφό / μία αδερφή, πηγαίνετε στην πάνω αριστερή γωνία της τάξης.
   - έχετε δύο αδέρφια, πηγαίνετε στην κάτω δεξιά γωνία της τάξης.
   - είστε μοναχοπαίδια, πηγαίνετε στην πάνω δεξιά γωνία της τάξης.

21

ΚΑΤΑΝΟΗΣΗ ΓΡΑΠΤΟΥ ΛΟΓΟΥ

Άσκηση 1

Διάβασε γρήγορα το παρακάτω κείμενο και βάλε σε κύκλο το σωστό.

Το κείμενο είναι:

α. άρθρο. **β.** δοκίμιο. **γ.** απόσπασμα βιβλίου.

Άσκηση 2

Διάβασε με προσοχή το παρακάτω κείμενο και συμπλήρωσε τα κενά με τις φράσεις του πίνακα. Υπάρχουν τρεις φράσεις που δεν ταιριάζουν σε κανένα κενό.

Συμβουλή: ●

Πριν διαβάσεις το κείμενο, διάβασε τις προτάσεις του πίνακα. Δες τα κενά αρ. 2. και αρ. 6. Με τι γράμμα θα ξεκινούν οι φράσεις που θα διαλέξεις γι' αυτά; Διάβασε τις προτάσεις του πίνακα. Ποιες νομίζεις ότι έχουν παρόμοιο και ποιες αντίθετο νόημα μεταξύ τους;

ΧΑΡΑΚΤΗΡΙΣΤΙΚΑ ΚΑΙ ΧΑΡΑΚΤΗΡΑΣ

Μερικοί άνθρωποι <u>πιστεύουν</u> ότι το πρόσωπο και τα χαρακτηριστικά μας δείχνουν τι χαρακτήρες είμαστε. <u>Χωρίζουν</u>, μάλιστα, το πρόσωπο σε τρεις ζώνες. Η πρώτη <u>ζώνη</u> ⁰_____ και φτάνει μέχρι τα φρύδια. Η δεύτερη αρχίζει από τα φρύδια και τελειώνει στη βάση της μύτης. Η τρίτη ξεκινάει από τη βάση της μύτης και φτάνει μέχρι την άκρη του πηγουνιού. Όταν μια από τις ζώνες είναι πιο μεγάλη από τις άλλες, ¹_____. Η πρώτη ζώνη, δηλαδή το μέτωπο, συμβολίζει τη σκέψη. Η ζώνη των ματιών και της μύτης φανερώνει το συναίσθημα και η τρίτη ζώνη τα ένστικτα.

Πώς, όμως, τα χαρακτηριστικά μας δίνουν πληροφορίες για τον χαρακτήρα μας; Ας ξεκινήσουμε από το μέτωπο... Υπάρχουν τρεις τύποι μετώπων. Αυτά που πηγαίνουν προς τα πίσω, τα ίσια και αυτά που <u>προεξέχουν</u>. Ο πρώτος τύπος δείχνει έναν άνθρωπο ευαίσθητο με φαντασία. ²_____, ενώ ο τρίτος είναι σημάδι ανώριμου ατόμου. <u>Μεγάλη σημασία έχει</u> και το <u>μέγεθος</u> του μετώπου. Οι σταθεροί χαρακτήρες έχουν μικρό μέτωπο. Οι έξυπνοι άνθρωποι έχουν μεγάλο μέτωπο και οι ευγενικοί <u>κανονικό</u>.

Ο	ξεκινάει από τη γραμμή των μαλλιών
	Ίσως τα ανθρώπινα πρόσωπα
	τόσο πιο σοβαρός είναι κάποιος
	τότε έχουμε πληροφορίες για τον χαρακτήρα του ανθρώπου
	στον χαρακτήρα μας
	δηλαδή έναν άνθρωπο που θυμώνει και μαλώνει πολύ εύκολα
	Ο δεύτερος τύπος δείχνει έναν πρακτικό άνθρωπο
	Μήπως τα ανθρώπινα πρόσωπα
	για τον χαρακτήρα μας
	που δεν μαλώνει ποτέ

Τι φανερώνουν τα φρύδια ³____; Αυτά που είναι σαν τόξο δείχνουν άνθρωπο σεμνό και απλό. Από την άλλη, οριζόντια φρύδια έχουν οι δυναμικοί χαρακτήρες. Όσο πιο κοντά είναι τα φρύδια στα μάτια ⁴____. Τέλος, η μεγάλη <u>απόσταση</u> ανάμεσά τους δείχνει άνθρωπο ικανό.

Το χρώμα των ματιών μας δίνει πληροφορίες για τον χαρακτήρα; Ναι! Τα καστανά μάτια δείχνουν άνθρωπο με χιούμορ, όμως, και <u>με νεύρα</u>, ⁵____. Μπλε μάτια έχουν συνήθως τα ήρεμα άτομα, ενώ τα πράσινα μάτια δείχνουν άνθρωπο <u>με θάρρος</u>.

Εσείς πιστεύετε στα παραπάνω; Πόσο αληθινά είναι; ⁶____ είναι τόσα όσοι και οι χαρακτήρες;

Διασκευή κειμένου από boro.gr

Οι πληροφορίες προέρχονται από το βιβλίο του Γ. Πανούση, *Φυσιογνωμική: Μια σύγχρονη Εγκληματολογική Προσέγγιση*.

Άσκηση 3
Διάβασε ξανά το κείμενο και απάντησε στις παρακάτω ερωτήσεις.

- Ποιος είναι ο στόχος του κειμένου;
- Ποια είναι τα χαρακτηριστικά του προσώπου
  - κάποιου άντρα 40 χρονών που συμπεριφέρεται σαν να είναι 20;
  - μιας γυναίκας που κάνει πολλά πράγματα με επιτυχία, αλλά δεν μιλάει ποτέ για τις επιτυχίες της;
  - κάποιου άντρα που δεν έχει ποτέ νεύρα και γράφει παραμύθια για μικρά παιδιά;
- Δες τον διπλανό / τη διπλανή σου, περίγραψε το πρόσωπό του / της και πες τι χαρακτήρας είναι σύμφωνα με τις πληροφορίες του κειμένου. Είναι έτσι στην πραγματικότητα;

Λεξιλόγιο

Άσκηση 1

Γίνετε ζευγάρια, δείτε τις υπογραμμισμένες λέξεις / φράσεις του κειμένου (σελ. 22-23) και βρείτε με ποιες από τις παρακάτω λέξεις / φράσεις ταιριάζουν στη σημασία.

0. νομίζω = _πιστεύω_

1. περιοχή = _____

2. είναι πολύ σημαντικό = _____

3. πόσο μακριά ή κοντά είναι μεταξύ τους = _____

4. κόβω = _____

5. ούτε μεγάλο ούτε μικρό = _____

6. βγαίνω προς τα έξω = _____

7. ο άνθρωπος που νευριάζει εύκολα = _____

8. πόσο μεγάλο είναι κάτι, οι διαστάσεις = _____

9. ο άνθρωπος που δεν φοβάται = _____

Άσκηση 2

Γίνετε ζευγάρια και διαβάστε τις παρακάτω προτάσεις από το κείμενο:

1. «Η πρώτη ζώνη <u>ξεκινάει</u> από τη γραμμή των μαλλιών και <u>φτάνει</u> μέχρι τα φρύδια»:

Ποιες λέξεις / εκφράσεις στην 1η παράγραφο του κειμένου έχουν την ίδια σημασία με τα:

ξεκινάει _____, φτάνει _____

2. «Ο πρώτος τύπος <u>δείχνει</u> έναν ευαίσθητο άνθρωπο με φαντασία»:

Ποιες λέξεις / εκφράσεις στην 1η, 2η και 3η παράγραφο του κειμένου έχουν την ίδια σημασία με το δείχνω;

_____, _____, _____.

Άσκηση 3

Γίνετε ζευγάρια και συμπληρώστε τα κενά με τις παρακάτω λέξεις.

ευαίσθητο, σεμνός, ικανός, ανώριμος, ευγενικός, δυναμικοί, νευρικός, σοβαρή, σταθερός, έξυπνη

0. Ο Κωστάκης είναι πολύ _ευαίσθητο_ παιδί. Στεναχωριέται και κλαίει πολύ εύκολα.

1. Μην είσαι _____. Σαράντα χρονών έγινες και ακόμη κάνεις σαν παιδί! Δεν έχεις καμία ωριμότητα.

2. Η Μαρία είναι πολύ _____ χαρακτήρας. Δεν αλλάζει τις παρέες της.

3. Η Ελένη είναι πραγματικά πολύ _____. Διαβάζει πολύ λίγο, αλλά είναι πολύ καλή μαθήτρια.

4. Ο κύριος Δημήτρης είναι πολύ _____. Έχει πολύ καλούς τρόπους και φέρεται πάντα με ευγένεια σε όλους.

5. Ο Σωτήρης είναι πολύ καλός γιατρός. Είναι, όμως, πολύ _____. Ποτέ δεν μιλάει για τις επιτυχίες του στους άλλους ή, όταν το κάνει, μιλάει με πολλή σεμνότητα.

6. Μου αρέσουν οι _____ άνθρωποι, όχι αυτοί που κάθονται μπροστά στην τηλεόραση, αλλά αυτοί που κάνουν πολλά πράγματα και δείχνουν δυναμισμό.

7. Χαμογέλα λίγο, μην είσαι πάντα τόσο _____.

8. Ο Πέτρος είναι πολύ _____. Μπορεί να κάνει πολλά πράγματα με επιτυχία, έχει πολλές ικανότητες.

9. Μην είσαι τόσο _____, σε φοβούνται τα παιδιά. Δεν είναι καλό να έχεις νεύρα.

Άσκηση 4
Γίνετε ζευγάρια, ενώστε τις λέξεις με αντίθετη σημασία και κάντε προτάσεις μ' αυτές.

0. ευαίσθητος	___γ___	**α.** κουτός
1. πρακτικός	_____	**β.** ενώνω
2. ανωριμότητα	_____	**γ.** αναίσθητος
3. έξυπνος	_____	**δ.** ανίκανος
4. συμφωνώ	_____	**ε.** ωριμότητα
5. ικανός	_____	**στ.** διαφωνώ
6. ήρεμος	_____	**ζ.** νευρικός
7. χωρίζω	_____	**η.** θεωρητικός

Άσκηση 5
Ποιες από τις παρακάτω φράσεις είναι Σωστές και ποιες Λάθος;

0. Ο Κώστας είναι ένας πολύ σταθερός άνθρωπος, αλλάζει πάντα τις παρέες του. __Λ__

1. Η Ειρήνη είναι έξυπνη κοπέλα, αλλά και πολύ ανίκανη. _____

2. Ο Δημήτρης είναι ήρεμος και δυναμικός. _____

3. Η Πόπη είναι ήρεμη και νευρική κοπέλα. _____

4. Η Μαίρη είναι πολύ ικανή, αλλά είναι λίγο ανώριμη. _____

5. Ο Παναγιώτης είναι ευαίσθητο κι ευγενικό παιδί. _____

Άσκηση 6
Γίνετε ζευγάρια, δείτε τις παρακάτω λέξεις και συμπληρώστε τα κενά κάθε σειράς του πίνακα με λέξεις που ανήκουν στην ίδια οικογένεια.

σύμβολο, νευρικός, απλότητα, σκεπτικός, ηρεμία, πιστός, δύναμη, ευκολία, πληροφορία, αρχή, φανταστικός, τέλος, ευγενικός, σημασία, ευαίσθητος, σεμνός, εξυπνάδα, ικανός, (αν)ωριμότητα

ρήμα	ουσιαστικό	επίθετο
πιστεύω	πίστη	0 _Πιστός_
αρχίζω	1 _____	αρχικός
τελειώνω	2 _____	τελικός
πληροφορώ	3 _____	πληροφοριακός
συμβολίζω	4 _____	συμβολικός
-	ευαισθησία	5 _____
φαντάζομαι	φαντασία	6 _____
σκέφτομαι	σκέψη	7 _____
ωριμάζω	8 _____	(αν)ώριμος
σημαίνω	9 _____	σημαντικός
-	10 _____	έξυπνος
-	ευγένεια	11 _____
-	σεμνότητα	12 _____
-	13 _____	απλός
δυναμώνω	14 _____	δυναμικός
-	ικανότητα	15 _____
-	νεύρα	16 _____
-	17 _____	εύκολος
ηρεμώ	18 _____	ήρεμος

Άσκηση 7

Γίνετε ζευγάρια και συμπληρώστε τα κενά, όπως στο παράδειγμα.

Η Μαρία είναι ένα κορίτσι που έχει πολλές ⁰ ___ικανότητες___ (ικανή) και πίστη στον εαυτό της. Είναι 20 χρονών και γράφει βιβλία με πολύ ωραία παραμύθια. Όλα τα παραμύθια ¹ _____ (αρχή) με τη φράση «μια φορά κι έναν καιρό» και ² _____ (τέλος) με τη φράση «έζησαν αυτοί καλά κι εμείς καλύτερα». Σε αυτά βρίσκουμε πολλές ³ _____ (πληροφορώ) για τα έθιμα της χώρας της.

Στα παραμύθια φαίνεται η ⁴ _____ (φαντάζομαι) της Μαρίας. Οι χαρακτήρες είναι πάντα ζώα και συνήθως συμβολίζουν κάτι. Ο ελέφαντας, π.χ. είναι σύμβολο της ⁵ _____ (έξυπνος), ο σκύλος είναι σύμβολο της φιλίας και της ⁶ _____ (πιστεύω), το κουνέλι συμβολίζει την ⁷ _____ (ώριμος), το λιοντάρι έχει πάντα ⁸ _____ (δύναμη) χαρακτήρα και συμβολίζει την ⁹ _____ (ικανός).

Όλα τα παραμύθια της έχουν μεγάλη επιτυχία. Η ίδια, όμως, είναι πολύ ¹⁰ _____ (σεμνότητα) και ¹¹ _____ (απλότητα). Σπουδάζει ψυχολογία και κάνει όνειρα για το μέλλον.

ΠΡΟΣΩΠΟ

1. μαλλιά / ανταύγεια / χείλη
2. μέτωπο / βλεφαρίδες
3. ελιά / πηγούνι
4. φρύδια / μάγουλα
5. φαλάκρα / μούσι
6. ρυτίδες / μουστάκι

Άσκηση 8

Γίνετε ζευγάρια και αντιστοιχίστε τις προτάσεις με τις φωτογραφίες.

0. Δεν έχει φαλάκρα. Έχει πυκνά, σγουρά μαλλιά και λεπτά χείλη. Φοράει γυαλιά.

1. Μια γυναίκα γύρω στα 30 με κοντά και σγουρά μαλλιά.

2. Μια κοπέλα με στρόγγυλο πρόσωπο και μακριά, σγουρά, μαύρα μαλλιά.

3. Μια παχουλή γυναίκα μέσης ηλικίας. Είναι καστανή με ξανθές ανταύγειες.

4. Ο άντρας δεν έχει μαλλιά, είναι φαλακρός, αλλά έχει μούσι. Το πρόσωπό του δεν είναι στρογγυλό, αλλά μακρόστενο.

α / γ / β 0 / δ / ε

Άσκηση 9

Γίνετε ζευγάρια και ενώστε τις λέξεις, για να κάνετε φράσεις που χρησιμοποιούνται πολύ συχνά. Με μερικές λέξεις μπορείτε να κάνετε περισσότερους από έναν συνδυασμούς. Μετά γράψτε προτάσεις με τις φράσεις που κάνατε.

0. λεπτά	**α.** μάτια _____
1. χλωμό	**β.** μαλλιά _____
2. πυκνά	**γ.** άνθρωπος _____
3. σγουρά	**δ.** πρόσωπο _____
4. μεγάλα / μικρά	**ε.** χαρακτηριστικά _0_
5. μακριά-ές / κοντά-ές	**στ.** χείλη _0_
6. ψηλός-κοντός	**ζ.** φρύδια _0_
7. νέος / γέρος-ηλικιωμένος	**η.** βλεφαρίδες _____
8. όμορφος / άσχημος	
9. στρογγυλό / μακρόστενο	

Άσκηση 10

Κάνε ερωτήσεις στον διπλανό / στη διπλανή σου και συμπλήρωσε τον πίνακά σου.

Παράδειγμα:

Μαθητής Α: _Τι έχεις στο Α1;_

Μαθητής Β: _Αυτός ο άνθρωπος δεν μιλάει για τον εαυτό του._

Μαθητής Α: _«Κλειστός χαρακτήρας» και το αντίθετό του είναι «ανοιχτός χαρακτήρας»._

Μαθητής Α	1	2	3
Α	ανοιχτός χαρακτήρας	έξυπνος άνθρωπος	
Β	σγουρά μαλλιά		ευγενικός άνθρωπος

Μαθητής Β	1	2	3
Α	κλειστός χαρακτήρας		μακριές βλεφαρίδες
Β		στρογγυλό πρόσωπο	

Άσκηση 11

Ο κάθε μαθητής / Η κάθε μαθήτρια διαλέγει μια εικόνα από τον πίνακα. Την περιγράφει δυνατά στην τάξη. Οι υπόλοιποι μαθητές / Οι υπόλοιπες μαθήτριες βρίσκουν την εικόνα και τη σημειώνουν. Σημειώνουν τέσσερα διαδοχικά κελιά διαγώνια, οριζόντια ή κάθετα που περνούν από το κεντρικό BINGO και φωνάζουν BINGO.

Παράδειγμα: _Ένα νέο κορίτσι με κόκκινα κοντά μαλλιά. Έχει το χέρι της στο πρόσωπό της._

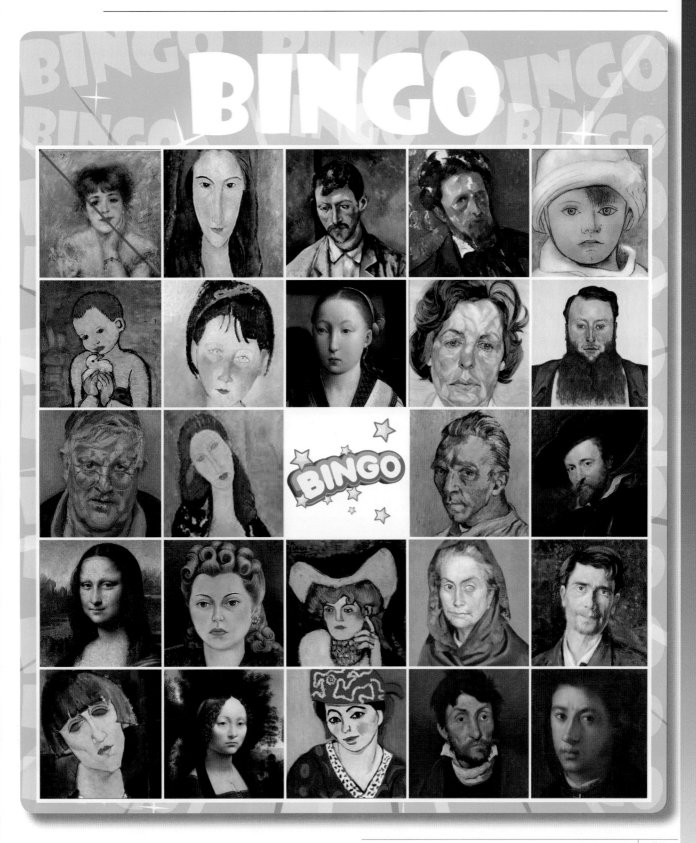

Λέξεις, φράσεις και εκφράσεις ...

Άσκηση 1

Γίνετε ζευγάρια, διαβάστε τον πίνακα και βρείτε ποια από τις παρακάτω σημασίες έχει σε κάθε πρόταση η λέξη *πρόσωπο***:**

α. μέρος του σώματος, **β.** γραμματικός όρος, **γ.** ήρωας, **δ.** άνθρωπος / άτομο, **ε.** πολύ κοντά

0.	Οι νέες κρέμες	προσώπου	είναι μια πραγματική επανάσταση για την περιποίηση των γυναικών.	α
1.	Θα έρθετε πιο κοντά με κάποιο φιλικό ή συγγενικό σας	πρόσωπο.		
2.	Μια γυναίκα μιλάει σε πρώτο	πρόσωπο	για τη ζωή, τα βάσανα και τα συναισθήματά της.	
3.	Ήρθαμε	πρόσωπο με πρόσωπο,	αλλά δεν μιλήσαμε.	
4.	Τα περισσότερα	πρόσωπα	του βιβλίου έχουν κάποια σχέση μεταξύ τους.	

Τα παραδείγματα προέρχονται από το σώμα κειμένων του Κέντρου Ελληνικής Γλώσσας.
www.greek-language.gr/greekLang/modern_greek/tools/corpora/corpora/search.html

Άσκηση 2

Γίνετε ζευγάρια, διαβάστε τον πίνακα και βρείτε:

i) σε ποια από τις παρακάτω προτάσεις η λέξη *μάτι* **χρησιμοποιείται σε έκφραση που σημαίνει:**

α. χωρίς μικροσκόπιο, **β.** γνώμη, **γ.** θετικά, **δ.** με αυτά βλέπουμε

ii) σε ποια από τα παραδείγματα η λέξη *μάτι* **χρησιμοποιείται κυριολεκτικά (Κ) (= μέρος του προσώπου) και / σε ποια χρησιμοποιείται μεταφορικά (Μ).**

0.	Η κόρη με τα αμυγδαλωτά	μάτια.		δ
1.	Πώς φαίνεται στα	μάτια	των γυναικών ένας άνδρας με μούσι;	
2.	Με καλό	μάτι	είδαν τα κρητικά προϊόντα οι ξένοι αγοραστές.	
3.	Μερικά πράγματα δεν φαίνονται με γυμνό	μάτι.		
4.	Πώς να καθαρίσετε τα	μάτια	της κουζίνας χωρίς χημικά.	
5.	Συνταγές για αυγά	μάτια.		

ΛΕΞΙΛΟΓΙΟ

Άσκηση 3

Γίνετε ζευγάρια. Πηγαίνετε στη σελίδα
www.greek-language.gr/greekLang/modern_greek/tools/corpora/corpora/search.html
Πληκτρολογήστε τη λέξη *καρδιά* και κάνετε τον δικό σας πίνακα με 5-6 παραδείγματα.
Συγκρίνετε τον πίνακά σας με τους πίνακες των συμμαθητών / συμμαθητριών σας.
Μετά γράψτε μια ιστορία με 4-5 από τις καινούριες λέξεις / φράσεις που μάθατε.

ΠΟΣΟ ΚΛΙΚ ΚΑΝΕΙΣ;

Κάνε το παρακάτω τεστ και διάβασε τα αποτελέσματα.
Πόσο αληθινά πιστεύεις ότι είναι;

Ξεκινάς από το σπίτι σου και πηγαίνεις μια βόλτα.

1

Περπατάς και βρίσκεις μια σκάλα. Πώς είναι αυτή η σκάλα; Την ανεβαίνεις;

2

Συνεχίζεις και βρίσκεις μπροστά σου ένα σπίτι. Μπαίνεις μέσα;

3

Λίγο πριν γυρίσεις στο σπίτι σου, βρίσκεις έναν κύβο. Πώς είναι; Μικρός ή μεγάλος; Από τι υλικό είναι φτιαγμένος;

6

Συνεχίζεις τη βόλτα σου και βλέπεις ένα άλογο. Πώς αισθάνεσαι; Το φροντίζεις;

5

Στη συνέχεια βρίσκεις ένα κλειδί. Είναι παλιό ή καινούριο; Από τι υλικό είναι φτιαγμένο; Το παίρνεις μαζί σου;

4

Μετά το σπίτι περπατάς για λίγη ώρα και βρίσκεις μπροστά σου έναν δρόμο. Πώς είναι αυτός ο δρόμος; Μεγάλος ή μικρός; Έχει τίποτα γύρω από τον δρόμο;

ΑΠΟΤΕΛΕΣΜΑΤΑ

1. Η σκάλα δείχνει το επάγγελμα και την καριέρα. Αν την ανέβεις, σημαίνει ότι θα έχεις μεγάλη καριέρα. Αν την προσπεράσεις, σημαίνει ότι δεν σε ενδιαφέρει καθόλου η καριέρα.
2. Το σπίτι είναι ο θάνατος. Αν μπεις στο σπίτι, τότε δεν τον φοβάσαι.
3. Ο δρόμος είναι η ζωή. Όσο πιο όμορφος και μοντέρνος είναι, τόσο πιο εύκολη είναι η ζωή σου. Αν ο δρόμος έχει πέτρες, η ζωή σου είναι δύσκολη. Αν ο δρόμος είναι μεγάλος και περνάει από πολλά μέρη, π.χ. ποτάμια, δέντρα κτλ., η ζωή σου έχει μεγάλο ενδιαφέρον.
4. Το κλειδί είναι οι φίλοι. Αν το κλειδί είναι παλιό και το παίρνεις μαζί σου, είσαι σταθερός και πιστός στις φιλίες. Αν είναι καινούριο, κάνεις εύκολα παρέες.
5. Το άλογο είναι ο σύντροφος. Αν ασχολείσαι μαζί του και το φροντίζεις, τότε αγαπάς τη συντροφικότητα. Αν σου αρέσει να το βλέπεις, αλλά δεν το πειράζεις, φοβάσαι τη συντροφικότητα. Αν μένεις μακριά του, είσαι κλειστός χαρακτήρας.
6. Ο κύβος είναι η προσωπικότητά μας. Το πλαστικό δείχνει δυνατό και σταθερό χαρακτήρα. Το γυαλί δείχνει αδύναμο χαρακτήρα. Το μαλακό υλικό, π.χ. το πανί, δείχνει πολύ ευαίσθητο άνθρωπο.

Γραμματική: Βλέπω και παρατηρώ ...

Διάβασε με προσοχή το κείμενο, βρες τα ουσιαστικά και συμπλήρωσε τον παρακάτω πίνακα ανάλογα με το γένος τους.

Μόλις γνωρίσατε τον έρωτα της ζωής σας, αλλά δεν ξέρετε τι άνθρωπος είναι; Είστε διευθυντής μιας εταιρείας, θέλετε να πάρετε έναν καινούριο υπάλληλο και δεν γνωρίζετε πώς θα καταλάβετε τον χαρακτήρα του; Δείτε παρακάτω πώς μπορείτε να καταλάβετε τις ικανότητες και τον χαρακτήρα του προσώπου που σας ενδιαφέρει.

ΒΗΜΑ 1 Δείτε με προσοχή τα χαρακτηριστικά του προσώπου του. Προσέξτε το μέτωπο, τα μάτια, τα φρύδια, τα μαλλιά, τις βλεφαρίδες, ακόμη και το χαμόγελό του και θα καταλάβετε, αν είναι έξυπνος, πιστός και σταθερός χαρακτήρας.

ΒΗΜΑ 2 Δώστε του χαρτί και μολύβι και ζητήστε του να γράψει. Παρατηρήστε με προσοχή τον γραφικό του χαρακτήρα και θα διαβάσετε τα μυστικά της καρδιάς και της ψυχής του.

ΒΗΜΑ 3 Ειδικά αν θέλετε να τον / την παντρευτείτε, μην ξεχάσετε να τον / τη ρωτήσετε για τη δουλειά του / της. Το επάγγελμα είναι ένας παράγοντας που διαμορφώνει τον χαρακτήρα μας. Δεν έχουν ίδιο χαρακτήρα ένας καθηγητής κι ένας επιχειρηματίας, ένας καπετάνιος κι ένας ναύτης, ένας γιατρός κι ένας πιλότος ή ένας δικηγόρος.

Κάνετε τα παραπάνω τεστ και ανακαλύψτε τις σκέψεις και τα μυστικά ανδρών και γυναικών. Η μέθοδος που σας προτείνουμε βοηθάει, αλλά ο μόνος σίγουρος δρόμος είναι τελικά η προσωπική σας κρίση.

Αρσενικό	Θηλυκό	Ουδέτερο
♂	♀	⌀
έρωτας	ζωή	πρόσωπο

Βλέπω 👀

Δες προσεκτικά τους παρακάτω πίνακες.

ΠΙΝΑΚΑΣ 1			
-ας			
ΕΝΙΚΟΣ ο	χαρακτήρας (02) *	άντρας (03) *	παράγοντας (05) *
του/τον/-	χαρακτήρα	άντρα	παράγοντα
ΠΛΗΘΥΝΤΙΚΟΣ οι/τους/-	χαρακτήρες	άντρες	παράγοντες
των	χαρακτήρων	αντρών	παραγόντων
-ής/-ης			
ΕΝΙΚΟΣ ο	διευθυντής (07) *	συγγενής (022) *	ναύτης (010) *
του/τον/-	διευθυντή	συγγενή	ναύτη
ΠΛΗΘΥΝΤΙΚΟΣ οι/τους/-	διευθυντές	συγγενείς	ναύτες
των	διευθυντών	συγγενών	ναυτών
-ός/-ος			
ΕΝΙΚΟΣ ο	γιατρός (017) *	δικηγόρος (018) *	άνθρωπος (019) *
του	γιατρού	δικηγόρου	ανθρώπου
τον	γιατρό	δικηγόρο	άνθρωπο
-	γιατρέ	δικηγόρε	άνθρωπε
ΠΛΗΘΥΝΤΙΚΟΣ οι	γιατροί	δικηγόροι	άνθρωποι
των	γιατρών	δικηγόρων	ανθρώπων
τους	γιατρούς	δικηγόρους	ανθρώπους
-	γιατροί	δικηγόροι	άνθρωποι

* αριθμός που δείχνει το κλιτικό παράδειγμα σύμφωνα με το *Λεξικό της Κοινής Νεοελληνικής (Τριανταφυλλίδη)*

ΠΙΝΑΚΑΣ 2					
-α/-ά					
ΕΝΙΚΟΣ η/τη(ν)/-	καρδιά (024)*	γυναίκα (025)*	εικόνα (026)*	οικογένεια (027)*	ικανότητα (028)*
της	καρδιάς	γυναίκας	εικόνας	οικογένειας	ικανότητας
ΠΛΗΘΥΝΤΙΚΟΣ οι/τις/-	καρδιές	γυναίκες	εικόνες	οικογένειες	ικανότητες
των	καρδιών	γυναικών	εικόνων	οικογενειών	ικανοτήτων

-η/-ή					**-ος**	
ΕΝΙΚΟΣ η/τη(ν)/-	ψυχή (029)*	γνώμη (030)*	εξέταση (033)*	σκέψη (031)*	η μέθοδος (036)*	
της	ψυχής	γνώμης	εξέτασης	σκέψης	της	μεθόδου
					τη(ν)/-	μέθοδο
ΠΛΗΘΥΝΤΙΚΟΣ οι/τις/-	ψυχές	γνώμες	εξετάσεις	σκέψεις	οι/-	μέθοδοι
					των	μεθόδων
των	ψυχών	γνωμών	εξετάσεων	σκέψεων	τις	μεθόδους

Αν δεν ξέρεις πώς κλίνεται ένα ουσιαστικό, πήγαινε στη σελίδα
http://www.greek-language.gr/greekLang/modern_greek/tools/lexica/triantafyllides/index.html
Πληκτρολόγησε το ουσιαστικό που θέλεις, πάτησε το «Βρες», δες τον αριθμό που υπάρχει δίπλα στο ουσιαστικό και δες με ποιο από τα ουσιαστικά που βρίσκονται στους πίνακες ταιριάζει στην κλίση.

ΠΙΝΑΚΑΣ 3				
-ό/-ο				
ΕΝΙΚΟΣ	το/το/-	μυστικό (038) *	άρθρο (039) *	πρόσωπο (040) *	χαμόγελο (041) *
	του	μυστικού	άρθρου	προσώπου	χαμόγελου
ΠΛΗΘΥΝΤΙΚΟΣ	τα/τα/-	μυστικά	άρθρα	πρόσωπα	χαμόγελα
	των	μυστικών	άρθρων	προσώπων	χαμόγελων

-ί /- ι				**-ος**
ΕΝΙΚΟΣ	το/το/-	μαλλί (043) *	φρύδι (044) *	βάρος (046) *
	του	μαλλιού	φρυδιού	βάρους
ΠΛΗΘΥΝΤΙΚΟΣ	τα/τα/-	μαλλιά	φρύδια	βάρη
	των	μαλλιών	φρυδιών	βαρών

Ουσιαστικά χωρίς πληθυντικό	Ουσιαστικά χωρίς ενικό	Ουσιαστικά με διαφορετική σημασία στον ενικό και πληθυντικό
θράσος τόλμη ειρήνη δύση γη θέα αφή τάβλι γαλήνη ηρεμία	εγκαίνια (μιλώ) ελληνικά (μιλώ) σουηδικά (μιλώ) γαλλικά διόδια μεσάνυχτα μαθηματικά γενέθλια	διακοπή - διακοπές Χθες είχαμε διακοπή νερού. Αύριο ξεκινούν οι διακοπές μου. έκπτωση - εκπτώσεις Αγόρασα αυτό το φόρεμα με έκπτωση. Αγόρασα αυτό το φόρεμα στις εκπτώσεις.

και παρατηρώ ...

Απάντησε στην ερώτηση:

1. Πρόσεξε τα ουσιαστικά που έχουν μπλε και κόκκινο χρώμα. Τι παρατηρείς ως προς τον τονισμό και τις καταλήξεις τους;

_____

Άσκηση 1
Παίζουμε τένις! Γίνετε ζευγάρια και παίξτε τένις. Χρησιμοποιήστε τις λέξεις:

άνθρωπος, έλεγχος, εξέταση, ικανότητα, ανάγκη, κατάψυξη, μέρος, αγνότητα, γένος, λάθος, ταχύτητα, άνοδος, έξοδος, κατάλογος, αντίληψη, μέθοδος

Παράδειγμα: **Μαθητής Α:** _άνθρωπος_   **Μαθητής Β:** _οι άνθρωποι, των ανθρώπων, έλεγχος_

Άσκηση 2

Γίνετε ζευγάρια, ακολουθήστε τις λέξεις που κατεβάζουν τον τόνο στη γενική του πληθυντικού και βγείτε από τον λαβύρινθο.

Αρχή

διάλογος	κατάλογος	φάκελος	πάρκο	σύννεφο	ταμίας	ευχή
φοιτητής	διδασκαλία	λίμνη	αυτί	ελπίδα	χάρτης	παίκτης
βιβλιοθήκη	αίθουσα	γειτονιά	εξέταση	μέρος	άλογο	σκυλί
μελέτη	δρόμος	λεξικό	ικανότητα	γλυκό	κείμενο	τραπέζι
τραγούδι	επισκέπτης	παράγοντας	καθρέφτης	σελίδα	αυλή	οικογένεια
ουρανός	τράπεζα	προσπάθεια	πατέρας	εβδομάδα	σχολείο	**ιδέα**

Τέλος

Άσκηση 3

Γίνετε ζευγάρια και συμπληρώστε τον παρακάτω πίνακα, όπως στο παράδειγμα.

	(•) ● ● ●	(•) ● ●	(•) ● ● ●
άνθρωπος	άνθρωπος-άνθρωποι-άνθρωπο	ανθρώπου-ανθρώπων-ανθρώπους	
έμπορος			
κήπος			
συνήθεια			
σφραγίδα			

Άσκηση 4

Κάνε ερωτήσεις στον διπλανό / στη διπλανή σου και συμπλήρωσε τον πίνακά σου.

Παράδειγμα:

Μαθητής Α: Τι έχεις στο Α1;   **Μαθητής Β:** η ζωή του εφήβου   **Μαθητής Α:** οι ζωές των εφήβων

Μαθητής Α	1	2	3
Α	οι ζωές των εφήβων	οι παράγοντες των επιτυχιών	
Β	η είσοδος της οικοδομής		το άρθρο της εφημερίδας

Μαθητής Β	1	2	3
Α	η ζωή του εφήβου		η σκέψη του μαθητή
Β		η οικογένεια του μαθητή	

Άσκηση 5

Γίνετε ζευγάρια και συμπληρώστε τα κενά, όπως στο παράδειγμα.

Η ζωή των ⁰___*εφήβων*___ (έφηβος) δεν είναι εύκολη υπόθεση σήμερα. Οι πολλές ¹_____ (υποχρέωση) σε συνδυασμό με τις ²_____ (ιδιαιτερότητα) της ³_____ (ηλικία) δημιουργούν πολλές ⁴_____ (δυσκολία) στους νέους. Πολύ συχνά τα ⁵_____ (παιδί) προσπαθούν να μιλήσουν στους γονείς τους, αλλά δεν τα καταφέρνουν. Θέλουν να τους μιλήσουν για τα προβλήματα της ζωής τους. Οι γονείς, όμως, δεν έχουν πάντα ⁶_____ (χρόνος). Οι πολλές υποχρεώσεις δεν τους επιτρέπουν να περάσουν λίγες ⁷_____ (στιγμή) με τα παιδιά τους... Έτσι, τα αφήνουν μόνα τους σε αυτή τη δύσκολη ⁸_____ (περίοδος). Οι ⁹_____ (κίνδυνος), όμως, είναι πολλοί...

«Πολλές φορές προσπαθώ να μιλήσω στους γονείς μου για τα προβλήματά μου. Δεν είναι εύκολα τα πράγματα... Το σχολείο, οι ¹⁰_____ (απαίτηση) των ¹¹_____ (καθηγητής), οι ¹²_____ (διαφωνία) με τους ¹³_____ (φίλος). Έχω τόσα πολλά στο μυαλό μου και χρειάζομαι τη ¹⁴_____ (βοήθεια) τους.

Όταν λέω «βοήθεια», εννοώ τον ¹⁵_____ (χρόνος) τους... Θέλω να πάμε μια βόλτα μαζί, να πιούμε έναν καφέ και να μιλήσουμε. Θέλω να τους πω για τον ¹⁶_____ (δάσκαλος) των μαθηματικών και τα δύσκολα τεστ που μας βάζει. Δεν παίρνω καλούς ¹⁷_____ (βαθμός) και ζητώ συνέχεια τη ¹⁸_____ (βοήθεια) του ¹⁹_____ (Γιάννης).

Θέλω, επίσης, να τους πω για την Ελένη, την κοπέλα από τα αγγλικά που είναι πολύ όμορφη, αλλά δεν μου μιλάει και δεν ξέρω τι να κάνω: να τους πω ότι η ²⁰_____ (ομάδα) μου έχασε στον ²¹_____ (αγώνα) της Κυριακής;... Δεν ξέρω... Είναι ασήμαντα όλα αυτά;

Οι γονείς ποτέ δεν έχουν χρόνο. Όλη τη μέρα τρέχουν στις ²²_____ (δουλειά) τους και γυρίζουν το βράδυ. Δεν τους κατηγορώ, γιατί ξέρω ότι δουλεύουν πολύ, για να τα καταφέρουμε. Απλώς τους χρειάζομαι...»

ΚΑΤΑΝΟΗΣΗ ΠΡΟΦΟΡΙΚΟΥ ΛΟΓΟΥ

- Τι βλέπεις στις φωτογραφίες;
- Τι σχέση πιστεύεις ότι έχουν μεταξύ τους τα πρόσωπα στις φωτογραφίες;
- Σε ποια εποχή πιστεύεις ότι έζησαν τα πρόσωπα στις φωτογραφίες;

Συμβουλή:
Πριν ακούσεις το κείμενο, διάβασε τις προτάσεις του πίνακα. Ποιο πιστεύεις ότι θα είναι το θέμα του κειμένου;

(cd 1, 1)

Άσκηση 1

Θα ακούσεις την ιστορία της Λωξάντρας. Άκου προσεκτικά και σημείωσε ✓ κάτω από το ΣΩΣΤΟ για τις προτάσεις που συμφωνούν με αυτά που ακούς ή κάτω από το ΛΑΘΟΣ για αυτές που δεν συμφωνούν.

		ΣΩΣΤΟ	ΛΑΘΟΣ
0.	Η Λωξάντρα είναι πολύ καλός άνθρωπος.	✓	
1.	Ο γάμος με τη Λωξάντρα είναι ο δεύτερος γάμος για τον Δημητρό.		
2.	Η Λωξάντρα δεν έκανε ποτέ δικά της παιδιά.		
3.	Η Λωξάντρα έμεινε εντελώς μόνη στο σπίτι μετά τον θάνατο του άντρα της.		
4.	Ο Γιωργάκης, ο άντρας της Κλειώς, είναι ναυτικός.		
5.	Η Άννα είναι η νύφη της Λωξάντρας.		
6.	Στις αρχές του 20ού αιώνα η Λωξάντρα μετακομίζει.		
7.	Η Λωξάντρα δεν έκανε κανένα φίλο στην Αθήνα.		

(cd 1, 1)

Άσκηση 2

Άκουσε ξανά το κείμενο. Τι σου έκανε μεγαλύτερη εντύπωση από τη ζωή της Λωξάντρας;

Άσκηση 3

Το βιβλίο της Μαρίας Ιορδανίδου *Λωξάντρα* έγινε σειρά στην τηλεόραση. Ψάξε στο διαδίκτυο και δες τα επεισόδια της σειράς. Ποια πρόσωπα της ιστορίας σού αρέσουν πιο πολύ; Γιατί;

λεξιλόγιο

Άσκηση 1

Γίνετε ζευγάρια, διαβάστε τις παρακάτω προτάσεις από το κείμενο που ακούσατε και βάλτε σε κύκλο το σωστό.

> Όλα τα παιδιά την αγαπούν πολύ. Μόνο ο Θεόδωρος δεν τη θέλει στην αρχή. Η Λωξάντρα, όμως, καταφέρνει γρήγορα να τον κερδίσει. Έτσι κι εκείνος τη φωνάζει «μαμά» ή «νενέκα».

1. Η Λωξάντρα

   α. πετυχαίνει μετά από προσπάθεια να κάνει τον Θεόδωρο να τη συμπαθήσει.

   β. δεν χρειάζεται να προσπαθήσει, για να την αγαπήσει ο Θεόδωρος.

   γ. δεν μπορεί να κάνει τον Θεόδωρο να τη συμπαθήσει.

2. Ο Θεόδωρος

   α. λέει τη Λωξάντρα με το όνομά της.

   β. λέει τη Λωξάντρα «μαμά» ή «νενέκα».

   γ. δεν λέει ποτέ τη Λωξάντρα με κάποιο όνομα.

> Η ζωή στην Κωνσταντινούπολη περνάει ήρεμα με καθημερινές συζητήσεις, κουτσομπολιό με τη νύφη της, την Ελεγκάκη, και πολλές ιστορίες από το παρελθόν.

3. Η λέξη / φράση που δείχνει ότι η Λωξάντρα και η Ελεγκάκη μιλούν για κάποιους άλλους είναι

   α. «καθημερινές συζητήσεις».

   β. «κουτσομπολιό».

   γ. «παρελθόν».

> Σιγά σιγά, η Λωξάντρα χάνει αγαπημένα της πρόσωπα, παιδιά, φίλους, συγγενείς κοντινούς και μακρινούς.

4. Τα αγαπημένα πρόσωπα της Λωξάντρας

   α. είναι μακριά.

   β. έχασαν τον δρόμο τους.

   γ. πέθαναν.

Άσκηση 2

Γίνετε ζευγάρια, εκτυπώστε το κείμενο της κατανόησης προφορικού λόγου, δείτε τις υπογραμμισμένες λέξεις / φράσεις του κειμένου και βρείτε με ποιες από τις παρακάτω λέξεις / φράσεις ταιριάζουν στη σημασία.

0. ήρθε στη ζωή, στον κόσμο = <u>γεννήθηκε</u>

1. αυτός που πέθανε η γυναίκα του = _____

2. αποκαλώ, λέω = _____

3. παίρνω για σύζυγο / άντρα = _____

4. γίνομαι διαφορετικός = _____

5. αποκτώ ένα κοριτσάκι = _____

6. γυρίζω πίσω = _____

7. παραδοσιακοί κανόνες ενός λαού =

_____

8. γονείς, αδέλφια, ξαδέλφια, θείοι, ανίψια, κτλ. =

_____

9. δυσκολίες = _____

10. αφήνει, παρατάει = _____

11. αισθάνομαι έρωτα, αγάπη = _____

Άσκηση 3

Γίνετε ζευγάρια, ενώστε τις λέξεις με αντίθετη σημασία και κάνετε προτάσεις με αυτές.

0. μεγαλόσωμη   _β_   **α.** πέθανε

1. γεννήθηκε   ___   **β.** μικρόσωμη

2. αγαπώ   ___   **γ.** στο τέλος

3. στην αρχή   ___   **δ.** μισώ

4. πλούσιος   ___   **ε.** χωρίζω / παίρνω διαζύγιο

5. παντρεύομαι   ___   **στ.** φτωχός

Άσκηση 4

Γίνετε ζευγάρια και ενώστε τις λέξεις, για να κάνετε φράσεις που χρησιμοποιούνται πολύ συχνά. Μετά γράψτε προτάσεις με τις φράσεις που κάνατε.

0. μεγάλη   _γ_   **α.** συζήτηση

1. καθημερινή   ___   **β.** παιδί

2. κάνω   ___   **γ.** ηλικία

3. ήθη και   ___   **δ.** συγγενείς

4. μακρινοί / κοντινοί ___   **ε.** έθιμα

Άσκηση 5

Γίνετε ζευγάρια, δείτε τις παρακάτω λέξεις και συμπληρώστε τα κενά κάθε σειράς του πίνακα με λέξεις που ανήκουν στην ίδια οικογένεια.

γνώση, ταξιδιωτικός, φιλόξενος, γεννημένος, μαγειρεμένος, αλλαγή, γερνάω/-ώ, ελευθερία, έρωτας, μαγειρευτός, περαστικός, φιλοξενούμενος, αποφασισμένος, αγαπάω/-ώ, επιστροφή, αποφασιστικός, ξεκίνημα

ρήμα	ουσιαστικό	επίθετο
γεννιέμαι / γεννώ	γέννηση	0 γεννημένος
γνωρίζω	1 _____	γνωστός
2 _____	αγάπη	αγαπημένος / αγαπητός
φιλοξενώ	φιλοξενία	3 _____, 4 _____
μαγειρεύω	μαγειρική / μαγείρεμα	5 _____, 6 _____
περνάω/-ώ	πέρασμα	7 _____, περασμένος
αλλάζω	8 _____	αλλαγμένος
9 _____	γεράματα / γέρος	γερασμένος
ελευθερώνω	10 _____	ελεύθερος
επιστρέφω	11 _____	-
ταξιδεύω	ταξίδι	12 _____
ερωτεύομαι	13 _____	ερωτικός, ερωτευμένος
αποφασίζω	απόφαση	14 _____, 15 _____
ξεκινώ	16 _____	-

Άσκηση 6

Γίνετε ζευγάρια και συμπληρώστε τα κενά, όπως στο παράδειγμα.

Ιστορίες μαγειρικής

Μια εκπομπή με πολίτικες συνταγές έρχεται σύντομα στην τηλεόραση. Οδηγός σε αυτό το μοναδικό ⁰___*ταξίδι*___ (ταξιδεύω) θα είναι η Μαρία Εκμετσίογλου, μια από τις πιο

¹_____ (γνωρίζω) σεφ της Τουρκίας.

Πώς ξεκίνησε τη ²_____ (μαγειρεύω); Στην παιδική της ηλικία πολύ συχνά η Μαρία Εκμεκτσίογλου μαγειρεύει για τον πατέρα της. Η μητέρα της ήταν από το Φανάρι και ο πατέρας της από το Πέραν. Εκεί άλλωστε μεγαλώνει και η ίδια. Στα 20 της χρόνια ένας μεγάλος

³_____ (ερωτεύομαι) την οδηγεί σε μια μεγάλη

⁴_____ (αποφασίζω). Μετακομίζει στη Θεσσαλονίκη για ένα καινούριο ⁵_____ (ξεκινάω). Στη Θεσσαλονίκη μένει για 13 χρόνια και ανοίγει ένα ζαχαροπλαστείο.

Επιστρέφει στη Σμύρνη και ανοίγει το πρώτο της εστιατόριο, αφού όπως λέει η ίδια: «Το σπίτι μου ήταν μια κουζίνα και μια τραπεζαρία. Κάθε βράδυ είχα βεγγέρες με φίλους και συγγενείς, γι' αυτό και

⁶_____ (απόφαση) με τον σύζυγό μου να κάνουμε ένα μαγαζί, για να βρισκόμαστε όλοι εκεί».

Η Μαρία Εκμεκτσίογλου είναι η μοναδική γυναίκα σεφ που διαθέτει δικά της εστιατόρια στη γειτονική μας χώρα. Οι «Μπαξέδες» της Μαρίας βρίσκονται στα δέκα πιο καλά εστιατόρια της Τουρκίας. Από τα χεράκια της τρώει όλη η Κωνσταντινούπολη, αλλά και πολλοί Έλληνες που είναι

⁷_____ (περνάω) από την Τουρκία. Η ⁸_____ (αγαπώ) και το μεράκι της Μαρίας για την κουζίνα, όπως και η ζεστή της

⁹_____ (φιλοξενώ) έγιναν η αιτία πολλοί να τη λένε «σύγχρονη Λωξάντρα»!

Διασκευή κειμένου από http://www.tlife.gr
και πληροφορίες από συνέντευξη στον Γ. Παπαχατζή

Άσκηση 7

Δες προσεκτικά το παρακάτω οικογενειακό δέντρο.

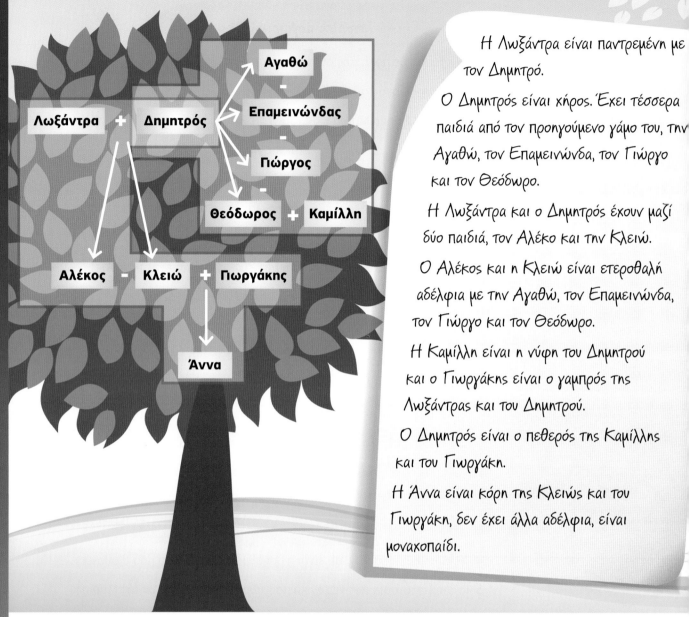

Η Λωξάντρα είναι παντρεμένη με τον Δημητρό.

Ο Δημητρός είναι χήρος. Έχει τέσσερα παιδιά από τον προηγούμενο γάμο του, την Αγαθώ, τον Επαμεινώνδα, τον Γιώργο και τον Θεόδωρο.

Η Λωξάντρα και ο Δημητρός έχουν μαζί δύο παιδιά, τον Αλέκο και την Κλειώ.

Ο Αλέκος και η Κλειώ είναι ετεροθαλή αδέλφια με την Αγαθώ, τον Επαμεινώνδα, τον Γιώργο και τον Θεόδωρο.

Η Καμίλλη είναι η νύφη του Δημητρού και ο Γιωργάκης είναι ο γαμπρός της Λωξάντρας και του Δημητρού.

Ο Δημητρός είναι ο πεθερός της Καμίλλης και του Γιωργάκη.

Η Άννα είναι κόρη της Κλειώς και του Γιωργάκη, δεν έχει άλλα αδέλφια, είναι μοναχοπαίδι.

Γίνετε ζευγάρια και συμπληρώστε τα κενά με τις παρακάτω λέξεις.

πεθερός, πρώην, ετεροθαλή, διαζύγιο, γαμπρός, μοναχοπαίδι, πεθερά, νύφη

0. Ο Μιχάλης είναι ο άντρας της κόρης μου, δηλαδή ο ___γαμπρός___ μου.

1. Η Έλσα είναι η γυναίκα του γιου μου, δηλαδή η _____ μου.

2. Η κ. Δήμητρα είναι η μητέρα του άντρα μου, δηλαδή η _____ μου.

3. Ο κ. Χρήστος είναι ο πατέρας της γυναίκας μου, δηλαδή ο _____ μου.

4. Ο Μάνος και η Χρύσα είναι τα παιδιά της μαμάς μου από τον προηγούμενο γάμο της. Με τον Μάνο και τη Χρύσα είμαστε _____ αδέλφια.

5. Με τον Γιώργο δεν είμαστε πια παντρεμένοι. Πήραμε _____, δηλαδή ο Γιώργος είναι ο _____ σύζυγός μου.

6. Δεν έχουμε άλλο παιδί. Η Βασιλική είναι το _____ μας.

Άσκηση 8

Κάνε ερωτήσεις στον διπλανό / στη διπλανή σου και συμπλήρωσε τον πίνακά σου.

Παράδειγμα:

Μαθητής Α: Τι έχεις στο Α1; **Μαθητής Β:** Είμαι ο άντρας της κόρης σου. **Μαθητής Α:** Είσαι ο γαμπρός μου.

Μαθητής Α	1	2	3
Α	γαμπρός		πρώην σύζυγος
Β		πεθερός	

Μαθητής Β	1	2	3
Α	γαμπρός	νύφη	
Β	πεθερά		κόρη / γιος

Άσκηση 9

Διάβασε ξανά τις λέξεις των ασκήσεων 5, 6 και 7 και γράψε μια μικρή παράγραφο με 8-10 από αυτές τις λέξεις.

Άσκηση 1

Άκου και συμπλήρωσε τα κενά.

(cd 1, 2)

Στην Ελλάδα

Στην Ελλάδα ένας πολύ σημαντικός τομέας του πολιτισμού είναι τα ήθη, [0] _ τα έθιμα _ και οι παραδόσεις του λαού.

Τα ήθη, τα έθιμα και οι παραδόσεις αφορούν την καθημερινή ζωή του ανθρώπου και της οικογένειας. Έχουν σχέση με τον κύκλο της ανθρώπινης ζωής, δηλαδή [1]_____, τον γάμο και τον θάνατο. Επίσης, τα ήθη και τα έθιμα έχουν σχέση με τον κύκλο του έτους, δηλαδή με τις ασχολίες των ανθρώπων και τις θρησκευτικές [2]_____ στις τέσσερις εποχές του χρόνου.

Στην εποχή μας εξακολουθούν να υπάρχουν ήθη και έθιμα, έστω κι αν με το πέρασμα του χρόνου [3]_____ και δεν παραμένουν ίδια. Σήμερα, εξαιτίας του σύγχρονου τρόπου ζωής, δεν δημιουργούνται νέα έθιμα, ενώ πολλές φορές σβήνουν ακόμη και τα [4]_____. Ωστόσο, πολύ συχνά σε διάφορες περιοχές της Ελλάδας οι άνθρωποι ξαναθυμούνται ορισμένα τοπικά έθιμα, κυρίως τα πιο θεαματικά, για [5]_____ και ψυχαγωγικούς λόγους.

Διασκευή κειμένου από το βιβλίο
Οικιακή Οικονομία της Β΄ Γυμνασίου

Σχετικά με τον γάμο, υπάρχουν ακόμη αρκετά ήθη και έθιμα που πολλές φορές είναι διαφορετικά σε κάθε [6]_____ της Ελλάδας. Ένα από τα πιο γνωστά έθιμα είναι, μετά την τελετή του γάμου, οι καλεσμένοι [7]_____ να ρίχνουν ρύζι στον γαμπρό και τη νύφη, για να πάει καλά ο [8]_____ τους. Στη συνέχεια, όλοι πηγαίνουν σε ένα εστιατόριο ή σε κάποιο άλλο χώρο, για να γλεντήσουν, να φάνε, να πιουν και να χορέψουν.

Όταν [9]_____ κάνει παιδί, το παιδί συνήθως παίρνει το όνομα του παππού ή της γιαγιάς.

Τα λέω στη νύφη να τ' ακούει η πεθερά.

Το αίμα νερό δεν γίνεται.

Προφορά

Άσκηση 1

(cd 1, 3)

Άκου τον διάλογο και στο παρακάτω κείμενο βάλε σε κύκλο τις λέξεις που έχουν τον ήχο [j] και σε τετράγωνο τις λέξεις που έχουν τον ήχο [ç]. Μετά διάβασε δυνατά τον διάλογο με τον συμμαθητή / τη συμμαθήτριά σου.

- (Βιολέτα), είσαι έτοιμη για τα βαφτίσια του Αναστάσιου;
- Είμαστε έτοιμοι, Θανάση. Όλα βέβαια τα ετοιμάσαμε πολύ βιαστικά... αλλά εντάξει....
- Αλήθεια, ποιοι θα είμαστε;
- Η οικογένεια μόνο, αλλά και πάλι θα είμαστε αρκετοί. Γονείς, αδέλφια, ξαδέλφια, ανίψια, θείες, θείοι.
- Θα κάνεις μετά τραπέζι;
- Ναι, σε ένα ωραίο μαγαζί, με πολύ ωραία και ξεχωριστά πιάτα.
- Ακριβό;
- Όχι, είναι αρκετά οικονομικό.
- Ετοίμασες τα τραπέζια; Ποιος θα κάθεται με ποιον;
- Όχι. Δεν χρειάζεται, επειδή θα είμαστε όλοι γνωστοί μεταξύ μας.
- Πού είναι το μαγαζί;
- Κοντά στην παραλία. Βλέπει θάλασσα.
- Διάλεξες ρούχα και μπομπονιέρες;
- Ναι. Οι μπομπονιέρες μού άρεσαν πολύ. Είναι κάτι πολύ ωραία γαλάζια ξύλινα μολύβια. Και τα ρούχα του παιδιού είναι πολύ ωραία. Είναι άσπρα κι έχουν πολύ ωραία μπλε κουμπιά.
- Θα είναι ωραία βραδιά.
- Έτσι πιστεύω. Καλή καρδιά και καλή διάθεση χρειάζεται.

/p/, /t/, /ts/, /f/, /θ/, /x/, /s/ + /i/
+ /a/, /e/, /o/, /i/, /u/
= σύμφωνο + [ça], [çe], [ço], [çu], [çi]

/b/, /d/, /dz/, /v/, /δ/, /z/, /r/ + /i/
+ /a/, /e/, /o/, /i/, /u/
= σύμφωνο + [ja], [je], [jo], [ji], [ju]

Άσκηση 2

(cd 1, 4)

Άκου και συμπλήρωσε τα κενά. Μετά διάβασε τις απαντήσεις στην τάξη.

1. β___λί   β___λή
2. δ___λου   δ___λου
3. τραπεζ___ν   τραπεζ___ν
4. όπ___ς   όπ___ς
5. Π___νο   Π___νο
6. π___τα   π___τα
7. π___ς   π___ς
8. ίσ___ς   ίσ___ς

Άσκηση 3

Κάνε ερωτήσεις στον διπλανό / στη διπλανή σου και συμπλήρωσε τον πίνακά σου.

Παράδειγμα:

Μαθητής Β: Τι έχεις στο 0;   **Μαθητής Α:** Κουτιών. Εσύ;   **Μαθητής Β:** Κουτών.

Μαθητής Α		
0	κουτιών	κουτών
1	στρατών	
2	φλούδια	
3	ρόδια	
4	φιλιών	
5	προξενιό	

Μαθητής Β		
0	κουτιών	κουτών
1		στρατιών
2		φλούδα
3		ρόδα
4		φυλών
5		προξενώ

Άσκηση 4

Διάβασε γρήγορα και πες την παρακάτω φράση στην τάξη.

Μια πάπια, μα ποια πάπια;
Μια πάπια με παπιά.

Άσκηση 5

Με τις παρακάτω λέξεις κάνε μια ιστορία και πες τη δυνατά στην τάξη.

διαμάντι, άδεια, αδιάφορος, διαζύγιο, καλάθια, μοναξιά, πάνω, απορία, απαίσιος, κουτιά, συντροφιά, φιλία, άγριος, αφιέρωμα, περιεχόμενο, παραμύθια, λιοντάρια, άδεια

Γραμματική: Βλέπω και παρατηρώ ...

Διάβασε το κείμενο και απάντησε στις ερωτήσεις.

Το βιβλίο της Μαρίας Ιορδανίδου *Λωξάντρα* είναι η ιστορία της πολίτισσας Λωξάντρας από τον γάμο ως τα γεράματά της.

Η Λωξάντρα συνδυάζει όλες τις στιγμές της ζωής της, από τότε που ήταν νέα μέχρι που έγινε γιαγιά, με τη μαγειρική και το φαγητό. Είναι αρχόντισσα της κουζίνας και τα φαγητά της αρέσουν σε όλους.

Οι γιαλαντζί ντολμάδες είναι η αδυναμία της. «Οι ντολμάδες θέλουν μπόλικο κρεμμύδι, για να γίνουν νόστιμοι...». Επίσης, της αρέσει πολύ ο χαλβάς. «Ταρνανά! Πού 'σαι βρε, Ταρνανά! Πρέπει να ψήσουμε τον χαλβά. Ξεφλούδισες τ' αμύγδαλα;».

Η μέρα της αρχίζει με τον καφέ του Δημητρού που τον ψήνει πάντα μόνη της, γιατί η Λωξάντρα πιστεύει πως ο άντρας, μέχρι να γίνει παππούς, πρέπει να τρώει και να πίνει απ' το χέρι της γυναίκας του.

Η μέρα της περνάει με δουλειές στο σπίτι και μαγειρέματα για την οικογένεια, πολλά μαγειρέματα. Κάθε μέρα περνούν από τη γειτονιά της διάφοροι πωλητές: ο γαλατάς, οι ψαράδες, ο μανάβης, οι γιαουρτάδες, οι σαλεπιτζήδες, οι κουλουρτζήδες και πολλοί άλλοι. Από όλους θέλει να αγοράσει η Λωξάντρα, όλα θέλει να τα δοκιμάσει.

Ερωτήσεις:

1. Ποιο φαγητό και ποιο γλυκό αρέσει πιο πολύ στη Λωξάντρα; _____

2. Τι πίνει ο Δημητρός κάθε πρωί; _____

3. Πώς περνάει η μέρα της Λωξάντρας στο σπίτι; _____

4. Ποιοι πωλητές περνούν κάθε μέρα από το σπίτι της Λωξάντρας; _____

Βλέπω

Δες με προσοχή τους παρακάτω πίνακες.

-άς / -άδες	Ονομαστική	Γενική	Αιτιατική
ΕΝΙΚΟΣ	ο ψα-ρ**άς** (01) *	του ψα-ρ**ά**	τον ψα-ρ**ά**
ΠΛΗΘΥΝΤΙΚΟΣ	οι ψα-ρ**ά-δες**	των ψα-ρ**ά-δων**	τους ψα-ρ**ά-δες**

ντολμάς

βασιλιάς

μπαμπάς

λουκουμάς

* αριθμός που δείχνει το κλιτικό παράδειγμα σύμφωνα με το Λεξικό της Κοινής Νεοελληνικής (Τριανταφυλλίδη)

-ης / -ής / -ηδες / -ήδες	Ονομαστική	Γενική	Αιτιατική
ΕΝΙΚΟΣ	ο κου-λουρ-τζ**ής** (08)*	του κου-λουρ-τζ**ή**	τον κου-λουρ-τζ**ή**
	ο μα-νά-β**ης** (011) *	του μα-νά-β**η**	τον μα-νά-β**η**
ΠΛΗΘΥΝΤΙΚΟΣ	οι κου-λουρ-τζ**ή-δες**	των κου-λουρ-τζ**ή-δων**	τους κου-λουρ-τζ**ήδες**
	οι μα-νά-β**η-δες**	των μα-νά-β**η-δων**	τους μα-νά-β**η-δες**

μπογιατζής (08) *

ταξιτζής

χιμπατζής

παγωτατζής

μπέμπης (011) *

νοικοκύρης

τσαγκάρης

χασάπης

-ές / -έδες	Ονομαστική	Γενική	Αιτιατική
ΕΝΙΚΟΣ	ο κα-φ**ές** (013) *	του κα-φ**έ**	τον κα-φ**έ**
ΠΛΗΘΥΝΤΙΚΟΣ	οι κα-φ**έ-δες**	των κα-φ**έ-δων**	τους κα-φ**έ-δες**

καναπές

μεζές

λεκές

τενεκές

ΠΙΝΑΚΑΣ 4	Ονομαστική	Γενική	Αιτιατική
ΕΝΙΚΟΣ	ο παπ-**πούς** (015) *	του παπ-**πού**	τον παπ-**πού**
ΠΛΗΘΥΝΤΙΚΟΣ	οι παπ-**πού-δες**	των παπ-**πού-δων**	τους παπ-**πού-δες**

νους (μόνο στον ενικό)

ΠΙΝΑΚΑΣ 5	Ονομαστική	Γενική	Αιτιατική
ΕΝΙΚΟΣ	η για-γι**ά** (023) *	της για-γι**άς**	τη για-γι**ά**
ΠΛΗΘΥΝΤΙΚΟΣ	οι για-γι**ά-δες**	των για-γι**ά-δων**	τις για-γι**ά-δες**

μαμά

νταντά

ΠΙΝΑΚΑΣ 6	Ονομαστική	Γενική	Αιτιατική
ΕΝΙΚΟΣ	η α-λε-π**ού** (037) *	της α-λε-π**ούς**	την α-λε-π**ού**
ΠΛΗΘΥΝΤΙΚΟΣ	οι α-λε-π**ού-δες**	των α-λε-π**ού-δων**	τις α-λε-π**ού-δες**

μαϊμού

 Προσοχή!

τη γιαγιά
(την + β, γ, δ, ζ, θ, λ, μ, ν, ρ, σ, φ, ζ)

την αλεπού
(την + κ, π, τ, μπ, ντ, γκ, τζ, τσ, ψ, ξ ή φωνήεν)

και παρατηρώ ...

Απάντησε στην παρακάτω ερώτηση:

1. Μέτρα τον αριθμό των συλλαβών των παραπάνω λέξεων στον ενικό και στον πληθυντικό αριθμό.
   Τι παρατηρείς;

___

Βλέπω

Δες με προσοχή τους παρακάτω πίνακες.

ΠΙΝΑΚΑΣ 7	Ονομαστική	Γενική	Αιτιατική
ΕΝΙΚΟΣ	το μα-γεί-ρε-**μα** (049) *	του μα-γει-ρέ-**μα-τος**	το μα-γεί-ρε-**μα**
	το γεύ-**μα** (048) *	του γεύ-**μα-τος**	το γεύ-**μα**
ΠΛΗΘΥΝΤΙΚΟΣ	τα μα-γει-ρέ-**μα-τα**	των μα-γει-ρε-**μά-των**	τα μα-γει-ρέ-**μα-τα**
	τα γεύ-**μα-τα**	των γευ-**μά-των**	τα γεύ-**μα-τα**

άρωμα (049)   *   **κάθισμα**   **διάβασμα**   **όνομα**

γράμμα (048) *   **κέρμα**   **χρήμα**   **χρώμα**

ΠΙΝΑΚΑΣ 8	Ονομαστική	Γενική	Αιτιατική
ΕΝΙΚΟΣ	το γά-λα (048) *	του γά-λα-(κ)τος	το γά-λα
ΠΛΗΘΥΝΤΙΚΟΣ	τα γά-λα-τα	-	τα γά-λα-τα

ΠΙΝΑΚΑΣ 9	ΟΝΟΜΑΣΤΙΚΗ	ΓΕΝΙΚΗ	ΑΙΤΙΑΤΙΚΗ
ΕΝΙΚΟΣ	το κρέ-ας (051) *	του κρέ-α-τος	τα κρέ-α-τα
ΠΛΗΘΥΝΤΙΚΟΣ	τα κρέ-α-τα	των κρε-ά-των	τα κρέ-α-τα

τέρας

και παρατηρώ ...

Απάντησε στην παρακάτω ερώτηση:

1. Μέτρα τον αριθμό των συλλαβών των παραπάνω λέξεων στον ενικό και στον πληθυντικό αριθμό.

Τι παρατηρείς;

_____

Άσκηση 1
Παίζουμε τένις! Γίνετε ζευγάρια και παίξτε τένις. Χρησιμοποιήστε τις λέξεις:

κασ~~τανάς~~, ταξιτζής, ρήμα, ντολμάς, λουκουμάς, ψιλικατζής, τσαγκάρης, καναπές, παππούς, μαμά, μαϊμού, άρωμα, διάλειμμα, κεφτές, νταντά, διάβασμα, χασάπης, τενεκές, περιπτεράς, μπέμπης, κλάμα, κρέας, μεζές, καβγάς, νοικοκύρης, σχήμα, τέρας, κάθισμα, λεκές, βασιλιάς, κέρμα, χιμπατζής

Παράδειγμα:

Μαθητής Α: <u>καστανάς</u>   **Μαθητής Β:** <u>κασ<i>τ</i>ανάδες, ταξιτζής</u>

Άσκηση 2
Γίνετε ζευγάρια, ακολουθήστε τις λέξεις που έχουν μία παραπάνω συλλαβή στον πληθυντικό και βγείτε από τον λαβύρινθο.

Αρχή

παπάς	αλεπού	καθηγητής	επιβάτης	λουλούδι
άντρας	στόμα	χαρά	μαθητής	φίλη
υπολογιστής	τενεκές	χώμα	μπουφές	μουσακάς
χασάπης	καθρέφτης	ψέμα	μέρα	βήμα
γράμμα	δείγμα	αθλητής	μουσική	τσαγκάρης
κόρη	χάρτης	ασθενής	ταινία	**χαλβάς**

Τέλος

Άσκηση 3
Γίνετε ζευγάρια και βρείτε τα λάθη.

0. Δεν υπάρχουν πια πολλοί ~~τσαγγάρες~~ στη γειτονιά μου.   <u>*τσαγγάρηδες*</u>

1. Οι αλεπές είναι πολύ πονηρές.   _____

2. Μην πίνεις πολλούς καφές. Δεν θα μπορείς να κοιμηθείς.   _____

3. Τα μαγαζιά των μανάβων σήμερα είναι κλειστά.   _____

4. Τα αποτελέσμα των εξετάσεων δεν ήταν πολύ καλά.   _____

5. Όλα τα παιδιά ήρθαν στη γιορτή με τις μαμές τους.   _____

6. Χθες το απόγευμα είδα την δασκάλα σου.   _____

Άσκηση 4

Γίνετε ζευγάρια και γράψτε στον πληθυντικό αριθμό τις υπογραμμισμένες λέξεις.

0. Το επάγγελμα <u>του ταξιτζή</u> είναι αρκετά δύσκολο και κουραστικό.   *των ταξιτζήδων*

1. Πρέπει να μετακινήσεις <u>τον καναπέ</u>, για να ανοίξει ο χώρος στο σαλόνι.   _____

2. Η διατροφή που κάνεις δεν είναι πολύ υγιεινή. Δεν πρέπει να τρως <u>πολύ κρέας</u>.   _____

3. Έχει πολλά νεύρα τον τελευταίο καιρό. Κάθε μέρα σχεδόν δημιουργεί <u>καβγά</u>.   _____

4. <u>Αυτός ο λεκές δεν βγαίνει</u> εύκολα ακόμη και στο πλυντήριο.   _____

5. <u>Το απόγευμα</u> συνήθως βγαίνω έξω με τη φίλη μου.   _____

6. <u>Η γιαγιά μου ξέρει</u> να πλέκει και να κεντάει πολύ ωραία.   _____

7. Έφαγα και <u>τον τελευταίο λουκουμά</u>.   _____

Άσκηση 5

Γίνετε ζευγάρια και βάλτε το τελικό -ν στις παρακάτω προτάσεις, όπου χρειάζεται.

0. Αγαπώ πολύ τη_✓_ Κατερίνα.

1. Τα παιδιά πήγαν στο πάρκο με τη___ μαμά τους.

2. Η Μαρία έχει ταλέντο στη___ κουζίνα.

3. Η Λωξάντρα φημίζεται για τη___ φιλοξενία της και την αγάπη της στη___ μαγειρική.

4. Πέρυσι το καλοκαίρι πήγα στη___ Λήμνο με τις φίλες μου: τη___ Ξένια, τη___ Αλεξάντρα, τη___ Βίκυ, τη___ Μαίρη, τη___ Δέσποινα και τη___ Θώμη.

Άσκηση 6

Δες με προσοχή και περίγραψε τις παρακάτω εικόνες στην τάξη.

➡ ΠΑΡΑΓΩΓΗ ΠΡΟΦΟΡΙΚΟΥ ΛΟΓΟΥ

Άσκηση 1

Γίνετε ζευγάρια και απαντήστε στις παρακάτω ερωτήσεις.

- Πώς σε λένε;
- Από πού είσαι;
- Έχεις οικογένεια;
- Πόσα μέλη έχει η οικογένειά σου;
- Τι δουλειά κάνουν οι γονείς σου;
- Πώς είναι οι γονείς σου;
- Τι σχέση έχεις με τα αδέλφια σου;
- Ο παππούς και η γιαγιά σου μένουν κοντά σας;
- Πόσο συχνά βλέπεις τη γιαγιά και τον παππού;
- Ποια προβλήματα έχουν οι έφηβοι σήμερα;
- Όταν έχεις κάποιο πρόβλημα, το συζητάς με τους γονείς ή με τους φίλους σου;
- Πιστεύεις στα ζώδια; Τι ζώδιο είσαι;
- Περίγραψε ένα πρόσωπο που θαυμάζεις.

Συμβουλή:
Μη δίνεις μονολεκτικές απαντήσεις. Δεν υπάρχει σωστή και λάθος απάντηση. Απλώς αιτιολόγησε.

Άσκηση 2

Διάβασε τις παρακάτω φράσεις.
Τι είναι η *οικογένεια* για σένα;

Οικογένεια είναι ...	
οι γονείς και τα αδέρφια μου.	
ο μπαμπάς μου.	
ο παππούς και η γιαγιά μου.	
τα παιδιά και η γυναίκα μου.	
οι θείοι μου, οι παππούδες μου, οι γονείς και τα αδέρφια μου.	
οι φίλοι μου.	
η μαμά μου.	
η δουλειά μου.	
τα ανίψια μου.	

Άσκηση 3

Δες τις εικόνες και σημείωσε στον παρακάτω πίνακα ποια εικόνα περιγράφει κάθε πρόταση.

		1	2
α.	Η οικογένεια βρίσκεται στο τραπέζι και συζητάει.		
β.	Ο παππούς διαβάζει ιστορίες στα εγγόνια του.		
γ.	Τα ρούχα τους είναι απλά, άνετα και καθημερινά.		
δ.	Ίσως λένε κάτι ευχάριστο, γιατί όλοι χαμογελούν.		
ε.	Τα παιδιά ακούν προσεκτικά.		
στ.	Όλοι φαίνονται χαρούμενοι.		
ζ.	Στο βάθος υπάρχει μια βιβλιοθήκη με πολλά βιβλία.		

Άσκηση 4
(cd 1, 5)

Άκου έναν μαθητή να περιγράφει τις δύο προηγούμενες εικόνες και συμπλήρωσε τα κενά.

Και οι δύο φωτογραφίες δείχνουν κάποιους ανθρώπους με τις οικογένειές τους. Η πρώτη φωτογραφία δείχνει μια οικογένεια ⁰ _την ώρα του φαγητού_ και στη δεύτερη ένας παππούς ¹_____. Και στις δύο φωτογραφίες όλοι είναι πολύ χαρούμενοι. Στην πρώτη φωτογραφία φαίνεται ότι μιλάει το αγόρι και οι άλλοι το ακούν με πολλή προσοχή. Στη δεύτερη και τα τρία παιδιά βλέπουν πολύ προσεκτικά το βιβλίο που κρατάει ο παππούς τους. Οι φωτογραφίες δείχνουν ²_____ που περνάμε όλοι. Πιο πολύ μου αρέσει η δεύτερη, γιατί κι εγώ με τον παππού μου ³_____ που δεν θα ξεχάσω ποτέ.

Άσκηση 5

Δες με προσοχή τις φωτογραφίες και περίγραψέ τες.

Χρήσιμο λεξιλόγιο

- Νομίζω ότι ...
- Πιστεύω ότι ...
- Μου φαίνεται ότι ...
- Σε όλες τις φωτογραφίες ...
- Και στις 2 φωτογραφίες ...
- Φαίνεται ότι ...
- Ένα κοινό σημείο, μια ομοιότητα / διαφορά ...
- Κατά τη γνώμη μου ...
- Τα πρόσωπα της φωτογραφίας ...
- Θα ήθελα να ...

Άσκηση 6

Γίνετε ζευγάρια και παίξτε τα παρακάτω παιχνίδια ρόλων.

Πάρτι γενεθλίων

Ρόλος Α

Πίνεις καφέ με μια φίλη / έναν φίλο σου και συζητάς για την καινούρια κοπέλα του αδερφού σου. Εσύ δεν τη συμπαθείς καθόλου και δεν θέλεις να την καλέσεις στο πάρτι γενεθλίων σου. Ο φίλος / Η φίλη σου πιστεύει ότι είναι συμπαθητική κοπέλα και σου λέει ότι πρέπει να την καλέσεις στο πάρτι σου. Εξηγείς γιατί δεν τη συμπαθείς.

Ρόλος Β

Πίνεις καφέ με έναν φίλο / μια φίλη σου και συζητάτε για το πάρτι γενεθλίων που θέλει να κάνει. Μιλάτε για την καινούρια κοπέλα του αδερφού του / της. Εκείνος / Εκείνη δεν τη συμπαθεί καθόλου και δεν θέλει να την καλέσει στο πάρτι του / της. Εσύ πιστεύεις ότι είναι συμπαθητική κοπέλα και του / της λες ότι πρέπει να την καλέσει. Εξηγείς γιατί τη συμπαθείς.

Στο αεροπλάνο

Ρόλος Α

Κάνεις ένα μεγάλο ταξίδι με το αεροπλάνο. Φοβάσαι λίγο την πτήση. Δίπλα σου κάθεται ένας κύριος / μια κυρία και μιλάς μαζί του / της, για να περάσει η ώρα. Μιλάς για τον εαυτό σου, την οικογένειά σου, κτλ.

Ρόλος Β

Κάνεις ένα μεγάλο ταξίδι με το αεροπλάνο. Δίπλα σου κάθεται ένας κύριος / μια κυρία που φοβάται την πτήση. Μιλάς μαζί του / της, για να χαλαρώσει και να περάσει η ώρα. Μιλάς για τον εαυτό σου, την οικογένειά σου, κτλ.

Συμβουλή:

Υπογράμμισε τις λέξεις-κλειδιά που έχει κάθε ρόλος. Γράψε το λεξιλόγιο που θα χρειαστείς.

Αν ο συμμαθητής / η συμμαθήτριά σου μιλάει γρήγορα και δεν τον / την καταλαβαίνεις, μπορείς να πεις «Συγνώμη, δεν κατάλαβα, μπορείς να το ξαναπείς; Πιο αργά, παρακαλώ...»

ΠΑΡΑΓΩΓΗ ΓΡΑΠΤΟΥ ΛΟΓΟΥ

Άσκηση 1

Η Άρτεμη και η Κατερίνα γράφουν ένα ηλεκτρονικό μήνυμα, για να πάρουν μέρος σε ένα τηλεοπτικό παιχνίδι για δίδυμα αδέρφια. Διάβασε προσεκτικά το μήνυμα και διάλεξε έναν πλαγιότιτλο για κάθε παράγραφο.

χόμπι, καταγωγή / οικογένεια / κατοικία, επάγγελμα / χαρακτήρας, εμφάνιση

Inbox - Windows Mail

File   Edit   View   Tools   Message   Help   Search

Create Mail   ▾   Reply   Reply All   Forward | Send/Receive   ▾

!   0   ↰

Γεια σας!

1 _____
_____
_____

Είμαστε η Άρτεμη και η Κατερίνα. Είμαστε 32 χρονών και είμαστε δίδυμες. Μένουμε στο Τορόντο, αλλά είμαστε από την Ελλάδα, από τη Νίσυρο. Παρόλο που γεννηθήκαμε και ζούμε στο Τορόντο, αγαπάμε και οι δύο πολύ την Ελλάδα και τα ελληνικά. Δυστυχώς, όμως, δεν έχουμε πολλές ευκαιρίες να μιλήσουμε τη γλώσσα.

2 _____
_____
_____

Αν και είμαστε δίδυμες, δεν μοιάζουμε καθόλου. Η μια είναι παχουλή και μελαχρινή, ενώ η άλλη είναι ξανθιά και αδύνατη. Επιπλέον, στη μια αρέσει το σπορ ντύσιμο, όπως τα τζιν και τα πουλόβερ, ενώ η άλλη συνήθως φοράει φορέματα και παπούτσια με τακούνια.

3 _____
_____
_____

Είμαστε και οι δύο δικηγόροι. Αγαπάμε πολύ τη δουλειά μας, όμως, συμπεριφερό-μαστε πολύ διαφορετικά με τους πελάτες. Η μια είναι ευγενική, ήρεμη και σεμνή, ενώ η άλλη είναι νευρική και αρκετά δυναμικός χαρακτήρας. Επειδή συμπληρώνει η μια την άλλη, έχουμε πολύ καλή συνεργασία.

4 _____
_____
_____

Στον ελεύθερό μας χρόνο πηγαίνουμε μαζί στον κινηματογράφο και σε συναυλίες. Και οι δύο αγαπάμε την Ελλάδα, πηγαίνουμε κάθε καλοκαίρι στο νησί και περνάμε πάντα πολύ ωραία. Μας αρέσει πολύ η ιδέα του τηλεοπτικού παιχνιδιού που ετοιμάζετε στον σταθμό σας. Θέλουμε πολύ να πάρουμε μέρος σ' αυτό. Θα είναι και μια ευκαιρία για μας να έρθουμε στην Ελλάδα και να περάσουμε ωραίες στιγμές. Ελπίζουμε να μας προτιμήσετε.

Περιμένουμε με αγωνία την απάντησή σας.

Φιλικά,

Άρτεμη και Κατερίνα

Άσκηση 2

Διάβασε προσεκτικά το παραπάνω μήνυμα ξανά και βρες ποιες λέξεις δείχνουν:

αντίθεση: _____

κάτι ακόμη: _____

Άσκηση 3

Στην παρακάτω ακροστιχίδα γράψε σε κάθε γραμμή όσες περισσότερες λέξεις μπορείς που περιγράφουν έναν άνθρωπο και περιέχουν ή αρχίζουν από το κάθε γράμμα της λέξης *άνθρωπος*.

Α	αισιόδοξος, απαισιόδοξος, άσχημος, απλός, αδύνατος
Ν	
Θ	
Ρ	
Ω	
Π	
Ο	
Σ	

Άσκηση 4

Ψάχνεις φίλους στο διαδίκτυο. Γράφεις ένα μήνυμα και μιλάς για την εξωτερική σου εμφάνιση, τον χαρακτήρα, την οικογένειά σου και ό,τι άλλο θέλεις. (150 λέξεις)

Συμβουλή:
Υπογράμμισε τις λέξεις-κλειδιά και, για κάθε λέξη-κλειδί, σημείωσε το λεξιλόγιο που θα σου χρειαστεί.

σχεδιάγραμμα / χρήσιμο λεξιλόγιο

Το κείμενο που έγραψα:

– περιγράφει την εξωτερική μου εμφάνιση.	
– περιγράφει τον χαρακτήρα μου.	
– περιγράφει την οικογένειά μου.	
– έχει το κατάλληλο ύφος.	

Ώρα για τραγούδι

(cd 1, 6)

Άκου μία φορά το τραγούδι.

Άσκηση 1
Άκου ξανά το τραγούδι και συμπλήρωσε τα κενά.

Η Μαρία και η Μαίρη, η Μαριώ και η Μαρί

είναι 4 γυναίκες, καθεμιά με άλλη ⁰___ζωή___.

Μία μένει στην Ελλάδα, άλλη στην Αμερική,

όλες είναι από ¹_____, κάποιες ζουν στην εξοχή.

Μοιάζουνε στην ²_____ κι όνειρα έχουν πολλά,

όλες θέλουν ³_____, μα τι ψάχνει η καθεμιά;

Χρήμα αναζητά η μία, η άλλη παιδεία επιθυμεί,

κάποια θέλει μόνο ⁴_____, άλλη δόξα και τιμή.

Η Μαρία και η Μαίρη, η Μαριώ και η Μαρί

ούτε γλώσσα έχουν ίδια ούτε ίδια ⁵_____.

Όλες γύρω στα 40 με ⁶_____ και παιδιά,

μα με άλλο χαρακτήρα και χαρακτηριστικά.

Αδύνατες ή όχι, όμορφες, ⁷_____ ή φτωχές

δεν έχει σημασία, αλλού είναι η ουσία.

Η Μαρία και η Μαίρη, η Μαριώ και η Μαρί

όλες θέλουν ευτυχία, ίσως κάποια να τη βρει. (δις)

Άσκηση 2
Ποιος είναι ο αγαπημένος σου στίχος;

_____

_____

_____

_____

_____

_____

_____

_____

_____

_____

_____

_____

⚠ Τώρα ξέρεις ...

	Ναι	Όχι
να περιγράφεις τον χαρακτήρα σου;		
να περιγράφεις την εξωτερική εμφάνιση κάποιου;		
να μιλάς για την οικογένεια και τους συγγενείς σου;		
να σχηματίζεις τον πληθυντικό αριθμό των ουσιαστικών;		

- Σου αρέσει το σπίτι της
  φωτογραφίας;
- Μοιάζει με το δικό σου;
- Ποιοι τύποι σπιτιών υπάρχουν
  στη χώρα σου;
- Ποια σπίτια σού αρέσουν
  περισσότερο;
- Ποια δεν σου αρέσουν καθόλου;

Άσκηση 1

Διάβασε το παρακάτω κείμενο και διάλεξε τον κατάλληλο τίτλο.

α. Το ιδανικό σπίτι για σας   **β.** Σπίτια από όλο τον κόσμο   **γ.** Σπίτι πολιτισμών

Άσκηση 2

Διάβασε με προσοχή το παρακάτω κείμενο και στον πίνακα που ακολουθεί σημείωσε √ κάτω από το ΣΩΣΤΟ για τις προτάσεις που συμφωνούν με το κείμενο ή κάτω από το ΛΑΘΟΣ για τις προτάσεις που δεν συμφωνούν.

Συμβουλή:
Όταν κάνεις την άσκηση, υπογράμμισε τις απαντήσεις μέσα στο κείμενο.

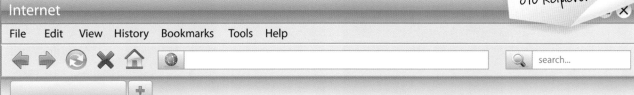

Η αρχιτεκτονική των σπιτιών και των κτιρίων δείχνει τον πολιτισμό ενός τόπου και έχει στενή σχέση με τον τρόπο ζωής των ανθρώπων. Το διαμέρισμα ή η μονοκατοικία υπάρχουν κυρίως στον δυτικό κόσμο. Τι συμβαίνει σε άλλους τόπους και άλλους πολιτισμούς;

Στην περιοχή Φουτζάν της Κίνας οι κάτοικοι <u>χτίζουν</u> τα σπίτια-πόλεις. Αυτά είναι τετραώροφα και σε καθένα μένουν εκατοντάδες άνθρωποι από την ίδια <u>φυλή</u>. Άτομα από διαφορετική φυλή δεν μένουν ποτέ στο ίδιο σπίτι.

Οι ψαράδες στην περιοχή Σαμπά της

Μαλαισίας ζουν στο νερό. Για τα σπίτια τους χρησιμοποιούν το ξύλο από ένα δέντρο (μανγκρόβιο) που έχει μεγάλη αντοχή στο θαλασσινό νερό.

Στο Μαρόκο οι <u>κάτοικοι</u> χτίζουν τα σπίτια τους με χωμάτινο τούβλο. Ανακατεύουν νερό και χώμα, βάζουν το μείγμα σε καλούπια και το στεγνώνουν κάτω από τον ήλιο. Έτσι κάνουν τα τούβλα που τα <u>κολλούν</u> με πηλό. Τα σπίτια αυτά έχουν πάντα σταθερή θερμοκρασία, <u>παρόλο που</u> η εξωτερική θερμοκρασία αλλάζει πάρα πολύ κατά τη διάρκεια της ημέρας. Η κατασκευή τους, όμως, δεν είναι ιδιαίτερα σταθερή, αφού δεν <u>αντέχει</u> στους <u>σεισμούς</u>.

Σε ένα μέρος της Ταϊλάνδης οι άνθρωποι κάνουν τα σπίτια τους δύο μέτρα πάνω από το <u>έδαφος</u>. Κάτω από τα σπίτια μένουν οι αγελάδες, τα γουρούνια και οι κότες τους.

Σε πολλούς πολιτισμούς συναντούμε νομάδες, δηλαδή ανθρώπους που αλλάζουν

συχνά τόπο διαμονής. Αυτοί έχουν ανάγκη από μια κατοικία από ελαφρύ <u>υλικό</u>, όπως το άχυρο, το ξύλο, ο πηλός ή το ύφασμα, για να μπορούν να τη <u>μεταφέρουν</u>. Το γκελ, π.χ., είναι μια κυκλική κατασκευή που χρησιμοποιούν οι νομάδες στη Μογγολία. Στο κέντρο της υπάρχουν δύο <u>κολόνες-</u>

στηρίγματα και ένα τζάκι που <u>θερμαίνει</u> τον χώρο. Η <u>σκεπή</u> μπορεί να ανοίξει, για να φεύγει ο καπνός.

Τέλος, οι Σάμι της Φινλανδίας, για να <u>καλύψουν τις ανάγκες</u> τους, ζουν σε διαφορετικά σπίτια τον χειμώνα και το καλοκαίρι. Τα χειμερινά σπίτια είναι από πηλό και ξύλο. Τα θερινά σπίτια είναι σε σχήμα κώνου και γύρω γύρω έχουν δέρμα βουβαλιού.

Το <u>ιδανικό</u> σπίτι δεν είναι ίδιο για όλους. Το <u>κόστος</u> κατασκευής δεν είναι αυτό που εξασφαλίζει πάντα άνεση και ασφάλεια. Το σπίτι που είναι <u>λειτουργικό</u> για έναν κάτοικο στο Μαρόκο δεν είναι καθόλου πρακτικό για σας, τον κάτοικο ενός άλλου τόπου.

Διασκευή κειμένου από http://ebooks.edu.gr/modules/ebook/show.php/DSDIM-F112/712/4705,21274/extras/presentations/c4_ktiria/c4_ktiria.swf

Loading ...

		ΣΩΣΤΟ	ΛΑΘΟΣ
0.	Σε όλο τον κόσμο υπάρχουν οι ίδιοι τύποι σπιτιών.		✓
1.	Στην περιοχή Φουτζάν της Κίνας τα σπίτια έχουν τέσσερις ορόφους.		
2.	Στην περιοχή Φουτζάν της Κίνας σε ένα σπίτι μένουν άνθρωποι με ίδια καταγωγή.		
3.	Στο Μαρόκο η θερμοκρασία του σπιτιού αλλάζει ανάλογα με την εξωτερική θερμοκρασία.		
4.	Τα σπίτια στο Μαρόκο αντέχουν σε κάθε φυσικό φαινόμενο.		
5.	Σε μια περιοχή της Ταϊλάνδης τα σπίτια είναι υπόγεια.		
6.	Οι νομάδες έχουν βαριά σπίτια.		

Άσκηση 3

Διάβασε ξανά το κείμενο και απάντησε στις παρακάτω ερωτήσεις:

• Γιατί τα σπίτια των νομάδων της Μογγολίας δεν είναι κατάλληλα για τους κατοίκους της περιοχής Φουτζάν της Κίνας;
• Ποιο από τα παραπάνω σπίτια σού αρέσει πιο πολύ και γιατί;
• Ποιος είναι ο στόχος του κειμένου; Πιστεύεις ότι το κείμενο πετυχαίνει τον στόχο του;

Λεξιλόγιο

Άσκηση 1

Γίνετε ζευγάρια, δείτε τις υπογραμμισμένες λέξεις του κειμένου (σελ. 58-59) και βρείτε με ποιες από τις παρακάτω λέξεις / φράσεις ταιριάζουν στη σημασία.

0. ικανοποιώ ανάγκες = *καλύπτω τις ανάγκες*

1. κάνω μια κατασκευή = _____

2. πρακτικό = _____

3. δεν παθαίνω τίποτα = _____

4. ομάδα ανθρώπων με κοινά χαρακτηριστικά = _____

5. τα χρήματα που είναι απαραίτητα για να γίνει κάτι = _____

6. ενώνω = _____

7. ζεσταίνω = _____

8. το μέρος που πατάμε, επιφάνεια γης = _____

9. μεγάλο, μακρόστενο κομμάτι από σταθερό υλικό που στηρίζει κάτι = _____

10. αυτός που μένει κάπου = _____

11. αλλάζω μέρος σε κάτι = _____

12. κατάλληλο, τέλειο = _____

13. ξαφνικό κούνημα της γης = _____

14. από αυτό π.χ. ξύλο είναι κατασκευασμένο κάτι = _____

15. το πάνω μέρος του σπιτιού, στέγη = _____

16. αν και, ενώ, μολονότι = _____

Άσκηση 2

Γίνετε ζευγάρια, ενώστε τις λέξεις με αντίθετη σημασία και κάνετε προτάσεις με αυτές.

0. ελαφρύ   _δ_   **α.** γκρεμίζω

1. χειμερινός   _____   **β.** διαφορετικό

2. εξωτερικός   _____   **γ.** κίνδυνος

3. χτίζω   _____   **δ.** βαρύ

4. στεγνώνω   _____   **ε.** καλοκαιρινός

5. ίδιο   _____   **στ.** εσωτερικός

6. ασφάλεια   _____   **ζ.** βρέχω

Άσκηση 3

Γίνετε ζευγάρια και ενώστε τις λέξεις, για να κάνετε φράσεις που χρησιμοποιούνται πολύ συχνά.
Με μερικές λέξεις μπορείτε να κάνετε περισσότερους από έναν συνδυασμούς. Μετά γράψτε
προτάσεις με τις φράσεις που κάνατε.

0. σταθερή	**α.** κατασκευή _____
1. κόστος	**β.** ανάγκες _____
2. τόπος	**γ.** θερμοκρασία _0_____
3. καλύπτω	**δ.** ζωής _____
4. στενή	**ε.** κατασκευής _____
5. τρόπος	**στ.** διαμονής _____
	ζ. σχέση _____

Άσκηση 4

Γίνετε ζευγάρια και βρείτε μέσα στο κείμενο
(σελ. 58-59) τις λέξεις *τόπος, μέρος, χώρος*
που έχουν συγγενική σημασία. Μπορείτε να
καταλάβετε τη διαφορά στη σημασία τους;
Στη συνέχεια συμπληρώστε τις παρακάτω
προτάσεις με μια από τις 3 λέξεις.

0. Το σπίτι μου έχει ωραίους ____χώρους____.

1. _____ γέννησης: Σέρρες.

2. Η βιβλιοθήκη μου είναι γεμάτη. Δεν έχει καθόλου
_____.

3. Οι εξωτερικοί _____ του σπιτιού
είναι πολύ μεγάλοι.

4. Από ποιο _____ είσαι;

5. Η Ελλάδα είναι πολύ φιλόξενος _____.

6. Δεν πήρα _____ στις εξετάσεις.

7. Το σπίτι έχει βοηθητικούς _____;

8. Κουράστηκα στο εξωτερικό. Θέλω να γυρίσω
στον _____ μου.

9. Είσαι εκτός _____ και χρόνου.

10. Ο Δημήτρης ταξίδεψε σε πολλά
_____.

Άσκηση 5

Σπίτι ή κατοικία; Γίνετε ζευγάρια και βάλτε σε
κύκλο το σωστό.

0. Ποια είναι η διεύθυνση σπιτιού / ⟨κατοικίας⟩ σου;

1. Οι τράπεζες δίνουν δάνεια για πρώτο σπίτι /
πρώτη κατοικία.

2. Σήμερα καθάρισα το σπίτι / την κατοικία, γιατί
ήταν άνω-κάτω.

3. Πού είναι η μόνιμη κατοικία / το μόνιμο σπίτι
σου;

4. Το 2013 αγοράσαμε σπίτι / κατοικία.

Άσκηση 6

Δες τις παρακάτω φωτογραφίες και συμπλήρωσε τα κενά στις προτάσεις με τις λέξεις του κρυπτόλεξου.

0. Αυτό είναι ένα δεμάτι ___*άχυρο*___ .

1. Το έπιπλο είναι από _____ .

2. Μου αρέσει αυτό το ανθοδοχείο από _____ .

3. Για να χτίσουμε ένα σπίτι, χρειαζόμαστε _____ .

4. Το _____ είναι υγρό. Μάλλον έβρεξε.

5. Αυτή η μπλούζα είναι από _____ .

0	Α	Β	Γ	Α	Χ	Υ	Ρ	Ο	Δ	Ε	Ζ	Η
1	Θ	Ι	Κ	Λ	Μ	Ν	Ξ	Υ	Λ	Ο	Π	Ρ
2	Π	Η	Λ	Ο	Σ	Τ	Υ	Φ	Χ	Ψ	Ω	Ε
3	Γ	Α	Β	Ε	Τ	Ο	Υ	Β	Λ	Α	Π	Ρ
4	Υ	Η	Ν	Κ	Δ	Κ	Χ	Ω	Μ	Α	Τ	Ι
5	Θ	Η	Κ	Η	Ι	Τ	Ξ	Μ	Α	Λ	Λ	Ι

Άσκηση 7

Ποιες από τις παρακάτω φράσεις είναι Σωστές και ποιες Λάθος;

0. Αυτό το σπίτι είναι από σταθερά υλικά, όπως π.χ. άχυρο. __Λ__

1. Το χαλί μας είναι 100% από μαλλί, γι' αυτό είναι πολύ ζεστό. _____

2. Αυτό το κουτί είναι γεμάτο τούβλα και είναι πολύ ελαφρύ. _____

3. Αυτό το τζάκι δεν ζεσταίνει όλο το σπίτι. _____

4. Οι άνθρωποι της φυλής μου δεν μοιάζουν καθόλου μεταξύ τους. _____

5. Μου αρέσει το κυνήγι, γιατί αγαπώ τα ζώα. _____

6. Υπάρχουν πολλά είδη σπιτιών, επειδή οι ανάγκες των ανθρώπων δεν είναι ίδιες. _____

Άσκηση 8

Διάλεξε 7-8 λέξεις από τις παραπάνω ασκήσεις και γράψε μια ιστορία.

Άσκηση 9

Γίνετε ζευγάρια, δείτε τις παρακάτω λέξεις και συμπληρώστε τα κενά κάθε σειράς του πίνακα με λέξεις που ανήκουν στην ίδια οικογένεια.

κατοικώ, κόστος, υφασμάτινος, θάλασσα, ανθεκτικός, χειμώνας, χώμα, πήλινος, αναγκαίος, άνετος, κύκλος, μεταφέρω, αχυρένιος, αλλάζω, μάλλινος, στηρίζω, ξύλινος, κατοικημένος, ασφάλεια, κτίριο, κατασκευαστικός

ρήμα	ουσιαστικό	επίθετο
0 κατοικώ	κάτοικος, κατοικία	1 _____
χτίζω / κτίζω	2 _____, χτίστης	χτιστός, χτισμένος
-	ξύλο	3 _____
-	4 _____	θαλασσινός
αντέχω	αντοχή	5 _____
-	6 _____	χωμάτινος
-	πηλός	7 _____
κατασκευάζω	κατασκευή	8 _____, κατασκευασμένος
9 _____	αλλαγή	-
κυκλώνω	10 _____	κυκλικός
11 _____	μεταφορά	μεταφορικός
-	ύφασμα	12 _____
-	άχυρο	13 _____
-	μαλλί	14 _____
15 _____	στήριγμα	-
-	16 _____	χειμερινός, χειμωνιάτικος
αναγκάζω	ανάγκη	17 _____, αναγκαστικός
κοστίζω	18 _____	-
ασφαλίζω	19 _____	ασφαλισμένος
-	άνεση	20 _____

Άσκηση 10

Γίνετε ζευγάρια και συμπληρώστε τα κενά, όπως στο παράδειγμα.

Σπίτια από πηλό

Στο σπίτι μας περνούμε μεγάλο μέρος της ζωής μας. Γι' αυτό πρέπει να καλύπτει τις ανάγκες μας και να μας προσφέρει [0] _____ασφάλεια_____ (ασφαλίζω) και άνεση. Το μεγάλο σπίτι δεν είναι πάντα ιδανικό. Πολλές φορές, μικρά αλλά λειτουργικά σπίτια είναι [1]_____ (άνεση) και παρέχουν αληθινή ποιότητα ζωής στους κατοίκους τους.

Επίσης, το σπίτι μας επηρεάζει την υγεία μας. Βέβαια, το πότε ένα σπίτι είναι υγιεινό είναι αρκετά δύσκολο ερώτημα. Για να απαντήσουμε με βεβαιότητα, πρέπει να περάσουμε πολύ χρόνο σε αυτό. Η ποιότητα του αέρα, ο θόρυβος και το φως είναι μερικοί από τους παράγοντες που μας επηρεάζουν βιολογικά ή ψυχολογικά.

Τα σπίτια από πηλό είναι μια διαφορετική πρόταση κατοικιών. Είναι άνετα και καλύπτουν απόλυτα τις ανάγκες των [2]_____ (κατοικώ) τους. Η τεχνική κατασκευής τους υπάρχει από πολύ παλιά, δεν είναι καθόλου καινούρια. Το κύριο χαρακτηριστικό της είναι ότι απουσιάζουν τα βιομηχανικά υλικά. Για την [3]_____ (κατασκευάζω) τους είναι απαραίτητα μόνο υλικά που υπάρχουν στη φύση, όπως το ξύλο, το άχυρο, η πέτρα και το χώμα. Είναι πολύ σταθερές κατασκευές με μεγάλη [4]_____ (αντέχω) στον αέρα, στις πλημμύρες και τους σεισμούς. Τα σπίτια λειτουργούν τέλεια σε κάθε εποχή του χρόνου. Είναι ζεστά τον χειμώνα και δροσερά το καλοκαίρι. Επιπλέον, το [5]_____ (κοστίζω) τους είναι πολύ χαμηλό. Ξεκινά από 200 και δεν ξεπερνά τα 800 ευρώ το τετραγωνικό μέτρο.

Τα σπίτια από πηλό είναι πολύ όμορφες και ρομαντικές κατοικίες με [6]_____ (χτίζω) πάγκους, κρεβάτια και καναπέδες. Είναι μέσα στη φύση και προσφέρουν αληθινή ποιότητα ζωής στους κατοίκους τους. Η κατασκευή τους διαρκεί τρεις με τέσσερις μήνες.

Διασκευή κειμένου από http://www.cob.gr/

Άσκηση 11

Διάλεξε 6-7 λέξεις από τον πίνακα της άσκησης 9 και κάνε μια ιστορία.

Άσκηση 12

Ο κάθε μαθητής / Η κάθε μαθήτρια διαλέγει μια εικόνα από τον πίνακα. Την περιγράφει δυνατά στην τάξη. Οι υπόλοιποι μαθητές / Οι υπόλοιπες μαθήτριες βρίσκουν την εικόνα και τη σημειώνουν. Σημειώνουν τέσσερα διαδοχικά κελιά διαγώνια, οριζόντια ή κάθετα που περνούν από το κεντρικό BINGO και φωνάζουν BINGO.

Παράδειγμα: _Ένα άσπρο σπίτι με μπλε παράθυρα, που έχει ένα πολύ όμορφο και μεγάλο ροζ λουλούδι στον κήπο του._

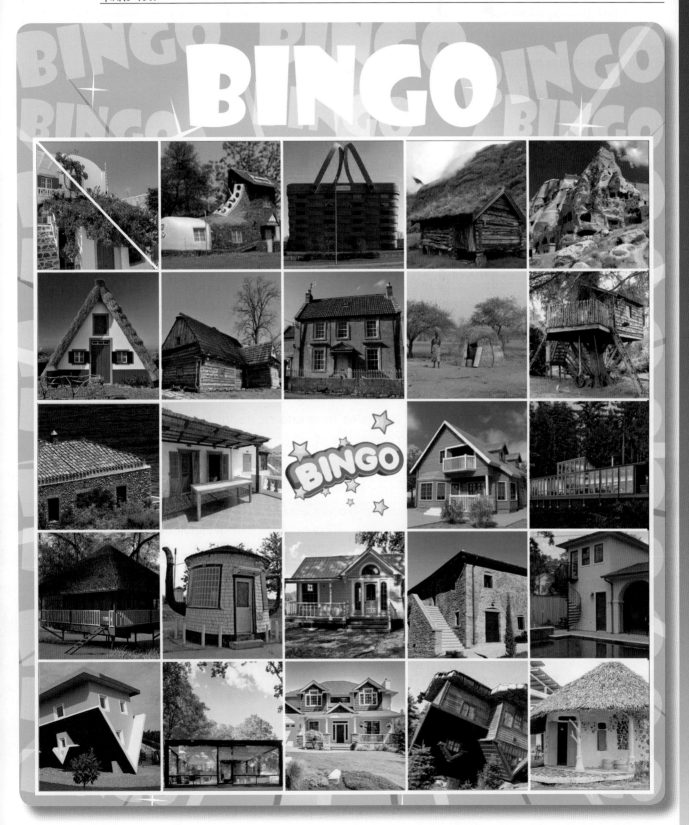

Λέξεις, φράσεις και εκφράσεις ...

Άσκηση 1

Γίνετε ζευγάρια, διαβάστε τον πίνακα και βρείτε:

i) σε ποια από τις παρακάτω προτάσεις η λέξη **σπίτι** χρησιμοποιείται σε έκφραση που σημαίνει:

a. το εσωτερικό του σπιτιού, β. κατοικία, γ. κτίριο, δ. στήριγμα, ε. καλή οικογένεια, στ. είσαι ευπρόσδεκτος, ζ. οικογένεια, η. νιώσε άνετα

ii) ποια από τις παρακάτω προτάσεις είναι παροιμία; Υπάρχει παρόμοια παροιμία στη γλώσσα σου;

0.	Αυτή η περιοχή έχει πολλά διώροφα	σπίτια.		γ
1.	Η Αγγελική η είναι κολόνα του	σπιτιού.		
2.	Ο Κώστας είναι από	σπίτι.		
3.	Σαν στο	σπίτι	σας!	
4.	Χαιρετίσματα στο	σπίτι	σου.	
5.	Πέρασε από το	σπίτι	κάποιο βράδυ, αν θέλεις.	
6.	Το	σπίτι	μου είναι άνω-κάτω.	
7.	Το	σπίτι	μου είναι ανοιχτό για σένα.	
8.	Αν δεν παινέσεις το	σπίτι	σου, θα πέσει να σε πλακώσει.	

Άσκηση 2

Γίνετε ζευγάρια, διαβάστε τον πίνακα και βρείτε σε ποια από τις παρακάτω προτάσεις η λέξη καλύπτω χρησιμοποιείται σε έκφραση που σημαίνει:

α. κάνω μια απόσταση, β. σκεπάζω, γ. πληρώνω, δ. κρύβω / εμποδίζω να γίνει κάτι γνωστό, ε. παρουσιάζω ένα θέμα, στ. ικανοποιώ, ζ. παίρνω στη δουλειά, προσλαμβάνω

0.	Το τρένο που θα	καλύπτει	αποστάσεις εκατοντάδων χλμ. σε λίγα λεπτά.	α
1.	Τι	καλύπτει	η ασφάλεια αυτοκινήτου;	
2.	Ομίχλη	καλύπτει	την κεντρική και δυτική Μακεδονία.	
3.	Το 33,7% των νοικοκυριών δεν	καλύπτουν	τουλάχιστον τρεις βασικές ανάγκες ...	
4.		Καλύπτουν	σκάνδαλο 18 εκατομμυρίων.	
5.		Κάλυψαν	θέσεις στο ΙΚΑ από επιτυχόντες της ...	
6.	Πώς	κάλυψαν	τα διεθνή μέσα την παραλαβή της Ολυμπιακής Φλόγας ...	

Άσκηση 3

Χρησιμοποίησε κάποια από τις φράσεις των ασκήσεων 1 και 2 και ξαναγράψε τις προτάσεις, έτσι ώστε να μην αλλάξει η σημασία τους.

0. Η Ειρήνη είναι το στήριγμα όλης της οικογένειας.

Η Ειρήνη είναι η κολόνα του σπιτιού.

_____

1. Σκέπασα τους καναπέδες μου με ένα πολύ ωραίο ύφασμα και το σπίτι μου έγινε πολύ όμορφο.

_____

_____

2. Πολλά χαιρετίσματα στους γονείς σου.

_____

_____

3. Τι καλύπτει η υποτροφία που πήρες;

_____

_____

4. Η Σοφία έχει αρκετά προβλήματα με την οικογένειά της.

_____

_____

5. Ο Νίκος είναι από καλή οικογένεια.

_____

_____

6. Αυτός ο άνθρωπος δεν με καλύπτει συναισθηματικά.

_____

_____

7. Πρέπει να κάνω δουλειές, γιατί όλα είναι άνω-κάτω.

_____

_____

8. Το κρατικό κανάλι παρουσίασε με επιτυχία τον τελικό αγώνα ποδοσφαίρου.

_____

_____

Γραμματική: Βλέπω και παρατηρώ ...

ΧΙΛΙΑΔΕΣ ΣΠΙΤΙΑ ΣΕ ΤΙΜΗ ΕΥΚΑΙΡΙΑΣ

Διαμέρισμα, Χαριλάου,
165.000 ευρώ,
107 τ.μ.
(1.542€/τ.μ.)

Διαμέρισμα, Θέρμη,
150.000 ευρώ, 155 τ.μ.
(968€/τ.μ.)

Διαμέρισμα, Κηφισιά,
340.000 ευρώ,
126 τ.μ.
(2.698€/τ.μ.)

Διαμέρισμα, 140 τ.μ.,
Καραμπουρνάκι, Καλαμαριά,
€ 900.000

Ρετιρέ, Πανόραμα,
προς πώληση,
130.000 ευρώ,
135 τ.μ.
(963€/τ.μ.)

Γίνετε ζευγάρια, κάνετε τις παρακάτω πράξεις και πείτε τα αποτελέσματα στην τάξη.

0. 4.320 + 87.859 =
   92.179

1. 54.672 + 89.764 =

2. 132.542 + 687.343 =

3. 165.742 + 523.515 =

4. 12.374 + 798.765 =

5. 679.434 + 274.893 =

6. 123.456 + 765.432 =

1.000	χίλιοι, χίλιες, χίλια
1.001	χίλιοι ένας χίλιες μία χίλια ένα
1.002	χίλιοι χίλιες } δύο χίλια
1.003	χίλιοι χίλιες } τρεις χίλια τρία
1.004	χίλιοι χίλιες } τέσσερις χίλια τέσσερα
1.005	χίλιοι χίλιες } πέντε χίλια

2.000	δύο χιλιάδες
3.000	τρεις χιλιάδες
4.000	τέσσερις χιλιάδες
5.000	πέντε χιλιάδες

100.000	εκατό χιλιάδες
200.000	διακόσιες χιλιάδες

Διάβασε το παρακάτω κείμενο και απάντησε στις ερωτήσεις.

Πέρυσι το καλοκαίρι έκανα ένα ταξίδι στην Ιαπωνία κι ένα στην Ελβετία. Το ταξίδι στην Ιαπωνία ήταν πολύ ωραίο, γιατί είδα πολλά και όμορφα πράγματα. Με φιλοξένησε μια φίλη μου που ζει εκεί πολλά χρόνια. Η φίλη μου μένει κοντά σε ένα πολύ όμορφο χωριό, το χωριό Σιρακάουα, που είναι γνωστό για την άγρια φύση και την αρχιτεκτονική των σπιτιών του. Η φύση εκεί είναι πολύ όμορφη, γιατί έχει ποτάμια και πυκνά δάση. Τα σπίτια είναι μέσα στο δάσος, δίπλα στα ποτάμια. Είναι μεγάλα, με πολλούς ορόφους και μεγάλους χώρους. Επίσης, έχουν πολύ όμορφες σκεπές που φτάνουν πολύ χαμηλά, σχεδόν μέχρι το έδαφος.

Η φίλη μου μου εξήγησε ότι ήταν πολύ δύσκολη η κατασκευή μεγάλων σπιτιών σε ένα τόσο πυκνό δάσος. Πώς μπορείς να χτίσεις χωρίς να καταστρέψεις το δάσος; Και ποια είναι η λύση για το χιόνι και τις βροχές; Η αρχιτεκτονική αυτών των κατοικιών κατάφερε να συνδυάσει την κατασκευή μεγάλων και ανθεκτικών σπιτιών σε μια περιοχή με λίγο χώρο και πολλή υγρασία. Οι πολλοί όροφοι εξασφάλισαν την άνεση και τους πολλούς χώρους. Για να είναι τα σπίτια ανθεκτικά στο χιόνι και την υγρασία, έχουν χαμηλές σκεπές, που μοιάζουν με τα χέρια μας σε στάση προσευχής. Γι' αυτό αυτή η αρχιτεκτονική πήρε το όνομα *γκάσσο-ζουκούρι* που σημαίνει «ενωμένες παλάμες».

Διασκευή του κειμένου «Τα σπίτια «ανοιχτές παλάμες» στην Ιαπωνία» από http://www.dinfo.gr

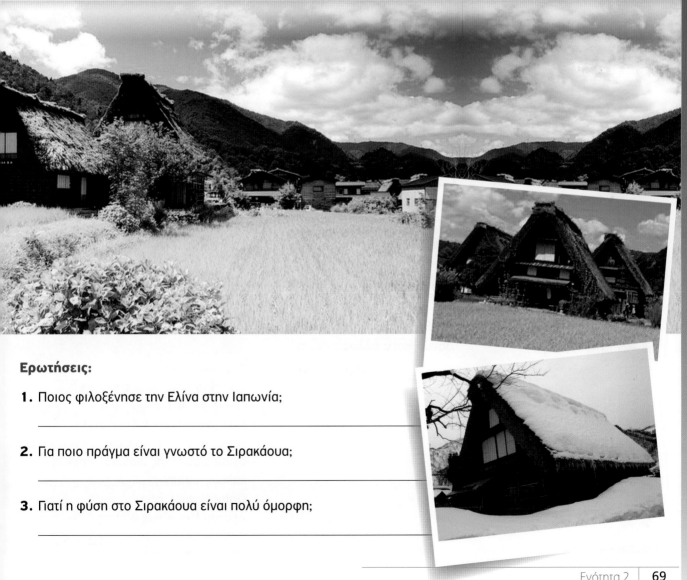

Ερωτήσεις:

1. Ποιος φιλοξένησε την Ελίνα στην Ιαπωνία;

_____

2. Για ποιο πράγμα είναι γνωστό το Σιρακάουα;

_____

3. Γιατί η φύση στο Σιρακάουα είναι πολύ όμορφη;

_____

Βλέπω 👀

Δες με προσοχή τους παρακάτω πίνακες.

		αόριστο άρθρο	οριστικό άρθρο	χωρίς άρθρο
ουσιαστικά	1	Το καλοκαίρι έκανα **ένα ταξίδι** και πέρασα πολύ ωραία.	Το καλοκαίρι έκανα ένα ταξίδι στην Ιαπωνία κι ένα στην Ελβετία. **Το ταξίδι** στην Ιαπωνία δεν θα το ξεχάσω ποτέ.	
	2	Ήρθε **ένας κύριος**.	Ήρθε **ο κύριος** με τα γυαλιά.	Δεν ήρθε **κανένας κύριος**. Ήρθε **κάποιος/κανένας/κύριος;** Ήρθαν **κάτι/μερικοί/κάποιοι κύριοι**.
	3	Ήρθε **ένας θείος της**.	Ήρθε **ο θείος της**.	
	4	Ανοίγεις **ένα παράθυρο**, σε παρακαλώ;	Ανοίγεις **το παράθυρο**, σε παρακαλώ;	
	5	Φοράει **ένα μπλε πουκάμισο**.	Φοράει **το μπλε πουκάμισο**.	Φοράει **μπλε πουκάμισο**.
	6		Ταξιδεύω **με το τρένο**.	Ταξιδεύω **με τρένο**.
	7		Αγαπώ **τα σκυλιά**. **Ο χορός** μού αρέσει πάρα πολύ. Είδες **το φεγγάρι**; Μου αρέσει **η Αθήνα**. **Η ζωή** είναι ωραία.	
	8			Γεια σου, **Πέτρο**. Τον λένε **Πέτρο**. Έχει **σγουρά μαλλιά**. Πίνει **ούζο** και τρώει **ψάρια**. Είναι **φοιτητής**. Θα γίνει **αρχιτέκτονας**.
αντωνυμίες	9		**Αυτή / Εκείνη** η φίλη μου που μένει στην Ιαπωνία είναι όμορφη. **Όλες οι φίλες μου** είναι όμορφες.	
	10		Ήρθε **ο ίδιος** και μου έδωσε το νοίκι.	**Είναι ίδιος** με τη μητέρα του.
	11		Είναι **ο μόνος** που με πληρώνει κάθε μήνα.	Έμεινε **μόνος του**.
	12		Έχω δύο γιους. **Ο ένας** είναι τριών χρονών και **ο άλλος** ενάμισι.	
	13			**Τι ψωμί** θέλετε; Έχει **τίποτα φρούτα** στο ψυγείο; **Πόσα φρούτα** έχει το ψυγείο; Έχει **τόσα φρούτα** στο ψυγείο! **Όσα φρούτα** και να φάω δεν χορταίνω. **Όποιος μαθητής** διαβάζει, παίρνει καλούς βαθμούς. **Ποιος κύριος** ήρθε; Δεν ήρθε **κανένας κύριος**. Ήρθε **κάποιος/κανένας/κύριος;** Ήρθαν **κάτι/μερικοί/κάποιοι κύριοι**.

		αόριστο άρθρο	οριστικό άρθρο	χωρίς άρθρο
χρόνος	14	Γεννήθηκε... ένα μεσημέρι. έναν Οκτώβρη. μια Κυριακή. ένα καλοκαίρι.	Θα τα πούμε... **το μεσημέρι. τον Οκτώβρη. την Κυριακή. το καλοκαίρι.** στις 12 το βράδυ. στις 27 Ιουνίου. **την Πρωτοχρονιά.** το 2013.	Γεννήθηκε... **μεσημέρι. Οκτώβρη. Κυριακή. καλοκαίρι.**
ποσότητα	15			Ένα **ποτήρι νερό**, παρακαλώ. **Θέλω νερό.**
	16		Πόσο **τα μήλα**; Δύο ευρώ **το κιλό.**	Τρία **κιλά μήλα.**
	17		Πόσα βιβλία διαβάζεις **τον χρόνο**; Το σπίτι κοστίζει 800 ευρώ **το τετραγωνικό μέτρο.** Παίρνω 30 ευρώ **την ώρα.**	
	18		- Ήρθε ο Κώστας και ο Πέτρος; - Ναι, ήρθαν **και οι δύο.**	Ήρθαν **δύο άτομα.**
εκφράσεις	19		Περπατάει **σαν τη χελώνα.** Περπατάει **όπως η χελώνα.**	Περπατάει **σαν χελώνα.**
	20			Έχω δίπλωμα, αλλά δεν έχω αυτοκίνητο. Οδηγείς μηχανάκι; Αν τρως φρούτα, θα αδυνατίσεις.
	21	Μια φορά κι έναν καιρό...		
	22	έχω μια διάθεση έχω μια όρεξη... έχω έναν πονοκέφαλο... έχει έναν ήλιο / μια λιακάδα / μια φασαρία!		έχω διάθεση, έχω όρεξη, έχω λεφτά, έχω πονοκέφαλο, έχει ήλιο, έχει λιακάδα, έχει σύννεφα, έχει φασαρία, έχω δίκιο, έχω άδικο, έχω εμπιστοσύνη, έχω σκοπό να...
	23	κάνει μια ζέστη...		κάνει ζέστη, κάνει κρύο, κάνω φασαρία, κάνω μπάνιο, κάνω φαγητό, ακούω μουσική, διαβάζω εφημερίδες, περιμένω παιδί, βλέπω τηλεόραση, παίζω ποδόσφαιρο
	24			χωρίς όρεξη, με ήλιο, χωρίς φασαρία, από άγχος, από οικογένεια, με όρεξη, από ξύλο, από ύφασμα, σαν λύκος, με αγάπη, με χαρά
	25			δελτίο ταυτότητας, άδεια οδήγησης, έξοδος κινδύνου, λύση ανάγκης, ώρες γραφείου, ποιότητα ζωής, διεύθυνση κατοικίας, τόπος διαμονής
	26			οδός Αριστοτέλους, πλατεία Ναβαρίνου, Δήμος Δράμας, Αριστοτέλειο Πανεπιστήμιο Θεσσαλονίκης
	27			Βοήθεια! Προσοχή!

και παρατηρώ ...

Απάντησε στις παρακάτω ερωτήσεις.

1. Σε ποια στήλη υπάρχουν παραδείγματα που

    α. μιλούν αόριστα και γενικά; _____

    β. μιλούν για κάποιον ή για κάτι συγκεκριμένα; _____

    γ. μιλούν για κάποιον ή για κάτι που δεν γνωρίζουμε; _____

    δ. μιλούν για κάποιον ή για κάτι που είναι μοναδικός/-ό; _____

    ε. μιλούν για κάποιον ή για κάτι που βλέπουμε μπροστά μας; _____

    στ. δίνουν έμφαση σε κάτι; _____

    ζ. μιλούν αόριστα για τον χρόνο; _____

    η. μιλούν συγκεκριμένα για τον χρόνο; _____

    θ. αναφέρουν ποσότητα; _____

    ι. περιγράφουν κάποιον; _____

2. Πώς χρησιμοποιείται το άρθρο

    α. με τα ουσιαστικά;

    _____

    β. με τις λέξεις / εκφράσεις που δηλώνουν χρόνο;

    _____

    γ. με τις αντωνυμίες;

    _____

    δ. με τις λέξεις / εκφράσεις που δηλώνουν ποσότητα;

    _____

    ε. με τις παρομοιώσεις;

    _____

    στ. με τα επαγγέλματα;

    _____

3. Πώς γίνεται το αόριστο άρθρο

    α. στον πληθυντικό;

    _____

    β. στην άρνηση;

    _____

Άσκηση 1
Γίνετε ζευγάρια και βρείτε τα λάθη.

0. Πόσα τα αχλάδια; 2 κιλά.

Πόσα αχλάδια;

1. Η Λίνα έμεινε η μόνη της.

2. Πλήρωσες έναν ΟΤΕ;

3. Θείος μου Κώστας είναι μανάβης.

4. Ένα Πάσχα βάφουμε αυγά.

5. Ο μουσικός γράφει μια μουσική.

6. Αυτή είναι μια λύση της ανάγκης.

7. Σήμερα έχει μια λιακάδα και θα βγω έξω.

8. Ποιος είναι ένας αγαπημένος σας μήνας;

9. Ένας κάτω όροφος είναι το σαλόνι.

10. Γεννήθηκα μια 23 Οκτωβρίου.

11. Τα μήλα έχουν 3 ευρώ ένα κιλό.

12. Η οδός του Βενιζέλου είναι πολύ μεγάλη και γνωστή.

Άσκηση 2
Γίνετε ζευγάρια και βάλτε σε κύκλο το σωστό.

Τα τρία γουρουνάκια

0. Μια / Την / - φορά και έναν καιρό ήταν ¹ κάτι / τα / - τρία γουρουνάκια. Το σπίτι τους ήταν στο δάσος. Ήταν πολύ όμορφο, αλλά πολύ μικρό. Έτσι, αποφάσισαν να χτίσει ² ένα / το / - καθένα το δικό του σπίτι. Ξεκίνησαν, λοιπόν, μια μέρα να ψάξουν για υλικά. ³ Ένα / Το / - πρώτο γουρουνάκι, το πιο μικρό, πήγε μια βόλτα στο δάσος. Εκεί συνάντησε ⁴ τον / έναν / - κύριο που είχε άχυρα. «Θέλω να χτίσω ⁵ ένα / το / - σπίτι. Μου δίνετε μερικά άχυρα;» είπε το γουρουνάκι. ⁶ Ένας / Ο / - κύριος, πολύ ευγενικά, απάντησε ότι με τα άχυρα δεν μπορεί να γίνει ένα γερό σπίτι. «Μη

στεναχωριέστε» απάντησε ⁷ ένα / το / - γουρουνάκι. «Ξέρω εγώ...» Έτσι, λοιπόν, το γουρουνάκι πήρε ⁸ μερικά / τα / - άχυρα και ξεκίνησε το χτίσιμο.

⁹ Μερικά / Τα / - δύο του αδέλφια είδαν τι έκανε ο αδερφός τους, αλλά διαφώνησαν με την επιλογή του. ¹⁰ «Ένα / Το / - σπίτι σου δεν θα σε προφυλάξει από τον κακό τον λύκο» του είπαν. Εκείνο, όμως, δεν τους άκουσε... Ήθελε να τελειώσει ¹¹ ένα / το / - χτίσιμο και να ξεκινήσει το παιχνίδι.

ΓΡΑΜΜΑΤΙΚΗ

Άσκηση 3

Γίνετε ζευγάρια και συμπληρώστε τα κενά με το οριστικό ή το αόριστο άρθρο, αν χρειάζεται.

Ο _____ο δεύτερο γουρουνάκι, ο μεσαίος αδερφός, έψαξε για πιο ανθεκτικά
¹_____ υλικά και τελικά βρήκε έναν μεγάλο κορμό. Αποφάσισε να κάνει μια ξύλινη βίλα. «Το σπίτι σου είναι όμορφο, αλλά δεν είναι γερό. Δεν φοβάσαι τον λύκο;» ρώτησε ο μεγάλος ²_____ αδερφός. «Όχι δεν φοβάμαι, γιατί έκανα ³_____ σοφίτα και θα μπω εκεί».

Μέχρι ⁴_____ βράδυ και το δεύτερο γουρουνάκι τέλειωσε το σπίτι του. Έκανε και ⁵_____ όμορφη αυλή και κάθισε να πιει καφέ. Το τρίτο γουρουνάκι αποφάσισε να κάνει ⁶_____ πολύ γερό σπίτι. Γι' αυτό αγόρασε ⁷_____ τούβλα από έναν κύριο, τσιμέντο από ⁸_____ κυρία και ξεκίνησε τη δουλειά. Μία εβδομάδα μετά, το σπίτι ήταν έτοιμο. Ήταν ένα ωραίο σπίτι με ⁹_____ δύο ορόφους και μια σκεπή. Το γουρουνάκι έκανε, επίσης, μια όμορφη αυλή κι έναν πολύ ωραίο ¹⁰_____ κήπο. Εκεί φύτεψε ¹¹_____ λουλούδια, έβαλε ένα τραπέζι και μια καρέκλα και κάθισε να ξεκουραστεί.

Πέρασαν μερικές ήσυχες μέρες και όλα ήταν πολύ ωραία. ¹²_____ μέρα ο λύκος έκανε μια βόλτα στο δάσος και είδε το σπίτι ¹³_____ μικρού αδερφού. Πλησίασε και είπε στο γουρουνάκι να του ανοίξει. Εκείνο είπε «όχι» και τότε ο λύκος έκανε ένα «φφφφ!!!» και ¹⁴_____ σπίτι έπεσε αμέσως. Ευτυχώς, το γουρουνάκι έτρεξε γρήγορα στο σπίτι ¹⁵_____ δεύτερου αδερφού. «Άνοιξέ μου, ¹⁶_____ αδερφούλη μου. Με κυνηγάει ¹⁷_____ λύκος. Έριξε το σπίτι μου και θέλει να με φάει». «Έλα γρήγορα μέσα και πάμε να κάτσουμε στη σοφίτα». Όταν, όμως, ¹⁸_____ λύκος έφτασε έξω από το σπίτι και φύσηξε με ¹⁹_____ δύναμη, το σπίτι έπεσε κάτω. Τότε ²⁰_____ δύο αδέρφια έτρεξαν αμέσως στο σπίτι του μεγάλου τους αδερφού. «Μη φοβάστε!» τους είπε αυτός. «Εδώ δεν υπάρχει κανένας ²¹_____ κίνδυνος». Πράγματι, ο λύκος πλησίασε, όμως, όσο και αν φύσηξε το σπίτι έμεινε σταθερό και όρθιο. Γι' αυτό, αποφάσισε να μπει στο σπίτι από ²²_____ τζάκι. Τότε τα γουρουνάκια έβαλαν μια κατσαρόλα με πολύ ²³_____ νερό στη φωτιά και ... σε λίγη ²⁴_____ ώρα ο λύκος ήταν μέσα στην κατσαρόλα. Τα γουρουνάκια τον έπιασαν, τον έδεσαν με σκοινί, τον έβαλαν σε μια σακούλα και τον πέταξαν σε ένα χωράφι. Εκείνη τη μέρα ο λύκος έφυγε για πάντα.

Άσκηση 4

Δες με προσοχή τη φωτογραφία και περίγραψε ό,τι βλέπεις. Πες τι φοράνε και τι κάνουνε οι άνθρωποι που βλέπεις. Περίγραψε τη γειτονιά και πες τι υπάρχει κοντά στο πάρκο.

➡️ ΚΑΤΑΝΟΗΣΗ ΠΡΟΦΟΡΙΚΟΥ ΛΟΓΟΥ

- Τι βλέπεις στις φωτογραφίες;
- Σου αρέσει να κάνεις αλλαγές στο σπίτι σου;
- Γιατί και πόσο συχνά αλλάζεις τον χώρο που μένεις;
- Τι αλλαγές προτιμάς να κάνεις;

Άσκηση 1
Άκου προσεκτικά τον διάλογο και βάλε σε κύκλο το σωστό.
(cd 1, 7)

Συμβουλή:
Πριν ακούσεις το κείμενο, διάβασε προσεκτικά τις προτάσεις και σημείωσε τι πρέπει να προσέξεις.

0. Ο Άρης και ο Τάσος μιλάνε
- **α.** στο τηλέφωνο. *(circled)*
- **β.** στον δρόμο.
- **γ.** στο γραφείο.

1. Ο Τάσος και η Όλγα αγόρασαν καινούριο σπίτι πριν από
- **α.** τρεις μήνες.
- **β.** έναν μήνα.
- **γ.** έναν χρόνο.

2. Το σπίτι είναι
- **α.** στην καρδιά της πόλης.
- **β.** κοντά στην πόλη.
- **γ.** μακριά από την πόλη.

3. Το σπίτι έγινε πριν από
- **α.** είκοσι χρόνια.
- **β.** δέκα χρόνια.
- **γ.** δύο χρόνια.

4. Ο προηγούμενος ιδιοκτήτης, πριν πουλήσει το σπίτι,
- **α.** το φρόντισε πολύ.
- **β.** το φρόντισε αρκετά.
- **γ.** δεν το φρόντισε καθόλου.

5. Το βασικό πρόβλημα του σπιτιού είναι
- **α.** τα ηλεκτρολογικά του.
- **β.** τα υδραυλικά του.
- **γ.** τα μπαλκόνια του.

6. Ο Τάσος και η Όλγα
- **α.** θα πουλήσουν το παλιό τους σπίτι.
- **β.** θα νοικιάσουν το παλιό τους σπίτι.
- **γ.** θα δώσουν το παλιό τους σπίτι στους γονείς της Όλγας.

7. Η μεταφορά των πραγμάτων από το ένα σπίτι στο άλλο θα γίνει σε
- **α.** έναν μήνα.
- **β.** δύο μήνες.
- **γ.** τρεις μήνες.

8. Ο Άρης θα βοηθήσει
- **α.** στην ανακαίνιση του σπιτιού.
- **β.** στη μετακόμιση.
- **γ.** στη διακόσμηση του σπιτιού.

9. Η γνώμη του Τάσου και της Όλγας για τη διακόσμηση του σπιτιού είναι
- **α.** ίδια.
- **β.** αντίθετη.
- **γ.** παρόμοια.

10. Το καινούριο σπίτι είναι
- **α.** διαμέρισμα.
- **β.** διώροφο.
- **γ.** μονοκατοικία.

Άσκηση 2
Κάνε 3 ερωτήσεις για τον διάλογο που άκουσες στον συμμαθητή / στη συμμαθήτριά σου και απάντησε στις δικές του / της.

λεξιλόγιο

Άσκηση 1

Γίνετε ζευγάρια, διαβάστε τις παρακάτω προτάσεις από το κείμενο που ακούσατε και βάλτε σε κύκλο το σωστό.

> Άσε, Άρη. Έχω πολύ τρέξιμο...

> Και με το παλιό σπίτι, τι θα κάνετε, θα το νοικιάσετε, Τάσο;

> Όχι, δεν μας συμφέρει. Μάλλον θα το πουλήσουμε.

1. Ο Τάσος
 α. είναι αθλητής.
 β. έχει πολλές δουλειές.
 γ. είναι στενοχωρημένος.

2. Ο Τάσος και η γυναίκα του δεν θα νοικιάσουν το παλιό τους σπίτι, γιατί
 α. τους αρέσει πάρα πολύ.
 β. δεν τους ωφελεί οικονομικά.
 γ. δεν βρίσκουν ενοικιαστές.

> Μπορώ να βάλω και εγώ ένα χέρι στη μετακόμιση, αν θέλετε.

> Αυτό το σαββατοκύριακο δεν με βολεύει. Θα είμαι στο εξοχικό μου, στη Χαλκιδική.

3. Ο Άρης
 α. θέλει να βοηθήσει τους φίλους του στη μετακόμιση.
 β. θέλει να δώσει τα δικά του έπιπλα στους φίλους του.
 γ. θέλει να δώσει χρήματα στους φίλους του για τη μετακόμιση.

4. Αυτό το σαββατοκύριακο ο Άρης
 α. δεν μπορεί να δει το σπίτι.
 β. μπορεί να δει το σπίτι.
 γ. δεν ξέρει αν θα δει το σπίτι.

Άσκηση 2

Γίνετε ζευγάρια, εκτυπώστε το κείμενο της κατανόησης προφορικού λόγου, δείτε τις υπογραμμισμένες λέξεις / φράσεις του κειμένου και βρείτε με ποιες από τις παρακάτω λέξεις / φράσεις ταιριάζουν στη σημασία.

0. το κτίριο που έχει δύο ορόφους = _διώροφο_

1. αυτός που δεν ακολουθεί πιστά τη μόδα = _____

2. το σύνολο των επίπλων ενός χώρου = _____

3. αυτός που έχει αρκετά μεγάλο μέγεθος και μπορούμε να κινηθούμε άνετα σ' αυτόν = _____

4. αυτός που είναι γεμάτος φως = _____

5. χρονικό διάστημα τριών μηνών = _____

6. μικρή ή μεγάλη καταστροφή, όταν κάτι χαλάει = _____

7. θέρμανση για ένα μόνο διαμέρισμα = _____

8. αυτός που είναι σύμφωνα με τη σημερινή εποχή, τη σημερινή μόδα = _____

9. χρησιμοποιώ ή βάζω μαζί δύο διαφορετικά πράγματα = _____

10. διαμέρισμα στον τελευταίο όροφο πολυκατοικίας που είναι χτισμένο πιο μέσα από τα υπόλοιπα διαμερίσματα = _____

11. διαμέρισμα με τρία υπνοδωμάτια = _____

Άσκηση 3

Γίνετε ζευγάρια, διαβάστε τους παρακάτω ορισμούς και συμπληρώστε τα κενά στις προτάσεις με τις λέξεις του κρυπτόλεξου.

0. Οι βρύσες, οι σωλήνες και όλα αυτά που έχουν σχέση με το νερό σε ένα σπίτι είναι τα ___υδραυλικά___.

1. Τα χρήματα που πρέπει να πληρώνουν υποχρεωτικά οι πολίτες στο κράτος είναι οι _____.

2. Αυτός που έχει κάτι είναι ο _____.

3. Αυτό που υπογράφω, για να γίνει δικό μου ένα σπίτι, είναι το _____.

4. Κάθε μήνα πληρώνω χρήματα για την καθαριότητα, το νερό και το ρεύμα στην πολυκατοικία μου, δηλαδή πληρώνω τα _____.

5. Όταν βάφω το σπίτι μου, διορθώνω τις ζημιές και αλλάζω τα έπιπλα, τότε κάνω _____.

6. Μου έστειλαν το καινούριο μου γραφείο από την Αθήνα με μια _____ εταιρεία.

7. Το σπίτι της Χαράς έχει πολύ ωραία πράγματα. Σε όλους τους χώρους είναι υπέροχη η _____.

8. Όταν επιδιορθώνουμε κάτι που χάλασε, λέμε ότι κάνουμε μια _____.

9. Δεν ήρθε ένας μόνο τεχνίτης στο σπίτι, αλλά ολόκληρο το _____.

10. Η ευχή που δίνουμε για ένα καινούριο σπίτι, αυτοκίνητο κ.ά. είναι «_____!»

11. Το σπίτι που έχουμε στην εξοχή, για να περνάμε τις διακοπές μας είναι το _____ μας.

0	Α	Ω	Υ	Δ	Ρ	Α	Υ	Λ	Ι	Κ	Α	Σ	Ο	Ρ	Α	Α
1	Γ	Η	Ω	Α	Τ	Π	Φ	Ο	Ρ	Ο	Ι	Τ	Σ	Η	Η	Ρ
2	Ξ	Α	Κ	Γ	Μ	Ι	Δ	Ι	Ο	Κ	Τ	Η	Τ	Η	Σ	Λ
3	Σ	Υ	Μ	Β	Ο	Λ	Α	Ι	Ο	Α	Π	Ο	Ν	Ξ	Ω	Δ
4	Ε	Ω	Γ	Κ	Ο	Ι	Ν	Ο	Χ	Ρ	Η	Σ	Τ	Α	Θ	Ο
5	Μ	Λ	Ε	Δ	Ε	Ι	Α	Ν	Α	Κ	Α	Ι	Ν	Ι	Σ	Η
6	Α	Ρ	Μ	Ε	Τ	Α	Φ	Ο	Ρ	Ι	Κ	Η	Ε	Ο	Ι	Σ
7	Τ	Δ	Ι	Α	Κ	Ο	Σ	Μ	Η	Σ	Η	Ξ	Λ	Ψ	Α	Ζ
8	Γ	Ο	Κ	Μ	Η	Β	Α	Ε	Π	Ι	Σ	Κ	Ε	Υ	Η	Μ
9	Ε	Μ	Α	Σ	Υ	Ν	Ε	Ρ	Γ	Ε	Ι	Ο	Κ	Ρ	Ι	Ν
10	Κ	Α	Λ	Ο	Ρ	Ι	Ζ	Ι	Κ	Ο	Μ	Ι	Ο	Κ	Α	Τ
11	Τ	Θ	Α	Ι	Ρ	Ε	Σ	Τ	Ε	Ξ	Ο	Χ	Ι	Κ	Ο	Κ

Άσκηση 4

Γίνετε ζευγάρια και αντιστοιχίστε τις λέξεις με τις εικόνες.

0. πλακάκια
1. βρύση
2. σωλήνες
3. υγρασία
4. κουφώματα

Άσκηση 5

Γίνετε ζευγάρια και συμπληρώστε τα κενά με τις παρακάτω λέξεις.

σωλήνες, ανακαίνιση, ευρύχωρο, πλακάκια, περίπου, ρετιρέ, κοινόχρηστα, ζημιές, τριάρι, κουφώματα, ιδιοκτήτης, συνεργεία, τρίμηνο, ατομική θέρμανση, συμβόλαια, επισκευές, φωτεινό, υδραυλικά

Πελάτης: Καλημέρα, είστε ο κ. Μάνος, ο μεσίτης;

Μεσίτης: Ναι, ο ίδιος. Πώς μπορώ να σας εξυπηρετήσω;

Πελάτης: Θέλω να αγοράσω ή να νοικιάσω ένα διαμέρισμα στην περιοχή εδώ γύρω.

Μεσίτης: Πολύ ωραία! Υπάρχουν πολλά σπίτια και για αγορά και για ενοίκιο. Πόσα δωμάτια θέλετε;

Πελάτης: Θέλω ένα ⁰____*τριάρι*____ με μεγάλα δωμάτια. Θέλω ένα σπίτι που να είναι γενικά ¹_____, γιατί είμαστε μεγάλη οικογένεια και θέλουμε άνεση. Επίσης, θέλω να έχει πολλά παράθυρα, για να είναι ²_____.

Μεσίτης: Θέλετε καινούριο ή πιο παλιό;

Πελάτης: Δεν με πειράζει να είναι παλιό.

Μεσίτης: Σας ρωτάω, επειδή αυτή τη στιγμή έχω ένα πολύ μεγάλο διαμέρισμα εδώ κοντά, είναι, όμως, ³_____ 28 χρονών. Πρέπει να γίνει κάποια ⁴_____, γιατί είναι παλιό, αλλά είναι σε πολύ καλή τιμή.

Πελάτης: Σε ποιον όροφο είναι;

Μεσίτης: Είναι στον τελευταίο όροφο της πολυκατοικίας, δηλαδή ⁵_____, με καταπληκτική θέα.

Πελάτης: Και ποια είναι τα προβλήματα στο σπίτι;

Μεσίτης: Το βασικό πρόβλημα στο σπίτι είναι τα ⁶_____. Υπάρχουν σπασμένοι ⁷_____ και χαλασμένες βρύσες. Επίσης, όλα τα ⁸_____ στο πάτωμα του σαλονιού και τα ⁹_____ των παραθύρων δεν είναι σε καλή κατάσταση. Σας είπα, το σπίτι είναι παλιό και η οικογένεια που το είχε έκανε, δυστυχώς, πολλές ¹⁰_____.

Πελάτης: Και ποιος μπορεί να κάνει τις ¹¹_____;

Μεσίτης: Ο ¹²_____ του σπιτιού μού είπε ότι γνωρίζει μερικά πολύ καλά ¹³_____.

Πελάτης: Δεν μου είπατε. Τι θέρμανση έχει το σπίτι;

Μεσίτης: ¹⁴_____ με φυσικό αέριο. Είναι πολύ οικονομική, ξέρετε. Επίσης, η πολυκατοικία έχει πολύ λίγα ¹⁵_____.

Πελάτης: Αν μου αρέσει το σπίτι και συμφωνήσουμε και στην τιμή, σε πόσο καιρό μπορώ να υπογράψω τα ¹⁶_____; Ξέρετε, θέλω να μετακομίσω γρήγορα, γιατί σε ένα ¹⁷_____ πρέπει να αφήσω το σπίτι που μένω τώρα.

Μεσίτης: Νομίζω ότι όλα μπορούν να γίνουν πολύ γρήγορα, αν τελικά σας αρέσει το σπίτι. Τι λέτε, πάμε να το δούμε;

Πελάτης: Μπορούμε και τώρα;

Μεσίτης: Ναι, φυσικά! Ξεκινάμε;

Άσκηση 6

Γίνετε ζευγάρια, ενώστε τις λέξεις με αντίθετη σημασία και κάνετε προτάσεις με αυτές.

0. προηγούμενος ___δ___   **α.** κλασική

1. δυστυχώς _____   **β.** στενόχωρο, μικρό

2. έξοδα _____   **γ.** κεντρική θέρμανση

3. μοντέρνα _____   **δ.** επόμενος

4. ευρύχωρο _____   **ε.** σκοτεινό

5. φωτεινό _____   **στ.** ευτυχώς

6. ατομική θέρμανση _____   **ζ.** έσοδα

Άσκηση 7

Γίνετε ζευγάρια και διαγράψτε τη λέξη που δεν ταιριάζει με τις υπόλοιπες, όπως στο παράδειγμα.

0. φθηνό, φωτεινό, σκοτεινό, ευρύχωρο

1. υδραυλικά, ασανσέρ, υγρασία, βρύση

2. πλακάκια, ξύλο, πάτωμα, φωτιστικό

3. έξοδα, συνεργείο, κοινόχρηστα, φόρος

4. συμβόλαιο, ιδιοκτήτης, κουφώματα, ενοίκιο

5. μεταφορική εταιρεία, αυλή, μετακόμιση, έπιπλα

6. ζημιά, ρετιρέ, δυάρι, διώροφο

7. ατομική θέρμανση, επισκευή, ανακαίνιση, διακόσμηση

Άσκηση 8

Θέλεις να κάνεις ανακαίνιση στο σπίτι σου και λες στον φίλο / στη φίλη σου τι αλλαγές θέλεις να κάνεις.

Άσκηση 9

Γίνετε ζευγάρια, δείτε τις παρακάτω λέξεις και συμπληρώστε τα κενά κάθε σειράς του πίνακα με λέξεις που ανήκουν στην ίδια οικογένεια.

φως, νοικιασμένος, σπάσιμο, υπογραφή, αγορά, κόστος, συνδυασμός, υπολογισμός, ανακαινισμένος, πώληση, διακοσμητικός, τρέξιμο, έξοδο

ρήμα	ουσιαστικό	επίθετο
τρέχω	0 τρέξιμο	-
αγοράζω	1 _____, αγοραστής	αγορασμένος
ανακαινίζω	ανακαίνιση	2 _____
υπογράφω	3 _____	-
σπάω	4 _____	σπασμένος
κοστίζω	5 _____	-
υπολογίζω	6 _____, υπολογιστής	υπολογισμένος
ξοδεύω	7 _____	-
νοικιάζω	ενοίκιο, ενοικιαστής	8 _____
πουλάω	9 _____, πωλητής	πουλημένος
διακοσμώ	διακόσμηση	10 _____
συνδυάζω	11 _____	συνδυαστικός
φωτίζω	12 _____	φωτεινός

Άσκηση 10
Γίνετε ζευγάρια και συμπληρώστε τα κενά, όπως στο παράδειγμα.

Συμβουλές προς τους <u>ενοικιαστές</u> (νοικιάζω) **κατοικιών**

Μπορεί να νομίζετε ότι, για να βρείτε και να νοικιάσετε το κατάλληλο σπίτι, έχετε πολύ
[1]_____ (τρέχω). Αν, όμως, ακολουθήσετε τις παρακάτω συμβουλές, όλα θα
γίνουν πιο εύκολα και πιο γρήγορα για σας.

Ψάξτε μόνοι σας στην περιοχή που θέλετε να μείνετε, ρωτήστε παντού, τους κατοίκους
της περιοχής, τα γύρω καταστήματα κ.ά. Στη συνέχεια, ψάξτε στις μικρές αγγελίες των
εφημερίδων. Αν δεν βρείτε ούτε εκεί αυτό που ψάχνετε, πηγαίνετε σε μεσιτικό γραφείο.

Ελέγξτε προσεκτικά και χωρίς βιασύνη το σπίτι που βρήκατε. Δείτε το με τα πρόσωπα που
θα μείνουν μαζί σας. Αν είναι βράδυ, ζητήστε να το δείτε και στο [2]_____
(φωτίζω) της μέρας. Αν υπάρχουν ζημιές, όπως [3]_____ (σπάω) **πλακάκια** ή
υγρασίες, ζητήστε να τα επισκευάσουν. Αν το σπίτι είναι [4]_____ (ανακαινίζω),
ρωτήστε πότε και τι άλλαξε ο ιδιοκτήτης.

Ελέγξτε αν η περιοχή όπου βρίσκεται το σπίτι [5]_____ (συνδυασμός) **όλα όσα**
έχετε ανάγκη (συγκοινωνία, αγορά, σχολεία κ.ά.).

Μην προχωρήσετε στα συμβόλαια, αν το ενοίκιο είναι υπερβολικό ή αν είναι πέρα από τις
οικονομικές σας δυνατότητες. Μπορεί να βρείτε μια άλλη κατοικία με πιο οικονομικό
ενοίκιο. Επίσης, ζητήστε να μάθετε και ποια άλλα [6]_____ (ξοδεύω) **θα έχετε**
(κοινόχρηστα, λογαριασμοί, κ.ά.). Η [7]_____ (υπογράφω) **σας πρέπει** να
μπει στο συμβόλαιο μόνο όταν είστε πραγματικά σίγουρος ότι είναι για το δικό
σας καλό.

Πληροφορίες από http://www.spitogatos.gr

ΛΕΞΙΛΟΓΙΟ

Άσκηση 11

Κάνε ερωτήσεις στον διπλανό / στη διπλανή σου και συμπλήρωσε τον πίνακά σου.

Παράδειγμα:

Μαθητής Α: _Σε ποια περιοχή είναι το Α1;_   **Μαθητής Β:** _Στην Κηφισιά._

Μαθητής Α	1	2	3
Α	Κηφισιά 125 τ.μ. γωνιακό οροφοδιαμέρισμα στον 4ο όροφο, με ανοιχτωσιά, σε φαρδύ δρόμο.Το διαμέρισμα διαθέτει 3 άνετα δωμάτια με ντουλάπες και έναν χώρο γραφείου, άνετο, ευρύχωρο σαλόνι, κουζίνα με οικιακές συσκευές, τζάκι, ατομική θέρμανση με φυσικό αέριο, πόρτα ασφαλείας, 2 κλιματιστικά, μπάνιο και WC, συγκεκριμένη θέση πάρκιγκ, τιμή 300€	Περιοχή: _____ τ.μ.: _____ θέση: _____ όροφος: _____ χώροι: _____ τιμή: _____ Άλλα χαρακτηριστικά:	Περιοχή: _____ τ.μ.: _____ θέση: _____ όροφος: _____ χώροι: _____ τιμή: _____ Άλλα χαρακτηριστικά:
Β	ΚΕΝΤΡΟ νεόδμητο στούντιο 39 τ.μ., 2ος όροφος, 1 υ/δ, κατασκευή '08, επιπλωμένο, πόρτα ασφαλείας, μεγάλο μπροστινό μπαλκόνι, αυτόνομη θέρμανση, ασανσέρ, κλιματιστικό, δωρεάν γρήγορο διαδίκτυο και θέση στάθμευσης, τιμή 250€	Περιοχή: _____ τ.μ.: _____ θέση: _____ όροφος: _____ χώροι: _____ τιμή: _____ Άλλα χαρακτηριστικά:	ΝΕΟΣ ΚΟΣΜΟΣ μεζονέτα 95 τ.μ., 6ος όροφος, 2 υ/δ, κατασκευή '01, 2 μπάνια, αυτόνομη θέρμανση, κλιματισμός, ηλιακός, πάρκιγκ πιλοτής, αποθήκη, άριστη κατάσταση, τιμή 130.000€

Μαθητής Β

A

1 — Περιοχή: Κηφισιά / τ.μ.: / θέση: / όροφος: / χώροι: / τιμή: / Άλλα χαρακτηριστικά:

2 — ΘΗΣΕΙΟ νεόδμητο διαμέρισμα 89 τ.μ., 2ος όροφος, διαμπερές, 2 υ/δ, μπάνιο, WC, φυσικό αέριο, πάρκιγκ για αποθήκη, κατασκευής πολυτελείας, μεγάλες βεράντες, άριστη διαρρύθμιση, ήσυχο σημείο, τιμή 150.000€

3 — ΚΕΝΤΡΟ διαμέρισμα 120 τ.μ., ισόγειο, 3 υ/δ, κατασκευή '78, μπάνιο, wc, αυτόνομη θέρμανση, φυσικό αέριο, πόρτα ασφαλείας, απεριόριστη θέα, τιμή 120.000€

B

1 — Περιοχή: / τ.μ.: / θέση: / όροφος: / χώροι: / τιμή: / Άλλα χαρακτηριστικά:

2 — ΣΥΓΓΡΟΥ δώμα, ρετιρέ 35 τ.μ., 8ος όροφος, κατάλληλο και για επαγγελματική χρήση, μεγάλη βεράντα, τιμή 150€

3 — Περιοχή: / τ.μ.: / θέση: / όροφος: / χώροι: / τιμή: / Άλλα χαρακτηριστικά:

ΛΕΞΙΛΟΓΙΟ

Ενότητα 2   83

Άσκηση 1
Άκου και συμπλήρωσε τα κενά.
(cd 1, 8)

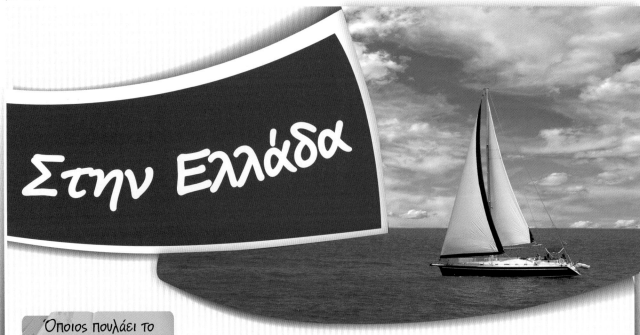

Στην Ελλάδα

> Όποιος πουλάει το σπίτι του, γελούν τα κεραμίδια.

> Το σπίτι μας είναι μικρό, μα η καρδιά μεγάλη.

> Σπίτι χωρίς Γιάννη προκοπή δεν κάνει.

> Σπίτι μου σπιτάκι μου και σπιτοκαλυβάκι μου.

> Σπίτι που δεν το βλέπει ο ήλιος το βλέπει ο γιατρός.

Ποδαρικό

Ίσως το πιο συνηθισμένο έθιμο σε όλη τη χώρα είναι το «ποδαρικό» την ημέρα της ⁰ _Πρωτοχρονιάς_ . Οι περισσότεροι δίνουν σημασία στο ποιος θα είναι ο πρώτος άνθρωπος που θα μπει στο ¹ _____ μετά την αλλαγή του χρόνου, αφού, ανάλογα με το αν είναι γουρλής ή γρουσούζης, επηρεάζει και την τύχη του σπιτιού για το έτος που έρχεται. ² _____ κάνει, συνήθως, το πιο μικρό ή το πιο μεγάλο σε ηλικία μέλος μιας ³ _____. Όποιος κάνει ποδαρικό σε ένα σπίτι μπαίνει πάντα μέσα με το δεξί πόδι και δίνει ευχές για το σπίτι και την ⁴ _____.

Σπάσιμο Ροδιού

Το σπάσιμο του ροδιού την Πρωτοχρονιά έχει, επίσης, στόχο την καλοτυχία των ανθρώπων του σπιτιού. Σύμφωνα με το έθιμο, ο ⁵ _____, αμέσως μετά την αλλαγή του χρόνου, σπάει ένα ρόδι στην ⁶ _____ του σπιτιού. Αν το ρόδι είναι από μέσα γερό και κόκκινο, τότε ο καινούριος χρόνος θα φέρει χαρούμενες και όμορφες μέρες.

Νερό που τρέχει

Τέλος, ένα ακόμα έθιμο είναι το άνοιγμα της βρύσης. Μετά την αλλαγή του χρόνου, οι νοικοκυρές ανοίγουν τις ⁷ _____ στο σπίτι και αφήνουν το νερό να τρέξει, για να έχουν πλούτο.

Προφορά

Άσκηση 1

(cd 1, 9)

Άκου το κείμενο, βάλε σε κύκλο τις λέξεις που έχουν τον ήχο [k] και σε τετράγωνο τις λέξεις που έχουν τον ήχο [c]. Μετά διάβασε δυνατά το κείμενο στην τάξη σου.

Ενοικιάζεται μονοκατοικία με δύο ορόφους στο κέντρο της Κοζάνης. Η κατοικία έχει 3 υπνοδωμάτια, σαλόνι, κουζίνα, 2 μπάνια, μεγάλη αποθήκη και πάρκιγκ για 2 αυτοκίνητα. Επίσης, έχει κήπο, όπου ο προηγούμενος ενοικιαστής είχε κάποια κατοικίδια. Πρόσφατα έγινε ανακαίνιση, στην οποία άλλαξαν τα εξωτερικά κουφώματα, τα υδραυλικά και τα πλακάκια της κουζίνας. Ο ιδιοκτήτης της κατοικίας είναι αρχιτέκτονας και το σπίτι είναι σε πολύ καλή κατάσταση. Η κατασκευή είναι πολύ καλή, έχει μόνωση και το σπίτι είναι ζεστό τον χειμώνα και δροσερό το καλοκαίρι. Η περιοχή είναι ήσυχη χωρίς κίνηση, όμως, βρίσκεται πολύ κοντά σε καταστήματα, φαρμακεία, κινηματογράφο κτλ.

[ka], [ko], [ku], [k+σύμφωνο]

[ce], [ci]

Άσκηση 2

Στις παρακάτω λέξεις υπογράμμισε τον ήχο [k] και κύκλωσε τον ήχο [c]. Μετά διάβασε δυνατά τις λέξεις στην τάξη.

κρεβάτι, κεριά, καναπές, ακριβός, βιβλιοθήκη, ιδιοκτήτης, κάβα, καινούριος, καρέκλα, κίτρινος, κλειδιά, κόκκινο, κόκορας, κίτρινος, κότες, κουνέλι, κουβέρτα, ηλικία, κουδούνι, κούνια, κουτάλι, ποντίκι, σκουπίδι, φακός, σπιτικός, κοιλιά, κεντρικός, κίνηση, παιδικό, μακέτα, κάτοψη, δορυφορική κεραία, κεραμίδια, σκεπή, συσκευές, κοιμάμαι

Άσκηση 3

Διάβασε γρήγορα και πες τις παρακάτω φράσεις στην τάξη.

Κέρνα την κότα που κοιτά, κεφτέ, φακές και σύκο.

Ο σκύλος σκίζει τη σκηνή κι ο Κώστας τη σκουπίζει, ο σκύλος σκίζει τη σκηνή, το κύμα την σκεπάζει.

Άσκηση 4

Κάνε ερωτήσεις στον διπλανό / στη διπλανή σου και συμπλήρωσε τον πίνακά σου.

Παράδειγμα:

Μαθητής Β: Τι έχεις στο 0;   **Μαθητής Α:** Σκίζω. Εσύ;   **Μαθητής Β:** Σκάζω.

Μαθητής Α		
0	σκίζω	σκάζω
1	κόπος	
2	κότα	
3	κενό	
4	σκυλί	
5	σκάβω	
6	κιλό	

Μαθητής Β		
0	σκίζω	σκάζω
1		κήπος
2		κοίτα
3		κανό
4		σκαλί
5		σκύβω
6		καλό

Άσκηση 5

Με τις παρακάτω λέξεις κάνε μια ιστορία και πες τη δυνατά στην τάξη.

αποθήκη, κρασί, κίνδυνος, καθαρίζω, καρέκλα, αντικείμενο, βερικοκιά, καθρέφτης, κάβα, καναπές, κατασκευή, κήπος, κουδούνι, μανταλάκι, νοίκι, πλακάκι, συσκευή, σκεπή, λικέρ

Γραμματική: Βλέπω και παρατηρώ ...

Διάβασε τη συνέχεια από τον διάλογο (σελ. 76) που άκουσες και απάντησε στις ερωτήσεις.

Τάσος + Όλγα: Καλώς τον Άρη!

Άρης: Γεια σας, παιδιά!

Όλγα: Γύρισες από τη Χαλκιδική; Πώς πέρασες;

Άρης: Ε, έτσι κι έτσι.

Όλγα: Η Μαρία ήρθε μαζί σου;

Άρης: **Μόνος μου** πήγα. Η Μαρία πήγε στη μαμά της, στην Καβάλα. Αρρώστησε και, τώρα που είναι **μόνη της**, θέλει βοήθεια.

Όλγα: Α! Περαστικά! Έλα, πέρασε να δεις το σπίτι. Είμαστε **μόνοι μας**, τα συνεργεία έφυγαν πριν λίγο.

Άρης: Έμαθα από τον Τάσο ότι είναι πολύ ωραίο.

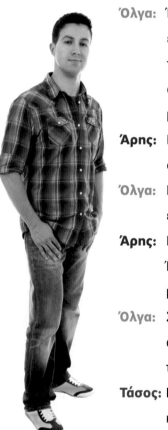

Όλγα: Έλα, μπες μέσα, δες το και πες μου εσύ **ο ίδιος** αν είναι ωραίο ή όχι. Από 'δω είναι το σαλόνι και η τραπεζαρία. Και από 'δω η κουζίνα. Αριστερά και δεξιά από τον διάδρομο είναι τα τρία δωμάτια και τα δύο μπάνια.

Άρης: Για να δω... Η κρεβατοκάμαρα είναι πιο μεγάλη από τα άλλα δύο δωμάτια;

Όλγα: Ναι, λίγο πιο μεγάλη. Στα άλλα δύο δωμάτια ο χώρος είναι **ο ίδιος**.

Άρης: Παιδιά, **τέτοιο** σπίτι πραγματικά δεν ξαναείδα ποτέ. Έχει **τόσο** φως και **τόση** άνεση στους χώρους! Ήδη μου ήρθαν πολλές ιδέες για τη διακόσμηση.

Όλγα: Σε ευχαριστούμε πολύ, Άρη. Λοιπόν, πειράζει να σας αφήσω για λίγο **μόνους σας**; Πρέπει να πάω στην τράπεζα, γιατί σε λίγο θα κλείσει.

Τάσος: Πήγαινε, πήγαινε, μην ανησυχείς. Εμείς θα κάνουμε κανένα καφεδάκι και θα τα πούμε.

Ερωτήσεις:

1. Με ποιον ήταν στη Χαλκιδική ο Άρης;
2. Με ποιον μένει στην Καβάλα η μαμά της Μαρίας;
3. Με ποιους έμειναν ο Τάσος και ο Άρης, όταν έφυγε η Όλγα;
4. Ποια είναι η γνώμη του Άρη για το σπίτι; Του αρέσει; Από ποιες λέξεις το καταλαβαίνεις;
5. Πόσο φωτεινό και άνετο είναι το σπίτι του Τάσου και της Όλγας; Από ποιες λέξεις το καταλαβαίνεις;

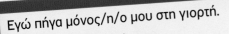

Εγώ πήγα μόνος/η/ο μου στη γιορτή.

Εσύ πήγες μόνος/η/ο σου ...

Αυτός/Αυτή/Αυτό πήγε μόνος του/μόνη της/μόνο του ...

Εμείς πήγαμε μόνοι/ες/α μας ...

Εσείς πήγατε μόνοι/ες/α σας ...

Αυτοί/Αυτές/Αυτά πήγαν μόνοι/ες/α τους ...

Εγώ ο ίδιος/η ίδια/το ίδιο

Εσύ ο ίδιος/η ίδια/το ίδιο

Αυτός/Αυτή/Αυτό ο ίδιος/η ίδια/το ίδιο

Εμείς οι ίδιοι/οι ίδιες/τα ίδια

Εσείς οι ίδιοι/οι ίδιες/τα ίδια

Αυτοί/Αυτές/Αυτά οι ίδιοι/οι ίδιες/τα ίδια

Δες με προσοχή τον παρακάτω πίνακα.

Απάντησε στις παρακάτω ερωτήσεις.

	A	B
1	1. Εγώ πήγα **μόνος μου** στη γιορτή. 2. Εγώ είμαι **ο μόνος** που πήγε στη γιορτή. 3. Αυτή είναι **η μόνη** τράπεζα στη γειτονιά. 4. Κάνω δίαιτα, τρώω **μόνο** λαχανικά.	Σε ποια πρόταση οι υπογραμμισμένες λέξεις σημαίνουν **α.** χωρίς παρέα; **β.** μονάχα; **γ.** μοναδικός / -ή / -ό;
2	1. - Την κ. Μακρή, παρακαλώ. - **Η ίδια**. 2. Η Ελένη και εγώ φοράμε **τα ίδια ρούχα**. 3. Μίλησα με **τους ίδιους τους γιατρούς** / με **τους γιατρούς τους ίδιους**. 4. Ο Νίκος είναι **το ίδιο ψηλός** με τον Λευτέρη.	Σε ποια πρόταση οι υπογραμμισμένες λέξεις **α.** εκφράζουν σύγκριση και σημαίνουν «τόσο ...όσο»; **β.** δίνουν έμφαση στο πρόσωπο; **γ.** σημαίνουν «όμοιο»; **δ.** σημαίνουν «εγώ»;
3	1. Τι ωραία τσάντα! Θέλω μια **τέτοια** και εγώ. 2. Θέλω μια **τέτοια τσάντα** κι εγώ. 3. Με **τέτοιο θόρυβο** δεν μπορώ να δουλέψω. 4. - Να βάλω κι άλλη ζάχαρη στον καφέ; - Όχι, φτάνει **τόση**. 5. Δεν θέλω **τόση ζάχαρη** στον καφέ μου. 6. Δεν περίμενα να είναι **τόσο καλός**. Δεν περίμενα να περάσω **τόσο καλά**. 7. Πέρασα **τόσο ωραία**! 8. Με **τόσο θόρυβο** δεν μπορώ να δουλέψω.	Σε ποιες προτάσεις οι υπογραμμισμένες λέξεις εκφράζουν **α.** ποιότητα; **β.** ποσότητα, μέγεθος, ένταση; **γ.** και τα δύο;

Άσκηση 1

Γίνετε ζευγάρια, βρείτε και σημειώστε τα λάθη που υπάρχουν.

0. Θέλω να μιλήσω στον διευθυντή εγώ ίδιος και μετά ας αποφασίσει. → *ο ίδιος*

1. Δεν θα βγω έξω σήμερα. Θέλω να μείνω στο σπίτι μόνος σου.

2. Αυτό είναι μόνο ρούχο που μου πάει.

3. Με το τέτοιο χαρακτήρα που έχει σίγουρα δεν θα τον συμπαθήσει κανείς.

4. Μην επιμένεις! Θα πάω ο μόνος μου.

5. Ο Μιχάλης είναι ίδιο κοντός με τον Σωτήρη.

6. Του αρέσει να πηγαίνει μόνος της για ψάρεμα.

7. Ο Γιάννης είναι τόσος όμορφος!

8. Η Άννα και η Κατερίνα συνήθισαν να ζουν μόνες μας.

9. Μετά από τα τόσα χρόνια δεν τον γνώρισα.

10. Η Αρετή ζει η μόνη της στο χωριό εδώ και πολλά χρόνια.

11. Θέλω κι εγώ ένα τόσο φόρεμα.

Άσκηση 2

Γίνετε ζευγάρια, βάλτε τις λέξεις στη σωστή σειρά και κάνετε προτάσεις.

0. ίδιο / τον / ξέρω / διευθυντή / τον   _Ξέρω τον ίδιο τον διευθυντή._

1. τέτοιες / δεν / αίθουσες / ξαναείδα   _____

2. θα / μόνοι / δουλέψουμε / μας   _____

3. φορές / Δημήτρη / τηλεφώνησα / τόσες / στον   _____

4. σήμερα / τόσο / είδα / κόσμο   _____

5. στις / μαθητές / πετυχαίνουν / δεν / τέτοιοι / εξετάσεις   _____

6. ο / ήρθε / μας / πρόεδρος / στο / ίδιος / ο / γραφείο   _____

7. ένα / εγώ / αυτοκίνητο / θέλω / κι / τέτοιο   _____

Άσκηση 3

Γίνετε ζευγάρια και συμπληρώστε τα κενά με τις λέξεις από τους πίνακες της προηγούμενης σελίδας.

0. Ο Νίκος θέλει να ζήσει _____μόνος του_____.

1. _____ μέρες σε ψάχνουμε και εσύ δεν απαντάς!

2. Δεν ξέρω τι άλλο να κάνω. Αυτή είναι _____ επιλογή.

3. Στον διαγωνισμό συμμετέχουν 5.000 υποψήφιοι για _____ θέση.

4. Είχε _____ φασαρία, που δεν άκουσα τίποτα.

5. Δεν μας αρέσει η παρέα του. Προτιμούμε να βγούμε _____.

6. Έχει _____ κρύο έξω! Δεν ξέρω τι να φορέσω.

7. Η Ζωή είναι _____ ευαίσθητη με τη Χριστίνα.

Άσκηση 4

Γίνετε ζευγάρια, διαβάστε τις παρακάτω προτάσεις και πείτε τι σημαίνουν οι υπογραμμισμένες εκφράσεις.

1. Συγχαρητήρια για την επιτυχία σου. Πάντα τέτοια!

2. Θα μου το πληρώσει με το ίδιο νόμισμα.

3. Τέτοια ώρα, τέτοια λόγια.

4. Τον αγαπώ πολύ τον Γιώργο. Περάσαμε μαζί τόσα και τόσα!

5. Ουφ, δεν μπορώ άλλο... Όλο τα ίδια και τα ίδια.

6. Όλα ήταν τόσο, μα τόσο ωραία!

7. Η Ελένη κάθε τόσο μου ζητάει χρήματα.

8. Ο Κώστας έμεινε μόνος κι έρημος.

9. Είμαι πολύ χαρούμενη. Ήρθε και με βρήκε η ίδια η καθηγήτριά μου.

10. Ένα τέτοιο αυτοκίνητο θέλω κι εγώ.

11. Θέλω να μιλήσω στον υπάλληλο εγώ ο ίδιος.

Άσκηση 5

Είσαι υποψήφιος / υποψήφια για το Πανεπιστήμιο και σε λίγο καιρό δίνεις εξετάσεις. Μιλάς στον συμμαθητή σου / στη συμμαθήτριά σου για το πώς νιώθεις. Μπορείς να χρησιμοποιήσεις τις παρακάτω λέξεις.

αγωνία, δυσκολία, άγχος, ευθύνη, κόπος, κούραση, χαρά, στενοχώρια, ξενύχτι, όνειρο

Παράδειγμα: _Τέτοια αγωνία δεν είχα ποτέ ξανά._
Έχω τόση κούραση που δεν θέλω να πάω καμιά βόλτα.

Άσκηση 6

Γίνετε ζευγάρια, χρησιμοποιήστε το *τέτοιος* και το *τόσος* σε όποιον τύπο θέλετε και γράψτε προτάσεις με τις παρακάτω λέξεις.

τσάντα, διάβασμα, γυαλιά, δίαιτα, ψέμα, δουλειά, σπίτι, γραφείο, σκουλαρίκια

Παράδειγμα: _Θέλω κι εγώ μια τέτοια τσάντα._
Έχεις τόσες τσάντες. Γιατί θέλεις να αγοράσεις κι άλλη;

ΠΑΡΑΓΩΓΗ ΠΡΟΦΟΡΙΚΟΥ ΛΟΓΟΥ

Άσκηση 1

Γίνετε ζευγάρια και απαντήστε στις παρακάτω ερωτήσεις.

- Από πού είσαι;
- Μένεις σε πόλη ή σε χωριό;
- Πού είναι το σπίτι σου;
- Σε τι σπίτι μένεις; (μονοκατοικία ή πολυκατοικία; / μικρό ή μεγάλο;)
- Έχεις δικό σου δωμάτιο;
- Τι θέλεις να αλλάξεις στο σπίτι σου;
- Τι αγαπάς πιο πολύ στο σπίτι σου;
- Πώς είναι το σπίτι των ονείρων σου;
- Πώς είναι τα σπίτια στη χώρα σου;
- «Σπίτι μου σπιτάκι μου και σπιτοκαλυβάκι μου».
  Τι σημαίνει αυτή η φράση; Πόσο σε εκφράζει;

Συμβουλή:

Μη δίνεις μονολεκτικές απαντήσεις. Δεν υπάρχει σωστή και λάθος απάντηση. Απλώς αιτιολόγησε.

Άσκηση 2

Διάβασε τις παρακάτω φράσεις. Ποιες σε εκφράζουν περισσότερο;

Στο σπίτι μου ...	
ξεκουράζομαι.	
πηγαίνω μόνο για ύπνο.	
διασκεδάζω.	
βαριέμαι.	
νιώθω μοναξιά.	
νιώθω ασφάλεια και ηρεμία.	
φοβάμαι.	
μου αρέσει να μένω μόνος.	
κάνω συνέχεια δουλειές.	
δεν κάνω ποτέ δουλειές και είναι πάντα άνω κάτω.	

Άσκηση 3

Δες τις εικόνες και σημείωσε στον παρακάτω πίνακα ποια εικόνα περιγράφει κάθε πρόταση.

		1	2	3	4
α.	Αυτές οι κατοικίες είναι από ελαφριά υλικά.				
β.	Πολυκατοικίες με διαμερίσματα στην καρδιά της πόλης.				
γ.	Οι άνθρωποι που μένουν σε αυτό το σπίτι έχουν σίγουρα πολλά χρήματα.				
δ.	Είναι σπίτια όπου κατοικούν νομάδες.				
ε.	Στον δρόμο έχει πολλή κίνηση, μάλλον τα σπίτια έχουν πολλή φασαρία.				
στ.	Μάλλον μένουν άνθρωποι ύστερα από μια καταστροφή.				
ζ.	Μια διώροφη μονοκατοικία με πισίνα.				
η.	Σε αυτές τις σκηνές μένουν άνθρωποι προσωρινά.				
θ.	Τα σπίτια βλέπουν θάλασσα κι όλα έχουν θέα.				
ι.	Σε αυτές τις σκηνές μένουν άνθρωποι από ανάγκη.				
ια.	Είναι τύποι κατοικιών που ανήκουν στο παρελθόν.				

Άσκηση 4

(cd 1, 10)

Άκου κάποιους ανθρώπους να περιγράφουν το μέρος που ζουν και σημείωσε στις φωτογραφίες ποιος μιλάει.

a.

β.

γ.

δ.

Άσκηση 5

(cd 1, 10)

Άκου ξανά το κείμενο και συμπλήρωσε τα κενά.

Είμαι ο Κώστας. Μένω στο παιδικό χωριό SOS στη Βάρη. Περνάω πολύ ωραία στο σπίτι μου με την οικογένειά μου. Μένω με τη μητέρα μου, τη θεία μου και τα τέσσερα αδέρφια μου. Το σπίτι είναι ¹_____ κι έχει πολύ καλή διαρρύθμιση. Οι χώροι του είναι ²_____ και άνετοι. Στο ισόγειο είναι η κουζίνα, η τραπεζαρία, το σαλόνι, μια ³_____ αποθηκούλα για τρόφιμα και το δωμάτιο παιχνιδιού. Στον δεύτερο όροφο είναι τα υπνοδωμάτια. Κοιμόμαστε δύο-δύο και χωριστά τα αγόρια από τα κορίτσια. Στο σπίτι υπάρχουν 3 μπάνια που είναι αρκετά ⁴_____ και έχουν διπλούς νιπτήρες και τουαλέτες.

Πληροφορίες από την Έκθεση Αξιολόγησης Παιδικών Χωριών SOS Ελλάδος. Εθνικό Κέντρο Κοινωνικών Ερευνών. Ινστιτούτο Κοινωνικής Πολιτικής. Αθήνα 2006.

Με λένε Ντίνο. Το τελευταίο εξάμηνο μένω σε ένα παγκάκι της πλατείας... Όλο μου το σπίτι τώρα πια χωράει σε ένα παγκάκι. Έχω μαζί μου μια κουβέρτα, μερικά βιβλία και τον σκύλο μου. Ούτε κουζίνα ούτε ζεστό φαγητό, ούτε ⁵_____ μπάνιο. Η ζωή στον δρόμο είναι ιδιαίτερα δύσκολη και απαιτεί σκληρό ⁶_____ κάθε μέρα. Έχω δύο πτυχία πανεπιστημίου και πραγματικά έμεινα ⁷_____ από τη μια μέρα στην άλλη.

Το όνομά μου είναι Ζωή. Είμαι 70 χρονών, χωρίς οικογένεια. Η ζωή στο ίδρυμα είναι ⁸_____. Εδώ είναι το σπίτι μου. Έχω το δικό μου δωμάτιο και το δικό μου μπάνιο. Στις δύο το μεσημέρι τρώω με τους συγκατοίκους μου στην τραπεζαρία και βλέπουμε τηλεόραση όλοι μαζί στο ⁹_____ σαλόνι. Λίγο κουτσομπολιό και λίγο διάβασμα... περνάει η ώρα... Τα γεράματα είναι δύσκολα και γίνονται ακόμη πιο δύσκολα με τη μοναξιά. Εδώ είμαι ευτυχισμένη... Αν θέλω, πηγαίνω καμιά βόλτα, αλλά και πού να πάω; Δεν έχω κανέναν. Αυτό είναι το σπίτι μου και αυτή η οικογένειά μου.

Τα τελευταία δύο χρόνια ζω μακριά από την οικογένειά μου, αφού πρέπει να φροντίζω τον φάρο της περιοχής. Η ζωή εδώ δεν είναι ¹⁰_____. Τον χειμώνα οι δυσκολίες είναι πολλές και η μοναξιά μεγάλη. Η θέα, όμως, είναι πάντα ¹¹_____. Το σπίτι μου είναι ένα μικρό ¹²_____ δέκα τετραγωνικά μέτρα. Βλέπω την οικογένεια και τα παιδιά μου δύο φορές τον μήνα. Πρέπει να είμαι εδώ, για να διορθώνω τις ζημιές που γίνονται από τους κεραυνούς τον χειμώνα και να βάφω τακτικά τον φάρο, για να τον προφυλάσσω από την αλμύρα.

Πληροφορίες από το κείμενο της Μαρίας Ριτζαέλου: «Φαροφύλακας, αλλά όχι ερημίτης»: http://www.ethnos.gr

---

Άσκηση 6

Δες με προσοχή τις φωτογραφίες και περίγραψέ τες.

Συμβουλή:
Μίλα για το θέμα τους, τις ομοιότητες και τις διαφορές τους. Ποια φωτογραφία σού αρέσει περισσότερο;

Χρήσιμο λεξιλόγιο

- προσωρινή κατοικία
- κατοικία πολυτελείας
- στο κέντρο / στην καρδιά της πόλης

- το σπίτι βρίσκεται / οι κατοικίες βρίσκονται
- προάστιο, χωριό, πόλη
- μοναδική / εκπληκτική θέα

- έχει θέα / το σπίτι βλέπει...
- μονώροφο, διώροφο
- άνετο, ευρύχωρο, ευχάριστο, φωτεινό, σκοτεινό, στενό, μικρό, μεγάλο

Άσκηση 7

Γίνετε ζευγάρια και παίξτε τα παρακάτω παιχνίδια ρόλων.

Συμβουλή:
Υπογράμμισε τις λέξεις-κλειδιά που έχει κάθε ρόλος. Γράψε το λεξιλόγιο που θα χρειαστείς.
Αν ο συμμαθητής / η συμμαθήτριά σου μιλάει γρήγορα και δεν τον / την καταλαβαίνεις, μπορείς να πεις «Συγνώμη, δεν κατάλαβα, μπορείς να το ξαναπείς; Πιο αργά, παρακαλώ...»

Ενοικίαση σπιτιού

Ρόλος A

Θέλεις να νοικιάσεις ένα σπίτι. Ο ιδιοκτήτης του σπιτιού σού δείχνει τους χώρους και σου λέει τα θετικά του στοιχεία. Σου αρέσει το σπίτι, αλλά θέλεις να αλλάξουν κάποια πράγματα. Λες στον ιδιοκτήτη τι να αλλάξει, αλλά εκείνος δεν συμφωνεί με όλα όσα του λες.

Ρόλος B

Είσαι ιδιοκτήτης / ιδιοκτήτρια ενός σπιτιού.
Έρχεται ένας κύριος / μια κυρία να το νοικιάσει. Του / Της δείχνεις τους χώρους και λες τα θετικά του στοιχεία. Του / Της αρέσει το σπίτι, αλλά θέλει να αλλάξουν κάποια πράγματα. Εσύ δεν συμφωνείς με όλες τις αλλαγές που ζητάει.

Ώρα για ανακαίνιση!

Ρόλος A

Θέλεις να κάνεις μια ανακαίνιση στο σπίτι σου και να το διακοσμήσεις λίγο διαφορετικά. Πηγαίνεις σε έναν / μια αρχιτέκτονα-διακοσμητή / διακοσμήτρια, του / της λες τι θέλεις να αλλάξεις στο σπίτι σου και ακούς τι σου λέει.

Ρόλος B

Είσαι αρχιτέκτονας-διακοσμητής / διακοσμήτρια. Έρχεται ένας κύριος / μια κυρία που θέλει να κάνει ανακαίνιση και να αλλάξει το στιλ του σπιτιού του / της. Ακούς τι θέλει να αλλάξει και του / της προτείνεις διάφορες λύσεις.

ΠΑΡΑΓΩΓΗ ΓΡΑΠΤΟΥ ΛΟΓΟΥ

Άσκηση 1

Παρακάτω είναι η περιγραφή του σπιτιού του Αλέξανδρου Παπαδιαμάντη που σήμερα είναι μουσείο. Διάβασε προσεκτικά το κείμενο και διάλεξε έναν πλαγιότιτλο για κάθε παράγραφο.

τοποθεσία, εσωτερική περιγραφή, εξωτερική περιγραφή, σημερινή λειτουργία

Μουσείο Παπαδιαμάντη

1. _____

Το σπίτι του Παπαδιαμάντη είναι ένας πολύ όμορφος παραδοσιακός χώρος. Βρίσκεται σε μια πλατεία, στο κέντρο της πόλης της Σκιάθου, κοντά στο λιμάνι.

2. _____

Είναι διώροφο, με πέτρινους τοίχους και σκεπή με κεραμίδια. Το σπίτι έχει μια πολύ όμορφη αυλή με μια λεμονιά, γλάστρες με βασιλικό και άλλα λουλούδια.

Ο πρώτος όροφος, το κατώι, είναι ένας μεγάλος χώρος που παλιά ήταν αποθήκη. Μια κολόνα στο κέντρο του στηρίζει το επάνω πάτωμα. Δίπλα της υπάρχει ένα πηγάδι. Για να πάει κάποιος στον επάνω όροφο, το ανώι, ανεβαίνει την εξωτερική, ξύλινη σκάλα και

3. _____

συναντάει το χαγιάτι (μπαλκόνι με στέγαστρο). Εκεί υπάρχει το μικρό κουζινάκι της οικογένειας. Το σπίτι έχει 3 δωμάτια κι ένα χολ. Δεξιά από το χολ είναι η μικρή κρεβατοκάμαρα του συγγραφέα. Στη μέση είναι το σαλόνι του σπιτιού. Το τρίτο δωμάτιο είναι το καθιστικό της οικογένειας. Σε αυτό το δωμάτιο, στις αρχές Ιανουαρίου του 1911, έφυγε από τη ζωή ο Αλέξανδρος Παπαδιαμάντης.

4. _____

Σήμερα το σπίτι είναι μουσείο. Στο ισόγειο του σπιτιού οι επισκέπτες μπορούν να δουν παλιά βιβλία, προσωπικά αντικείμενα του συγγραφέα και διάφορα ντοκιμαντέρ σχετικά με τη ζωή και το έργο του Παπαδιαμάντη.

Οι πληροφορίες προέρχονται από το διαδίκτυο.

Άσκηση 2

Διάβασε προσεκτικά το παραπάνω κείμενο ξανά και βρες:

Ποιες λέξεις δείχνουν τόπο: _____

Ποιες λέξεις / φράσεις περιγράφουν το σπίτι: _____

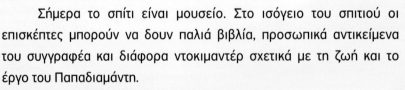

Άσκηση 3

Στην παρακάτω ακροστιχίδα γράψε σε κάθε γραμμή όσες περισσότερες λέξεις μπορείς που περιγράφουν ένα σπίτι και περιέχουν ή αρχίζουν από το κάθε γράμμα της λέξης **κτίριο**.

Κ	κατοικία,
Τ	
Ι	
Ρ	
Ι	
Ο	

Άσκηση 4

Γράφεις ένα άρθρο για την τοπική εφημερίδα. Παρουσιάζεις ένα σημαντικό κτίριο της περιοχής. Αναφέρεις την τοποθεσία του, το στιλ του, την εξωτερική του εμφάνιση, τους εσωτερικούς του χώρους, τη λειτουργία του και ό,τι άλλο νομίζεις. (150-200 λέξεις)

Συμβουλή:
Υπογράμμισε τις λέξεις-κλειδιά και, για κάθε λέξη-κλειδί, σημείωσε το λεξιλόγιο που θα σου χρειαστεί.

σχεδιάγραμμα / χρήσιμο λεξιλόγιο

Το κείμενο που έγραψα:

– είναι άρθρο.	
– έχει τίτλο.	
– αναφέρει την τοποθεσία του κτιρίου.	
– περιγράφει το στιλ του κτιρίου.	
– περιγράφει τους εσωτερικούς χώρους του κτιρίου.	
– περιγράφει τους εξωτερικούς χώρους του κτιρίου.	
– περιγράφει τη λειτουργία του κτιρίου.	

ΤΡΑΓΟΥΔΙ

Ώρα για τραγούδι

(cd 1, 11)

Άκου μία φορά το τραγούδι.

Άσκηση 1

Άκου ξανά το τραγούδι και συμπλήρωσε τα κενά.

60 μέτρα κεντρικό, μπαλκόνι μπροστά σε δρόμο,
κουζίνα, χολ, ° _καθιστικό_ κι ένα δωμάτιο μόνο.
Μέσα στο σπίτι αυτό που ζω, είναι όλη η ζωή μου,
κάθε ¹_____ και μια στιγμή, κομμάτι της ψυχής μου.
Εκεί που ακούω τη χαρά, εκεί κι η στεναχώρια,
έτσι κι αλλιώς αυτές οι δυο ποτέ δεν πάνε χώρια.
Στο σπίτι αυτό που ²_____, χίλιοι καλοί χωράνε,
για θέα έχουν όνειρα που τη ζωή οδηγάνε.
Έχει ³_____ για γιορτές, κοκτέιλ στα σαλόνια,
έχει και κήπους κρεμαστούς στα δυο του τα ⁴_____.
Το σπίτι μου είναι ανοιχτό σε όλες τις παρέες,
χωρίς αυτές ποτέ δεν ζω στιγμές πολύ ωραίες.
Είναι ένας χώρος φωτεινός, με λίγα ⁵_____,
μα είναι γεμάτο με γιορτές και ξακουστά παρτάκια.
Όταν στο σπίτι αυτό που ζω απ' έξω θα γυρίσω
και μόλις βάλω το ⁶_____ την πόρτα για ν' ανοίξω,
η ίδια πάντα μυρωδιά θα με καλωσορίσει
κι όλες τις σκέψεις του μυαλού αμέσως θα σκορπίσει. } (δις)

Άσκηση 2

Τι εικόνες σκέφτεσαι / φαντάζεσαι, όταν ακούς το τραγούδι; Περίγραψέ τες στην τάξη.

_____
_____
_____
_____
_____
_____
_____
_____
_____
_____
_____
_____

! Τώρα ξέρεις ...

	Ναι	Όχι
να μιλάς για διάφορους τύπους σπιτιών;		
να κατανοείς μικρές αγγελίες για σπίτια που ενοικιάζονται ή πωλούνται;		
να συζητάς για λεπτομέρειες / ζητήματα που αφορούν ένα σπίτι (π.χ. ηλεκτρικό, υδραυλικά, θέρμανση κτλ.);		
να περιγράφεις ένα σπίτι / κτίριο;		
να χρησιμοποιείς το οριστικό και το αόριστο άρθρο;		
νσ χρησιμοποιείς τις οριστικές και δεικτικές αντωνυμίες;		

Ενότητα 3

ΓΙΑ ΟΛΑ ΥΠΑΡΧΕΙ ΧΡΟΝΟΣ

- Ποια από τις δραστηριότητες που δείχνουν οι φωτογραφίες σού αρέσει πολύ;
- Υπάρχει κάποια δραστηριότητα που δεν σου αρέσει καθόλου;

Άσκηση 1
Διάβασε το παρακάτω κείμενο και διάλεξε τον κατάλληλο τίτλο.

α. Ο ελεύθερος χρόνος στην Ελλάδα

β. Εφηβεία κι ελεύθερος χρόνος

γ. Ο ελεύθερος χρόνος των ηλικιωμένων

Άσκηση 2
Διάβασε με προσοχή το παρακάτω κείμενο και συμπλήρωσε τα κενά με τις λέξεις του πίνακα. Υπάρχουν 4 λέξεις που δεν ταιριάζουν σε κανένα κενό.

Συμβουλή:
Δες με προσοχή τα κενά του κειμένου και σκέψου: τι μέρος του λόγου (ουσιαστικό, επίθετο, ρήμα, επίρρημα κτλ.) είναι η λέξη που λείπει από κάθε κενό;

Ποια <u>αποτελέσματα</u> έχουν στην ανάπτυξη των εφήβων οι δραστηριότητες που κάνουν στον ελεύθερο χρόνο τους; Οι ειδικοί [0]_____. Ο ελεύθερος χρόνος δεν είναι πάντα ξεκούραστος, <u>ωφέλιμος</u> και χωρίς κινδύνους για τους εφήβους.

Τι προβληματίζει, όμως, τους ειδικούς; Πρώτα-πρώτα οι έφηβοι, μετά το σχολείο, δεν [1]_____. Αντίθετα, έχουν πολλές ασχολίες: ξένες γλώσσες, φροντιστήρια και πολλές ακόμη <u>υποχρεώσεις</u>. Πρόκειται για δραστηριότητες που δεν τις <u>διαλέγουν</u> οι ίδιοι. Είναι δραστηριότητες που επιλέγουν οι [2]_____ τους, το σχολείο και η κοινωνία. Οι δραστηριότητες αυτές δεν έχουν κανένα από τα βασικά χαρακτηριστικά του ελεύθερου χρόνου. Δεν ξεκουράζουν, δεν διασκεδάζουν και δεν ψυχαγωγούν. Οι έφηβοι, ακόμη και στον ελεύθερό τους χρόνο, προσπαθούν να αυξήσουν τα προσόντα τους.

Κυνηγούν [3]_____. Δεν χρησιμοποιούν τη φαντασία τους ούτε τη σκέψη τους. Κάνουν καιρό να δουν τους φίλους τους, δεν πηγαίνουν στον κινηματογράφο, δεν αθλούνται. Αυτό είναι πολύ άσχημο, γιατί δεν επιλέγουν οι ίδιοι τις δραστηριότητες που θα κάνουν. Έτσι, δεν νιώθουν ποτέ ηρεμία κι [4]_____. Αντίθετα, το άγχος και η αγωνία καλύπτουν πια τον συνολικό χρόνο του εφήβου.

Ένα ακόμη ανησυχητικό φαινόμενο είναι ο χρόνος μπροστά στην τηλεόραση και τον ηλεκτρονικό 5_____. Η οθόνη <u>γοητεύει</u> τους νέους και πολλοί λένε ότι τους ξεκουράζει. Είναι, όμως, έτσι; Μήπως τελικά οι πολλές ώρες μπροστά στην τηλεόραση σκοτώνουν τη σκέψη; Επίσης, οι έφηβοι περνούν πολλές ώρες μπροστά στον υπολογιστή, σε σελίδες άγνωστες και πολλές φορές 6_____. Πολλά <u>εγκλήματα</u> με πρωταγωνιστές εφήβους έχουν σχέση με γνωριμίες που γίνονται από το διαδίκτυο.

Τέλος, πολύ 7_____ κατά τη διάρκεια του ελεύθερου χρόνου, οι έφηβοι έρχονται σε επαφή με συμπεριφορές και κινδύνους που τους <u>απειλούν</u>, όπως ατυχήματα, κάπνισμα, χρήση αλκοόλ κτλ. Είναι τραγικό, γιατί πολλοί έφηβοι σκοτώνουν την ώρα τους και παράλληλα τον 8_____ τους.

Ο έλληνας έφηβος δεν έχει 9_____ ελεύθερο χρόνο. Επίσης, δεν <u>αξιοποιεί</u> αποτελεσματικά αυτόν που έχει. Είναι καιρός να αφήσουμε τα παιδιά να επιλέξουν τα ίδια τι θα κάνουν τον ελεύθερο χρόνο τους. <u>Οφείλουμε</u>, όμως, πρώτα να τα προετοιμάσουμε έτσι ώστε να μπορούν να <u>διακρίνουν</u> το χρήσιμο από το καταστροφικό. Τα χρόνια της εφηβείας είναι πολύ σημαντικά για την ανάπτυξη του ανθρώπου. Ας αφήσουμε τα παιδιά να τα χαρούν.

α.	απαντούν	0
β.	λίγο	
γ.	εαυτό	
δ.	ξεκουράζονται	
ε.	επικίνδυνες	
στ.	σπάνια	
ζ.	πτυχία	
η.	ίδιων	
θ.	υπολογιστή	
ι.	γονείς	
ια.	φαντασία	
ιβ.	ευχαρίστηση	
ιγ.	αρκετό	
ιδ.	συχνά	

Άσκηση 3

Διάβασε ξανά το κείμενο και απάντησε στις παρακάτω ερωτήσεις:

• Ποιος είναι ο στόχος του κειμένου;

• Πιστεύεις ότι το κείμενο πετυχαίνει τον στόχο του;

• Ποιες δραστηριότητες είναι ωφέλιμες για τον έφηβο, σύμφωνα με το κείμενο;

• Σύμφωνα με το κείμενο, οι νέοι δεν αξιοποιούν σωστά τον ελεύθερό τους χρόνο. Συμφωνείς με αυτή την άποψη; Τι προτείνεις για την αύξηση του ελεύθερου χρόνου των μαθητών;

ΟΛΟΙ ΜΠΟΡΟΥΝ ΝΑ ΒΡΟΥΝ ΤΟ ΧΟΜΠΙ ΤΟΥΣ!

ΑΓΑΠΑΣ ΤΗΝ ΤΕΧΝΗ;

Κάνε/Μάθε ζωγραφική, πήγαινε σε εκθέσεις, μουσεία.

ΑΓΑΠΑΣ ΤΟΝ ΚΙΝΗΜΑΤΟΓΡΑΦΟ;

Δες μια ταινία (κωμική, παιδική, εποχής, αστυνομική), κινούμενα σχέδια, θρίλερ.

ΑΓΑΠΑΣ ΤΟ ΔΙΑΒΑΣΜΑ;

Διάβασε λογοτεχνικά βιβλία, μάθε ξένες γλώσσες.

ΑΓΑΠΑΣ ΤΗ ΧΕΙΡΟΤΕΧΝΙΑ;

Μάθε κέντημα, ράψιμο, γλυπτική. Κάνε κοσμήματα.

ΑΓΑΠΑΣ ΤΟΝ ΑΘΛΗΤΙΣΜΟ;

Κάνε αθλήματα ομαδικά (ποδόσφαιρο, μπάσκετ, βόλεϊ), ατομικά (στίβο, κολύμπι).

ΑΓΑΠΑΣ ΤΗ ΜΟΥΣΙΚΗ;

Μάθε μουσικά όργανα, βάλε/άνοιξε το ραδιόφωνο ή μπες στο διαδίκτυο, άκου (ροκ, κλασική, τζαζ, δημοτική, παραδοσιακή) μουσική, πήγαινε σε συναυλίες, γράψε τραγούδι/άκου τραγούδια.

ΑΓΑΠΑΣ ΤΗΝ ΙΣΤΟΡΙΑ;

Πήγαινε σε μουσεία, μάζεψε γραμματόσημα, νομίσματα.

ΑΓΑΠΑΣ ΤΟΝ ΧΟΡΟ;

Κάνε μπαλέτο, σύγχρονο/μοντέρνο χορό, πήγαινε σε παραστάσεις χορού.

Λεξιλόγιο

Άσκηση 1

Γίνετε ζευγάρια, δείτε τις υπογραμμισμένες λέξεις του κειμένου (σελ. 96-97) και βρείτε με ποιες από τις παρακάτω λέξεις / φράσεις ταιριάζουν στη σημασία.

0. βάζω σε κίνδυνο = _____απειλώ_____

1. χρησιμοποιώ = _____

2. επιλέγω = _____

3. κακή και παράνομη πράξη, άδικη πράξη, αντίθετη με τον νόμο = _____

4. ξεχωρίζω = _____

5. μαγεύω = _____

6. χρήσιμος = _____

7. πρέπει = _____

8. καθήκον, χρέος, αυτό που πρέπει να κάνω = _____

9. συνέπειες = _____

Άσκηση 2

Γίνετε ζευγάρια, ενώστε τις λέξεις με αντίθετη σημασία και κάνετε προτάσεις με αυτές.

0. άγνωστος ___β___   **α.** κουραστικός

1. ωφέλιμος _____   **β.** γνωστός

2. χρήσιμος _____   **γ.** κουράζω

3. ξεκουράζω _____   **δ.** μειώνω

4. αυξάνω _____   **ε.** ανώφελος

5. ξεκούραστος _____   **στ.** άχρηστος

Άσκηση 3

Γίνετε ζευγάρια, διαβάστε τις παρακάτω προτάσεις από το κείμενο και βάλτε σε κύκλο το σωστό. Τι σημαίνουν οι υπογραμμισμένες φράσεις;

Οι νέοι κάνουν καιρό να δουν τους φίλους τους, δεν πηγαίνουν στον κινηματογράφο, δεν αθλούνται.

1. Οι νέοι
   α. δεν βλέπουν συχνά τους φίλους τους.
   β. βλέπουν πολύ συχνά τους φίλους τους.
   γ. βλέπουν πολλή ώρα κάθε μέρα τους φίλους τους.

Πολλοί κίνδυνοι απειλούν τον έφηβο, όπως τα ατυχήματα, το κάπνισμα, η χρήση αλκοόλ κλπ.

2. Ένας μεγάλος κίνδυνος είναι ότι οι νέοι
   α. αγοράζουν ποτά με αλκοόλ.
   β. πίνουν ποτά με αλκοόλ.
   γ. αγοράζουν καθαριστικά με αλκοόλ.

Τα χρόνια της εφηβείας είναι πολύ σημαντικά για την ανάπτυξη του ανθρώπου.

3. Τα χρόνια της εφηβείας είναι πολύ σημαντικά για
   α. την έκταση του ανθρώπου.
   β. την αύξηση του ανθρώπου.
   γ. την ολοκλήρωση του ανθρώπου.

Άσκηση 4

Γίνετε ζευγάρια, διαβάστε τους παρακάτω ορισμούς και συμπληρώστε τα κενά στις προτάσεις με τις λέξεις του κρυπτόλεξου.

0. Ο τρόπος με τον οποίο ενεργώ λέγεται _συμπεριφορά_.

1. Το βασικό πρόσωπο σε ένα γεγονός, ένα βιβλίο, μια παράσταση, μια ταινία είναι ο _____.

2. Οι νέοι ηλικίας 13-19 χρονών λέγονται _____.

3. Όταν περνάω την ώρα μου χωρίς κανένα σκοπό, τότε _____ την ώρα μου.

4. Όταν δημιουργώ σκέψεις, ερωτήματα, ανησυχία σε κάποιον, τότε τον _____.

0	Α	Σ	Υ	Μ	Π	Ε	Ρ	Ι	Φ	Ο	Ρ	Α	Ο	Ρ	Α	Α
1	Π	Ρ	Ω	Τ	Α	Γ	Ω	Ν	Ι	Σ	Τ	Η	Σ	Τ	Η	Η
2	Α	Φ	Γ	Ε	Φ	Η	Β	Ο	Ι	Η	Φ	Γ	Κ	Λ	Υ	Λ
3	Σ	Κ	Ο	Τ	Ω	Ν	Ω	Ε	Ρ	Φ	Τ	Η	Ξ	Ν	Φ	Δ
4	Γ	Φ	Π	Ρ	Ο	Β	Λ	Η	Μ	Α	Τ	Ι	Ζ	Ω	Τ	Υ

Άσκηση 5

Γίνετε ζευγάρια, δείτε τις παρακάτω λέξεις και συμπληρώστε τα κενά κάθε σειράς του πίνακα με λέξεις που ανήκουν στην ίδια οικογένεια.

απειλή, φαντάζομαι, άθλημα, γοητευτικός, δραστήριος, ξεκούραση, σκέφτομαι, ανησυχία, επιλέγω, διασκέδαση, ψυχαγωγικός, καταστροφή, γνωριμία, κίνδυνος, ωφελώ

ρήμα	ουσιαστικό	επίθετο
ξεκουράζω	0 _ξεκούραση_	ξεκούραστος
1 _____	επιλογή	επιλεγμένος
διασκεδάζω	2 _____	διασκεδαστικός
ψυχαγωγώ	ψυχαγωγία	3 _____
4 _____	σκέψη	σκεπτικός
5 _____	φαντασία	φανταστικός
αθλούμαι	6 _____	αθλητικός
ανησυχώ	7 _____	ανησυχητικός
γοητεύω	γοητεία	8 _____
γνωρίζω	9 _____, γνώση	γνωστός, άγνωστος
απειλώ	10 _____	απειλητικός
κινδυνεύω	11 _____	επικίνδυνος
12 _____	ωφέλεια	ωφέλιμος
καταστρέφω	13 _____	καταστροφικός
-	δραστηριότητα	14 _____

Άσκηση 6
Ποιες από τις παρακάτω φράσεις είναι Σωστές και ποιες Λάθος;

0. Σήμερα δούλεψα πάρα πολύ και γι' αυτό είμαι πολύ κουραστικός.   Λ

1. Θέλω να πάω διακοπές, να ξεκουραστώ, να αδειάσει το μυαλό μου.   ___

2. Μη νευριάζεις που κουράζεσαι. Εσύ διάλεξες να σπουδάσεις παράλληλα με τη δουλειά. Είναι επιλογή σου.   ___

3. Οι ξένες γλώσσες καλλιεργούν τη σκέψη και είναι τελείως ανώφελες.   ___

4. Ο Αντώνης είναι πολύ αθλητικός και πολύ γοητευτικός άνθρωπος.   ___

5. Ανησυχώ πολύ για σένα. Είμαι πολύ ήσυχη.   ___

Άσκηση 7
Γίνετε ζευγάρια και συμπληρώστε τα κενά, όπως στο παράδειγμα.

Ο χειμωνιάτικος καιρός με τις βροχές και το κρύο είναι ιδανικός για όμορφες οικογενειακές στιγμές μέσα στο σπίτι. Ψάχνετε μια [0] __δραστηριότητα__ (δραστήριος), για να απασχολήσετε ευχάριστα το παιδί σας; Δεν χρειάζεται καμιά [1]_____ (ανησυχώ). Διαλέξτε τα επιτραπέζια παιχνίδια και περάστε ευχάριστες στιγμές με την οικογένειά σας. Εκτός από τη [2]_____ (διασκεδάζω) είναι και πολύ [3]_____ (ωφελώ) για τα παιδιά από τη νηπιακή ακόμη ηλικία. Τα βοηθούν να αναπτύξουν τη [4]_____ (σκέφτομαι) και την προσωπικότητά τους, να χρησιμοποιήσουν τη φαντασία τους, αλλά και την κριτική τους ικανότητα.

Η πιο μεγάλη [5]_____ (ωφελώ), όμως, είναι ότι με τα επιτραπέζια παιχνίδια, τα παιδιά μαθαίνουν να συνεργάζονται και να σέβονται τον αντίπαλο. Μαθαίνουν να χάνουν και να κερδίζουν. Υπάρχουν επιτραπέζια παιχνίδια για όλες τις ηλικίες. Διαλέξτε το κατάλληλο παιχνίδι για το παιδί σας. Για παιδιά 2-3 ετών επιλέξτε παιχνίδια με κάρτες που τα βοηθούν να επιλέξουν τα χρώματα, τα σχήματα ή τους αριθμούς. Καθώς το παιδί μεγαλώνει, έχετε πιο πολλές [6]_____ (επιλέγω). Χρησιμοποιήστε παιχνίδια με ζάρια και πιόνια, όπως το κλασικό και [7]_____ (γνωρίζω) «φιδάκι» ή το «γκρινιάρη». Καλή [8]_____ (διασκεδάζω)!

Άσκηση 8

Γίνετε ζευγάρια και αντιστοιχίστε τις φράσεις με τις κατάλληλες φωτογραφίες.

Όταν έχει ελεύθερο χρόνο ...

0. ο Αντώνης λύνει σταυρόλεξα.

1. η Μαρίνα κάνει μαθήματα φωτογραφίας.

2. η Ελένη διαβάζει αστυνομικά μυθιστορήματα και διηγήματα.

3. η Μαίρη παίζει πολλά επιτραπέζια παιχνίδια με τους φίλους της.

4. η Ζωή ζωγραφίζει κυρίως πορτρέτα.

5. ο Λευτέρης και η Άννα μαζεύουν γραμματόσημα.

6. ο Μιχάλης πηγαίνει για ψάρεμα και γι' αυτό έχει όλο τον εξοπλισμό που χρειάζεται. Του αρέσει πολύ και το κυνήγι.

7. η Χαρά κάνει μπαλέτο, όμως της αρέσουν και οι παραδοσιακοί χοροί.

8. η Περσεφόνη πηγαίνει στον κινηματογράφο. Προτιμάει πάντα την απογευματινή προβολή.

9. ο Δημήτρης πηγαίνει με τη μαμά του σε παιδικές χαρές. Του αρέσει πολύ να κάνει τσουλήθρα και κούνια.

10. ο Βασίλης ακούει ξένη μουσική. Συνήθως βρίσκει σταθμούς στο διαδίκτυο, γιατί στο ραδιόφωνο δεν μπορεί να πιάσει όλους τους σταθμούς.

11. ο Γιώργος πηγαίνει στο γήπεδο.

α.

β.

γ.

δ. *Ο*

ε.

στ.

ζ.

η.

θ.

ι.

ια.

ιβ.

Άσκηση 9

Γίνετε ζευγάρια και αντιστοιχίστε τις φράσεις με τις κατάλληλες αφίσες.

0. Ο Βαγγέλης παρακολουθεί θεατρικές παραστάσεις σε αρχαία θέατρα.

1. Η Βίκυ βλέπει ταινίες ή παραστάσεις, για να γελάσει.

2. Η Μαρία ενδιαφέρεται για τον σύγχρονο χορό και το μπαλέτο.

3. Ο Αποστόλης πηγαίνει σε ρεσιτάλ κλασικής μουσικής.

4. Ο Βασίλης θα πάει στα εγκαίνια μιας έκθεσης ζωγραφικής.

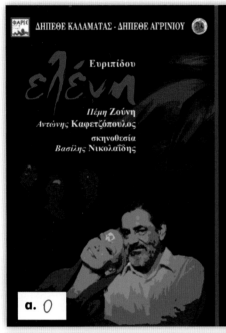

ΔΗΠΕΘΕ ΚΑΛΑΜΑΤΑΣ · ΔΗΠΕΘΕ ΑΓΡΙΝΙΟΥ

Ευριπίδου
ελένη
Πέμη Ζούνη
Αντώνης Καφετζόπουλος
σκηνοθεσία
Βασίλης Νικολαΐδης

α. 0

Το ΔΗ.ΠΕ.ΘΕ. Καλαμάτας, σε συνεργασία με το ΔΗ.ΠΕ.ΘΕ. Αγρινίου, θα παρουσιάσει την παράσταση του έργου του Ευριπίδη «Ελένη», στο Αρχαίο Θέατρο Άργους την Κυριακή 21 Ιουλίου, στο πλαίσιο του Φεστιβάλ Άργους-Μυκηνών 2013.

Έκθεση Ζωγραφικής
"Αρωματίζοντας Στιγμές"
του
Νικόλα Φωτιάδη

17-26 Μαΐου 2013
ΔΗΜΟΤΙΚΗ ΠΙΝΑΚΟΘΗΚΗ "ΜΕΛΙΝΑ"
Καθημερινά: 11.00 - 14.00 & 18.00 - 23.00

β.

Στις 17/1 Παρ. 8:30 μμ.
Είσ: € 10, 15, 20, 30. Μειωμ.: € 5
Προπώληση: εκδοτήρια Μεγάρου και Ομήρου 8, Αθήνα, 2107282333.
Ομαδικές κρατήσεις: 2107282367, webtics.megaron.gr
Υπό τη διεύθυνση του Βύρωνα Φιδετζή, η ΚΟΑ ερμηνεύει έργα των Σαμαρά, Bartok και Liszt.
Συμμετέχουν ο Μιχαήλ Σμιρνόφ (βιόλα), η Παιδική Χορωδία του Πνευματικού Κέντρου Δήμου Κορινθίων και η Παιδική Χορωδία Ωδείων Κόνταλν.

γ.

Η ΧΙΟΝΑΤΗ ΚΑΙ ΟΙ 7 ΝΑΝΟΙ

ΘΕΑΤΡΟ Παλλάς

ΤΙΜΕΣ ΕΙΣΙΤΗΡΙΩΝ

VIP: 58 € - παιδικό: 29 €

Α΄ Ζώνη: 50 € - παιδικό: 25 €

Β΄ Ζώνη: 42 € - παιδικό: 21 €

Γ΄ Ζώνη: 32 € - παιδικό: 16 €

Φοιτητές, άνεργοι, ΑΜΕΑ, άνω των 65 ετών: 10 €

ΑΓΟΡΑ ΕΙΣΙΤΗΡΙΩΝ

Θέατρο Παλλάς, CityLink, Βουκουρεστίου 5

Δευτ. - Σάβ. 9.00 - 20.00

Κυρ. 12.00 - 20.00 - τηλ. 210 3213100

ε.

Άντε ψυχούλα μου, σκότωσέ με: Κωμωδία
Η ιστορία δύο χήρων που ζουν μαζί με τις αναμνήσεις τους. Ονειρεύονται έναν καινούριο έρωτα, ο οποίος, όμως, αργεί να τους χτυπήσει την πόρτα.

δ.

Άσκηση 10

Γίνετε ζευγάρια και ενώστε τις λέξεις, για να κάνετε φράσεις που χρησιμοποιούνται πολύ συχνά. Με μερικές λέξεις μπορείτε να κάνετε περισσότερους από έναν συνδυασμούς. Μετά γράψτε προτάσεις με τις φράσεις που κάνατε.

0. ελεύθερος	**α.** κούνια	_____
1. παιδική	**β.** σταυρόλεξα	_____
2. κάνω	**γ.** χαρά	_____
3. λύνω	**δ.** γραμματοσήμων	_____
4. αστυνομική	**ε.** γραμματόσημα	_____
5. επιτραπέζιο	**στ.** προβολή	_____
6. μαζεύω	**ζ.** μυθιστόρημα	_____
7. συλλογή	**η.** παιχνίδι	_____
8. απογευματινή	**θ.** ταινία	_____
9. αστυνομικό	**ι.** χρόνος	*0* ___

Άσκηση 11

Κάνε ερωτήσεις στον διπλανό / στη διπλανή σου και συμπλήρωσε τον πίνακά σου

Παράδειγμα:

Μαθητής Α: <u>Τι έχεις στο Α1;</u> **Μαθητής Β:** <u>Έχω μια παλέτα χρωμάτων.</u> **Μαθητής Α:** <u>Κάνεις μαθήματα ζωγραφικής.</u>

Μαθητής Α	1	2	3	4
A	Μαθήματα ζωγραφικής			
B				

Μαθητής Β	1	2	3	4
A				
B				

Άσκηση 12

Ο κάθε μαθητής / Η κάθε μαθήτρια διαλέγει μια εικόνα από τον πίνακα. Την περιγράφει δυνατά στην τάξη. Οι υπόλοιποι μαθητές / Οι υπόλοιπες μαθήτριες βρίσκουν την εικόνα και τη σημειώνουν. Σημειώνουν τέσσερα διαδοχικά κελιά διαγώνια, οριζόντια ή κάθετα που περνούν από το κεντρικό BINGO και φωνάζουν BINGO.

Παράδειγμα: _Δύο παιδιά κάνουν ένα παζλ. Είναι ένα αγόρι κι ένα κορίτσι που φορούν ..._

✏️ *Λέξεις, φράσεις και εκφράσεις ...*

Άσκηση 1

Γίνετε ζευγάρια, διαβάστε τον πίνακα και βρείτε σε ποια από τις παρακάτω προτάσεις η λέξη *χρόνος* χρησιμοποιείται σε έκφραση που σημαίνει:

α. πάρα πολύ γρήγορα

β. το διάστημα που είναι διαθέσιμο για κάτι

γ. ορισμένη χρονική περίοδος, μέσα στην εξελικτική πορεία της ανθρωπότητας

δ. ορισμένη χρονική περίοδο στη ζωή ενός ατόμου

ε. το χρονικό διάστημα διδασκαλίας που συνήθως είναι 9 μήνες

στ. τον ενεστώτα, τον αόριστο, τον μέλλοντα κτλ.

0.	Όπως είναι γνωστό μέσα σε	χρόνο	ρεκόρ (σε λιγότερο από 48 ώρες) οι φίλαθλοι του Άρη... εξαφάνισαν τα περίπου 5.000 μαγικά χαρτάκια και αναμένεται, απόψε το βράδυ, να δημιουργήσουν καυτή ατμόσφαιρα στο γήπεδο.	*α*
1.	Η Ιωάννα σπουδάζει ιατρική και είναι στον τρίτο	χρόνο	των σπουδών της.	
2.	Βρήκε λίγο	χρόνο	η Μπιγιονσέ και έκανε διάλειμμα από τις επαγγελματικές της υποχρεώσεις.	
3.	Βρείτε τα ρήματα του αποσπάσματος. Σε ποιον	χρόνο	βρίσκονται; - Γιατί ο συγγραφέας χρησιμοποιεί αυτόν τον χρόνο;	
4.	Το 1945 σ' ένα μπαρ της Νέας Υόρκης συναντιούνται οι δύο ήρωες που ήταν ερωτευμένοι στα νεανικά τους	χρόνια	και αποφασίζουν να παντρευτούν. Γνωστή ταινία του Σίντνεϊ Πόλακ, παραγωγής 1973, με τους Μπάρμπαρα Στρέιζαντ και Ρόμπερτ Ρέντφορντ στους πρωταγωνιστικούς ρόλους: «Τα καλύτερά μας χρόνια».	
5.	Τόσο στα αρχαία όσο και στα νεότερα	χρόνια	δεν έλειψαν από τη Λέσβο σπουδαίοι πνευματικοί άνθρωποι, από τον Πιττακό (ένας από τους εφτά σοφούς της αρχαιότητας), τη Σαπφώ, τον Αλκαίο και τον Θεόφραστο, έως τους Εφταλιώτη και Βενέζη.	

Διασκευασμένα παραδείγματα από το σώμα κειμένων του ΚΕΓ και από το *Λεξικό της Κοινής Νεοελληνικής (Τριανταφυλλίδη)*

Άσκηση 2

Γίνετε ζευγάρια. Πηγαίνετε στη σελίδα **http://www.greek-language.gr/greekLang/modern _greek/tools/corpora/corpora/search.html** Πληκτρολογήστε τη λέξη *καιρός* και κάνετε τον δικό σας πίνακα με 6-7 παραδείγματα. Συγκρίνετε τον πίνακά σας με τους πίνακες των συμμαθητών / συμμαθητριών σας. Μετά γράψτε μια ιστορία με 4-5 από τις καινούριες λέξεις / φράσεις που μάθατε.

Άσκηση 3

Οι λέξεις *χρόνος*, *ώρα*, *καιρός* έχουν συγγενική σημασία. Γίνετε ζευγάρια και συμπληρώστε τις παρακάτω προτάσεις με μια από τις 3 λέξεις στον σωστό τύπο.

0. Ο ___χρόνος___ τρέχει.

1. Η απόσταση Δράμα-Θεσσαλονίκη με αυτοκίνητο είναι δύο _____.

2. Σε _____ ρεκόρ.

3. Ο _____ είναι χρήμα.

4. Μπορείς να παίρνεις το χάπι κάθε δύο _____.

5. Δεν ξέρω τι κάνει ο Κώστας. Έχω πολύ _____ να τον δω.

6. Στον ελεύθερό μου _____ παίζω μπάσκετ.

7. Οι τέσσερις εποχές του _____ είναι ο χειμώνας, η άνοιξη, το καλοκαίρι και το φθινόπωρο.

8. Ευτυχισμένος ο καινούριος _____!

9. Η Ρένα στον ελεύθερό της _____ παίζει χαρτιά με τις φίλες της.

10. Ο Δημήτρης δουλεύει πολύ σκληρά, δέκα _____ την ημέρα.

11. Η ταβέρνα έχει πολύ ωραία μπιφτέκια της _____.

12. Παιδιά, ελάτε γρήγορα, είναι _____ για φαγητό.

13. Ο Αλέξης είναι πολύ τρελός οδηγός. Τρέχει με 160 χιλιόμετρα την _____.

14. Ο Γιάννης είναι δύο _____.

15. Αγόρασα ένα πολύ ωραίο φόρεμα για όλες τις _____.

16. Αύριο έχουμε δύο _____ αγγλικά.

Άσκηση 4

Ζήτησε τη βοήθεια του συμμαθητή / της συμμαθήτριάς σου, για να συμπληρώσεις το σταυρόλεξό σου.

Παράδειγμα:

Μαθητής Α: Τι έχεις στο 1 κάθετα;   **Μαθητής Β:** Είναι και η κολύμβηση.   **Μαθητής Α:** Άθλημα.

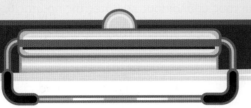

ΠΟΣΟ ΚΛΙΚ ΚΑΝΕΙΣ;

Κάνε το παρακάτω τεστ και διάβασε τα αποτελέσματα.
Πόσο αληθινά πιστεύεις ότι είναι;

1. Όταν ήσουν πιο μικρός / μικρή, η αγαπημένη σου γυμναστική ήταν:
   α. να περπατάς μόνος / μόνη σου στην παραλία.
   β. να κάνεις ένα άθλημα μαζί με φίλους σου.
   γ. να παίζεις με τους φίλους σου στη γειτονιά σου.

2. Η πιο κατάλληλη στιγμή για να κάνεις γυμναστική είναι:
   α. τα πρωινά.
   β. τα βράδια.
   γ. τα σαββατοκύριακα.

3. Ο ορισμός της απόλυτης διασκέδασης είναι:
   α. να περάσεις λίγο χρόνο μόνος / μόνη με τον εαυτό σου.
   β. μια βραδιά με επιτραπέζια παιχνίδια με τους φίλους σου.
   γ. μια μεγάλη βόλτα με έναν φίλο / μια φίλη σου.

4. Ο χαρακτηρισμός που νομίζεις ότι σε περιγράφει είναι:
   α. μοναχικός/-ή.
   β. κοινωνικός/-ή.
   γ. περιπετειώδης.

5. Το πιο σημαντικό σου προτέρημα είναι:
   α. η επιμονή.
   β. η αντοχή.
   γ. η αφοσίωση.

6. Όταν έχεις λίγη ώρα, για να γυμναστείς προτιμάς:
   α. τα μηχανήματα.
   β. το τένις.
   γ. τα πατίνια στο πάρκο.

7. Τα χρήματα που έχεις:
   α. είναι αρκετά, για να πας στο γυμναστήριο της γειτονιάς σου.
   β. είναι αρκετά, για να πας στο δημοτικό κολυμβητήριο.
   γ. δεν είναι αρκετά, για να πας κάπου που πρέπει να πληρώσεις.

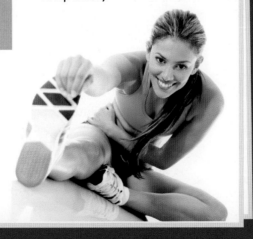

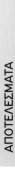

ΑΠΟΤΕΛΕΣΜΑΤΑ
Αν έχεις περισσότερα Α: Χρειάζεσαι λίγο χρόνο μόνος / μόνη, για να χαλαρώσεις, να οργανώσεις τη ζωή σου και να πάρεις κάποιες αποφάσεις για το μέλλον σου. Σου ταιριάζουν τα ατομικά αθλήματα.
Αν έχεις περισσότερα Β: Είσαι πολύ κοινωνικός / κοινωνική και σου αρέσει να γυμνάζεσαι με την παρέα σου. Η γυμναστική για σένα είναι διασκέδαση. Σου ταιριάζουν τα ομαδικά μαθήματα στο γυμναστήριο ή τα μαθήματα χορού.
Αν έχεις περισσότερα Γ: Ίσως δεν έχεις χρήματα, για να πας σε ένα γυμναστήριο, αλλά δεν τα χρειάζεσαι, αφού λατρεύεις τη φύση. Περπάτημα, τρέξιμο, πατίνια, ποδήλατο, είτε μόνος / μόνη σου είτε με φίλους, είναι η πιο κατάλληλη πρόταση για σένα.

Γραμματική: Βλέπω και παρατηρώ ...

Διάβασε το παρακάτω κείμενο και απάντησε στις ερωτήσεις.

ΤΙΤΑΝΙΚΟΣ

Ογδόντα τέσσερα χρόνια μετά το ιστορικό ναυάγιο, η εκατοντάχρονη Ρόουζ θυμάται και διηγείται τη συγκλονιστική ιστορία που ξεκίνησε στις 10 Απριλίου 1912, όταν ανέβηκε στον Τιτανικό μαζί με τη μητέρα της, τον αρραβωνιαστικό της και τους υπόλοιπους επιβάτες της πρώτης θέσης. Την ώρα που επιβιβάζεται στο κρουαζιερόπλοιο, ένας νεαρός, ο Τζακ, κερδίζει στα χαρτιά ένα εισιτήριο τρίτης θέσης. Οι δύο νέοι συναντιούνται πάνω στο πλοίο και μια μεγάλη αγάπη γεννιέται. Η ταινία προβάλλεται από την κινηματογραφική ομάδα του 5Oου Λυκείου Αθηνών την Κυριακή 27 Ιουνίου, αφού θεωρείται μια από τις πιο επιτυχημένες ταινίες όλων των εποχών και πάντα βαθμολογείται από τους κριτές με πολλά αστεράκια.

Εισιτήρια πωλούνται από τους μαθητές του σχολείου.

Ερωτήσεις:

1. Ποια ταινία προβάλλεται; _____

2. Τι γίνεται την Κυριακή 27-06; _____

3. Γιατί προβάλλεται η ταινία αυτή; _____

4. Από πού μπορεί κάποιος να αγοράσει εισιτήρια για την ταινία; _____

Βλέπω

Δες με προσοχή τους πίνακες.

και παρατηρώ ...

Απάντησε στις ερωτήσεις.

	A. Ενεργητική Φωνή	B. Παθητική Φωνή	Ερωτήσεις
1	Οι κριτές βραβεύουν την ταινία.	Η ταινία βραβεύεται από τους κριτές.	**α.** Ποιος βραβεύει την ταινία; Τι βραβεύουν οι κριτές; **β.** Ποιος βραβεύεται; Από ποιους βραβεύεται η ταινία;
2	Οι μαθητές πωλούν εισιτήρια.	Εισιτήρια πωλούνται από τους μαθητές.	**α.** Ποιοι πωλούν εισιτήρια; Τι πωλούν οι μαθητές; **β.** Ποια πωλούνται από τους μαθητές; Από ποιους πωλούνται τα εισιτήρια;
3	Ο Τζακ επηρεάζει πολύ τη Ρόουζ.	Η Ρόουζ επηρεάζεται πολύ από τον Τζακ.	**α.** Ποιος επηρεάζει τη Ρόουζ; Ποιον επηρεάζει ο Τζακ; **β.** Ποιος επηρεάζεται από τον Τζακ; Από ποιον επηρεάζεται η Ρόουζ;

1. Έχουν ίδια σημασία οι προτάσεις 1α και 1β; 2α και 2β; 3α και 3β;

2. Τι παρατηρείς ως προς τον σχηματισμό τους; Οι παραπάνω ερωτήσεις θα σε βοηθήσουν να απαντήσεις.

Διάβασε το παρακάτω κείμενο και απάντησε στις ερωτήσεις.

Η Νικολέτα **κουράζεται** πολύ στη δουλειά της και περιμένει πάντα το σαββατοκύριακο, για να κάνει πράγματα που της αρέσουν. Έτσι, κάθε Σάββατο ξυπνάει το πρωί, **πλένεται**, τρώει πρωινό και πηγαίνει στην αγορά. Το μεσημέρι **συναντιέται** με τους φίλους της για καφέ και μετά γυρίζει στο σπίτι της. **Κοιμάται** λίγο και μετά **ετοιμάζεται** για τη βραδινή της έξοδο. **Λούζεται**, **χτενίζεται**, **βάφεται**, **ντύνεται** πάντα πολύ κομψά και βγαίνει έξω.

Ερωτήσεις:

1. Ποιος ετοιμάζεται για τη βραδινή έξοδο; _____

2. Τι κάνει η Νικολέτα πριν από τη βραδινή της έξοδο; _____

3. Ποιον ετοιμάζει η Νικολέτα για τη βραδινή έξοδο; _____

4. Ποιος ντύνεται πολύ κομψά; _____

5. Από ποιον ντύνεται; _____

Βλέπω

Δες με προσοχή τις παρακάτω προτάσεις.

1	Η Νικολέτα ετοιμάζεται για τη βραδινή της έξοδο.
2	Η Νικολέτα χτενίζεται.
3	Η Νικολέτα βάφεται.
4	Η Νικολέτα ντύνεται.

και παρατηρώ ...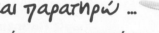

Απάντησε στις ερωτήσεις:

1. Ποιον ετοιμάζει η Νικολέτα;

2. Ποιον χτενίζει η Νικολέτα;

3. Ποιον βάφει η Νικολέτα;

4. Ποιον ντύνει η Νικολέτα;

ΓΡΑΜΜΑΤΙΚΗ

Α΄ ΣΥΖΥΓΙΑ

	Ενεργητική Φωνή	Παθητική Φωνή
εγώ	βραβεύ-ω (Ρ. 5.1) *	βραβεύ-ομαι (Ρ. 5.1) *
εσύ	βραβεύ-εις	βραβεύ-εσαι
αυτός/ή/ό	βραβεύ-ει	βραβεύ-εται
εμείς	βραβεύ-ουμε	βραβευ-όμαστε
εσείς	βραβεύ-ετε	βραβεύ-εστε
αυτοί/ές/ά	βραβεύ-ουν	βραβεύ-ονται

* αριθμός που δείχνει το κλιτικό παράδειγμα σύμφωνα με το Λεξικό της Κοινής Νεοελληνικής (Τριανταφυλλίδη)

Χωρίς Παθητική Φωνή: ανήκω, βάζω, βγάζω, βγαίνω, βήχω, γκρινιάζω, έχω, ζωντανεύω, κάνω, κοστίζω, μαλώνω, μένω, μπαίνω, μοιάζω, νευριάζω, νιώθω, ξέρω, παίρνω, πηγαίνω, περιμένω, πεθαίνω, πιστεύω, τρέμω, τρέχω, φέρνω, φεύγω, φταίω, φωνάζω

Χωρίς Ενεργητική Φωνή: δέχομαι, εύχομαι, έρχομαι, κουράζομαι, γίνομαι, ονειρεύομαι, εργάζομαι, χρειάζομαι, υπόσχομαι, συμπεριφέρομαι, σκέφτομαι, σέβομαι, μεταχειρίζομαι, αισθάνομαι, φαίνομαι, ερωτεύομαι, εκμεταλλεύομαι, εμπιστεύομαι, κάθομαι, ντρέπομαι, ονειρεύομαι, χαίρομαι

Β΄ ΣΥΖΥΓΙΑ

	Ενεργητική Φωνή	Παθητική Φωνή
εγώ	γενν-ώ / γενν-άω (Ρ. 10.1) *	γενν-ιέμαι (Ρ. 10.1) *
εσύ	γενν-άς	γενν-ιέσαι
αυτός/ή/ό	γενν-ά / γενν-άει	γενν-ιέται
εμείς	γενν-άμε / γενν-ούμε	γενν-ιόμαστε
εσείς	γενν-άτε	γενν-ιέστε
αυτοί/ές/ά	γενν-άν(ε) / γενν-ούν	γενν-ιούνται

Χωρίς Παθητική Φωνή: γερνάω, γλεντάω, διψάω, ξενυχτάω, πεινάω, σταματάω, πονάω, χρωστάω

Χωρίς Ενεργητική Φωνή: παραπονιέμαι, χασμουριέμαι, βαριέμαι, αναρωτιέμαι, καταριέμαι

	Ενεργητική Φωνή	Παθητική Φωνή
εγώ	βαθμολογ-ώ (Ρ. 10.9) *	βαθμολογ-ούμαι
εσύ	βαθμολογ-είς	βαθμολογ-είσαι
αυτός/ή/ό	βαθμολογ-εί	βαθμολογ-είται
εμείς	βαθμολογ-ούμε	βαθμολογ-ούμαστε
εσείς	βαθμολογ-είτε	βαθμολογ-είστε
αυτοί/ές/ά	βαθμολογ-ούν	βαθμολογ-ούνται

Χωρίς Παθητική Φωνή: ζω, μπορώ, προσπαθώ

Χωρίς Ενεργητική Φωνή: περιποιούμαι, ασχολούμαι, αρνούμαι, διηγούμαι, αφηγούμαι

εγώ	θυμάμαι (Ρ. 12) *
εσύ	θυμάσαι
αυτός/ή/ό	θυμάται
εμείς	θυμόμαστε
εσείς	θυμάστε
αυτοί/ές/ά	θυμούνται
	λυπάμαι, φοβάμαι, κοιμάμαι

Άσκηση 1

Κάνε κλικ στη σελίδα http://www.greek-language.gr/greekLang/modern_greek/tools/lexica/triantafyllides/index.html Γράψε καθένα από τα ρήματα *βραβεύω, γεννώ, βαθμολογώ*, πάτησε το «Βρες» και μετά τον αριθμό που υπάρχει δίπλα στο ρήμα και δες ποια άλλα ρήματα κλίνονται όπως αυτά.

Άσκηση 2
Παίζουμε τένις! Γίνετε ζευγάρια και παίξτε τένις. Χρησιμοποιήστε τις λέξεις:

γράφομαι, ασχολούμαι, δέχομαι, εργάζομαι, ξεχνιέμαι, δένομαι, κουνιέμαι, δανείζομαι, φιλοξενούμαι, ζεσταίνομαι, ευχαριστιέμαι, περιποιούμαι

Παράδειγμα:

Μαθητής Α: *γράφεσαι*   **Μαθητής Β:** *γράφεστε*

Άσκηση 3
Γίνετε ζευγάρια, ακολουθήστε τις λέξεις που στο τρίτο πληθυντικό του ενεστώτα έχουν κατάληξη -ούνται και βγείτε από τον λαβύρινθο.

Αρχή

πωλούμαι	βαριέμαι	αναπτύσσομαι	ενδιαφέρομαι	κοιμάμαι
εξηγούμαι	εργάζομαι	απασχολούμαι	υιοθετούμαι	εξαντλούμαι
προπονούμαι	εκπαιδεύομαι	γεννιέμαι	δυσκολεύομαι	ικανοποιούμαι
αποτελούμαι	ενοχλούμαι	δημιουργούμαι	θεραπεύομαι	αφηγούμαι
αισθάνομαι	κρύβομαι	βραβεύομαι	πετιέμαι	κουνιέμαι
δέχομαι	κατοικούμαι	αφηγούμαι	έρχομαι	**καλλιεργούμαι**

Τέλος

Άσκηση 4
Γίνετε ζευγάρια και βρείτε τα λάθη.

0. Οι μαθητές τον καιρό των εξετάσεων αισθάνουνται πολύ άγχος.   *αισθάνονται*
1. Κάθε βράδυ η μαμά αφηγιέται παραμύθια στο παιδάκι της. _____
2. Κορίτσια, ποια ταινία παίζετε στους κινηματογράφους; _____
3. Η Μαίρη και ο Κώστας δεν μιλιόνται πια. _____
4. Εσείς παίζεται ποδόσφαιρο κάθε μέρα. _____
5. Η Βούλα και η Αθανασία δεν χαιρετιένται στον δρόμο. _____
6. Τα παιδιά προπονιένται ότι δεν έχουν καθόλου ελεύθερο χρόνο. _____
7. Ενοικιάζουνται δωμάτια με όλες τις ανέσεις. _____
8. Η Μαρία πλένεται τα ρούχα κάθε Σάββατο. _____
9. Ο μπαμπάς μου ενοχλιέται πολύ από τη δυνατή μουσική. _____

ΓΡΑΜΜΑΤΙΚΗ

Άσκηση 5

Γίνετε ζευγάρια και συμπληρώστε τα κενά, όπως στο παράδειγμα.

Δημοτική βιβλιοθήκη Καλαμαριάς

Στη βιβλιοθήκη [0]____εργάζονται____ (εργάζομαι) τρεις υπάλληλοι που φροντίζουν την οργάνωση και την καλή λειτουργία της. Η βιβλιοθήκη [1]_____ (απευθύνομαι) σε παιδιά και εφήβους. Το τμήμα ενηλίκων [2]_____ (δημιουργούμαι) τώρα. Η συλλογή [3]_____ (αποτελούμαι) από πολλά βιβλία, περιοδικά και εφημερίδες κι [4]_____ (εύχομαι) σύντομα να υπάρχουν περισσότεροι τίτλοι βιβλίων. Κάθε βιβλίο [5]_____ (δανείζομαι) για 2 εβδομάδες. Στον χώρο της βιβλιοθήκης [6]_____ (διοργανώνομαι) πολλές δραστηριότητες. Συχνά, ηθοποιοί [7]_____ (αφηγούμαι) παραμύθια στους μικρούς μαθητές, που [8]_____ (μεταφέρομαι) σε κόσμους μαγικούς και ταξιδεύουν με τη φαντασία τους.

Ώρες λειτουργίας: Χειμερινό ωράριο: Δευτέρα-Παρασκευή 9 π.μ. - 8 μ.μ.

Θερινό ωράριο: Δευτέρα-Πέμπτη 10 π.μ. - 8 μ.μ.

Διασκευή κειμένου από http://www.thelib.gr

Παιδότοπος

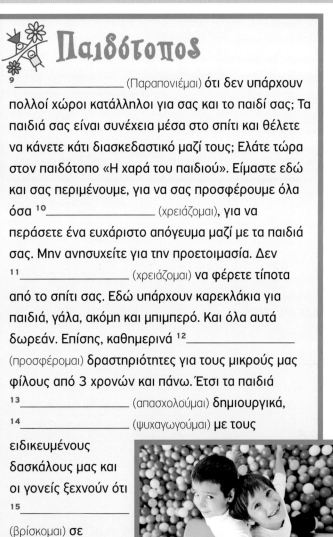

[9]_____ (Παραπονιέμαι) ότι δεν υπάρχουν πολλοί χώροι κατάλληλοι για σας και το παιδί σας; Τα παιδιά σας είναι συνέχεια μέσα στο σπίτι και θέλετε να κάνετε κάτι διασκεδαστικό μαζί τους; Ελάτε τώρα στον παιδότοπο «Η χαρά του παιδιού». Είμαστε εδώ και σας περιμένουμε, για να σας προσφέρουμε όλα όσα [10]_____ (χρειάζομαι), για να περάσετε ένα ευχάριστο απόγευμα μαζί με τα παιδιά σας. Μην ανησυχείτε για την προετοιμασία. Δεν [11]_____ (χρειάζομαι) να φέρετε τίποτα από το σπίτι σας. Εδώ υπάρχουν καρεκλάκια για παιδιά, γάλα, ακόμη και μπιμπερό. Και όλα αυτά δωρεάν. Επίσης, καθημερινά [12]_____ (προσφέρομαι) δραστηριότητες για τους μικρούς μας φίλους από 3 χρονών και πάνω. Έτσι τα παιδιά [13]_____ (απασχολούμαι) δημιουργικά, [14]_____ (ψυχαγωγούμαι) με τους ειδικευμένους δασκάλους μας και οι γονείς ξεχνούν ότι [15]_____ (βρίσκομαι) σε παιδότοπο.

Πρόγραμμα κατασκήνωσης

Τα παιδιά ξυπνούν στις 8, [16]_____ (σηκώνομαι) και στρώνουν πάντα τα κρεβάτια τους. Στη συνέχεια, [17]_____ (πλένομαι), [18]_____ (χτενίζομαι) και παίρνουν το πρωινό τους. [19]_____ (Προπονούμαι) στο άθλημα της επιλογής τους. Στις εγκαταστάσεις της κατασκήνωσης για όλα τα αθλήματα υπάρχει εξοπλισμός που [20]_____ (πωλούμαι) ή [21]_____ (ενοικιάζομαι), ανάλογα με την επιλογή του κάθε παιδιού. Εδώ [22]_____ (απασχολούμαι) πολλοί εθελοντές γιατροί και γυμναστές...

Άσκηση 6

Γίνετε ζευγάρια και βάλτε σε κύκλο το σωστό.

0. Η Μαρία χτενίζει / (χτενίζεται) κάθε πρωί.

1. Ο Αποστόλης δεν ξυρίζει / ξυρίζεται πια.

2. Η Βίκυ ενδιαφέρει / ενδιαφέρεται πολύ για τη δουλειά της.

3. Η Αγγέλα βάφει / βάφεται τα μαλλιά της κάθε μήνα.

4. Μην κουράζεις / κουράζεσαι τόσο πολύ.

5. Ο Γιάννης πλένει / πλένεται μόνος του.

6. Η Άννα ετοιμάζει / ετοιμάζεται τις βαλίτσες της.

7. Με κουράζει / κουράζεται πολύ η δουλειά μου.

8. Η μαμά λούζει / λούζεται τον μπέμπη κάθε βράδυ.

9. Η Μαίρη βάφει / βάφεται κάθε μέρα.

10. Ο Δημήτρης ετοιμάζει / ετοιμάζεται πολύ γρήγορα για το σχολείο.

Άσκηση 7

Μετάτρεψε τις παρακάτω προτάσεις από την ενεργητική στην παθητική σύνταξη.

0. Ο κύριος Πέτρος προπονεί τους αθλητές.
Οι αθλητές προπονούνται από τον κύριο Πέτρο.

1. Ο καθηγητής εξετάζει τους μαθητές.
_____
_____

2. Ο κινηματογράφος *Ολύμπια* προβάλλει την ταινία «Τιτανικός».
_____
_____

3. Ο Κώστας φορτώνει τα πράγματα στο αυτοκίνητο.
_____
_____

4. Η μαμά μου σιδερώνει τα ρούχα μία φορά την εβδομάδα.
_____
_____

5. Τα καλοριφέρ ζεσταίνουν το σπίτι.
_____
_____

6. Ο κηπουρός ποτίζει τα λουλούδια.
_____

Άσκηση 8

Μετάτρεψε τις παρακάτω προτάσεις από την παθητική στην ενεργητική σύνταξη.

0. Οι μαθητές βαθμολογούνται από τους καθηγητές.
Οι καθηγητές βαθμολογούν τους μαθητές.

1. Τα ρούχα πλένονται από τη μαμά μου.
_____
_____

2. Τα θέματα διαβάζονται από τον καθηγητή.
_____
_____

3. Το περιβάλλον καταστρέφεται από τους ανθρώπους.
_____
_____

4. Τα ρούχα βρέχονται από τα παιδιά.
_____
_____

5. Πέντε άτομα απασχολούνται σε αυτή την εταιρεία από τον κύριο Πετρίδη.
_____
_____

6. Ο Βασίλης ενοχλείται από τον Πέτρο.
_____

Άσκηση 9

Γίνετε ζευγάρια, βάλτε στη σωστή σειρά τις παρακάτω εικόνες, γράψτε μια ιστορία και πείτε την στην τάξη.

Άσκηση 10

Γίνετε ζευγάρια και δώστε πληροφορίες για το αγαπημένο σας ομαδικό άθλημα. Χρησιμοποιήστε λέξεις όπως:

ξεχνιέμαι, συνεργάζομαι, αθλούμαι, προπονούμαι κτλ.

Άσκηση 11

Γίνετε ζευγάρια και δώστε πληροφορίες για μια ταινία που προβάλλεται τώρα στους κινηματογράφους. Χρησιμοποιήστε λέξεις όπως:

προβάλλομαι, πωλούμαι, συζητιέμαι κτλ.

ΚΑΤΑΝΟΗΣΗ ΠΡΟΦΟΡΙΚΟΥ ΛΟΓΟΥ

- Τι βλέπεις στις φωτογραφίες;
- Τι όργανα παίζουν οι καλλιτέχνες;
- Τι είδους μουσική μπορεί να παίζουν;

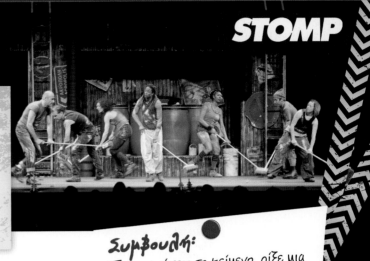

STOMP

Άσκηση 1

Άκου προσεκτικά μια ραδιοφωνική
εκπομπή και βάλε σε κύκλο το σωστό.

(cd 1, 12)

Συμβουλή:
Πριν ακούσεις το κείμενο, ρίξε μια ματιά στις προτάσεις και απάντησε στις παρακάτω ερωτήσεις.
α) Το κείμενο που θα ακούσεις θα έχει σχέση με τη διασκέδαση ή με την τεχνολογία;
β) STOMP είναι το όνομα μιας ομάδας ανθρώπων;

0. STOMP σημαίνει
   α. χτυπώ δυνατά τα χέρια.
   β. χτυπώ δυνατά το πόδι.
   γ. χτυπώ δυνατά τα μουσικά όργανα.

1. Στις παραστάσεις των STOMP συμμετέχουν
   α. 8 μέλη.
   β. 20 μέλη.
   γ. 24 μέλη.

2. Τα μέλη των STOMP είναι από
   α. τη Βρετανία.
   β. την Αμερική.
   γ. όλο τον κόσμο.

3. Οι παραστάσεις των STOMP κέρδισαν
   α. βραβείο Όσκαρ.
   β. πολλά κινηματογραφικά βραβεία.
   γ. πολλά παγκόσμια βραβεία.

4. Τα μέλη των STOMP
   α. είναι πάντα τα ίδια πρόσωπα.
   β. αλλάζουν συχνά.
   γ. δεν είναι ποτέ τα ίδια πρόσωπα.

5. Τα μέλη των STOMP ασχολούνται
   α. μόνο με τη μουσική.
   β. μόνο με τον χορό.
   γ. με τη μουσική και τον χορό.

6. Οι STOMP θα είναι στην Ελλάδα
   α. το καλοκαίρι.
   β. το φθινόπωρο.
   γ. τον χειμώνα.

Άσκηση 2

Κάνε κλικ στις παρακάτω ηλεκτρονικές διευθύνσεις
http://www.youtube.com/watch?v=GrKbk7KTP_I
http://www.youtube.com/watch?v=Zu150u-jKMO
Τι σου κάνει περισσότερο εντύπωση από το
συγκρότημα Tat-Tnabar; Μοιάζει σε κάτι με τους
Stomp; Σε τι; Έχουν διαφορές; Ποιες;

Άσκηση 1

Γίνετε ζευγάρια, εκτυπώστε το κείμενο της κατανόησης προφορικού λόγου, δείτε τις υπογραμμισμένες λέξεις / φράσεις του κειμένου και βρείτε με ποιες από τις παρακάτω λέξεις / φράσεις ταιριάζουν στη σημασία.

0. θεατρικό έργο ή ταινία που μας κάνει να γελάμε = _κωμωδία_

1. επαγγελματική πορεία = _____

2. κινηματογραφικό έργο μικρής διάρκειας = _____

3. παλιές ταινίες χωρίς καθόλου φωνή = _____

4. γράφω ένα μουσικό έργο = _____

5. παρουσία στη σκηνή του θεάτρου, παράσταση = _____

Άσκηση 2

Διάβασε τους παρακάτω ορισμούς και συμπλήρωσε τα κενά στις προτάσεις με τις λέξεις του κρυπτόλεξου.

0. _Καλλιτέχνες_ είναι οι ηθοποιοί, οι μουσικοί, οι χορευτές και όλοι όσοι έχουν ταλέντο και ασχολούνται με την τέχνη.

1. Μια ομάδα μουσικών που έχουν κοινό όνομα και παίζουν μαζί μουσική είναι _____.

2. Η παρουσίαση ενός καλλιτεχνικού θεάματος στο κοινό λέγεται _____.

3. Όταν οργανώνω και διευθύνω μια παράσταση στο θέατρο, μια ταινία ή μια εκπομπή στην τηλεόραση, τότε _____.

4. Οι συσκευές που φωτίζουν μια θεατρική σκηνή ή έναν συγκεκριμένο χώρο, λέγονται γενικά _____.

5. Κάθε χρόνο πολλοί ηθοποιοί βάζουν _____ για Όσκαρ, αλλά το παίρνουν μόνο οι καλύτεροι.

6. Η νεαρή ηθοποιός κέρδισε το _____ Όσκαρ, γιατί πραγματικά έπαιξε πολύ καλά στην ταινία.

7. Το καλοκαίρι η θεατρική παράσταση *Δωδέκατη Νύχτα* του Ουίλιαμ Σαίξπηρ θα κάνει _____ σε όλη την Ελλάδα, θα πάει από τον Έβρο μέχρι την Κρήτη.

8. Όταν κάνω κάτι χωρίς προετοιμασία, τότε _____.

9. Όταν ρυθμίζω τις κινήσεις και τα βήματα ενός χορού, τότε κάνω τη _____ του.

0	Α	Ω	Κ	Α	Λ	Λ	Ι	Τ	Ε	Χ	Ν	Ε	Σ	Ρ	Α	Α
1	Γ	Η	Ω	Α	Σ	Υ	Γ	Κ	Ρ	Ο	Τ	Η	Μ	Α	Η	Ρ
2	Ξ	Π	Α	Ρ	Α	Σ	Τ	Α	Σ	Η	Τ	Η	Τ	Η	Σ	Λ
3	Σ	Κ	Η	Ν	Ο	Θ	Ε	Τ	Ω	Α	Π	Ο	Ν	Ξ	Ω	Δ
4	Ε	Ω	Γ	Φ	Ω	Τ	Ι	Σ	Μ	Ο	Σ	Σ	Τ	Α	Θ	Ο
5	Μ	Λ	Ε	Δ	Υ	Π	Ο	Ψ	Η	Φ	Ι	Ο	Τ	Η	Τ	Α
6	Α	Ρ	Μ	Ε	Τ	Β	Ρ	Α	Β	Ε	Ι	Ο	Ε	Ο	Ι	Σ
7	Τ	Δ	Ι	Π	Ε	Ρ	Ι	Ο	Δ	Ε	Ι	Α	Λ	Ψ	Α	Ζ
8	Γ	Ο	Α	Υ	Τ	Ο	Σ	Χ	Ε	Δ	Ι	Α	Ζ	Ω	Η	Μ
9	Ε	Μ	Α	Σ	Υ	Χ	Ο	Ρ	Ο	Γ	Ρ	Α	Φ	Ι	Α	Ν

Άσκηση 3
Γίνετε ζευγάρια και αντιστοιχίστε τις λέξεις με τις εικόνες.

0. ηθοποιός

1. χορευτής

2. μουσικός

3. σκηνικά

Άσκηση 4
Γίνετε ζευγάρια, ενώστε τις λέξεις με αντίθετη σημασία και κάνετε προτάσεις με αυτές.

0. δυνατά _____ε_____   **α.** χάνω

1. επόμενος _____   **β.** απεριόριστες

2. περιορισμένες _____   **γ.** προηγούμενος

3. άνεργος _____   **δ.** εργαζόμενος

4. κερδίζω _____   **ε.** σιγά

Άσκηση 5
Γίνετε ζευγάρια και ενώστε τις λέξεις, για να κάνετε φράσεις που χρησιμοποιούνται πολύ συχνά. Με μερικές λέξεις μπορείτε να κάνετε περισσότερους από έναν συνδυασμούς. Μετά γράψτε προτάσεις με τις φράσεις που κάνατε.

0. βωβός _____δ_____   **α.** όργανο

1. υποψηφιότητα _____   **β.** εμφανίσεις

2. μουσικό _____   **γ.** μικρού μήκους

3. ταινία _____   **δ.** κινηματογράφος

4. συνθέτω _____   **ε.** μουσική

5. περιορισμένες _____   **στ.** για Όσκαρ

Άσκηση 6

Γίνετε ζευγάρια και συμπληρώστε τα κενά με τις παρακάτω λέξεις.

σκηνικά, σκηνοθετούν, μουσικοί, κωμωδίες, ηθοποιούς, συνθέτουν, καλλιτέχνες, βραβεία, υποψηφιότητες, εντυπωσιακές, καριέρας, φωτισμό, ταινιών μικρού μήκους, νέοι

Το Διεθνές Φεστιβάλ Κινηματογράφου Θεσσαλονίκης είναι το κορυφαίο φεστιβάλ κινηματογράφου της νοτιοανατολικής Ευρώπης και διοργανώνεται κάθε Νοέμβριο στη Θεσσαλονίκη. Ξεκινά το 1960 ως «Εβδομάδα Ελληνικού Κινηματογράφου». Το 1966 ονομάζεται «Φεστιβάλ Ελληνικού Κινηματογράφου» και το 1992 γίνεται διεθνές.

Παράλληλα με τους γνωστούς δημιουργούς, στο Φεστιβάλ Κινηματογράφου συμμετέχουν

⁰ ___καλλιτέχνες___ που βρίσκονται στην αρχή της ¹_____ τους. Στις κινηματογραφικές αίθουσες προβάλλονται ταινίες με ²_____ παρουσίες νέων καλλιτεχνών. ³_____ ηθοποιοί και ⁴_____ κάνουν εντύπωση με τη δουλειά και το έργο τους. Πολλές από τις ταινίες ξεχωρίζουν για το σενάριο, τα ⁵_____, τις ερμηνείες, τον ⁶_____. Εκτός από νέους ⁷_____, καινούριοι καλλιτέχνες ⁸_____ μουσική, ⁹_____ και διακρίνονται. Στο Φεστιβάλ διαγωνίζονται ταινίες μεγάλου μήκους, ενώ υπάρχει ξεχωριστό Τμήμα για την προβολή των ¹⁰_____ που πήραν ¹¹_____ στο Φεστιβάλ της Δράμας. Περιπέτειες, ¹²_____ και ταινίες που αγγίζουν καθημερινά, κοινωνικά ζητήματα είναι μερικά από τα είδη ταινιών που συμμετέχουν στη διοργάνωση. Κάποιες από τις ταινίες που προβάλλονται στις αίθουσες συμπεριλαμβάνονται στις ¹³_____ για Όσκαρ, όπως π.χ. η νέα ταινία του −ελληνικής καταγωγής− σκηνοθέτη Αλεξάντερ Πέιν «Nebraska».

Η δύναμη του Φεστιβάλ Θεσσαλονίκης είναι οι ταινίες και οι θεατές του. Το χαρακτηριστικό του Φεστιβάλ δεν είναι το κόκκινο χαλί και η πολυτέλεια, όπως συμβαίνει με τα Όσκαρ. Εδώ, οι θεατές κάνουν ουρές έξω από τις αίθουσες, για να δουν τις πρεμιέρες γνωστών δημιουργών ή ταινίες νέων σκηνοθετών.

Άσκηση 7

Γίνετε ζευγάρια, δείτε τις παρακάτω λέξεις και συμπληρώστε τα κενά κάθε σειράς του πίνακα με λέξεις που ανήκουν στην ίδια οικογένεια.

μαγεία, ντύσιμο, σύνθεση, χορογράφος, αξιοποίηση, σημασία, αυτοσχεδιάζω,
πρωταγωνιστής, σκηνοθεσία, δημιουργικός, εντύπωση

ρήμα	ουσιαστικό	επίθετο
μαγεύω	0 _μαγεία_ , μάγος	μαγευτικός
σημαίνω	1 _____	σημαντικός
δημιουργώ	δημιουργία, δημιουργός	2 _____
ντύνομαι	3 _____	ντυμένος
συνθέτω	4 _____, συνθέτης	συνθετικός
αξιοποιώ	5 _____	-
εντυπωσιάζω	6 _____	εντυπωσιακός
σκηνοθετώ	7 _____, σκηνοθέτης	σκηνοθετικός
χορογραφώ	χορογραφία, 8 _____	-
πρωταγωνιστώ	9 _____	πρωταγωνιστικός
10 _____	αυτοσχεδιασμός	αυτοσχέδιος

Άσκηση 8

Γίνετε ζευγάρια, διαβάστε το κείμενο και συμπληρώστε τα κενά, όπως στο παράδειγμα.

Η Κάρμεν Ρουγγέρη παρουσιάζει τη νέα της δουλειά στο θέατρο «Κιβωτός». Η παράσταση βασίζεται στο παραμύθι της Πηνελόπης Δέλτα, «Η καρδιά της βασιλοπούλας». Η ⁰ ___αξιοποίηση___ (αξιοποιώ) του παραμυθιού στο θέατρο είναι πολύ ¹_____ (σημαίνω) για την Κάρμεν Ρουγγέρη που ²_____ (σκηνοθέτης) την παράσταση.

Έτσι, το παραμύθι της Πηνελόπης Δέλτα ζωντανεύει στη σκηνή από την αγαπημένη ³_____ (δημιουργώ) μικρών και μεγάλων.

Η παιδική σκηνή του θεάτρου «Κιβωτός» γεμίζει χρώματα, χορούς, παραδοσιακές φορεσιές της πατρίδας μας και παραδοσιακές μουσικές της Κάτω Ιταλίας.

Όλα στο έργο γίνονται σ' ένα νησί. Ένας αφηγητής δείχνει στα παιδιά τα σπίτια, τη θάλασσα, τα καράβια και το παλάτι του Βασιλιά. Το σκηνικό της παράστασης είναι απλό. Ξεχωρίζουν τα πολύχρωμα κοστούμια, που μοιάζουν με το παραδοσιακό ⁴_____ (ντύνομαι) της χώρας μας. Η παράσταση έχει όμορφες ⁵_____ (χορογραφώ), μουσικές ⁶_____ (συνθέτω) και τραγούδια της Κάτω Ιταλίας. Τραγουδιστές είναι οι ηθοποιοί της παράστασης που έχουν πολύ ωραίες φωνές.

Λίγα λόγια για το έργο

Η σπουδαία ελληνίδα συγγραφέας Πηνελόπη Δέλτα αφηγείται με μοναδικό τρόπο τη ζωή μιας βασιλοπούλας που ψάχνει το νόημα της ζωής. Στον δρόμο της η βασιλοπούλα, η ⁷_____ (πρωταγωνιστώ) της παράστασης, συναντάει απλούς ανθρώπους. Ανακαλύπτει συναισθήματα που δεν γνωρίζει και τελικά καταλαβαίνει τι σημαίνει να ζεις πραγματικά. Μέσα από το όμορφο παραμύθι, η Πηνελόπη Δέλτα μιλά για το αληθινό νόημα της ζωής. Μιλά για τη χαρά της προσφοράς, την αγάπη για την πατρίδα και την οικογένεια, τον θάνατο, την ευτυχία, τη δυστυχία, τη λύπη και τη χαρά.

Συντελεστές:

Κείμενο–σκηνοθεσία: Κάρμεν Ρουγγέρη

Σκηνικά–κοστούμια: Χριστίνα Κουλουμπή

Κίνηση–χορογραφίες–φωτισμοί: Πέτρος Γάλλιας

Μουσική σύνθεση–ενορχήστρωση–στίχοι και επιλογή τραγουδιών από παραδοσιακά της Κάτω Ιταλίας:

Ανδρέας Κουλουμπής

Παραγωγή: «Κιβωτός» Γιώργου Φρατζεσκάκη

Παίζουν και τραγουδούν οι ηθοποιοί:

Ευαγγελία Καρακατσάνη, Ορέστης Καρύδας, Αλέξανδρος Κομπόγιωργας, Γιάννης Νικολάου, Νάντια Μητρούδη, Αμάντα Σοφιανοπούλου

Διασκευή κειμένου από http://www.ellthea.gr

Άσκηση 9

Διάβασε ξανά τις λέξεις από τον πίνακα της άσκησης 7 και γράψε μια μικρή παράγραφο που να περιέχει τουλάχιστον 5 από τις λέξεις αυτές.

Άσκηση 1

Άκου και συμπλήρωσε τα κενά.

(cd 1, 13)

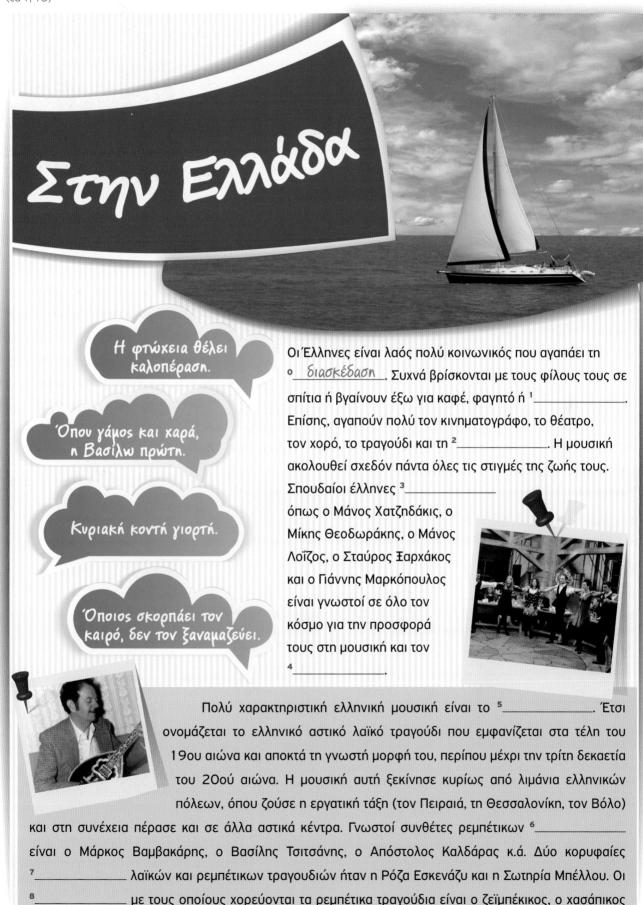

Στην Ελλάδα

> Η φτώχεια θέλει καλοπέραση.

> Όπου γάμος και χαρά, η Βασίλω πρώτη.

> Κυριακή κοντή γιορτή.

> Όποιος σκορπάει τον καιρό, δεν τον ξαναμαζεύει.

Οι Έλληνες είναι λαός πολύ κοινωνικός που αγαπάει τη ⁰ _διασκέδαση_. Συχνά βρίσκονται με τους φίλους τους σε σπίτια ή βγαίνουν έξω για καφέ, φαγητό ή ¹_____. Επίσης, αγαπούν πολύ τον κινηματογράφο, το θέατρο, τον χορό, το τραγούδι και τη ²_____. Η μουσική ακολουθεί σχεδόν πάντα όλες τις στιγμές της ζωής τους. Σπουδαίοι έλληνες ³_____ όπως ο Μάνος Χατζηδάκις, ο Μίκης Θεοδωράκης, ο Μάνος Λοΐζος, ο Σταύρος Ξαρχάκος και ο Γιάννης Μαρκόπουλος είναι γνωστοί σε όλο τον κόσμο για την προσφορά τους στη μουσική και τον ⁴_____.

Πολύ χαρακτηριστική ελληνική μουσική είναι το ⁵_____. Έτσι ονομάζεται το ελληνικό αστικό λαϊκό τραγούδι που εμφανίζεται στα τέλη του 19ου αιώνα και αποκτά τη γνωστή μορφή του, περίπου μέχρι την τρίτη δεκαετία του 20ού αιώνα. Η μουσική αυτή ξεκίνησε κυρίως από λιμάνια ελληνικών πόλεων, όπου ζούσε η εργατική τάξη (τον Πειραιά, τη Θεσσαλονίκη, τον Βόλο) και στη συνέχεια πέρασε και σε άλλα αστικά κέντρα. Γνωστοί συνθέτες ρεμπέτικων ⁶_____ είναι ο Μάρκος Βαμβακάρης, ο Βασίλης Τσιτσάνης, ο Απόστολος Καλδάρας κ.ά. Δύο κορυφαίες ⁷_____ λαϊκών και ρεμπέτικων τραγουδιών ήταν η Ρόζα Εσκενάζυ και η Σωτηρία Μπέλλου. Οι ⁸_____ με τους οποίους χορεύονται τα ρεμπέτικα τραγούδια είναι ο ζεϊμπέκικος, ο χασάπικος και το τσιφτετέλι.

Προφορά

Άσκηση 1
(cd 1, 14)

Άκου το κείμενο και βάλε σε κύκλο τις λέξεις που έχουν τον ήχο [x] και σε τετράγωνο τις λέξεις που έχουν τον ήχο [ç]. Μετά διάβασε το κείμενο στην τάξη σου.

⸢Όποιος⸥ πιστεύει ότι οι άνθρωποι στις μεγάλες πόλεις είναι πιο ευτυχισμένοι από τους κατοίκους της επαρχίας κάνει μεγάλο λάθος. Η αλήθεια είναι ακριβώς το αντίθετο. Οι κάτοικοι της επαρχίας, αυτοί που μένουν σε χωριά ζουν πιο ⸨ήσυχα⸩ από τους κατοίκους των μεγάλων πόλεων. Έχουν πολύ ελεύθερο χρόνο στη διάθεσή τους και μπορούν να έχουν πολλές ασχολίες. Δεν χάνουν τον χρόνο τους στις μετακινήσεις, έχουν ησυχία στην καθημερινότητά τους και ζουν απλά στην εξοχή. Διαβάζουν, κουβεντιάζουν με τους φίλους τους, ακούν μουσική, έχουν μολόχες και χόρτα στις αυλές τους. Πηγαίνουν στο καφενείο, δεν χάνουν την επαφή με τους ανθρώπους, έχουν προσωπικές σχέσεις, δεν αισθάνονται ποτέ μοναξιά. Χαίρονται τις χαρές της ζωής και δεν κουράζονται χωρίς λόγο. Ζουν όλες τις εποχές του χρόνου, το φθινόπωρο, τον χειμώνα, την άνοιξη, το καλοκαίρι. Ξέρουν τη μυρωδιά από το βρεγμένο χώμα, παίζουν με το χιόνι, τη βροχή, βλέπουν χελώνες, χελιδόνια, βατράχια, πάπιες και σκαντζόχοιρους. Δεν χρειάζονται πολλά χρήματα για να ζήσουν. Είναι ευτυχισμένοι, γιατί ζουν κοντά στη φύση. Κοπιάζουν πολύ στα χωράφια, όμως, ξεκουράζονται με ένα καφέ ή ένα ποτήρι κρασί, παρέα με τους δικούς τους ανθρώπους.

[xa], [xo], [xu], [x+σύμφωνο]

[çe], [çi]

Άσκηση 2
Στις παρακάτω λέξεις υπογράμμισε τον ήχο [x] και κύκλωσε τον ήχο [ç]. Μετά διάβασε δυνατά τις λέξεις στην τάξη.

ανοιχτός, ⸨χοίρος⸩, παλάτια, χώρος, χύμα, ανθρωπιά, χώμα, χιόνι, χώνει, χυμός, συντροφιά, χαμός, αντέχω, αντέχει, ψύχος, ψίχα, χάρη, χέρι, βαφτίσια, χώροι, ήχος, ηχείο, χάνι

Άσκηση 3
Κάνε ερωτήσεις στον διπλανό / στη διπλανή σου και συμπλήρωστε τον πίνακά σου.

Παράδειγμα:

Μαθητής Β: Τι έχεις στο 0;   **Μαθητής Α:** Χύνω. Εσύ;   **Μαθητής Β:** Χάνω.

	Μαθητής Α			Μαθητής Β	
0	χύνω	χάνω	0	χύνω	χάνω
1	χυμός		1		χαμός
2	αντέχω		2		αντέχει
3	χώμα		3		χύμα
4	απέχω		4		απέχει
5	χώρος		5		χοίρος
6	χάρη		6		χέρι

	Μαθητής Α			Μαθητής Β	
7	κάνω		7		χάνω
8	χώροι		8		κόρη
9	χοίρος		9		κύρος
10	χώμα		10		κόμμα
11	κάρο		11		χάρο
12	νύχι		12		νίκη
13	ήχος		13		οίκος

Άσκηση 4
Διάβασε γρήγορα και πες τις παρακάτω φράσεις στην τάξη.

Χύμα στο κύμα η χήνα μας, στον βράχο το χέλι κλαίει.
Χίλιες χελώνες τρέχουνε, κάτω στο κύμα πέφτουν.
Χίλιες χελώνες τρέχουνε, το στοίχημα θα χάσουν.

Άσκηση 5
Με τις παρακάτω λέξεις κάνε μια ιστορία και πες τη δυνατά στην τάξη.

σχέση, φτώχεια, ψυχή, χαρά, χόμπι, χιούμορ, εποχή, ξενοδοχείο, παιχνίδι, χαιρετώ, χωριό, ορχήστρα, χαίρομαι

Γραμματική: Βλέπω και παρατηρώ ...

Διάβασε το κείμενο και απάντησε στις ερωτήσεις.

Αγαπημένη μου μαμά,

Πέρασαν τέσσερις μήνες που είμαι στην Κρήτη. Σας πεθύμησα, θέλω πολύ να σας δω. Πότε θα έρθετε; Η ζωή μου εδώ είναι γενικά καλή, αλλά αντιμετωπίζω και αρκετές δυσκολίες.

Η δουλειά που βρήκα μου αρέσει, όμως δουλεύω πολλές ώρες. Κάθε μέρα πρέπει να ξυπνάω πολύ νωρίς, γιατί η εταιρεία που δουλεύω είναι μακριά από το σπίτι μου. Τα βράδια πρέπει να κοιμάμαι πολύ νωρίς. Έτσι, τις καθημερινές δεν μπορώ να πάω ούτε μια βόλτα. Τελειώνω από τη δουλειά στις 5 το απόγευμα και μέχρι να φτάσω στο σπίτι περνάει και μία ώρα.

Στη δουλειά πρέπει γενικά να προσέχω πολύ την εμφάνισή μου. Πρέπει να φοράω κάθε μέρα κοστούμι και γραβάτα. Ξέρεις ότι αυτό δεν μου αρέσει καθόλου. Τι να κάνω; Πρέπει να συνηθίσω. Ο διευθυντής μου είναι πολύ αυστηρός. Οι συνάδελφοί μου είναι πολύ καλοί και έγινα αμέσως φίλος με όλους.

Ξέχασα να σου πω· άρχισα να πηγαίνω στο γυμναστήριο. Επειδή στο γραφείο κάθομαι πολλές ώρες, άρχισε να πονάει η μέση μου. Τώρα είμαι πιο καλά και μου αρέσει πολύ να γυμνάζομαι.

Εσείς πώς τα περνάτε; Είστε όλοι καλά; Περιμένω σύντομα γράμμα σου με τα νέα όλης της οικογένειας.

Φιλιά,
Σωτήρης

Ερωτήσεις:

1. Τι πρέπει να κάνει κάθε μέρα ο Σωτήρης πολύ νωρίς το πρωί και το βράδυ;
_____

2. Τι πρέπει γενικά να κάνει ο Σωτήρης για την εμφάνισή του στη δουλειά;
_____

3. Τι έπαθε η μέση του Σωτήρη;
_____

Βλέπω 👀

Δες με προσοχή τους παρακάτω πίνακες.

Θυμάσαι;

	Α. Συνοπτική Υποτακτική
1	Σήμερα πρέπει **να ξυπνήσω** πολύ νωρίς, για να προλάβω το λεωφορείο.
2	Πρέπει **να προσέξω** πολύ την εμφάνισή μου στη γιορτή. Θέλω να κάνω καλή εντύπωση.
3	Θέλω **να βγω** με τη Γιώτα απόψε.
4	Μπορώ **να μαγειρέψω** εγώ σήμερα.
5	Είναι δυνατό **να σε δω** το Σάββατο;
6	**Να έρθεις** αμέσως!
7	**Να πάω** έξω; (**Να**) **μην πας!**
8	**Να περάσεις** καλά!
9	Πώς **να πάω**; Τι **να κάνω**;

Β. Μη Συνοπτική Υποτακτική

1	Κάθε μέρα πρέπει **να ξυπνάω** πολύ νωρίς.
2	Στη δουλειά πρέπει γενικά **να προσέχω** πολύ την εμφάνισή μου.
3	Θέλω **να βγαίνω** με τη Γιώτα συχνά.
4	Μπορώ **να μαγειρεύω** κάθε μέρα.
5	Είναι δυνατό **να σε βλέπω** κάθε Σάββατο;
6	**Αισθάνομαι** <u>να πονάει</u> το σώμα μου, όταν κάνω γυμναστική. Δεν την **άκουσα** <u>να παίζει</u> κιθάρα. **Άρχισα** <u>να τραγουδάω</u> από πολύ μικρός. Δεν την **είδα** <u>να παίζει</u> στο θέατρο. Δεν **κουράστηκες** <u>να βλέπεις</u> τηλεόραση όλη τη μέρα; **Έμαθα** <u>να μιλάω</u> αγγλικά από έξι χρονών. Μου **αρέσει** <u>να μαζεύω</u> γραμματόσημα. **Σταμάτησα** <u>να παίζω</u> μπάσκετ πριν από δύο χρόνια. **Συνεχίζω** <u>να πηγαίνω</u> στον κινηματογράφο κάθε Πέμπτη. Δεν **συνηθίζω** <u>να πηγαίνω</u> στο θέατρο. **Ξέρεις** <u>να παίζεις</u> πιάνο; **Έπαψα** <u>να βλέπω</u> ταινίες τρόμου, γιατί με φοβίζουν.

και παρατηρώ ...

Απάντησε στις παρακάτω ερωτήσεις.

1. Τι κοινό έχουν οι τονισμένες εκφράσεις στις δύο στήλες από 1-5;

_____

2. Ποια είναι η διαφορά τους στη σημασία;

_____

3. Παρατήρησε τη στήλη 6Β. Μετά από ποια ρήματα χρησιμοποιούμε πάντα τη μη συνοπτική υποτακτική;

_____

4. Τι δείχνουν οι προτάσεις 6-9 στη στήλη Α;

_____

Άσκηση 1
Παίζουμε τένις! Γίνετε ζευγάρια και παίξτε τένις. Χρησιμοποιήστε τις λέξεις:

να πληρώσω, να ετοιμάσω, να φάω, να παίξω, να πλέξω, να δω, να ανοίξω, να προσέξω, να ψάξω, να πιω, να ταξιδέψω, να λείψω, να μπω, να ανάψω, να γράψω, να μιλήσω, να γελάσω, να φορέσω, να ακούσω, να έρθω

Παράδειγμα:

Μαθητής Α: _να πληρώσω_   **Μαθητής Β:** _να πληρώνω, να ετοιμάσω_

Άσκηση 2
Γίνετε ζευγάρια, ακολουθήστε τα ρήματα σε μη συνοπτική υποτακτική και βγείτε από τον λαβύρινθο.

Αρχή

να κλειδώνω	να τρομάζω	να φεύγω	να δείξω	να πω
να μάθω	να στέλνω	να τρέξω	να λέω	να γράψω
να τηλεφωνώ	να φέρνω	να βγαίνω	να ψάχνω	να ξυπνήσω
να βάλω	να δώσω	να κλείσω	να τρώω	να δοκιμάζω
να καταλαβαίνω	να φάω	να λείπω	να δω	να βγάζω
να πλύνω	να κλάψω	να βρω	να δίνω	**να μπαίνω**

Τέλος

Άσκηση 3
Γίνετε ζευγάρια και διαλέξτε το σωστό.

0. Θέλω να σπουδάσω / σπουδάζω γιατρός.
1. Μου αρέσει να δω / βλέπω θέατρο.
2. Κάθε Σάββατο συνηθίζω να βγω / βγαίνω με τους φίλους μου.
3. Θέλω να ζητώ / ζητήσω πληροφορίες για μια εκδρομή.
4. Η δουλειά μου αρχίζει στις οκτώ το πρωί. Σήμερα, όμως, μπορώ να πηγαίνω / πάω στις δέκα.
5. Μπορώ, παρακαλώ, να μιλάω / μιλήσω με τη Μαίρη; Πρέπει να της λέω / πω κάτι σοβαρό.
6. Δεν είναι δυνατόν να γυρίσεις / γυρίζεις την πλάτη σου, όταν σου μιλάω.
7. Προτιμώ να έρχεσαι / έρθεις σε έναν μήνα.
8. Δεν είναι καλό να μιλήσεις / μιλάς στο κινητό σου τόσες ώρες.
9. Άρχισε να καταλαβαίνει / καταλάβει τα μαθηματικά.
10. Έμαθα να φάω / τρώω υγιεινά φαγητά.
11. Περιμένω να φεύγεις / φύγεις πρώτος εσύ.

Άσκηση 4

Γίνετε ζευγάρια και βρείτε τα λάθη.

0. Οι φίλες μου μένουν στην Κρήτη.
Θέλω πολύ να τις βλέπω σύντομα.
να τις δω

1. Μου αρέσει πολύ να φάω γλυκά.
_____

2. Από Δευτέρα θέλω να αρχίζω δίαιτα.
_____

3. Αρχίζω να καταλάβω αυτή την άσκηση. _____

4. Δεν έμαθε να χορέψει καλά.
_____

5. Πρέπει να σε βλέπω σήμερα οπωσδήποτε. _____

6. Θέλω να κερδίζει η ομάδα μου στον σημερινό αγώνα. _____

7. Σταμάτησα να πιω γάλα πριν από δύο χρόνια. _____

Άσκηση 5

Γίνετε ζευγάρια και συμπληρώστε τα κενά με συνοπτική ή μη συνοπτική υποτακτική.

0. Όταν χορεύεις, πρέπει _να φοράς_ (φοράω) τα κατάλληλα παπούτσια.

1. Δεν θέλω _____ (μένω) μέσα σήμερα.

2. Ο Πέτρος συνηθίζει _____ (δίνω) πολλά ρούχα στο καθαριστήριο.

3. Απαγορεύεται _____ (οδηγώ) χωρίς _____ (φοράω) ζώνη.

4. Δεν πρέπει _____ (οδηγώ). Είσαι μεθυσμένος.

5. Σήμερα λέω _____ (βγαίνω) με την Κατερίνα και τον Μάνο.

6. Δεν του αρέσει _____ (παίζω) μπάσκετ. Προτιμά το ποδόσφαιρο.

7. Μπορείτε _____ (φέρνω) ένα ποτήρι νερό για την κυρία, παρακαλώ;

8. Πάψε _____ (φωνάζω) τόσο δυνατά.

9. Πάω στην αγορά. Θέλεις _____ (έρχομαι) μαζί μου;

10. Πώς έμαθες _____ (μαγειρεύω) τόσο καλά;

11. Αισθάνομαι _____ (πονάω) το δόντι μου.

Άσκηση 6

Δείτε ξανά τη στήλη 6Β του πίνακα στη σελίδα 126. Γίνετε ζευγάρια, διαλέξτε 6 από τα παρακάτω ρήματα και γράψτε μια μικρή ιστορία.

αισθάνομαι, ακούω, αρχίζω, βλέπω, κουράζομαι, μαθαίνω, μου αρέσει, σταματώ, συνεχίζω, συνηθίζω, ξέρω, παύω

Άσκηση 7

Γίνετε ζευγάρια και γράψτε προτάσεις με θέμα «Έρχεται το καλοκαίρι».

α) Τι θέλεις να κάνεις;
Το καλοκαίρι θέλω να πάω διακοπές.
Το καλοκαίρι θέλω να πηγαίνω για μπάνιο κάθε μέρα.

β) Τι δεν σου αρέσει να κάνεις;
Το καλοκαίρι δεν μου αρέσει να ξυπνάω νωρίς το πρωί.

ΠΑΡΑΓΩΓΗ ΠΡΟΦΟΡΙΚΟΥ ΛΟΓΟΥ

Άσκηση 1
Γίνετε ζευγάρια και απαντήστε στις παρακάτω ερωτήσεις.

- Έχεις ελεύθερο χρόνο;
- Πώς σου αρέσει να περνάς τον ελεύθερό σου χρόνο; Μόνος ή με φίλους;
- Σου αρέσουν οι εκπομπές ταλέντων στην τηλεόραση;
- Ποιος είναι ο αγαπημένος σου ηθοποιός / τραγουδιστής;
- Ποια μουσική σού αρέσει;
- Σου αρέσει ο αθλητισμός;
- Ποιο είναι το πιο αγαπητό άθλημα στη χώρα σου;
- Με τι ασχολούνται οι νέοι στη χώρα σου, όταν έχουν ελεύθερο χρόνο;
- Ποιοι είναι οι διάσημοι καλλιτέχνες στη χώρα σου;
- Παίζεις κάποιο μουσικό όργανο;
- Περνάς χρόνο στο διαδίκτυο;
- Πόσο σημαντικός είναι ο ελεύθερος χρόνος για σένα;
- Τι κερδίζει κάποιος, όταν ασχολείται με τον αθλητισμό;
- Ποια είναι η παραδοσιακή μουσική της χώρας σου; Μοιάζει με την ελληνική;
- Πώς μπορείς να αποκτήσεις περισσότερο ελεύθερο χρόνο;
- Πιστεύεις ότι υπάρχουν ασχολίες που είναι χάσιμο χρόνου; Ποιες και γιατί;

Συμβουλή:
Μη δίνεις μονολεκτικές απαντήσεις. Δεν υπάρχει σωστή και λάθος απάντηση. Απλώς αιτιολόγησε.

Άσκηση 2
Διάβασε τις παρακάτω φράσεις. Τι είναι ο *ελεύθερος χρόνος* για σένα;

Ο ελεύθερος χρόνος είναι ...	
χαλάρωση.	
μια βόλτα με τους φίλους.	
αφιερωμένος στα παιδιά.	
ευκαιρία για διάβασμα.	
πολύ λίγος.	
ευκαιρία για περισσότερη δουλειά και χρήματα.	
θέατρο και κινηματογράφος.	
ψάρεμα.	
ώρα για σκέψη.	
ευκαιρία για διασκέδαση.	

Άσκηση 3

Δες τις εικόνες και σημείωσε στον παρακάτω πίνακα ποια εικόνα περιγράφει κάθε πρόταση.

		1	2
α.	Είναι ένας πίνακας ζωγραφικής.		
β.	Είναι ζωγραφική στον τοίχο.		
γ.	Μια γυναίκα ξανθιά, κοιτάζει χαμηλά, φαίνεται σκεπτική ή λυπημένη.		
δ.	Ένας άνθρωπος, με μεγάλα γυαλιά.		
ε.	Ο άνθρωπος φαίνεται σαν να μας κοιτάει, το βλέμμα του είναι αρκετά έντονο.		
στ.	Έχει πολλά χρώματα και κάτι γράφει.		
ζ.	Μπορεί να διακοσμήσει το σαλόνι ή κάποιο άλλο μέρος του σπιτιού μας.		
η.	Ο πίνακας αυτός έγινε από κάποιο ζωγράφο με πινέλα και σκούρα χρώματα.		
θ.	Αυτή η δημιουργία έγινε με σπρέι από νέους ανθρώπους που ζωγραφίζουν σε τοίχους.		
ι.	Το γκράφιτι είναι η νέα μόδα διακόσμησης των μεγάλων πόλεων. Είναι ένας τρόπος να μπει λίγο χρώμα στις μεγάλες πόλεις.		

Άσκηση 4

Άκου με προσοχή δύο παιδιά να μιλούν για την αγάπη τους για τον αθλητισμό και συμπλήρωσε τα κενά.

(cd 1, 15)

Στον ελεύθερό μου χρόνο μου αρέσει να πηγαίνω στο γήπεδο και να τρέχω. Αγαπώ τον αθλητισμό, γιατί με κρατάει [1]_____ κι αδειάζει το κεφάλι μου. Όταν προπονούμαι, δεν σκέφτομαι τίποτα. Αμέσως μετά την προπόνηση, όμως, η σκέψη μου είναι πολύ [2]_____ και μπορώ να πάρω σωστές αποφάσεις. Κάθε φορά προσπαθώ να ξεπεράσω τις [3]_____ μου και να γίνω καλύτερος. Δεν παίρνω μέρος σε αγώνες, αθλούμαι μόνο για τον εαυτό μου. Προτιμώ τα [4]_____, γιατί δεν έχω σταθερό πρόγραμμα στη δουλειά μου και μου είναι πολύ δύσκολο να κανονίζω τις προπονήσεις με άλλα άτομα.

Το μπάσκετ είναι η μεγάλη μου αγάπη. Από μικρός, όποτε έχω χρόνο, είμαι στο γήπεδο και παίζω μπάσκετ. Τώρα πια είμαι μέλος μιας ομάδας και [5]_____ σε αρκετούς αγώνες. Έχω μάλιστα και αρκετά μετάλλια. Μου αρέσουν τα [6]_____ αθλήματα, γιατί μέσα από αυτά αποκτώ παρέες. Οι πιο καλοί μου φίλοι είναι από το μπάσκετ. Μας ενώνουν κοινοί [7]_____. Η συνεργασία που απαιτείται κατά τη διάρκεια των αγώνων με βοηθάει σε ολόκληρη τη ζωή μου. Δεν είμαι πια εγωιστής και ξέρω να συνεργάζομαι στη δουλειά, στο σπίτι, παντού. Κάθε αγώνας μπάσκετ είναι ένα [8]_____ ζωής.

Άσκηση 5

Δες με προσοχή τις φωτογραφίες και περίγραψέ τες.

Συμβουλή:
Μίλα για το θέμα τους, τις ομοιότητες και τις διαφορές τους. Ποια φωτογραφία σού αρέσει περισσότερο;

Χρήσιμο λεξιλόγιο

- Γιατί δεν ...;
- Σου προτείνω το ..., γιατί ...
- Μια καλή ιδέα είναι ...
- Μήπως να ξεκινήσεις ...

- Ξεκίνα το ..., αφού ...
- Αν θέλεις, ξεκίνα ...
- Εξαρτάται από το πόσο το θέλεις ...
- Πολύ καλή ιδέα ...

- Το πρόβλημα με αυτό είναι ότι ...
- Μπορείς να μου προτείνεις ...
- Μήπως έχεις κάποια ιδέα;
- Νομίζω ότι σου ταιριάζει ...

Άσκηση 6

Γίνετε ζευγάρια και παίξτε τα παρακάτω παιχνίδια ρόλων.

Συμβουλή:
Υπογράμμισε τις λέξεις-κλειδιά που έχει κάθε ρόλος. Γράψε το λεξιλόγιο που θα χρειαστείς.
Αν ο συμμαθητής / η συμμαθήτριά σου μιλάει γρήγορα και δεν τον / την καταλαβαίνεις, μπορείς να πεις «Συγνώμη, δεν κατάλαβα, μπορείς να το ξαναπείς; Πιο αργά, παρακαλώ...»

Ποια δραστηριότητα;

Ρόλος Α

Συζητάς με έναν φίλο / μια φίλη σου που θέλει να ξεκινήσει μια δραστηριότητα στον ελεύθερό του / της χρόνο. Του / Της προτείνεις διάφορες δραστηριότητες και του / της λες γιατί νομίζεις ότι αξίζει η καθεμιά.

Ρόλος Β

Ενδιαφέρεσαι να κάνεις καινούριους φίλους. Γι' αυτό θέλεις να ξεκινήσεις μια καινούρια δραστηριότητα και ζητάς από έναν φίλο / μια φίλη σου να σου προτείνει κάτι. Ακούς ποιες δραστηριότητες σού προτείνει, αλλά δεν σε βολεύει καμία.

Σινεμά ή θέατρο;

Ρόλος Α

Είναι Σάββατο βράδυ και προτείνεις σε έναν φίλο / μια φίλη σου να πάτε σινεμά. Εκείνος / Εκείνη, όμως, διαφωνεί και σου προτείνει να πάτε σε μια θεατρική παράσταση που είναι για λίγες μέρες στην πόλη σας. Προσπαθείς να τον / την πείσεις να αλλάξει γνώμη.

Ρόλος Β

Είναι Σάββατο βράδυ και ένας φίλος / μια φίλη σου σου προτείνει να πάτε σινεμά, για να δείτε μια πολύ καλή ταινία. Εσύ όμως διαφωνείς, γιατί θέλεις να πας σε μια θεατρική παράσταση που ανεβαίνει για λίγες μέρες στην πόλη σας. Προσπαθείς να τον / την πείσεις να αλλάξει γνώμη.

ΠΑΡΑΓΩΓΗ ΓΡΑΠΤΟΥ ΛΟΓΟΥ

Άσκηση 1

Παρακάτω είναι η κριτική μιας ταινίας μικρού μήκους που βρίσκεται σε σχετική ιστοσελίδα. Διάβασε προσεκτικά το κείμενο και διάλεξε έναν πλαγιότιτλο για κάθε παράγραφο.

προσωπική γνώμη, πλοκή, παρουσίαση, γενικά σχόλια

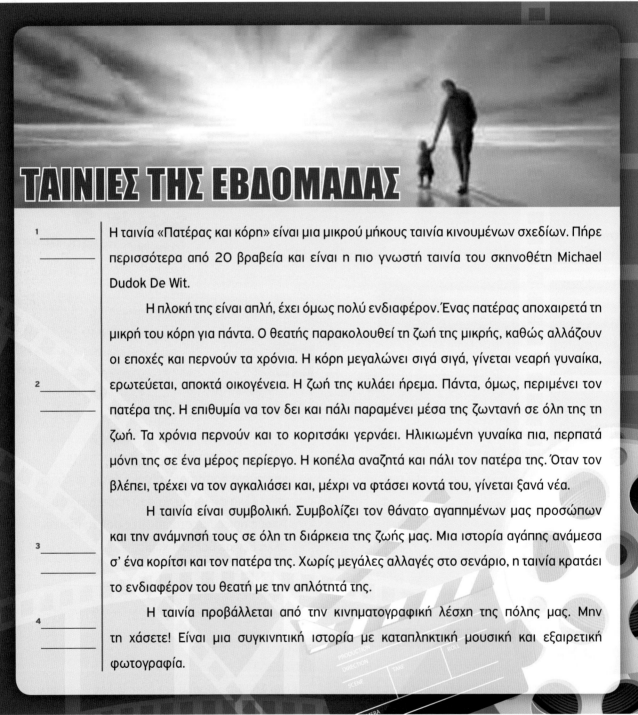

ΤΑΙΝΙΕΣ ΤΗΣ ΕΒΔΟΜΑΔΑΣ

1 _____

Η ταινία «Πατέρας και κόρη» είναι μια μικρού μήκους ταινία κινουμένων σχεδίων. Πήρε περισσότερα από 20 βραβεία και είναι η πιο γνωστή ταινία του σκηνοθέτη Michael Dudok De Wit.

2 _____

Η πλοκή της είναι απλή, έχει όμως πολύ ενδιαφέρον. Ένας πατέρας αποχαιρετά τη μικρή του κόρη για πάντα. Ο θεατής παρακολουθεί τη ζωή της μικρής, καθώς αλλάζουν οι εποχές και περνούν τα χρόνια. Η κόρη μεγαλώνει σιγά σιγά, γίνεται νεαρή γυναίκα, ερωτεύεται, αποκτά οικογένεια. Η ζωή της κυλάει ήρεμα. Πάντα, όμως, περιμένει τον πατέρα της. Η επιθυμία να τον δει και πάλι παραμένει μέσα της ζωντανή σε όλη της τη ζωή. Τα χρόνια περνούν και το κοριτσάκι γερνάει. Ηλικιωμένη γυναίκα πια, περπατά μόνη της σε ένα μέρος περίεργο. Η κοπέλα αναζητά και πάλι τον πατέρα της. Όταν τον βλέπει, τρέχει να τον αγκαλιάσει και, μέχρι να φτάσει κοντά του, γίνεται ξανά νέα.

3 _____

Η ταινία είναι συμβολική. Συμβολίζει τον θάνατο αγαπημένων μας προσώπων και την ανάμνησή τους σε όλη τη διάρκεια της ζωής μας. Μια ιστορία αγάπης ανάμεσα σ' ένα κορίτσι και τον πατέρα της. Χωρίς μεγάλες αλλαγές στο σενάριο, η ταινία κρατάει το ενδιαφέρον του θεατή με την απλότητά της.

4 _____

Η ταινία προβάλλεται από την κινηματογραφική λέσχη της πόλης μας. Μην τη χάσετε! Είναι μια συγκινητική ιστορία με καταπληκτική μουσική και εξαιρετική φωτογραφία.

Οι πληροφορίες προέρχονται από το διαδίκτυο.

Άσκηση 2

Διάβασε προσεκτικά το παραπάνω κείμενο ξανά και βρες:

Ποιες λέξεις / φράσεις περιγράφουν και χαρακτηρίζουν την ταινία:

Άσκηση 3

Στην παρακάτω ακροστιχίδα γράψε σε κάθε γραμμή όσες περισσότερες λέξεις μπορείς που έχουν σχέση με τον ελεύθερο χρόνο και περιέχουν ή αρχίζουν από το κάθε γράμμα της φράσης *ελεύθερος χρόνος*.

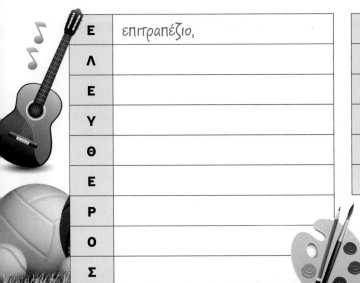

E	επιτραπέζιο,
Λ	
E	
Υ	
Θ	
E	
Ρ	
Ο	
Σ	

X	
Ρ	
Ο	
Ν	
Ο	
Σ	

Άσκηση 4

Δουλεύεις σε ένα περιοδικό. Ο διευθυντής σου σου ζητάει να παρουσιάσεις στους αναγνώστες του περιοδικού ένα βιβλίο για τις διακοπές τους. Παρουσιάζεις το αγαπημένο σου βιβλίο. Αναφέρεις τον τίτλο, περιγράφεις την πλοκή, τον πρωταγωνιστή, λες τη γνώμη σου και ό,τι άλλο νομίζεις. (150 λέξεις)

Συμβουλή:
Υπογράμμισε τις λέξεις-κλειδιά και, για κάθε λέξη-κλειδί, σημείωσε το λεξιλόγιο που θα σου χρειαστεί.

σχεδιάγραμμα / χρήσιμο λεξιλόγιο

Το κείμενο που έγραψα:	
– είναι κριτική βιβλίου.	
– έχει τίτλο.	
– περιγράφει την πλοκή.	
– περιγράφει τον πρωταγωνιστή.	
– αναφέρει τη γνώμη μου.	

Ώρα για τραγούδι

(cd 1, 16)

Άκου μία φορά το τραγούδι.

Άσκηση 1

Άκου ξανά το τραγούδι και συμπλήρωσε τα κενά.

Ο Χρόνης με τον χρόνο του πολύ συχνά μαλώνει

κι ο χρόνος τα παράπονα στον Χρόνη φανερώνει.

- Σου έχω πει χίλιες φορές, μ' αρέσει η ελευθερία,

να πάω λίγο σινεμά, να δω καμιά ⁰ _Ταινία_.

Μ' αρέσει και το ¹_____, τα σκηνικά, τα φώτα,

μια βόλτα έξω για ²_____ με φίλους σαν και πρώτα.

Μα εσύ ποτέ σου δεν ακούς, ποτέ δεν με φροντίζεις,

όλο πηγαίνεις σε δουλειές, μόνος αποφασίζεις.

- Όλο παράπονα μου λες, κάνεις πως δεν με ξέρεις,

ενώ γνωρίζεις μια χαρά, τα άκρα θες να φέρεις.

Ρωτάς κι εγώ πώς θέλω να πάω μια ³_____,

να δω τους ⁴_____ τους παλιούς για λίγη κουβεντούλα;

Κουράζομαι τόσο πολύ απ' τη δουλειά όλη μέρα

που δεν αντέχω τελικά τίποτα πια για μένα.

Και πάλι σου υπόσχομαι ότι θα προσπαθήσω

λίγο χρόνο ⁵_____ να μου εξασφαλίσω!

Άσκηση 2

Μαζί με τον συμμαθητή / τη συμμαθήτριά σου προετοιμάστε τον διάλογο ανάμεσα στους δύο πρωταγωνιστές του τραγουδιού και παρουσιάστε τον μέσα στην τάξη.

_____

_____

_____

_____

_____

_____

_____

_____

_____

⚠ Τώρα ξέρεις ...

	Ναι	Όχι
να μιλάς για τον ελεύθερό σου χρόνο;		
να κατανοείς αφίσες / ανακοινώσεις για διάφορες εκδηλώσεις;		
να παρουσιάζεις ένα βιβλίο;		
να χρησιμοποιείς την παθητική φωνή;		
να χρησιμοποιείς τη μη συνοπτική υποτακτική;		

Ώρα για επανάληψη

Ώρα για επανάληψη

Άσκηση 1
Συμπλήρωσε τα κενά με τις παρακάτω λέξεις.

πατέρα, χαρακτήρας, αυστηρός, παιδικά, αγάπη, εγγόνια, μητέρα, παππού, οικογένεια, συμπεριφορά, γυναίκας

Ο Περίανδρος ήταν τύραννος της Κορίνθου. Ήταν πολύ κακός
0 ___χαρακτήρας___. Ήταν πολύ 1_____ και πολύ σκληρός.
Είχε πολλά νεύρα και σκότωσε τη γυναίκα του, τη Μέλισσα.

Όταν έγινε αυτό το κακό, τα παιδιά του ήταν πολύ μικρά. Δεν ήξερε πώς
να τα μεγαλώσει και γι' αυτό τα έστειλε στον πατέρα της 2_____
του, τον Προκλή. Τα παιδιά πέρασαν πολύ ωραία τα 3_____
τους χρόνια. Ο παππούς τους ήταν πολύ καλός και τα μεγάλωσε με πολλή
4_____. Όταν μεγάλωσαν τα δύο αγόρια, ζήτησαν να πάνε στον
5_____ τους. Ο ένας ήταν 17 και άλλος 18 χρονών. Έτσι, ο
παππούς αποφάσισε να τα στείλει στον Περίανδρο. Όσα χρόνια ο Προκλής
ήταν με τα 6_____ του, δεν μίλησε ποτέ για τον θάνατο της
μητέρας τους. Κράτησε πολύ καλά το μυστικό και δεν στεναχώρησε ποτέ τα

παιδιά. Λίγο πριν φύγουν, όμως, από το σπίτι, δεν άντεξε και τους είπε: «Αγαπημένα μου παιδιά, θα
μάθετε άραγε ποτέ ποιος σκότωσε τη 7_____ σας; Και τι θα μπορέσετε να κάνετε, όταν το
μάθετε;»

Ο μεγάλος γιος δεν κατάλαβε τα λόγια του 8_____ του. Ο πιο μικρός, όμως,
κατάλαβε πολύ καλά ότι ο πατέρας του σκότωσε τη μητέρα του. Έτσι σταμάτησε να του μιλάει. Ο
Περίανδρος θύμωσε πάρα πολύ με τη 9_____ του γιου του, Λυκόφρονα, και τον έδιωξε
από το παλάτι. Ακολούθησαν πολλές συμφορές και η βασιλική 10_____ πέρασε πολλές
στενάχωρες στιγμές, επειδή μπήκε το μίσος ανάμεσά τους.

Διασκευή κειμένου από το βιβλίο Παραμύθια από τον Ηρόδοτο, μτφρ. Σ. Μανταδάκη

Άσκηση 2
Ποιες από τις παρακάτω προτάσεις είναι Σωστές και ποιες Λάθος;

0. Με αυτή τη γυναίκα είμαστε μακρινοί συγγενείς. Είναι η μαμά μου.   Λ

1. Αυτή την κοπέλα τη συμπάθησα από την αρχή. Την είδα με πολύ καλό πρόσωπο.   ____

2. Ο αδερφός μου είναι έξω καρδιά. Είναι πολύ ανοιχτός χαρακτήρας.   ____

3. Η γιαγιά μου πέθανε σε υψηλή ηλικία. Ήταν 90 χρονών.   ____

4. Ο χρόνος που έχω για τον εαυτό μου συνεχώς γίνεται λιγότερος, δηλαδή μειώνεται.   ____

5. Μην το φοβάσαι το σκυλί. Είναι ακίνδυνο.   ____

6. Στο Φεστιβάλ Κινηματογράφου της Δράμας έχει ταινίες περιορισμένου μήκους.   ____

Άσκηση 3
Παίξτε το επιτραπέζιο παιχνίδι.

Δοκιμασία

Διάλεξε έναν συμμαθητή / μια συμμαθήτριά σου. Ζήτησε να σου κάνει μια ερώτηση ή να σου πει να κάνεις κάτι. Αν μείνει ευχαριστημένος από την απάντησή σου, κέρδισες! Αλλιώς, πηγαίνεις πάλι στην αρχή!

Ποιο είναι το αντίθετο που σου αρέσει;

Τι σημαίνει η φράση «η μαμά μου είναι που λογική που αντίθετα;

Περίγραφε την εικόνα.

«Το σπίτι μας είναι μικρό μα η καρδιά μας μεγάλη!» Τι σημαίνει;

Χάνεις τη σειρά σου.

Κάνε τη δοκιμασία.

Κάνε από μία πρόταση με τις λέξεις αυθόρμητα και σοβαρός.

Τι πρέπει να προσέξεις, όταν κάνεις ανακαίνιση στο σπίτι σου;

Κάνε τη δοκιμασία.

Κάνε μια πρόταση με τη φράση «κόστος ζωής».

Πώς λέγεται αυτός που δεν φοβάται;

Πήγαινε δύο βήματα μπροστά.

Ενότητες 1-3

Πήγαινε δυο βήματα πίσω.

Τι συμβουλεύεις σε έναν φίλο σου που αγαπάει τον αθλητισμό, αλλά δεν έχει χρήματα να πάει σε γυμναστήριο;

Κάνε από μία πρόταση με τις λέξεις αθλητής και γελάω.

Ζωγράφισε το σπίτι των ονείρων σου.

Κάνε τη δοκιμασία.

Κάνε μια πρόταση που να περιέχει τον πληθυντικό της λέξης όνομα.

Πήγαινε πάλι στην αρχή.

Περίγραψε την εικόνα.

Πες μια παροιμία από τη χώρα σου. Τι σημαίνει;

Κάνε τη δοκιμασία.

Τι έθιμα έχετε στη χώρα σου την Πρωτοχρονιά;

Περίγραψε έναν συμμαθητή σου χωρίς να μιλήσεις, μόνο με κινήσεις.

Άσκηση 4
Ποια είναι τα αντίθετα των παρακάτω επιθέτων;

0. ευαίσθητος — *αναίσθητος*

1. ώριμος —

2. έξυπνος —

3. ικανός —

4. ήρεμος —

5. ευγενικός —

6. ωφέλιμος —

7. χρήσιμος —

8. επικίνδυνος —

9. ευρύχωρος —

10. φωτεινός —

Άσκηση 5
Διάλεξε το σωστό.

0. Η Ελπίδα είναι πολύ πίστη / (πιστή) / πιστά στις φιλίες της.

1. Η ζυγαριά είναι η συμβουλή / συμβάλλει / το σύμβολο του Ζυγού.

2. Οι Έλληνες είναι πολύ φιλοξενούμενος / φιλόξενος / φιλόξενα λαός.

3. Ο Μανόλης προσέχει πολύ την υγεία του και γι' αυτό είναι πολύ γέρος / γερός / γέρο.

4. Θέλω να γνωρίσω τον συνθέτει / συνθέτη / σύνθετη αυτών των τραγουδιών.

5. Παρόλο που η Καλλιόπη είναι πολύ σπουδαία τραγουδίστρια, παραμένει απλά / απλή / απλός άνθρωπος.

6. Άλλαξα όλους τους σωλήνες και τις βρύσες του σπιτιού και ο πλακατζής / υδραυλικός / ηλεκτρολόγος ήταν πολύ ακριβός.

7. Ο τόπος / Ο χώρος / Το μέρος που πήγαμε διακοπές ήταν πολύ ωραίο.

Άσκηση 6
Διάλεξε το σωστό.

0. Η Δήμητρα (κουράζεται) / κουράζει πάρα πολύ στη δουλειά της.

1. Κορίτσια, τι βλέπεται / βλέπετε στην τηλεόραση;

2. Τι ονειρεύεσαι / ονειρεύεις να γίνεις, όταν μεγαλώσεις;

3. Μήπως ξέρετε πού παίζεται / παίζετε η καινούρια ταινία του Γούντι Άλεν;

4. Η Καίτη σηκώνετε / σηκώνεται στις 6 το πρωί.

5. Με ποιον παίζεται / παίζετε στο θέατρο αυτή την περίοδο;

6. Στον πεθερό μου αρέσει πολύ να μαζεύει / μαζεύεται γραμματόσημα.

7. Ξέρεις να παίξεις / παίζεις σκάκι;

8. Έχει τόση / όση ζέστη έξω! Δεν μπορώ να βγω.

9. Ο Δημήτρης είναι το ίδιο / τόσο νευρικός με τον Σταμάτη.

10. Μου αρέσει να πηγαίνω σινεμά μόνος μου / ο ίδιος.

Άσκηση 7
Βάλε τη λέξη της παρένθεσης στον σωστό τύπο.

0. Σταμάτησα *να καπνίζω* (καπνίζω) πριν από πολλά χρόνια.

1. Αυτό το καλοκαίρι θέλω _____ (πηγαίνω) σε ένα μικρό νησί και να μείνω έναν μήνα.

2. Κάνετε τις ασκήσεις και μετά δείτε τις _____ (απάντηση) από το βιβλίο των _____ (λύση).

3. Μου αρέσουν πολύ τα παιχνίδια _____ (γνώση).

4. Δεν είναι όλοι οι _____ (ταξιτζής) συμπαθητικοί άνθρωποι.

5. Πρόσεξε τα _____ (λάθος) που κάνεις στη γραμματική.

6. Με _____ (τέτοιος) δουλειά που έχει, βγάζει σίγουρα πολλά χρήματα.

7. Είμαι ο _____ (μόνος) από την τάξη μου που θα δώσει εξετάσεις.

- Ποιος / Ποια είναι ο αγαπημένος σου φίλος / η αγαπημένη σου φίλη;

- Μαλώνεις με τους φίλους σου / τις φίλες σου; Για ποιον λόγο;

- Έχεις πολλούς φίλους / πολλές φίλες;

- Πιστεύεις ότι είσαι κοινωνικός / κοινωνική;

ΚΑΤΑΝΟΗΣΗ ΓΡΑΠΤΟΥ ΛΟΓΟΥ

Άσκηση 1

Διάβασε τα παρακάτω γράμματα και πες ποια από αυτά τα έγραψαν έφηβοι και ποια ενήλικες.

Άσκηση 2

Διάβασε με προσοχή τα παρακάτω γράμματα και βρες στη διπλανή σελίδα την απάντηση που αντιστοιχεί στο καθένα.

Συμβουλή:

Δες με προσοχή τα γράμματα και σκέψου ποια μπορεί να είναι η απάντηση. Μετά δες τι απάντηση έδωσε ο ειδικός. Συμφωνεί με τη δική σου;

1

Αγαπητό μου περιοδικό,
σου γράφω, γιατί χρειάζομαι τη βοήθειά σου. Είμαι 15 χρονών και έχω μεγάλο πρόβλημα με τους γονείς μου. Δεν μ' αφήνουν να βγαίνω έξω με τους φίλους μου μετά τις 9 το βράδυ! Είναι πολύ αυστηροί και δεν με καταλαβαίνουν ποτέ! Ειδικά ο μπαμπάς μου είναι πολύ βαρύς και περίεργος σαν χαρακτήρας. Όλα τα παιδιά είναι έξω το Σάββατο βράδυ κι εγώ κάθομαι μέσα στο σπίτι. Τι να κάνω; Κ.Π.

2

Αγαπητό μου περιοδικό,
έφτασα πια στα όριά μου! Πριν από δύο μήνες, αγόρασα ένα σπίτι με μια μεγάλη αποθήκη στο υπόγειο. Σε αυτήν έχει κάποια πράγματά του ο προηγούμενος ιδιοκτήτης του σπιτιού που είναι γείτονας. Κι ενώ η αποθήκη μού ανήκει, αρνείται να βγάλει τα πράγματά του από μέσα! Είναι δυνατόν; Δεν ξέρω τι να κάνω. Δοκίμασα τα πάντα. Μάλωσα μαζί του, σταμάτησα να του μιλάω, τον απείλησα ότι θα φέρω την αστυνομία, αλλά τίποτα. Ο άνθρωπος είναι θρασύς και παίζει με τα νεύρα μου. Και αν τον δεις, φαίνεται τόσο συμπαθητικός και γλυκός ...
Σ.Τ.

3

Αγαπητό μου περιοδικό,
SOS! Είμαι 32 χρονών κι έχω μεγάλο πρόβλημα με τον σύζυγό μου. Δεν κάνει καθόλου δουλειές στο σπίτι. Όχι απλώς δεν βοηθάει, αλλά πετάει τα πράγματά του εδώ κι εκεί, αφήνει τα πάντα όπου να 'ναι. Όλη τη μέρα τρέχω από πίσω του και δεν προλαβαίνω. Και δεν είναι μόνο αυτό. Μου κάνει και παράπονα, γιατί δεν είμαι χαμογελαστή και χαρούμενη μέσα στο σπίτι και όλη την ώρα γκρινιάζω και λέω πόσο κουρασμένη είμαι.
Πάει με τα καλά του; Ε.Τ.

4

Αγαπητό μου περιοδικό,
συγχαρητήρια γι' αυτή τη στήλη σου. Τη διαβάζω συνέχεια και ήρθε η ώρα να ζητήσω κι εγώ τη βοήθειά σου. Είμαι 14 χρονών. Είμαι πολύ καλή μαθήτρια, αλλά έκανα ένα λάθος και τώρα το πληρώνω ακριβά. Στο τελευταίο διαγώνισμα αντέγραψα και η καθηγήτριά μου το κατάλαβε. Ένιωσα μεγάλη ντροπή. Μηδένισε την κόλα μου και ίσως τώρα να ενημερώσει τους δικούς μου. Τι θα κάνω; Ρ.Μ.

α

Φίλε μου καλέ, καλέ μου φίλε,
καταρχήν συγχαρητήρια για την αγορά σπιτιού.
<u>Καλορίζικο!</u> Μη στεναχωριέσαι και μαζί θα
τη βρούμε την άκρη. Να είσαι υπομονετικός.
Δεν χρειάζονται ούτε απειλές ούτε φασαρίες.
Τα πράγματα είναι απλά. Μίλα με τον γείτονά
σου ήρεμα και θύμισέ του ότι αγόρασες την
αποθήκη και ότι τώρα είναι δική σου. Δώσε
του ένα περιθώριο να αδειάσει τον χώρο και
εξήγησέ του ότι, αν δεν το κάνει, θα αλλάξεις
κλειδαριά και δεν θα έχει πια πρόσβαση στην
ιδιοκτησία σου. Γενικά με τους γείτονες είναι
καλό να έχουμε φιλικές σχέσεις
και να είμαστε ευγενικοί.
  Γι' αυτό προσπάθησε να μην
είσαι <u>ψυχρός</u> μαζί τους.

β

Καλή μου φίλη,
δεν είναι και τόσο τρομερό αυτό που λες ότι έπαθες. Όλοι μας
κάποια στιγμή στα μαθητικά μας χρόνια αντιγράψαμε σε κάποιο
διαγώνισμα. Αυτό το ξέρουν και οι δάσκαλοι και οι γονείς σου.
Σίγουρα, βέβαια, δεν πρέπει μια τέτοια συμπεριφορά να γίνει
συνήθεια. Πες στους γονείς σου τι έγινε στο σχολείο, μην τους
αφήσεις να το μάθουν από τη δασκάλα σου. Μη φοβάσαι! Λες ότι
είσαι καλή μαθήτρια, αυτό σημαίνει ότι δεν είσαι τεμπέλα και
ανεύθυνη. Είμαι σίγουρη ότι και οι δάσκαλοι και οι γονείς σου
θα σε <u>συγχωρήσουν</u> για το λάθος που έκανες.

δ

Φίλε μου,
Μην αισθάνεσαι τόσο απελπισμένος
για ένα πρόβλημα που λύνεται.
Στη ζωή πρέπει να είμαστε
αισιόδοξοι και θετικοί. Σίγουρα
δεν είναι ευχάριστο να μένεις
στο σπίτι, όταν όλοι οι φίλοι
σου είναι έξω. Μήπως πρέπει να
ρωτήσεις τους γονείς σου γιατί
συμπεριφέρονται έτσι; Μήπως δεν
σου δείχνουν εμπιστοσύνη, γιατί
έχουν τον λόγο τους; Προτείνω
να συζητήσεις μαζί τους. Πες
τους πώς αισθάνεσαι και είμαι
<u>σίγουρη</u> ότι θα σε καταλάβουν.
Οι γονείς πολύ συχνά γίνονται
αυστηροί, επειδή φοβούνται.
Κέρδισε την <u>εμπιστοσύνη</u>
τους και
όλα θα πάνε
καλά!

γ

Φιλενάδα,
κράτα γερά. Αυτές οι καταστάσεις χρειάζονται
ψυχραιμία! <u>Δείξε στον άνθρωπό σου</u> πόσο
κουρασμένη είσαι και εξήγησέ του ότι θέλεις να
συμμετέχει περισσότερο στις δουλειές του σπιτιού.
Μίλησέ του, όταν δεν είσαι κουρασμένη ή θυμωμένη.
Έτσι, δεν θα είσαι επιθετική μαζί του. Πρέπει να
καταλάβει ότι ένας κουρασμένος άνθρωπος δεν
μπορεί να είναι ούτε ευχάριστος ούτε τρυφερός.
Ίσως δεν επικοινωνείτε αρκετά και γι' αυτό δεν είναι
πρόθυμος να σε βοηθήσει.

Άσκηση 3
Διάλεξε ένα από τα γράμματα της διπλανής σελίδας και γράψε τη δική σου απάντηση στο
πρόβλημα που περιγράφει ο αναγνώστης / η αναγνώστρια του περιοδικού.

Λεξιλόγιο

Άσκηση 1

Γίνετε ζευγάρια, δείτε τις υπογραμμισμένες λέξεις / φράσεις στα γράμματα που διαβάσατε (σελ. 140-141) και βρείτε με ποιες από τις παρακάτω λέξεις / φράσεις ταιριάζουν στη σημασία.

0. βέβαιος = *σίγουρος*

1. πίστη και σιγουριά σε κάποιον, επειδή αξίζει κάτι = _____

2. συμπαθητικός, αγαπητός = _____

3. όταν νιώθω άσχημα για κάτι που έκανα = _____

4. πληροφορώ = _____

5. ο σύντροφός μου = _____

6. δέχομαι τη συγνώμη κάποιου και δεν τον τιμωρώ = _____

7. γράφω ό,τι γράφει ο συμμαθητής / η συμμαθήτριά μου = _____

8. απόμακρος, κρύος, τυπικός = _____

9. αυτός που μένει στην ίδια γειτονιά με κάποιον = _____

10. παραπονιέμαι συνέχεια = _____

11. ευαίσθητος, στοργικός = _____

12. «με γεια», ευχή που κάνουμε σε κάτι καινούριο = _____

13. βαθμολογώ την κόλα κάποιου με 0, επειδή αντέγραψε ή έκανε κάτι κακό = _____

Άσκηση 2

Γίνετε ζευγάρια, ενώστε τις λέξεις με αντίθετη σημασία και κάνετε προτάσεις με αυτές.

0. αισιόδοξος — γ
1. χαρούμενος — _____
2. συμπαθητικός — _____
3. γλυκός — _____
4. ανεύθυνος — _____
5. πρόθυμος — _____
6. ψυχρός — _____
7. φιλικός — _____
8. ψυχραιμία — _____
9. τεμπέλης — _____

α. αντιπαθητικός
β. ξινός
γ. απαισιόδοξος
δ. θερμός / ζεστός
ε. εχθρικός
στ. εργατικός
ζ. λυπημένος
η. πανικός
θ. υπεύθυνος
ι. απρόθυμος

Άσκηση 3

Γίνετε ζευγάρια, διαβάστε τους παρακάτω ορισμούς και συμπληρώστε τα κενά στις προτάσεις με τις λέξεις του κρυπτόλεξου.

ΟΡΙΖΟΝΤΙΑ

Πώς λέγεται ...

0. αυτός που αισθάνεται ότι μια κατάσταση είναι πολύ άσχημη και δεν γίνεται να αλλάξει, έχει χάσει κάθε ελπίδα για κάτι; _απελπισμένος_

1. αυτός που πιστεύει ότι όλα θα πάνε καλά; _____

2. αυτός που νιώθει θυμό, εξοργισμένος; _____

3. αυτός που συμπεριφέρεται με θυμό και είναι εχθρικός; _____

4. αυτός που δεν καταλαβαίνει και δεν συγχωρεί το λάθος; _____

5. αυτός που έχει τη διάθεση να κάνει κάτι; _____

6. αυτός που βλέπει τη θετική / ευχάριστη πλευρά των πραγμάτων; _____

7. αυτός που έχει κακές διαθέσεις; _____

8. αυτός που νιώθει χαρά; _____

9. αυτός που έχει θράσος, υπερβολικό θάρρος ξεπερνάει τα όρια; _____

10. αυτός που προκαλεί φιλικά, θετικά συναισθήματα; _____

11. αυτός που νιώθει κούραση; _____

12. αυτός που χαμογελάει; _____

ΚΑΘΕΤΑ

Πώς λέγεται ...

0. αυτός που δεν θέλει να δουλεύει; _τεμπέλης_

1. αυτός που δεν μιλάει πολύ και είναι πολύ σοβαρός χαρακτήρας; _____

2. αυτός που συμπεριφέρεται χωρίς να έχει καμιά ευθύνη; _____

	0										**1**		**2**
0	Γ	Α	Π	Ε	Λ	Π	Ι	Σ	Μ	Ε	Ν	Ο	Σ	Δ
1	Η	Α	Ι	Σ	Ι	Ο	Δ	Ο	Ξ	Ο	Σ	Β	Α	Ι
2	Κ	Υ	Θ	Υ	Μ	Ω	Μ	Ε	Ν	Ο	Σ	Α	Α	Ι
3	Τ	Ε	Π	Ι	Θ	Ε	Τ	Ι	Κ	Ο	Σ	Ρ	Β	Α
4	Ε	Κ	Α	Υ	Σ	Τ	Η	Ρ	Ο	Σ	Υ	Υ	Τ	Ν
5	Μ	Υ	Τ	Π	Ρ	Ο	Θ	Υ	Μ	Ο	Σ	Σ	Υ	Ε
6	Π	Ι	Θ	Ε	Τ	Ι	Κ	Ο	Σ	Δ	Τ	Υ	Α	Υ
7	Ε	Χ	Θ	Ρ	Ι	Κ	Ο	Σ	Ε	Κ	Α	Δ	Λ	Θ
8	Λ	Ο	Ρ	Χ	Α	Ρ	Ο	Υ	Μ	Ε	Ν	Ο	Σ	Υ
9	Η	Λ	Ε	Θ	Ρ	Α	Σ	Υ	Σ	Γ	Η	Κ	Λ	Ν
10	Σ	Υ	Μ	Π	Α	Θ	Η	Τ	Ι	Κ	Ο	Σ	Τ	Ο
11	Ρ	Ρ	Κ	Ο	Υ	Ρ	Α	Σ	Μ	Ε	Ν	Ο	Σ	Σ
12	Η	Φ	Χ	Α	Μ	Ο	Γ	Ε	Λ	Α	Σ	Τ	Ο	Σ

Άσκηση 4

Οι παρακάτω λέξεις έχουν περισσότερες από μία σημασίες. Γίνετε ζευγάρια, βρείτε τις λέξεις μέσα στα κείμενα (σελ. 140-141) και σημειώστε ποια σημασία έχουν μέσα σε αυτά.

λόγος

ομιλία: Μ' αρέσει να ακούω τον Δημήτρη να μιλάει. Έχει πολύ ωραίο λόγο.

αιτία: Για ποιο λόγο άργησες σήμερα στη δουλειά;

αιτιολογία: Έχω λόγο που λείπω από το γραφείο.

δοκιμάζω

ελέγχω: Δοκίμασε αυτό το στιλό. Γράφει;

προσπαθώ: Δοκίμασα να βρω δουλειά στο εξωτερικό, αλλά δεν μπόρεσα.

χρησιμοποιώ μικρή ποσότητα από κάτι, για να δω αν μου αρέσει: Δοκίμασε το φαγητό να μου πεις αν σου αρέσει.

απειλώ

βάζω σε κίνδυνο: Η μόλυνση της ατμόσφαιρας απειλεί την υγεία μας.

φοβερίζω: Τον απείλησε με μαχαίρι.

περίεργος

παράξενος: Χθες βράδυ είδα ένα περίεργο όνειρο.

που έχει απορία: Είμαι πολύ περίεργος να μάθω τι έγινε.

τρομερός

καταπληκτικός: Ο Αποστόλης είναι τρομερός σύζυγος!

που προκαλεί φόβο: Είναι τρομερό αυτό που περάσαμε με την αρρώστια του μπαμπά μου.

πολύ ενοχλητικός: Έχει μια τρομερή συνήθεια, να αργεί πάντα στα ραντεβού του.

προλαβαίνω

φτάνω κάπου στην ώρα μου: Έφυγα νωρίς από το σπίτι κι έτσι πρόλαβα το τρένο.

φτάνω κάποιον που είναι μπροστά από μένα: Μην περπατάς τόσο γρήγορα, δεν μπορώ να σε προλάβω.

βρίσκω χρόνο να κάνω κάτι: Δεν προλαβαίνω να κάνω όλα αυτά που θέλω, δεν μου φτάνει ο χρόνος.

Άσκηση 5

Γίνετε ζευγάρια και βρείτε μέσα στα γράμματα (σελ. 140-141) τις λέξεις *ίσως* και *μήπως* που έχουν παρόμοια σημασία. Μπορείτε να καταλάβετε τη διαφορά στη σημασία τους; Στη συνέχεια συμπληρώστε τις παρακάτω προτάσεις με μια από τις δύο λέξεις.

0. _____Μήπως_____ θέλεις να πάμε μια βόλτα;

1. _____ έρθω το απόγευμα, δεν ξέρω ακόμη.

2. Ο Γιώργος ρωτάει _____ θέλουμε να πάμε μια βόλτα το βράδυ.

3. Σε ρωτώ, γιατί εσύ _____ γνωρίζεις πού είναι ο Αλέξης.

4. _____ μου τηλεφώνησες;

5. _____ ξέρεις πού είναι ο Κώστας;

6. _____ κάποτε αλλάξεις γνώμη για μένα.

7. Φοβάμαι _____ δεν περάσω στις εξετάσεις.

8. Γιατί δεν ήρθε η Μαρία; _____ αρρώστησε;

9. Ο Γιώργος λέει ότι αυτό το σαββατοκύριακο _____ πάει στη Δράμα. Σκέφτομαι _____ θέλεις να πάμε κι εμείς.

Άσκηση 6

Γίνετε ζευγάρια, δείτε τις παρακάτω λέξεις και συμπληρώστε τα κενά κάθε σειράς του πίνακα με λέξεις που ανήκουν στην ίδια οικογένεια.

απειλώ, θυμός, απελπισία, γκρίνια, φιλία, χαμογελώ, τεμπελιάζω, θράσος, ευγένεια, χαίρομαι, απειλητικός, *αυστηρότητα*, ανευθυνότητα, χαμόγελο, επίθεση, τεμπελιά, φιλικός, θυμώνω, υπομονή, γκρινιάρης, χαρά, συμπαθώ, αισιοδοξώ, συμπάθεια, αισιοδοξία

ρήμα	ουσιαστικό	επίθετο
-	0 _αυστηρότητα_	αυστηρός
απελπίζομαι	1 _____	απελπισμένος, απελπιστικός
2 _____	3 _____	αισιόδοξος
-	4 _____	θρασύς
5 _____	6 _____	συμπαθητικός
7 _____	8 _____	χαμογελαστός
9 _____	10 _____	χαρούμενος
11 _____	12 _____	θυμωμένος
-	13 _____	επιθετικός
14 _____	15 _____	τεμπέλης
-	16 _____	ανεύθυνος
17 _____	απειλή	18 _____
γκρινιάζω	19 _____	20 _____
-	21 _____	ευγενικός
-	φίλος, 22 _____	23 _____
-	24 _____	υπομονετικός

ΛΕΞΙΛΟΓΙΟ

Άσκηση 7

Ποιες από τις παρακάτω φράσεις είναι Σωστές και ποιες Λάθος;

0. Η πολλή δουλειά είναι απειλή για τις σχέσεις μας και αυτό είναι πολύ ακίνδυνο. _Λ_

1. Ο Κώστας δεν έχει πια καμία ελπίδα ότι θα βρει δουλειά, είναι πολύ απελπισμένος. _____

2. Ο Αποστόλης είναι τρομερός άνθρωπος. Είναι φοβισμένος. _____

3. Ο Κώστας είναι τεμπέλης και υπεύθυνος. _____

4. Η Καλλιόπη είναι πολύ γκρινιάρα και γι' αυτό γίνεται κουραστική. _____

5. Η αυστηρότητα των γονιών συχνά οφείλεται στην αγένεια για τα παιδιά τους. _____

6. Η Δήμητρα βλέπει μόνο τη θετική πλευρά των πραγμάτων και είναι πολύ αισιόδοξη. _____

7. Ο Γιάννης είναι πολύ ευγενικός και ιδιαίτερα απρόθυμος. _____

8. Η Βασιλική είναι συνέχεια χαμογελαστή και φαίνεται θυμωμένη. _____

9. Η Μαίρη λέει πολλά ψέματα και είναι πολύ παράξενη. _____

Άσκηση 8

Γίνετε ζευγάρια και συμπληρώστε τα κενά, όπως στο παράδειγμα.

Οι έφηβοι αλλά και οι ενήλικοι ενδιαφέρονται πολύ για τις σχέσεις των δύο φύλων. Υπάρχουν σημαντικές διαφορές ανάμεσα στους άντρες και τις γυναίκες και γι' αυτό αγόρια και κορίτσια παραπονιούνται συχνά, επειδή δεν μπορούν να βρουν σύντροφο. Τα αγόρια κατηγορούν συχνά τις κοπέλες, γιατί, όπως λένε, ⁰___γκρινιάζουν___ (γκρίνια) και είναι ¹_____ (επίθεση). Λένε, επίσης, ότι θέλουν πιο ²_____ (χαμόγελο) και ³_____ (ευγένεια) συντρόφους.

От την άλλη, τα κορίτσια έχουν κι εκείνα τα παράπονά τους. Πιστεύουν ότι τα αγόρια δεν είναι αυτό που δείχνουν. Φαίνονται ⁴_____ (συμπαθώ) και ⁵_____ (χαίρομαι), όταν τις πλησιάζουν. Με τον καιρό, όμως, αποκαλύπτεται ο πραγματικός τους εαυτός. Είναι ψυχρά, ⁶_____ (ανευθυνότητα) και σκέφτονται μόνο τον εαυτό τους. Τα ίδια, όμως, πιστεύουν ότι τα κορίτσια τούς κρίνουν με ⁷_____ (αυστηρός).

Χρειάζεται υπομονή και κατανόηση και από τις δύο μεριές, γιατί το μόνο σίγουρο είναι ότι έχουμε ανάγκη ο ένας τον άλλο.

146

Άσκηση 9

Γίνετε ζευγάρια και ενώστε τις λέξεις, για να κάνετε φράσεις που χρησιμοποιούνται πολύ συχνά.
Μετά γράψτε προτάσεις με τις φράσεις που κάνατε.

0. έχω	**α.** την αστυνομία	
1. κερδίζω	**β.** με τα νεύρα κάποιου	
2. φτάνω	**γ.** τον λόγο μου	0
3. φέρνω	**δ.** ακριβά το λάθος μου	
4. παίζω	**ε.** τα πράγματά μου εδώ κι εκεί	
5. πετάω	**στ.** γερά	
6. πληρώνω	**ζ.** την εμπιστοσύνη	
7. κρατάω/-ώ	**η.** στα όριά μου	

Άσκηση 10

Κάνε ερωτήσεις στον διπλανό / στη διπλανή σου και συμπλήρωσε τον πίνακά σου.

Παράδειγμα:

Μαθητής Α: _Αντίθετα από σένα, εγώ είμαι εργατικός._

Μαθητής Β: _Δηλαδή εγώ είμαι τεμπέλης; Γιατί;_

Μαθητής Α: _Γιατί δεν θες να κάνεις καμιά δουλειά._

Μαθητής Α	1	2	3
Α	εργατικός	ψυχρός	κουρασμένος
Β	αισιόδοξος	γλυκός	
Γ	χαρούμενος		

Μαθητής Β	1	2	3
Α	τεμπέλης		
Β			υπεύθυνος
Γ		φιλικός	πρόθυμος

Άσκηση 11

Ζήτησε τη βοήθεια του συμμαθητή / της συμμαθήτριάς σου, για να συμπληρώσεις το σταυρόλεξό σου.

Παράδειγμα:

Μαθητής Α: _Τι έχεις στο 1 κάθετα;_ **Μαθητής Β:** _Αυτός που δεν θέλει να κάνει τίποτα._ **Μαθητής Α:** _Τεμπέλης._

Μαθητής Α

		¹Σ	Υ	Μ	Π	Α	Θ	Η	Τ	Ι	⁴Κ	Ο	Σ
													⁶
		¹Τ							²Γ	Λ	Υ	Κ	Ο	Σ
	³Θ	Ε	Ρ	Μ	Ο	Σ		²		³			
		Μ											
		Π									⁵	
	⁴Ψ	Ε	Υ	Τ	Η	Σ						
		Λ										⁷
		Η										
		Σ		⁵Α	Ι	Σ	Ι	Ο	Δ	Ο	Ξ	Ο	Σ
								⁶Π	Ρ	Ο	Θ	Υ	Μ	Ο	Σ
⁷Ε	Υ	Γ	Ε	Ν	Ι	Κ	Ο	Σ				
								⁸Α	Π	Ε	Ι	Λ	Η

Μαθητής Β

(crossword grid with clue numbers)

Λέξεις, φράσεις και εκφράσεις ...

Άσκηση 1

Γίνετε ζευγάρια, διαβάστε τον πίνακα και υπογραμμίστε τις λέξεις που δείχνουν τα είδη των σχέσεων ή την ποιότητα τους.

1.	Οι	σχέσεις	μας είναι άριστες.
2.	Καλλιεργήστε τις διαπροσωπικές σας	σχέσεις.	
3.	Φροντίστε να αναπτύξετε κατάλληλες	σχέσεις	με τους ανωτέρους σας και να είστε προσεκτικοί με τους συναδέλφους σας.
4.	Η προσωπική σας ζωή και οι κοινωνικές σας	σχέσεις	βελτιώνονται.
5.	Οι ερωτικές σας	σχέσεις	ευνοούνται σήμερα, γι' αυτό προετοιμάστε μια ρομαντική βραδιά για δύο.
6.	Προσέξτε τις προσωπικές σας	σχέσεις	σας και μην καταπιέζετε τον σύντροφό σας.
7.	Καλλιεργήστε τις δημόσιες	σχέσεις	και γίνετε πιο κοινωνικοί.
8.	Οι αισθηματικές σας	σχέσεις	πάνε πολύ καλά.
9.	Βελτιώστε τις φιλικές σας	σχέσεις.	
10.	Με την τηλεόραση δεν είχα ποτέ καλές	σχέσεις.	
11.	Το Κέντρο των Πολιτιστικών Μελετών «Άγιοι Κύριλλος και Μεθόδιος» ερευνά τις πολιτιστικές	σχέσεις	ανάμεσα στον ελληνικό και τον σλαβικό κόσμο.
12.	Οι εμπορικές	σχέσεις	Ελλάδας – Βουλγαρίας βρίσκονται σε καλό επίπεδο.
13.	Υπάρχουν παίκτες στην ομάδα που έχουν μόνο τυπικές	σχέσεις	μεταξύ τους.
14.	Σταδιακά έγινε ανεξάρτητη και απέκτησε συμμαχικές, οικονομικές και διπλωματικές	σχέσεις	με άλλες πόλεις.
15.	Κακές επιδόσεις στην έκθεση δεν σημαίνουν τίποτε άλλο από κακές	σχέσεις	με το βιβλίο γενικά.
16.	Την εποχή αυτή, οι Μινωίτες κυριαρχούν στο Αιγαίο, κάνουν αποικίες και έχουν στενές	σχέσεις	με την ηπειρωτική Ελλάδα.
17.	Ανέπτυξαν καλές	σχέσεις	με τους λαούς της Μεσοποταμίας και τους Κρήτες.
18.	Πόσο σημαντικές είναι οι οικονομικές και πολιτικές	σχέσεις	της Ελλάδας με τις βαλκανικές χώρες;

Διασκευασμένα παραδείγματα από το σώμα κειμένων του ΚΕΓ και από το Λεξικό της Κοινής Νεοελληνικής (Τριανταφυλλίδη)

Άσκηση 2

Γίνετε ζευγάρια. Πηγαίνετε στη σελίδα http://www.greek-language.gr/greekLang/modern_greek/tools/corpora/corpora/search.html Πληκτρολογήστε τη λέξη *λόγος* και κάνετε τον δικό σας πίνακα με 6-7 παραδείγματα. Συγκρίνετε τον πίνακά σας με τους πίνακες των συμμαθητών / συμμαθητριών σας. Μετά γράψτε μια ιστορία με 4-5 από τις καινούριες λέξεις / φράσεις που μάθατε.

ΠΟΣΟ ΚΛΙΚ ΚΑΝΕΙΣ;

Κάνε το παρακάτω τεστ και διάβασε τα αποτελέσματα.
Πόσο αληθινά πιστεύεις ότι είναι;

Σου αρέσει να περνάς τις διακοπές σου
- α. στην κορυφή ενός βουνού.
- β. σε ένα μικρό νησί.
- γ. σε μια μεγαλούπολη.

Στο εστιατόριο
- α. δοκιμάζεις διάφορα πιάτα στην τύχη.
- β. παραγγέλνεις τα ίδια φαγητά με την παρέα σου.
- γ. συμβουλεύεσαι τον σερβιτόρο.

Προτιμάς να δουλεύεις
- α. μόνος / μόνη.
- β. σε θέση προϊσταμένου / προϊσταμένης.
- γ. σε μια ομάδα.

Στα διαλείμματα στη δουλειά / στο σχολείο συνήθως είσαι
- α. μόνος / μόνη.
- β. με τον κολλητό / την κολλητή σου.
- γ. στην καντίνα με τους συναδέλφους.

Σε φοβίζουν πάρα πολύ τα προβλήματα
- α. με τον / τη σύντροφό σου.
- β. στις οικογενειακές σχέσεις.
- γ. στις επαγγελματικές σχέσεις.

Όταν βλέπεις ουρά σε μια τράπεζα,
- α. φεύγεις και πηγαίνεις αργότερα.
- β. περιμένεις υπομονετικά τη σειρά σου.
- γ. έχεις την ευκαιρία να κάνεις φιλίες.

Σε οικογενειακές συγκεντρώσεις
- α. περιμένεις την κατάλληλη στιγμή για να φύγεις.
- β. είσαι ευγενικός/-ή με όλους, αν και βαριέσαι.
- γ. εντυπωσιάζεις με την κοινωνικότητά σου.

Δεν πηγαίνεις συχνά
- α. σε πάρκο.
- β. σε μπαρ.
- γ. σε μουσείο.

Ποια από τις παρακάτω φράσεις σε εκφράζει περισσότερο;
- α. Δεν κλαις μπροστά σε κανέναν.
- β. Κλαις μόνο μπροστά στους φίλους σου.
- γ. Μπορείς να κλάψεις πολύ εύκολα μπροστά σε οποιονδήποτε.

Χτυπάς την πόρτα στους γείτονες,
- α. όταν κάνουν πολλή φασαρία.
- β. όταν χρειάζεσαι λίγο αλάτι.
- γ. για να πιείτε καφέ.

ΑΠΟΤΕΛΕΣΜΑΤΑ

Αν έχεις περισσότερα Α: Πρέπει κάτι να κάνεις με την κοινωνικότητά σου. Είσαι πολύ μοναχικός άνθρωπος. Δεν έχεις καθόλου παρέες. Αγαπάς την ησυχία και δεν είσαι καθόλου κοινωνικός. Γιατί όμως; Μήπως πρέπει να προσέξεις λίγο τον χαρακτήρα σου; Χρειαζόμαστε την παρουσία των άλλων ανθρώπων στη ζωή μας. Φρόντισε να μη γίνεις απόλυτα αντικοινωνικός.

Αν έχεις περισσότερα Β: Είσαι πιστός / πιστή στις φιλίες. Προτιμάς να κάνεις παρέα με τους παιδικούς σου φίλους. Δεν έχεις ιδιαίτερα πολλές παρέες, αλλά οι σχέσεις σου με τους δικούς σου ανθρώπους είναι ιδανικές. Ίσως πρέπει να φροντίσεις λίγο την κοινωνικότητά σου στη δουλειά. Να είσαι πιο φιλικός / φιλική με τους συναδέλφους σου.

Αν έχεις περισσότερα Γ: Είσαι ο ορισμός της κοινωνικότητας. Δεν μπορείς να μείνεις καθόλου μόνος / μόνη. Έχεις πάρα πολλούς γνωστούς και φίλους. Πρόσεξε μήπως κάποιος από όλους αυτούς που κάνεις παρέα σε προδώσει κάποια στιγμή. Προτείνω να είσαι λίγο πιο επιλεκτικός / επιλεκτική στις φιλίες σου.

Γραμματική: Βλέπω και παρατηρώ ...

Διάβασε το παρακάτω κείμενο και απάντησε στις ερωτήσεις.

Στο χωριό μου, η γειτονιά μου είναι πολύ όμορφη και οι αυλές των σπιτιών γεμάτες λουλούδια. Η δική μας αυλή μοσχοβολάει από τους βασιλικούς και τις τριανταφυλλιές: τριανταφυλλιές σε όλα τα χρώματα, κόκκινες, <u>πορτοκαλιές</u>, κίτρινες, <u>βιολετιές</u>.

Κάθε απόγευμα μαζεύονται οι γειτόνισσες με τις ρόμπες και τις παντόφλες στα πόδια: μια καθαρίζει φασολάκια, άλλη πλέκει, άλλη κεντάει. Πίνουν το καφεδάκι τους, <u>βαρύ</u> γλυκό ελληνικό, και μιλούν για τη μόδα, την πολιτική, τη μαγειρική, εδώ ακούς τα πάντα. Γυναίκες νέες, μα κουρασμένες από τις δουλειές, με ρυτίδες <u>βαθιές</u> στο πρόσωπο. Δεν μπορείς να καταλάβεις την πραγματική ηλικία τους. <u>Μακριά</u> μαλλιά πιασμένα κότσο, μάτια λαμπερά, χαμόγελο <u>πλατύ</u>. Τα ρούχα τους <u>φαρδιά</u>, κρύβουν το <u>παχύ</u> τους σώμα.

Κάπου μέσα σε αυτό το σκηνικό υπάρχω κι εγώ, μικρό παιδί, που ακούω τις συζητήσεις και τα κουτσομπολιά τους, ενώ διαβάζω για τα μαθήματα του σχολείου. Δεν μ' ενδιαφέρουν όλα τα θέματα που τους απασχολούν. Ούτε τα πολιτικά ούτε η μαγειρική με νοιάζει. Ακούω, όμως, πολύ προσεκτικά, όταν συζητούν για τους άντρες τους. Τεμπέλης ο ένας, ζηλιάρης ο άλλος, τσιγκούνης ο τρίτος. Με πιάνει <u>βαθιά</u> θλίψη, όταν ακούω τους χαρακτηρισμούς, γιατί τολμώ να το πω, μου φαίνονται όλοι τόσο συμπαθητικοί...

Όλο τον χρόνο μου τον περνάω με το διάβασμα. Θέλω να φύγω από το χωριό και να σπουδάσω. Συχνά, ακούω τις γυναίκες να σχολιάζουν: «– Αυτό το παιδί είναι πολύ έξυπνο και πολύ <u>πεισματάρικο</u>. Μια μέρα θα γίνει μεγάλος και τρανός.
– Το δικό μου έχει βαθιά μεσάνυχτα στο σχολείο. <u>Τεμπέλικο</u> και <u>κλαψιάρικο</u>. Τι θα το κάνω;».

Ερωτήσεις:

1. Τι χρώματα έχουν οι τριανταφυλλιές στο σπίτι του συγγραφέα;

2. Πόση ζάχαρη έχει ο καφές που πίνουν οι γειτόνισσες;

3. Γιατί οι γυναίκες φαίνονται πιο μεγάλες από ό,τι είναι;

4. Ποιο σημάδι στο πρόσωπό τους δείχνει ότι η ζωή τους έχει δυσκολίες;

5. Πώς είναι οι γυναίκες που περιγράφονται στο κείμενο;

6. Τι μαθαίνει ο συγγραφέας για τους άντρες της γειτονιάς από τις συζύγους τους;

7. Πώς χαρακτηρίζουν οι γειτόνισσες τον συγγραφέα και πώς τα δικά τους παιδιά;

ΓΡΑΜΜΑΤΙΚΗ

Βλέπω 👀

Δες με προσοχή τους πίνακες.

και παρατηρώ ...

Απάντησε στις ερωτήσεις.

ΠΙΝΑΚΑΣ 1 (-ύς, -ιά, -ύ)

	Ενικός αριθμός			Ερωτήσεις
Ονομαστική	ο παχύς (Ε7)*	η παχιά	το παχύ	- Ποιες πτώσεις είναι ίδιες
Γενική	του παχιού/παχύ	της παχιάς	του παχιού/παχύ	στο αρσενικό;
Αιτιατική	τον παχύ	την παχιά	το παχύ	στο θηλυκό;
Κλητική	παχύ	παχιά	παχύ	στο ουδέτερο;
	Πληθυντικός αριθμός			- Σε ποιες πτώσεις μοιάζει
Ονομαστική	οι παχιοί	οι παχιές	τα παχιά	το αρσενικό και το ουδέτερο;
Γενική	των παχιών	των παχιών	των παχιών	το θηλυκό και το ουδέτερο;
Αιτιατική	τους παχιούς	τις παχιές	τα παχιά	το αρσενικό, το θηλυκό και
Κλητική	παχιοί	παχιές	παχιά	το ουδέτερο;

ΠΙΝΑΚΑΣ 2 (-ής, -ιά, -ί)

	Ενικός αριθμός			Ερωτήσεις
Ονομαστική	ο θαλασσής (Ε8)*	η θαλασσιά	το θαλασσί	- Ποιες πτώσεις είναι ίδιες
Γενική	του θαλασσιού/-ή	της θαλασσιάς	του θαλασσιού	στο αρσενικό;
Αιτιατική	τον θαλασσή	τη θαλασσιά	το θαλασσί	στο θηλυκό;
Κλητική	θαλασσή	θαλασσιά	θαλασσί	στο ουδέτερο;
	Πληθυντικός αριθμός			- Σε ποιες πτώσεις μοιάζει
Ονομαστική	οι θαλασσιοί	οι θαλασσιές	τα θαλασσιά	το αρσενικό και το ουδέτερο;
Γενική	των θαλασσιών	των θαλασσιών	των θαλασσιών	το θηλυκό και το ουδέτερο;
Αιτιατική	τους θαλασσιούς	τις θαλασσιές	τα θαλασσιά	το αρσενικό, το θηλυκό και
Κλητική	θαλασσιοί	θαλασσιές	θαλασσιά	το ουδέτερο;

ΠΙΝΑΚΑΣ 3 (-ης, -α, -ικο)

	Ενικός αριθμός			Ερωτήσεις
Ονομαστική	ο τεμπέλης (Ε9)*	η τεμπέλα	το τεμπέλικο	- Ποιες πτώσεις είναι ίδιες
Γενική	του τεμπέλη	της τεμπέλας	του τεμπέλικου	στο αρσενικό;
Αιτιατική	τον τεμπέλη	την τεμπέλα	το τεμπέλικο	στο θηλυκό;
Κλητική	τεμπέλη	τεμπέλα	τεμπέλικο	στο ουδέτερο;
	Πληθυντικός αριθμός			
Ονομαστική	οι τεμπέληδες	οι τεμπέλες	τα τεμπέλικα	
Γενική	των τεμπέληδων	-	των τεμπέλικων	
Αιτιατική	τους τεμπέληδες	τις τεμπέλες	τα τεμπέλικα	
Κλητική	τεμπέληδες	τεμπέλες	τεμπέλικα	

*αριθμός που δείχνει το κλιτικό παράδειγμα σύμφωνα με το *Λεξικό της Κοινής Νεοελληνικής* (Τριανταφυλλίδη)

Κάνε κλικ στη σελίδα http://www.greeklanguage.gr/greekLang/modern_greek /tools/lexica/triantafyllides/index.html και βρες ποια άλλα επίθετα κλίνονται όπως *ο παχύς, ο θαλασσής, ο τεμπέλης.*

Άσκηση 1

Παίζουμε τένις! Γίνετε ζευγάρια και παίξτε τένις. Χρησιμοποιήστε τις λέξεις:

τεμπέλης, χαδιάρα, μακρύς, πορτοκαλής, βρομιάρης, γρουσούζα, θαλασσής, αρρωστιάρης, σταχτής, φαρδύς, πλατιά, κλαψιάρικο

Παράδειγμα:

Μαθητής Α: τεμπέλης   **Μαθητής Β:** τεμπέληδων, χαδιάρα

Άσκηση 2

Γίνετε ζευγάρια, ακολουθήστε τις λέξεις που στον πληθυντικό αριθμό έχουν μία παραπάνω συλλαβή και βγείτε από τον λαβύρινθο.

Αρχή

τεμπέλης	βαρύς	γκρινιάρα	αναγκαίος	γλυκός
γρουσούζης	αγαπησιάρης	γκρινιάρης	αστείος	πεισματάρης
παχύς	πορτοκαλής	ασπρομάλλης	βιολετιά	πλατύς
σταχτής	ψηλός	ζηλιάρης	αρρωστιάρης	σγουρομάλλης
ωραία	φαρδιά	κοντός	βρομιάρης	φαρδύς
τεμπέλα	γλυκιά	μακρυμάλλα	μαυρομάτης	**παιχνιδιάρης**

Τέλος

Άσκηση 3

Αντιστοιχίστε τις λέξεις με τις εικόνες.

πορτοκαλιά, βιολετί, παχύ, βιολετιά, πορτοκαλής, θαλασσί, πορτοκαλί, θαλασσής, παχύς, θαλασσιά, βιολετής, παχιά

0. <u>πορτοκαλής</u> σάκος

3. _____ σάκος

6. _____ σάκος

9. _____ άντρας

1. _____ τσάντα

4. _____ τσάντα

7. _____ τσάντα

10. _____ κυρία

2. _____ πορτοφόλι

5. _____ πορτοφόλι

8. _____ πορτοφόλι

11. _____ παιδί

Άσκηση 4
Γίνετε ζευγάρια και βρείτε τα λάθη.

0. Μου αρέσει πολύ ο ~~θαλλασύς~~ *θαλασσής* καναπές σου.

1. Οι άνδρες είναι πεισματάρες.

2. Αυτό το παιδί είναι πολύ κλαψιάρο.

3. Η σούπα τρώγεται σε βαθή πιάτο.

4. Φέτος φοράμε πουκάμισο με μακρή μανίκι ακόμη και το καλοκαίρι.

5. Οι βιολετές οι φούστες είναι πολύ ωραίες.

6. Ο μπαμπάς του είναι ένας παχής κύριος.

Άσκηση 5
Γίνετε ζευγάρια και συμπληρώστε τα κενά.

0. Μου αρέσουν πολύ τα μάτια της, έχουν πολύ ωραίο χρώμα, είναι ____*βαθύ*____ (βαθύς) πράσινο.

1. Πήγα στον γιατρό και μου είπε να πάρω _____ (βαθύς) αναπνοές.

2. Έχω πολύ _____ (βαθύς) εκτίμηση για τον Γιώργο.

3. Ο παππούς μου έζησε μια πολύ ωραία ζωή μέχρι τα _____ (βαθύς) γεράματα.

4. Αυτή η πόρτα είναι πολύ σταθερή, γιατί είναι πολύ _____ (βαρύς).

5. Τον _____ (βαρύς) χειμώνα πρέπει να φοράμε ζεστά ρούχα, για να μην αρρωστήσουμε.

6. Έναν καφέ _____ (βαρύς) γλυκό, παρακαλώ.

7. Μου αρέσει για το _____ (πλατύς) της χαμόγελο.

Άσκηση 6
Μετατρέψτε τις παρακάτω προτάσεις στον αντίθετο αριθμό από αυτόν που βρίσκονται.

0. Πρέπει να αγοράσω **κανένα βαθύ πιάτο**, γιατί δεν έχω ούτε ένα.
Πρέπει να αγοράσω μερικά βαθιά πιάτα, γιατί δεν έχω ούτε ένα

1. Η Μαίρη δεν μπορεί να κάνει **καθόλου βαριές δουλειές**, γιατί πονάει η μέση της.

2. **Τα σφάλματά μου είναι βαριά**, το παραδέχομαι.

3. **Τα παιδιά μου** είναι **πολύ κλαψιάρικα**.

4. **Η βαλίτσα**, που ετοίμασα για το ταξίδι, **είναι πολύ βαριά**.

5. Ο Γιάννης φοράει **μακριά παντελόνια** ακόμη και το καλοκαίρι.

6. **Αυτή η σταχτιά γάτα** είναι **πολύ ναζιάρα**.

7. **Μου αρέσει** πολύ **αυτό το φαρδύ φόρεμα**.

8. Από το μπαλκόνι μου βλέπω **δύο πολύ φαρδιούς δρόμους**.

9. Μου αρέσει αυτό το λουλούδι για **το πλατύ του φύλλο**.

Άσκηση 7

Γίνετε ζευγάρια και περιγράψτε την εικόνα.

ΚΑΤΑΝΟΗΣΗ ΠΡΟΦΟΡΙΚΟΥ ΛΟΓΟΥ

- Ξέρεις τι είναι ο σχολικός εκφοβισμός / η σχολική βία;
- Σε ποια άλλα μέρη μπορεί να υπάρχει βία ανάμεσα σε παιδιά;
- Με ποιους τρόπους εκδηλώνεται αυτή η βία;
- Σε ποιους πρέπει να μιλήσουν τα παιδιά-θύματα σχολικού εκφοβισμού;

ΟΧΙ ΣΤΗ ΒΙΑ
ΝΑΙ ΣΤΗ ΦΙΛΙΑ

ΣΧΟΛΙΚΗ ΒΙΑ - ΜΟΡΦΕΣ

Σωματική (χειρονομίες, χτυπήματα, σπρωξίματα, ξυλοδαρμός)

Λεκτική (πειράγματα, παρατσούκλια, κοροϊδία, βρισιές, προσβολές)

Ψυχολογική (απειλές, κλοπές)

Κοινωνική (αποκλεισμός, απομόνωση από παρέες και ομαδικά παιχνίδια)

Ηλεκτρονική (απειλητικά μηνύματα, δημοσιοποίηση προσωπικών βίντεο ή φωτογραφιών στο διαδίκτυο)

ΠΑΡΑΓΟΝΤΕΣ

- Αδυναμία άμυνας
- Ευαισθησία
- Εθνικότητα
- Βάρος
- Αναπηρία
- Σχολική επίδοση

ΤΟΠΟΣ

- Σχολείο
- Παιδική χαρά
- Αθλητικές δραστηριότητες
- Δρόμος

Συμβουλή:
Πριν ακούσεις το κείμενο, διάβασε τις προτάσεις του πίνακα και απάντησε στις ερωτήσεις.
α) Ο Γιώργος και η Κατερίνα είναι ενήλικοι;
β) Ποιο είναι το κεντρικό θέμα του κειμένου που θα ακούσεις;

(cd 1, 17)

Άσκηση 1

Άκου προσεκτικά και σημείωσε ✓ κάτω από το ΣΩΣΤΟ για τις προτάσεις που συμφωνούν με αυτά που ακούς ή κάτω από το ΛΑΘΟΣ για αυτές που δεν συμφωνούν.

		ΣΩΣΤΟ	ΛΑΘΟΣ
0.	Ο Γιώργος πηγαίνει στο Γυμνάσιο.	✓	
1.	Ο Γιώργος πηγαίνει με χαρά στο σχολείο.		
2.	Ο Γιώργος δεν είναι ψηλός.		
3.	Ο Γιώργος είναι μέλος της σχολικής ομάδας ποδοσφαίρου.		
4.	Η Κατερίνα πηγαίνει στην τελευταία τάξη του Γυμνασίου.		
5.	Η Κατερίνα είναι ένα αδύνατο κορίτσι.		
6.	Τα παιδιά που ασκούν βία σε ένα άλλο παιδί το κάνουν περισσότερες από μία φορές.		
7.	Τα παιδιά που ασκούν βία είναι πιο μικρά από τα παιδιά που δέχονται βία.		
8.	Τα παιδιά που είναι θύματα σχολικής βίας είναι συνήθως πολύ κοινωνικά παιδιά.		
9.	Υπάρχουν πολλές μορφές σχολικής βίας.		
10.	Ένας καλός τρόπος, για να αντιμετωπίσεις αυτούς που σε εκφοβίζουν, είναι να τους χτυπήσεις.		

Άσκηση 2

Απάντησε στις παρακάτω ερωτήσεις.

- Ποια παιδιά γίνονται συνήθως θύματα σχολικής βίας, σύμφωνα με το κείμενο που άκουσες; Ξέρεις ποια άλλα παιδιά μπορούν να γίνουν πιο εύκολα θύματα σχολικού εκφοβισμού;
- Γιατί πιστεύεις ότι κάποια παιδιά θέλουν να ασκούν βία στους συμμαθητές τους; Τι έχεις να τους πεις;
- Ποια συμβουλή θα δώσεις σε έναν φίλο / μια φίλη σου που είναι θύμα σχολικού εκφοβισμού;

Λεξιλόγιο

Άσκηση 1

Γίνετε ζευγάρια, εκτυπώστε το κείμενο της κατανόησης προφορικού λόγου, δείτε τις υπογραμμισμένες λέξεις / φράσεις του κειμένου και βρείτε με ποιες από τις παρακάτω λέξεις / φράσεις ταιριάζουν στη σημασία.

0. έχω ορισμένη συμπεριφορά = _φέρομαι_

1. αυτός που δέχεται τα αποτελέσματα μιας κακής ενέργειας / συμπεριφοράς = _____

2. μιλάω άσχημα για κάποιον και γελάω για αυτόν = _____

3. μιλάω με άσχημες λέξεις ή φράσεις για κάποιον = _____

4. πιέζω / αναγκάζω κάποιον με λέξεις ή πράξεις να μαλώσει = _____

5. πολλά και άγρια χτυπήματα = _____

6. δυσάρεστο συναίσθημα, επειδή φοβάμαι ή ανησυχώ για κάτι = _____

7. αυτός που δεν του αρέσει να είναι μαζί με άλλους = _____

8. κίνηση των χεριών = _____

9. σωματική ή ψυχολογική πίεση σε κάποιον, για να γίνει αυτό που θέλω = _____

Άσκηση 2

Γίνετε ζευγάρια, ενώστε τις λέξεις με αντίθετη σημασία και κάνετε προτάσεις με αυτές.

0. χάνω   δ   **α.** μικρόσωμος

1. μεγαλόσωμος _____ **β.** θύτης

2. μοναχικός _____ **γ.** ανήλικος

3. θύμα _____ **δ̶.** κερδίζω

4. ενήλικος _____ **ε.** κοινωνικός

Άσκηση 3

Γίνετε ζευγάρια και ενώστε τις λέξεις, για να κάνετε φράσεις που χρησιμοποιούνται πολύ συχνά. Μετά γράψτε προτάσεις με τις φράσεις που κάνατε.

0. κάνω   β   **α.** (σε) καβγά

1. προκαλώ _____ **β̶.** παρέα

2. κοινωνικό _____ **γ.** πρόβλημα

Άσκηση 4

Γίνετε ζευγάρια, διαβάστε τους παρακάτω ορισμούς και συμπληρώστε τα κενά στις προτάσεις με τις λέξεις του κρυπτόλεξου.

0. Όταν κάνω κάτι, επειδή το θέλω και έχω κάποιον σκοπό, τότε το κάνω _____επίτηδες_____.

1. Όταν δεν έχω ελπίδα ότι θα γίνει κάτι καλό ή ευχάριστο, είμαι _____.

2. Όταν ενοχλώ κάποιον με λόγια ή πράξεις και τον στεναχωρώ ή τον κάνω να γελάσει, τότε τον

_____.

3. Όταν κάποιος είναι αναστατωμένος και δεν μπορεί να ενεργήσει με ηρεμία, είναι _____.

4. Όταν κάποιος έχει πολύ μεγάλη ανησυχία ή φόβο, είναι _____.

5. Όταν κάνω κάτι πολύ συχνά ή συνεχώς, τότε το κάνω _____.

6. Αυτός που δεν έχει θάρρος μπροστά στον κόσμο, είναι _____.

7. Αυτός που γίνεται με τον λόγο, είναι _____.

8. Όταν δίνω κάποιο «όνομα» σε κάποιον, για να τον κοροϊδέψω, τότε του βγάζω _____.

9. Όταν συμπεριφέρομαι άσχημα σε κάποιον με σκοπό να τον κάνω να νιώσει άσχημα, τότε τον

_____.

10. Λέω ή κάνω κάτι για να εκφοβίσω κάποιον, δηλαδή τον _____.

11. Η απομάκρυνση κάποιου από ένα σύνολο, έτσι ώστε να μείνει μόνος του, λέγεται _____.

0	Γ	Α	Λ	Ε	Π	Ι	Τ	Η	Δ	Ε	Σ	Η	Γ	Δ	Ο
1	Θ	Α	Π	Ο	Γ	Ο	Η	Τ	Ε	Υ	Μ	Ε	Ν	Ο	Σ
2	Ι	Κ	Ο	Λ	Π	Ε	Ι	Ρ	Α	Ζ	Ω	Α	Μ	Α	Ν
3	Α	Θ	Α	Τ	Α	Ρ	Α	Γ	Μ	Ε	Ν	Ο	Σ	Ι	Ρ
4	Τ	Ρ	Ο	Μ	Ο	Κ	Ρ	Α	Τ	Η	Μ	Ε	Ν	Ο	Σ
5	Τ	Ν	Ρ	Η	Σ	Υ	Σ	Τ	Η	Μ	Α	Τ	Ι	Κ	Α
6	Ε	Κ	Ν	Τ	Ρ	Ο	Π	Α	Λ	Ο	Σ	Υ	Τ	Ε	Μ
7	Χ	Σ	Α	Ν	Λ	Ε	Κ	Τ	Ι	Κ	Ο	Σ	Τ	Υ	Ξ
8	Ο	Ν	Ε	Π	Α	Ρ	Α	Τ	Σ	Ο	Υ	Κ	Λ	Ι	Κ
9	Α	Π	Α	Ρ	Τ	Δ	Π	Ρ	Ο	Σ	Β	Α	Λ	Λ	Ω
10	Λ	Ο	Ρ	Ψ	Α	Ρ	Ε	Υ	Ι	Α	Π	Ε	Ι	Λ	Ω
11	Ρ	Ε	Σ	Α	Π	Ο	Μ	Ο	Ν	Ω	Σ	Η	Α	Η	Λ

Άσκηση 5

Γίνετε ζευγάρια και συμπληρώστε τα κενά με τις παρακάτω λέξεις.

θύματα, απειλές, βρίζουν, φέρεται, ταραγμένος, προσβάλλει, άγχος, χειρονομίες, τρομοκρατημένος, μηνύματα, απειλητικά

Η ΒΙΑ ΣΤΗΝ ΕΡΓΑΣΙΑ

Αφεντικά που ⁰ ___*βρίζουν*___, που μιλούν άσχημα στους υπαλλήλους και φωνάζουν χωρίς λόγο... Η βία στον χώρο της εργασίας. Ένα αφεντικό δεν ¹_____ με αυτόν τον τρόπο, επειδή αντιπαθεί κάποιον υπάλληλο. Το κάνει, γιατί αισθάνεται σπουδαίος. Η βία στον χώρο της εργασίας δεν είναι σπάνια. Περιστατικά εργασιακής βίας συμβαίνουν ακόμη και στη διπλανή επιχείρηση! Οι παρακάτω συμβουλές θα σας βοηθήσουν να ξεπεράσετε τον εργασιακό εκφοβισμό..., γιατί κάθε εργαζόμενος έχει δικαιώματα!

Πολλοί υπάλληλοι δεν καταλαβαίνουν ότι έπεσαν ²_____ εκφοβισμού. Ας δούμε ποια σημάδια πρέπει να σας προβληματίσουν.

Το αφεντικό σας σας δίνει διαταγές για άχρηστα πράγματα; Σας ³_____ για τον τρόπο που μιλάτε ή ντύνεστε; Σας στέλνει ⁴_____ μηνύματα; Κάνει επιθετικές ⁵_____; Αν απαντήσατε «ναι» στα παραπάνω ερωτήματα:

• Πρέπει να δείξετε δύναμη... Μην αφήσετε τον εκφοβισμό και το ⁶_____ να μπει στη ζωή σας. Μη δείξετε πόσο ⁷_____ και ⁸_____ είστε. Μην πείτε ακόμη αυτά που σας συμβαίνουν.

• Ψάξτε για αποδείξεις. Γράψτε σε ένα ημερολόγιο όλα τα γεγονότα. Σημειώστε την ώρα, την ημερομηνία και τα ονόματα όσων ήταν μπροστά σε κάθε περιστατικό. Πρέπει να φροντίσετε να μάθετε αν οι συνάδελφοι θα είναι με το μέρος σας.

• Συζητήστε με τους φίλους σας ή ζητήστε τη συμβουλή ενός ειδικού. Κρατήστε αντίγραφα από τις επιστολές ή τα ηλεκτρονικά ⁹_____ του αφεντικού σας. Ενημερώστε κάποιον ανώτερο. Μείνετε ήρεμοι χωρίς φωνές ή ¹⁰_____. Μην κλάψετε ποτέ, γιατί θα δείξετε αδυναμία!

• Επικοινωνήστε και κάνετε καταγγελία σε κάποιον κρατικό φορέα.

Διασκευή άρθρου από την ιστοσελίδα:
www.flowmagazine.gr

Άσκηση 6

Γίνετε ζευγάρια, δείτε τις παρακάτω λέξεις και συμπληρώστε τα κενά κάθε σειράς του πίνακα με λέξεις που ανήκουν στην ίδια οικογένεια.

διάβασμα, λέξη, φέρσιμο, κλέφτης, απογοήτευση, βρισιά, προσβλητικός, αντίδραση, απομόνωση, πείραγμα, χτύπημα, ταραγμένος, εκφοβισμός, προσβολή, τρομοκρατημένος, εκβιασμός, πρόκληση, κοροϊδία, απειλητικός, σπρώξιμο

ρήμα	ουσιαστικό	επίθετο
διαβάζω	0 _διάβασμα_	-
φέρομαι	1 _____	-
απογοητεύω	2 _____	απογοητευτικός, απογοητευμένος
βρίζω	3 _____	-
προκαλώ	4 _____	προκλητικός
αντιδρώ	5 _____	αντιδραστικός
ταράζομαι	ταραχή	6 _____
τρομοκρατούμαι / τρομοκρατώ	τρομοκρατία	7 _____
εκφοβίζω	8 _____, εκφοβιστής	εκφοβιστικός
χτυπώ	9 _____	-
σπρώχνω	10 _____	-
πειράζω	11 _____	-
εκβιάζω	12 _____, εκβιαστής	εκβιαστικός
λέω	λόγος, 13 _____	λεκτικός
κοροϊδεύω	14 _____	κοροϊδευτικός
προσβάλλω	15 _____	16 _____
απειλώ	απειλή	17 _____
κλέβω	κλοπή, 18 _____	-
απομονώνω	19 _____	απομονωμένος

Άσκηση 7

Διάβασε ξανά τις λέξεις από τον πίνακα της άσκησης 6 και γράψε μια μικρή παράγραφο που να περιέχει τουλάχιστον πέντε από τις λέξεις αυτές.

_____
_____
_____
_____
_____
_____
_____

Άσκηση 1
Άκου και συμπλήρωσε τα κενά.
(cd 1, 18)

Στην Ελλάδα

Οι Έλληνες είναι ένας ζεστός και [0] _φιλόξενος_ λαός. Η έννοια της 'φιλοξενίας' έχει τις ρίζες της στην αρχαιότητα. Τότε οι Έλληνες πίστευαν πως οι θεοί μεταμορφώνονται σε ανθρώπους και τους επισκέπτονται, για να τους ελέγξουν. Έτσι, ο [1] _____ ήταν πάντα ένα πρόσωπο ιερό. Ο [2] _____ είχε υποχρέωση να του προσφέρει τροφή και ύπνο. Επίσης, οι φιλοξενούμενοι και οι οικοδεσπότες αντάλλαζαν δώρα και είχαν πολύ δυνατές [3] _____ σχέσεις. Προστάτης των ξένων ήταν ο θεός Ξένιος Δίας.

Η φιλοξενία είναι πολύ σημαντικό στοιχείο της ελληνικής κουλτούρας και στη σύγχρονη Ελλάδα. Ο φιλοξενούμενος στην Ελλάδα είναι πάντα ένα πρόσωπο που δέχεται πολύ μεγάλη φροντίδα και [4] _____ από τον οικοδεσπότη. Είναι αυτός που καθορίζει τους ρυθμούς της ζωής του σπιτιού που φιλοξενείται, ενώ ο οικοδεσπότης ενδιαφέρεται και φροντίζει για το [5] _____ του φιλοξενούμενου, τον ύπνο και τη [6] _____ του.
Ένα μικρό ταξίδι στην Ελλάδα είναι αρκετό, για να δει κανείς το ζεστό [7] _____ και να καταλάβει τη ζεστασιά των Ελλήνων. Η φιλοξενία στην Ελλάδα είναι εμπειρία μοναδική με ρίζες βαθιές και σταθερές.

Μάτια
που δεν βλέπονται
γρήγορα λησμονιούνται.

Από
μακριά κι
αγαπημένοι.

Χίλιοι
καλοί
χωράνε.

Αγάπα
τον φίλο σου με τα
ελαττώματά του.

Ο
καλός ο
φίλος στην ανάγκη
φαίνεται.

Προφορά

(cd 1, 19)

Άσκηση 1

Άκου το κείμενο και βάλε σε κύκλο τις λέξεις που έχουν τον ήχο [γ] και σε τετράγωνο τις λέξεις που έχουν τον ήχο [j]. Μετά διάβασε δυνατά το κείμενο στην τάξη σου.

Κάθε χρόνο, στις γιορτές των Χριστουγέννων, πηγαίνω στα Γιάννενα. Εκεί μένει η γιαγιά μου και γι' αυτό περνάω πολύ ωραία. Ευτυχώς δεν γέρασε ακόμη και είναι πολύ γερή. Όλη η οικογένεια είμαστε στα Γιάννενα για το χριστουγεννιάτικο ρεβεγιόν. Έρχονται οι συγγενείς μας από τη Γερμανία και περνάμε τέλεια. Γέλια, γλέντια, μυρωδιές, αφηγήσεις, μαγειρέματα, γευστικά φαγητά, απογευματινούς καφέδες με τους γείτονες και πολλή αγάπη έχουν οι γιορτές εκεί. Το σπίτι της είναι έξω από την πόλη, με μια θέα μαγική. Μεγάλος κήπος με παγκάκια και μεγάλη γκάμα λουλουδιών, γαρίφαλα, γεράνια, αγιόκλημα, η ίδια, βλέπετε, είναι γεωπόνος. Όπως κάθε αγροτικό σπίτι, δεν του λείπουν τα ζώα. Γελάδια, γίδια, γουρούνια κι ένα άλογο. Αυτό που μου αρέσει πολύ είναι να κάθομαι στη σοφίτα της στέγης, το παλιό γραφείο του μπαμπά μου, και να διαβάζω τα απογεύματα, όταν η γιαγιά τηγανίζει. Η μαγειρική της είναι μοναδική. Τι γλυκά, τι φαγητά, γεμιστά, γιουβαρλάκια, γιουβέτσι, μπουγιουρντί, γλυκά, τηγανητά. Το ψυγείο και ο πάγκος της κουζίνας της είναι πάντα γεμάτα γεύσεις που, το γνωρίζω καλά, θα συνοδεύουν τις αναμνήσεις των παιδικών μου χρόνων.

[γα], [γο], [γu],

[je], [ji]

/b/, /d/, /dz/, /v/, /δ/, /z/, /r/
+/i/+/a/, /e/, /o/, /i/, /u/ =
σύμφωνο + [ja], [je], [ji], [ju], [jo]

Άσκηση 2

Στις παρακάτω λέξεις υπογράμμισε τον ήχο [j] και κύκλωσε τον ήχο [γ]. Μετά διάβασε δυνατά τις λέξεις στην τάξη.

Αιγόκερος, μολύβια, άγιος, γονιός, βγάζω, αγγούρια, Γενάρης, γέννα, κυνήγι, Νορβηγός, γέρος, λουλούδια, μέγεθος, γούστο, κουλούρια, υγεία, οδηγία, καταγωγή, ζυγός, Βέλγος, Βέλγιο, ψάρια

(cd 1, 20)

Άσκηση 3

Άκου μερικές λέξεις κι επανάλαβέ τες.

Άσκηση 4

Κάνε ερωτήσεις στον διπλανό / στη διπλανή σου και συμπλήρωσε τον πίνακά σου.

Παράδειγμα:

Μαθητής Β: Τι έχεις στο 0; **Μαθητής Α:** Αυγή. Εσύ; **Μαθητής Β:** Αυγό.

Μαθητής Α			Μαθητής Β		
0	αυγή	αυγό	0	αυγή	αυγό
1	γούρι		1		γέροι
2	γυαλί		2		γουλί
3	γιατί		3		γατί
4	κυνήγι		4		κυνήγα
5	σιγή		5		σιγά

Μαθητής Α			Μαθητής Β		
6	αργκό	αργώ	6	αργκό	αργώ
7	γκαζώνω		7		γαζώνω
8	γκάμα		8		γάμα
9	μαγκιά		9		μαγιά
10	παγκάκι		10		παγάκι
11	πάγκος		11		πάγος

Άσκηση 5

Διάβασε γρήγορα και πες τις παρακάτω φράσεις στην τάξη.

Άγρια τ' άλογα στον αγρό τα γκρίζα γκέμια βγάζουν.
Γεράκια άγρια, γέρικα γυρίζουν στα γεφύρια.

Άσκηση 6

Με τις παρακάτω λέξεις κάνε μια ιστορία και πες τη δυνατά στην τάξη.

αγόρι, απόγευμα, γάμος, γέννηση, Γενάρης, γήπεδο, γιορτή, μεγάλος, ρεβεγιόν, ταγέρ, γλυκό, στιγμή, στοργή, τραγούδι, φαγητό, χαμόγελο

Γραμματική: Βλέπω και παρατηρώ ...

Διάβασε το παρακάτω κείμενο και απάντησε στις ερωτήσεις.

Το όνομά μου είναι Μαρίνα. Αδέλφια δεν έχω. Είμαι μονακοπαίδι. Θέλω πάρα πολύ ένα αδελφάκι. Δεν μου αρέσει να μεγαλώνω μόνη μου. Από μικρή έμαθα να παίζω μόνη μου και δεν έκανα εύκολα παρέα με άλλα παιδιά. Επίσης, πάντα ήμουν <u>πάρα πολύ ψηλή</u> και αυτό με έκανε να ντρέπομαι <u>πάρα πολύ</u>. Στο Δημοτικό, τα παιδιά με φωνάζουν με το παρατσούκλι «η κολόνα» και δεν μου κάνουν παρέα. Η Χριστίνα είναι ένα κορίτσι από τη διπλανή τάξη. Είναι και αυτή <u>το πιο ψηλό κορίτσι της τάξης της</u>, είναι, όμως, και <u>το πιο όμορφο</u> κορίτσι <u>που ξέρω</u>. Είναι <u>πάρα πολύ κοινωνική</u>, κάνει <u>πολύ εύκολα</u> παρέες και την αγαπούν όλα τα παιδιά στο σχολείο.

Η Χριστίνα με πλησίασε και μου πρότεινε να μπω στην ομάδα μπάσκετ του σχολείου. Με θαυμάζει, είπε, γιατί είμαι πιο ψηλή από αυτή. Στην αρχή δεν την πίστεψα. Δέχτηκα αμέσως την πρότασή της. Από τότε γίναμε αχώριστες, μαζί στο σχολείο, μαζί στο μπάσκετ, μαζί τα σαββατοκύριακα. Με γνώρισε στις παρέες της και κανένας, μα κανένας δεν με ξαναφώναξε «κολόνα». Αντίθετα, έγινα φίλη με όλα τα παιδιά της τάξης.

Με τη Χριστίνα είμαστε εδώ και τρία χρόνια <u>οι καλύτερες φίλες</u>. Είναι η αδελφή που δεν έχω...

Ερωτήσεις:

Από ποιες λέξεις καταλαβαίνεις ...

1. πόσο ψηλή είναι η Μαρίνα;

_____

2. πόσο ψηλή και πόσο όμορφη είναι η Χριστίνα;

_____

3. πόσο κοινωνική είναι η Χριστίνα;

_____

4. πόσο εύκολα κάνει παρέες η Χριστίνα;

_____

5. πόσο καλές φίλες είναι τα δύο κορίτσια;

_____

Βλέπω 👀

Δες τις παρακάτω φωτογραφίες και διάβασε προσεκτικά τις προτάσεις.

Η Χριστίνα είναι πιο ψηλή από την Κατερίνα.

Η Μαρίνα είναι η πιο ψηλή από όλα τα κορίτσια.

Η Μαρίνα είναι (πάρα) πολύ ψηλή.

Ο Κώστας είναι πιο καλός μαθητής από την Πετρούλα.

Ο Βασίλης είναι (πολύ) πιο καλός μαθητής από τον Κώστα.

Ο Κώστας και η Πετρούλα δεν είναι τόσο καλοί μαθητές όσο ο Βασίλης.

Μαρίνα
Κατερίνα
Χριστίνα

Βασίλης
Κώστας
Πετρούλα

Ο Δημήτρης τρέχει πιο γρήγορα από τη Λένα.

Η Εύη τρέχει (πάρα) πολύ γρήγορα.

και παρατηρώ ... 🔍

Απάντησε στις παρακάτω ερωτήσεις.

α. Η Χριστίνα είναι πιο ψηλή από την Κατερίνα.

β. Η Μαρίνα είναι η πιο ψηλή από όλα τα κορίτσια.

Στην α΄ πρόταση γίνεται σύγκριση ανάμεσα στη Χριστίνα και την Κατερίνα.

Στη β΄ πρόταση γίνεται σύγκριση ανάμεσα στη Μαρίνα και σε όλα τα κορίτσια.

Ποιες διαφορές παρατηρείς ανάμεσα στις δύο προτάσεις;

_____

γ. Η Μαρίνα είναι (πάρα) πολύ ψηλή.

Στη γ΄ πρόταση λέμε τι είναι η Μαρίνα, χωρίς να γίνεται σύγκριση με άλλα κορίτσια.

Τι παρατηρείς;

_____

Εύη
Λένα
Δημήτρης

Επίθετα	Επιρρήματα
καλός, καλύτερος, άριστος	καλά, καλύτερα, άριστα
κακός, χειρότερος, κάκιστος	κακώς, χειρότερα, (κάκιστα)
πολύς, περισσότερος, -	πολύ, περισσότερο, πάρα πολύ
λίγος, λιγότερος, ελάχιστος	λίγο, λιγότερο, πολύ λίγο (ελάχιστα)
μεγάλος, μεγαλύτερος, μέγιστος	άσχημα, χειρότερα, (κάκιστα)
μικρός, μικρότερος, ελάχιστος	νωρίς, νωρίτερα, πάρα πολύ νωρίς

Άσκηση 1

Γίνετε ζευγάρια, διαβάστε τις προτάσεις και γράψτε τα ονόματα στις φωτογραφίες.

1. Ο Λεωνίδας είναι πιο γρήγορος από τον Μάκη. Ο Χρόνης είναι ο πιο γρήγορος από όλα τα αγόρια.

Μάκης   Λεωνίδας   Χρόνης

2. Ο Γεράσιμος είναι πιο νέος από τον Γιάννη. Ο Δημήτρης είναι ο πιο νέος από όλους.

3. Το δέντρο Α είναι λίγο πιο ψηλό από το δέντρο Β. Το δέντρο Γ είναι πολύ πιο ψηλό από το δέντρο Β.

4. Ο Στέλιος είναι πιο αδύνατος από τον Μιχάλη. Ο Θόδωρος είναι ο πιο αδύνατος από όλους.

5. Το αυτοκίνητο Α είναι πιο φθηνό από το αυτοκίνητο Β. Το αυτοκίνητο Γ είναι το πιο φθηνό από όλα τα αυτοκίνητα.

6. Το σπίτι Α δεν είναι τόσο μεγάλο όσο το σπίτι Β.

7. Η μπλούζα Α είναι λίγο πιο βρόμικη από την μπλούζα Β.

8. Η τσάντα Α είναι πιο ακριβή από την τσάντα Β. Η τσάντα Γ είναι η πιο ακριβή από όλες.

Άσκηση 2

Γίνετε ζευγάρια και κάνετε προτάσεις.

0. Μαρία / Ελπίδα / Ζωή / κοινωνική

Η Μαρία είναι πιο κοινωνική από την Ελπίδα. Η Ζωή είναι η πιο κοινωνική από όλες.

0. Ευγενία / πλούσια

Η Ευγενία είναι πάρα πολύ πλούσια.

1. Νίκη / Βασιλική / Αντριάννα / έξυπνη

2. Βασίλης / Νίκος / Αυγερινός / επίμονος

3. Αντώνης / αισιόδοξος

4. Άγγελος / Αποστόλης / Παύλος / νευρικός

5. Κατερίνα / ρομαντική

Άσκηση 3

Κάνε ερωτήσεις στον διπλανό / στη διπλανή σου και συμπλήρωσε τον πίνακά σου.

Παράδειγμα:

Μαθητής Α: *Τι έχεις στο Α1;*

Μαθητής Β: *Η Γιώτα και η Έρικα είναι πιο άσχημες από τη Μαργαρίτα.*

Μαθητής Α: *Η Μαργαρίτα είναι η πιο όμορφη από όλες.*

Μαθητής Α	1	2	3
Α	*Η Μαργαρίτα είναι η πιο όμορφη από όλες.*		Γιώργος / Σταύρος / Μάριος / ψηλός
Β		Θανάσης / Μιχάλης / Μάνος / αδύνατος	

Μαθητής Β	1	2	3
Α	Γιώτα / Έρικα / Μαργαρίτα / άσχημος	εστιατόριο Α / εστιατόριο Β / εστιατόριο Γ / φθηνός	
Β	Αθηνά / Χάρης / Στράτος / γρήγορος		Χαρά / Ζωή / Τασούλα / νέος

Άσκηση 4

Διάλεξε ένα ή περισσότερα πρόσωπα που θαυμάζεις πάρα πολύ για τις ικανότητες τους σε κάτι. Γράψε 5 προτάσεις και πες γιατί τον / τη θαυμάζεις. Ανάφερε τα γνωρίσματα που έχει σε μεγαλύτερο βαθμό από όλους τους άλλους που είναι όμοιοι με αυτόν / αυτήν ή τα γνωρίσματα που έχει σε πολύ μεγάλο βαθμό.

Παράδειγμα: *Θαυμάζω την αδελφή του Γιώργου, γιατί είναι η πιο καλή κοπέλα που ξέρω.*

Θαυμάζω τον Ντίνο, γιατί είναι πάρα πολύ κοινωνικός.

ΠΑΡΑΓΩΓΗ ΠΡΟΦΟΡΙΚΟΥ ΛΟΓΟΥ

Άσκηση 1

Γίνετε ζευγάρια και απαντήστε στις παρακάτω ερωτήσεις.

- Έχεις φίλους;
- Πώς περνάς με τους φίλους σου;
- Κάνεις εύκολα παρέες;
- Πόσους φίλους έχεις στο facebook;
- Με ποιον μοιράζεσαι τα προβλήματά σου;
- Ποια είναι τα προβλήματα των νέων με την οικογένειά τους; Πώς πιστεύεις ότι ξεπερνιούνται;
- Πιστεύεις ότι μια τηλεφωνική γραμμή υποστήριξης μπορεί να βοηθήσει τους ανθρώπους που ζουν μόνοι;
- Ένας φίλος μπορεί να βοηθήσει, όπως ένας ψυχολόγος;
- «Μαγκιά δεν είναι να έχεις 1.000 φίλους στο facebook. Μαγκιά είναι να φροντίζεις τους λίγους φίλους που έχεις στην αληθινή ζωή». Συμφωνείς με αυτή την άποψη;
- Προτιμάς να έχεις έναν καλό φίλο ή πολλές παρέες;

- Πιστεύεις ότι υπάρχουν δυνατές σχέσεις στη σύγχρονη εποχή;
- Πού οφείλονται οι δυσκολίες των ανθρώπων στην επικοινωνία;
- Ξέρεις τι είναι ο σχολικός εκφοβισμός; Έχεις κάποια προσωπική εμπειρία;
- Υπάρχει εκφοβισμός σε άλλα μέρη, εκτός από το σχολείο;
- Συμμετέχεις σε κάποια εθελοντική ομάδα; Σε ποια;

Συμβουλή: Μη δίνεις μονολεκτικές απαντήσεις. Δεν υπάρχει σωστή και λάθος απάντηση. Απλώς αιτιολόγησε.

Άσκηση 2

Διάβασε τις παρακάτω φράσεις. Τι είναι η **φιλία** για σένα;

Η φιλία είναι ...	
να αγαπάς τον φίλο σου με τα ελαττώματά του.	
να μοιράζεσαι ιδέες, ανάγκες, αισθήματα, όνειρα, αξίες, χρόνο και αντικείμενα.	
συμπαράσταση, εμπιστοσύνη, ειλικρίνεια, στήριξη.	
η πιο σημαντική σχέση στη ζωή.	
πολύ σπάνια στην εποχή μας.	
μια βόλτα κι ένας καφές.	
αδύνατο να υπάρξει στις μέρες μας.	
η καλύτερη επένδυση.	
να μπορείς να λες τα μυστικά σου.	
η πιο μεγάλη αγάπη.	
μια σχέση που κρατάει για πάντα.	

Άσκηση 3

Δες τις εικόνες και σημείωσε στον παρακάτω πίνακα ποια εικόνα περιγράφει κάθε πρόταση.

		1	2	3
α.	Όλα τα πρόσωπα της φωτογραφίας είναι χαμογελαστά.			
β.	Δύο ηλικιωμένα άτομα που αγαπιούνται πολύ.			
γ.	Μια παρέα φίλων μπροστά στο τζάκι.			
δ.	Μια καινούρια σχέση που θα κρατήσει για πάντα.			
ε.	Μια δοκιμασμένη σχέση που πέρασε πολλά και άντεξε στον χρόνο.			
στ.	Βρίσκονται σε έναν κλειστό χώρο και πίνουν καφέ ή τσάι.			
ζ.	Φοράνε άσπρα ρούχα. Ίσως γιατί η σχέση τους είναι και θα παραμείνει για πάντα αγνή.			
η.	Φαίνονται πολύ χαρούμενοι κι ευτυχισμένοι.			
θ.	Νιώθουν αγάπη και τρυφερότητα ο ένας για τον άλλο.			

Άσκηση 4

(cd 1, 21) Άκου με προσοχή δύο παιδιά να μιλούν για τα προβλήματα στις σχέσεις των σύγχρονων ανθρώπων και συμπλήρωσε τα κενά.

Οι άνθρωποι είμαστε διαφορετικοί. Συχνά οι διαφορές μας προκαλούν προβλήματα στις σχέσεις μας. Σε μια εποχή που η τεχνολογία φέρνει τους ανθρώπους τόσο κοντά, γιατί οι σχέσεις μας περνάνε ⁰_____κρίση_____; Ακούστε τη γνώμη τεσσάρων νέων ανθρώπων.

1 Καλημέρα σας! Πιστεύω ότι οι ανθρώπινες σχέσεις απειλούνται κυρίως από την ¹_____. Δεν εμπιστευόμαστε πια τους φίλους, τους συντρόφους ή τους συναδέλφους μας. Έτσι, δεν αναπτύσσουμε ²_____ και συναισθήματα. Είναι ανάγκη να πιστέψουμε στις δυνατότητες που έχουν οι άνθρωποι, όταν είναι μαζί. Πρέπει να πιστέψουμε τους ανθρώπους μας και να τολμήσουμε να τους πλησιάσουμε, να μη φοβόμαστε, ακόμη κι αν μας ³_____.

2 Γεια σας! Συμφωνώ με το γεγονός ότι η έλλειψη εμπιστοσύνης είναι μεγάλο πρόβλημα στις ανθρώπινες σχέσεις. Θέλω να προσθέσω, όμως, και τον ⁴_____. Αποφεύγουμε να βοηθήσουμε κάποιον να πετύχει στη ζωή του. Θέλουμε να είμαστε εμείς μπροστά και οι άλλοι να μας ακολουθούν. Δεν μπορούμε να ακολουθήσουμε κάποιον στην επιτυχία του. Είναι εύκολο, ξέρετε, να λυπόμαστε, όταν κάποιος είναι στενοχωρημένος. Δεν είναι, όμως, καθόλου εύκολο να χαιρόμαστε με τη χαρά του και την επιτυχία του.

3 Για μένα ένα σημαντικό εμπόδιο στην ανάπτυξη των ανθρώπινων σχέσεων είναι η ⁵_____: σχολείο, διάβασμα, υποχρεώσεις. Δεν υπάρχει χρόνος για επικοινωνία και επαφή με τους φίλους και τις φίλες μας. Από την άλλη, συνεχίζουμε να έχουμε ανάγκη ο ένας τον άλλο. Έτσι, καταφεύγουμε στα ⁶_____ που καλύπτουν και ικανοποιούν αυτήν ακριβώς την ανάγκη. Δίνουν τη δυνατότητα παρέας και συντροφιάς ⁷_____. Οποιαδήποτε ώρα της μέρας ανοίγουμε τον υπολογιστή μας, βλέπουμε τα νέα των φίλων μας κι ενημερώνουμε για τα δικά μας. Έτσι νομίζουμε ότι επικοινωνούμε. Επίσης, οι φιλίες από απόσταση δεν δημιουργούν υποχρεώσεις: όποτε μπορούμε, όσο μπορούμε. Κανείς δεν έχει απαιτήσεις από μας. Σίγουρα τα οφέλη είναι πολλά, αλλά είναι απαραίτητο να γνωρίζουμε και τους κινδύνους. Το διαδίκτυο θέλει προσοχή και ⁸_____!

4 Εγώ πιστεύω ότι το μεγάλο πρόβλημα στις ανθρώπινες σχέσεις είναι η ⁹_____. Οι άνθρωποι δεν επικοινωνούν. Όταν κάποια στιγμή γίνει μια ¹⁰_____, δεν υπάρχει διάθεση για διάλογο και συζήτηση. Κι όμως, η συζήτηση λύνει πολλές δύσκολες καταστάσεις. Ας αφιερώσουμε λίγο χρόνο στις σχέσεις μας, να ακούσουμε τι έχουν να μας πουν οι άνθρωποι που είναι κοντά μας. Ας τους μιλήσουμε κι εμείς με τη διάθεση να τους κατανοήσουμε στα εύκολα και στα δύσκολα. Αν καταφέρουμε να επικοινωνήσουμε, είναι βέβαιο ότι θα βρούμε τη λύση.

Άσκηση 5

Δες με προσοχή τις φωτογραφίες και περίγραψέ τες.

Συμβουλή:

Μίλα για το θέμα τους, τις ομοιότητες και τις διαφορές τους. Ποια φωτογραφία σού αρέσει περισσότερο;

Χρήσιμο λεξιλόγιο

- συγκρούσεις
- ανθρώπινες σχέσεις
- δυνατός δεσμός
- προδίδω κάποιον / με προδίδει

- ανταγωνισμός
- αμοιβαιότητα
- κοινωνικά δίκτυα
- συντροφιά
- παρεξήγηση

- επικοινωνώ
- σεβασμός
- απόσταση
- επαφή

Άσκηση 6

Γίνετε ζευγάρια και παίξτε τα παρακάτω παιχνίδια ρόλων.

Συμβουλή:

Υπογράμμισε τις λέξεις-κλειδιά που έχει κάθε ρόλος. Γράψε το λεξιλόγιο που θα χρειαστείς.

Αν ο συμμαθητής / η συμμαθήτριά σου μιλάει γρήγορα και δεν τον / την καταλαβαίνεις, μπορείς να πεις «Συγνώμη, δεν κατάλαβα, μπορείς να το ξαναπείς; Πιο αργά, παρακαλώ...»

Πώς να μιλήσω;

Ρόλος Α

Είσαι ερωτευμένος / ερωτευμένη με έναν συμμαθητή / μια συμμαθήτριά σου, αλλά δεν ξέρεις πώς να τον / την πλησιάσεις. Συζητάς μ' έναν φίλο / μια φίλη σου και ζητάς τη βοήθειά του / της. Ακούς τις συμβουλές του / της και του / της λες τι σε φοβίζει και δεν μπορείς να εκφράσεις τα συναισθήματά σου. Προσπαθείτε μαζί να βρείτε μια λύση.

Ρόλος Β

Ένας φίλος / Μια φίλη σου είναι ερωτευμένος / ερωτευμένη με έναν συμμαθητή / μια συμμαθήτριά σου, όμως φοβάται να του / της μιλήσει. Ζητάει τη βοήθειά σου. Του / Της δίνεις συμβουλές. Προσπαθείτε μαζί να βρείτε μια λύση.

Δεν με καταλαβαίνεις πια ...

Ρόλος Α

Έχετε προβλήματα στη σχέση σας. Ο σύντροφός σας δεν επικοινωνεί μαζί σας και δεν σας στηρίζει πια. Συζητάτε μαζί του και κάνετε μια τελευταία προσπάθεια να τα βρείτε. Του λέτε πώς αισθάνεστε και ακούτε τα δικά του συναισθήματα.

Ρόλος Β

Έχετε προβλήματα στη σχέση σας. Η σύντροφός σας πιστεύει ότι δεν επικοινωνείτε. Εσείς πιστεύετε ότι έχει άδικο. Συζητάτε μαζί της και κάνετε μια τελευταία προσπάθεια να τα βρείτε. Της λέτε πώς αισθάνεστε και ακούτε τα δικά της συναισθήματα.

ΠΑΡΑΓΩΓΗ ΓΡΑΠΤΟΥ ΛΟΓΟΥ

Άσκηση 1

Παρακάτω είναι η περιγραφή από τα εγκαίνια ενός νέου μπαρ στην πόλη σου. Διάβασε το κείμενο προσεκτικά και διάλεξε έναν πλαγιότιτλο για κάθε παράγραφο.

μαρτυρίες, εντυπώσεις, περιγραφή χώρου, εισαγωγή

Του παλιού καιρού...

1 _____
_____

Μια νέα πρόταση διασκέδασης κι επικοινωνίας είναι πια πραγματικότητα στην πόλη μας. Το νέο μπαρ, που άνοιξε πριν από λίγες μέρες, είναι ήδη σημείο αναφοράς στη βραδινή διασκέδαση. Βρίσκεται στην οδό Ταντάλου σε ένα παλιό, ανακαινισμένο, διώροφο, νεοκλασικό κτίριο.

2 _____
_____

Τα εγκαίνια του μαγαζιού έγιναν χθες στις 7 το απόγευμα και ήμασταν εκεί, για να σας μεταφέρουμε όλα τα νέα από την κοινωνική αυτή εκδήλωση. Στην εκδήλωση ήταν πολλά γνωστά πρόσωπα από τον καλλιτεχνικό χώρο. Οι εντυπώσεις όλων ήταν μοναδικές. Ο ζεστός χώρος, η ποιότητα της μουσικής και του ποτού κέρδισαν την εκτίμηση του κόσμου.

3 _____
_____

Αυτό που κάνει το νέο μπαρ μοναδικό είναι η ιδέα και η επιθυμία των ιδιοκτητών του να γίνει σημείο επικοινωνίας και νέων γνωριμιών. «Έχουμε ανάγκη από επικοινωνία. Οι νέοι σήμερα ζούμε μόνοι και ταλαιπωρούμαστε από αυτή τη μοναξιά. Χρειαζόμαστε έναν χώρο, όπου θα μπορούμε να κάνουμε καινούριες γνωριμίες και θα έχουμε την ευκαιρία να επικοινωνήσουμε με τους φίλους μας. Η ένταση της μουσικής επιτρέπει τη συζήτηση και το καλό ποτό δημιουργεί την ευχάριστη διάθεση που είναι απαραίτητη για νέες γνωριμίες. Πιστεύουμε ότι αυτό το μαγαζί θα κερδίσει την εμπιστοσύνη του κόσμου και θα γίνει η νέα πρόταση στην αντίληψη για την επικοινωνία και τη διασκέδαση».

4 _____
_____

Ο νέος αυτός χώρος γρήγορα μπήκε στην καρδιά των νέων της πόλης μας. Γεμάτος από ζωή, υπόσχεται να μας βγάλει από τη μοναξιά και τη ρουτίνα της καθημερινότητάς μας. Ελάτε στην οδό Ταντάλου και πιστέψτε στις δυνατότητές του!

Άσκηση 2

Διάβασε προσεκτικά το παραπάνω κείμενο ξανά και βρες:

Ποιες λέξεις / φράσεις περιγράφουν και χαρακτηρίζουν τον νέο χώρο:

_____

Άσκηση 3

Στην παρακάτω ακροστιχίδα γράψε σε κάθε γραμμή όσες περισσότερες λέξεις μπορείς που έχουν σχέση με την επικοινωνία και περιέχουν ή αρχίζουν από το κάθε γράμμα της λέξης *επικοινωνία*.

Ε	εμπιστοσύνη,
Π	
Ι	
Κ	
Ο	
Ι	
Ν	
Ω	
Ν	
Ι	
Α	

Άσκηση 4

Δουλεύεις σε ένα περιοδικό και ο διευθυντής σου σου ζήτησε να παρουσιάσεις στους αναγνώστες μια εκδήλωση που έγινε πριν από λίγες μέρες με θέμα τον ρόλο των κοινωνικών δικτύων στη ζωή των νέων. Παρουσιάζεις την εκδήλωση. (150 λέξεις)

Συμβουλή:
Υπογράμμισε τις λέξεις-κλειδιά και, για κάθε λέξη-κλειδί, σημείωσε το λεξιλόγιο που θα σου χρειαστεί.

σχεδιάγραμμα / χρήσιμο λεξιλόγιο

Το κείμενο που έγραψα:

– παρουσιάζει μια κοινωνική εκδήλωση.	
– έχει τίτλο.	
– αναφέρει τον χρόνο (πότε έγινε η εκδήλωση).	
– αναφέρει τον τόπο (πού έγινε η εκδήλωση).	
– αναφέρει τη γνώμη αυτών που ήταν εκεί.	
– αναφέρει τη γνώμη μου.	

Ώρα για τραγούδι

(cd 1, 22)

Άκου μία φορά το τραγούδι.

Άσκηση 1

Άκου ξανά το τραγούδι και συμπλήρωσε τα κενά.

Γειτονιά με σκεπές και χώμα στους δρόμους,

παλικάρια ωραία με σακάκια στους ώμους,

δροσερές ⁰ _κοπελιές_ με κόκκινα κραγιόν,

κάθε μέρα στις αυλές έχει ¹_____.

Λουλούδια σε χρώματα πολλά, αρώματα σπουδαία

προσφέρουμε κάθε φορά σε όλη την ²_____.

Τριαντάφυλλα, βασιλικός και γιασεμί στον τοίχο,

νερό, γλυκό του κουταλιού και βέβαια υποβρύχιο.

Γειτονιά με σκεπές και πέτρες στον δρόμο,

ψυχές δυνατές από έρωτα και πόνο,

φιλίες, αγάπες, ³_____ και έρωτες μοιραίοι

που έχουνε μέσα στην ⁴_____

οι νέες και οι ⁵_____.

Γειτονιά με σκεπές και χώμα στους δρόμους,

σ' αγαπάμε πολύ, μας μεγάλωσες όλους. } (δις)

Άσκηση 2

Μοιάζει η γειτονιά που περιγράφει το τραγούδι με τη δική σου; Ποιες είναι οι ομοιότητες και οι διαφορές τους;

_____

_____

_____

_____

_____

_____

_____

_____

_____

_____

⚠ Τώρα ξέρεις ...

	Ναι	Όχι
να συζητάς για προσωπικά σου θέματα;		
να συζητάς για τις προσωπικές ή επαγγελματικές σχέσεις των ανθρώπων;		
να συζητάς για τον σχολικό εκφοβισμό;		
να παρουσιάζεις μια κοινωνική εκδήλωση;		
να χρησιμοποιείς επίθετα σε -ύς, -ιά, -ύ; -ής, -ιά, -ί; -ης, -α, -ικο;		
να χρησιμοποιείς τον υπερθετικό βαθμό;		

Ενότητα 5

ΟΡΤΣΑ ΤΑ ΠΑΝΙΑ!!!

ΠΟΣΟ ΣΥΧΝΑ ΚΑΝΕΙΣ ΔΙΑΚΟΠΕΣ;

...❦ ΣΟΥ ΑΡΕΣΟΥΝ ΟΙ ΚΡΟΥΑΖΙΕΡΕΣ; ❦...

ΠΡΟΤΙΜΑΣ ΤΙΣ ΔΙΑΚΟΠΕΣ ΣΤΟ ΒΟΥΝΟ ΄Η ΣΤΗ ΘΑΛΑΣΣΑ;

ΚΑΤΑΝΟΗΣΗ ΓΡΑΠΤΟΥ ΛΟΓΟΥ

Άσκηση 1
Ρίξε μια γρήγορη ματιά στα παρακάτω κείμενα και πες ποιο από αυτά είναι διαφήμιση ξενοδοχείου και ποιο διαφήμιση κρουαζιέρας.

Άσκηση 2
Διάβασε τα παρακάτω κείμενα και, στον πίνακα που ακολουθεί, σημείωσε ✓ κάτω από το ΣΩΣΤΟ για τις προτάσεις που συμφωνούν με τα κείμενα ή κάτω από το ΛΑΘΟΣ για τις προτάσεις που δεν συμφωνούν.

Συμβουλή:
Όταν κάνεις την άσκηση, υπογράμμισε τις απαντήσεις μέσα στο κείμενο.

Internet □ X

File   Edit   View   History   Bookmarks   Tools   Help

search...

ΑΡΧΙΚΗ   ΤΟ ΞΕΝΟΔΟΧΕΙΟ   ΛΙΜΝΗ ΚΕΡΚΙΝΗ   ΚΟΙΝΩΝΙΚΕΣ ΕΚΔΗΛΩΣΕΙΣ   ΝΕΑ-ΠΡΟΣΦΟΡΕΣ   ΕΠΙΚΟΙΝΩΝΙΑ

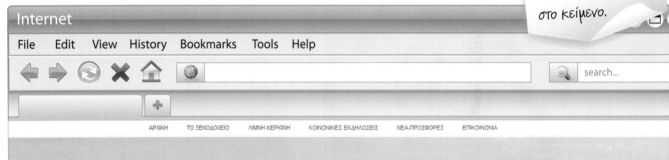

Το παραδοσιακό ξενοδοχείο μας βρίσκεται στο γραφικό χωριό Άνω Πορόια. Έχει δωμάτια με μπαλκόνι και εκπληκτική θέα στη λίμνη Κερκίνη. Όλοι οι χώροι έχουν πολύ ωραία διακόσμηση και δωρεάν Wi-Fi.

Τα δωμάτια έχουν ζεστά χρώματα, δορυφορική τηλεόραση και μίνι μπαρ. <u>Ορισμένα</u> έχουν τζάκι και κουζίνα με όλο τον απαραίτητο εξοπλισμό. Στην τραπεζαρία σερβίρεται πλούσιο ευρωπαϊκό πρωινό, ενώ, αργότερα, μπορείτε να <u>απολαύσετε</u> ένα δροσιστικό ποτό ή ένα ελαφρύ γεύμα στο σνακ μπαρ του καταλύματος.

Πολύ κοντά στις εγκαταστάσεις μας υπάρχουν εστιατόρια, ταβέρνες και σούπερ μάρκετ. Μέσα στο χωριό μπορείτε να κάνετε παρέα με τους ντόπιους κατοίκους που <u>φημίζονται</u> για τη φιλοξενία τους.

Επίσης, μπορείτε να χρησιμοποιήσετε <u>δωρεάν</u> ένα ποδήλατο και να κάνετε όμορφες βόλτες στη γύρω περιοχή. Η λίμνη Κερκίνη είναι 9 χλμ. μακριά κι εκεί μπορείτε να κάνετε <u>βαρκάδα</u>, <u>ιππασία</u> κτλ. Ο ποταμός Στρυμόνας και η πόλη των Σερρών απέχουν 26 χλμ. και 60 χλμ. αντίστοιχα. Σε κοντινή <u>τοποθεσία</u> υπάρχει δωρεάν δημόσιος χώρος στάθμευσης.

Αξιοποιήστε τα πακέτα προσφορών μας και μειώστε το κόστος διαμονής. Κάντε κράτηση για 3 διανυκτερεύσεις με ημιδιατροφή και κερδίστε έκπτωση 20%. Στις τιμές περιλαμβάνεται χαμάμ, σάουνα και τζακούζι. <u>Αποδράστε</u> από την καθημερινότητα και περάστε αξέχαστα μέσα στη φύση σε μια καταπράσινη έκταση 50 στρεμμάτων.

Ανακαλύψτε κοσμοπολίτικα, μακρινά μέρη και εξωτικά νησιά! Επιλέξτε για τις διακοπές σας μια κρουαζιέρα. Είναι μια μοναδική εμπειρία που αξίζει να τη ζήσετε! Απολαύστε όλες τις παροχές που προσφέρουν τα υπερσύγχρονα πλοία πολυτελείας και γνωρίστε μακρινούς και ονειρεμένους προορισμούς!

Οργανώνονται κρουαζιέρες στη βόρεια Ευρώπη (γνωστή ως Βαλτική), τη δυτική και ανατολική Μεσόγειο, αλλά και σε εξωτικά νησιά και μέρη, όπως για παράδειγμα στην Καραϊβική, στην Ασία, και στη Λατινική Αμερική.

Αναχωρήσεις από Αθήνα, Θεσσαλονίκη και Λάρνακα κατά τη διάρκεια όλου του χρόνου.

Κάνετε κράτηση νωρίς, έως και 7 μήνες πριν από το ταξίδι σας, και κερδίστε έως και 30% έκπτωση!!!

Οι πληροφορίες προέρχονται από το διαδίκτυο.

		ΣΩΣΤΟ	ΛΑΘΟΣ
0.	Το ξενοδοχείο έχει διαδίκτυο.	✓	
1.	Σε όλα τα δωμάτια του ξενοδοχείου μπορείς να μαγειρέψεις.		
2.	Οι ταβέρνες δεν απέχουν πολύ από το ξενοδοχείο.		
3.	Μπορείς να γνωρίσεις την περιοχή με τα ποδήλατα του ξενοδοχείου.		
4.	Στην περιοχή δεν έχει καθόλου χώρο για παρκάρισμα.		
5.	Τα πλοία για την κρουαζιέρα είναι πολύ μοντέρνα.		
6.	Αν κλείσεις νωρίς θέση για την κρουαζιέρα, θα πληρώσεις μισοτιμής.		

Άσκηση 3

Διάβασε ξανά τα δύο κείμενα και πρότεινε σε έναν φίλο / μια φίλη σου:

• να πάει διακοπές σε μια περιοχή κοντά σε λίμνη.
• να κάνει μια κρουαζιέρα.

Λεξιλόγιο

Άσκηση 1

Γίνετε ζευγάρια, δείτε τις υπογραμμισμένες λέξεις / φράσεις του κειμένου (σελ. 176-177) και βρείτε με ποιες από τις παρακάτω λέξεις / φράσεις ταιριάζουν στη σημασία.

0. η θέση που βρίσκεται κάποιος τόπος, ένα ξενοδοχείο, ένα σπίτι = __τοποθεσία__

1. ευχαριστιέμαι = _____

2. βόλτα με τη βάρκα = _____

3. βόλτα ή άθλημα που κάνουμε με το άλογο = _____

4. μερικά = _____

5. χωρίς χρήματα, τζάμπα = _____

6. δραπετεύω, ξεφεύγω = _____

7. είμαι γνωστός για κάτι = _____

Άσκηση 2

Γίνετε ζευγάρια, ενώστε τις λέξεις με αντίθετη σημασία και κάνετε προτάσεις με αυτές.

0. νωρίς   _ε_   **α.** βαρύ

1. δημόσιος   _____   **β.** χάνω

2. ντόπιος   _____   **γ.** σύγχρονο

3. μειώνω   _____   **δ.** μακρινή

4. κερδίζω   _____   **ε.** αργά

5. αναχώρηση   _____   **στ.** ξένος

6. παραδοσιακό   _____   **ζ.** άφιξη

7. ελαφρύ   _____   **η.** ιδιωτικός

8. κοντινή   _____   **θ.** αυξάνω

Άσκηση 3

Γίνετε ζευγάρια, διαβάστε τους παρακάτω ορισμούς και συμπληρώστε τα κενά στις προτάσεις με τις λέξεις του κρυπτόλεξου.

0. Αυτός που ζει στον τόπο όπου γεννήθηκε και από όπου κατάγεται. _____Ντόπιος_____

1. Αυτός που χρειάζεται οπωσδήποτε. _____

2. Το πρωινό και ένα κύριο γεύμα που παρέχεται σε ξενοδοχείο. _____

3. Βάζω ωραία πράγματα σε έναν χώρο, για να τον κάνω πιο όμορφο. _____

4. Μέρος που συγκεντρώνει πολλούς ντόπιους και ξένους τουρίστες με υψηλό οικονομικό και κοινωνικό επίπεδο. _____

5. Είναι αναγκαίος και απαραίτητος για ένα άθλημα ή χόμπι. _____

6. Όταν περνά κάποιος τη νύχτα σε ένα ξενοδοχείο, κάνει μια _____.

7. Χώρος που είναι κατάλληλος για την προσωρινή διαμονή κάποιου. _____

8. Μακρινά μέρη που έχουν πολύ διαφορετικό πολιτισμό από τον δυτικό. _____

0	Α	Δ	Κ	Υ	Ν	Τ	Ο	Π	Ι	Ο	Σ	Θ	Π	Η	Τ
1	Τ	Η	Ε	Λ	Α	Π	Α	Ρ	Α	Ι	Τ	Η	Τ	Ο	Σ
2	Σ	Η	Μ	Ι	Δ	Ι	Α	Τ	Ρ	Ο	Φ	Η	Α	Τ	Α
3	Ψ	Φ	Α	Δ	Ι	Α	Κ	Ο	Σ	Μ	Ω	Κ	Κ	Π	Η
4	Ω	Ξ	Κ	Ο	Σ	Μ	Ο	Π	Ο	Λ	Ι	Τ	Ι	Κ	Ο
5	Β	Δ	Ι	Ε	Ξ	Ο	Π	Λ	Ι	Σ	Μ	Ο	Σ	Ι	Μ
6	Δ	Ι	Α	Ν	Υ	Κ	Τ	Ε	Ρ	Ε	Υ	Σ	Η	Ρ	Λ
7	Ν	Ο	Κ	Α	Τ	Α	Λ	Υ	Μ	Α	Ψ	Η	Κ	Κ	Ι
8	Κ	Α	Δ	Φ	Υ	Η	Ε	Ξ	Ω	Τ	Ι	Κ	Α	Ρ	Τ

Άσκηση 4

Οι παρακάτω λέξεις έχουν περισσότερες από μία σημασίες. Γίνετε ζευγάρια, βρείτε τις λέξεις μέσα στο κείμενο (σελ. 176-177) και σημειώστε ποια σημασία έχουν σε αυτό.

σερβίρω

βάζω φαγητό: Τι ώρα να σερβίρω το γλυκό;

προσφέρω φαγητό με συγκεκριμένο τρόπο (παθ.): Το κοτόπουλο σερβίρεται με πουρέ ή ρύζι.

απέχω

έχω απόσταση από κάτι: Η Αθήνα απέχει 3 ώρες από την Πάτρα με το αυτοκίνητο.

δεν συμμετέχω: Τον τελευταίο καιρό απέχω από πολιτικές συζητήσεις.

αποφεύγω: Όσο καιρό παίρνεις αντιβίωση, πρέπει να απέχεις από τα ποτά με αλκοόλ.

φιλοξενία

η φιλική διάθεση: Οι Έλληνες είναι γνωστοί για τη φιλοξενία τους.

δωρεάν παροχή στέγης, τροφής: Οι μετανάστες βρήκαν φιλοξενία στη χώρα μας.

εξυπηρέτηση: Η φιλοξενία στα καταλύματα της περιοχής είναι καταπληκτική.

εγκατάσταση

ένα κτίριο που προορίζεται για μια συγκεκριμένη χρήση (πληθ): Οι εγκαταστάσεις του σχολείου είναι πολύ παλιές.

μόνιμη διαμονή κάπου: Η εγκατάστασή μας στο σπίτι θα γίνει τον επόμενο μήνα.

Άσκηση 5

Γίνετε ζευγάρια και ενώστε τις λέξεις, για να κάνετε φράσεις που χρησιμοποιούνται πολύ συχνά. Με μερικές λέξεις μπορείτε να κάνετε περισσότερους από έναν συνδυασμούς. Μετά γράψτε προτάσεις με τις φράσεις που κάνατε.

0. χώρος	**α.** διαμονής _____
1. σούπερ	**β.** γεύμα _____
2. μοναδική	**γ.** χωριό _____
3. πλούσιο	**δ.** χρώματα _____
4. γραφικό	**ε.** πρωινό _____
5. ελαφρύ	**στ.** τηλεόραση _____
6. μίνι	**ζ.** μάρκετ _____
7. ζεστά	**η.** μέρη _____
8. πακέτα	**θ.** προορισμός _____
9. δορυφορική	**ι.** μπαρ _____
10. ονειρεμένος	**ια.** στάθμευσης ___0___
11. κόστος	**ιβ.** διακοπές _____
12. μακρινά	**ιγ.** νησιά _____
13. κάνω	**ιδ.** προσφορών _____
14. εξωτικά	**ιε.** κράτηση _____
	ιστ. εμπειρία _____

Άσκηση 6

Ποιες από τις παρακάτω φράσεις είναι Σωστές και ποιες Λάθος;

0. Στην Κερκίνη μπορείτε να κάνετε πολύ ωραία ιππασία μέσα στη λίμνη.   Λ

1. Πήγα σε ένα ξενοδοχείο πολυτελείας με όλες τις ανέσεις. _____

2. Το ξενοδοχείο παρέχει μόνο πρωινό, όχι ημιδιατροφή. _____

3. Κάντε κράτηση τώρα και αυξήστε το κόστος της διαμονής σας. _____

4. Στα καταλύματά μας μπορείτε να φάτε πολύ καλά, αλλά, δυστυχώς, δεν διαθέτουμε καθόλου δωμάτια. _____

5. Ο Μάριος είναι πολύ φιλόξενος και εχθρικός. _____

6. Σου λέω, η Ελένη είναι πολύ καλή ηθοποιός, φημίζεται για το ταλέντο της, δεν την ξέρει κανείς. _____

Άσκηση 7

Γίνετε ζευγάρια, δείτε τις παρακάτω λέξεις και συμπληρώστε τα κενά κάθε σειράς του πίνακα με λέξεις που ανήκουν στην ίδια οικογένεια.

> τοπικός, φιλοξενία, φημισμένος, απολαυστικός, τοποθεσία, διακοσμητικός, προορισμός, φιλόξενος, μειωμένος, τόπος, μείωση, διακόσμηση, εξοπλισμός, απόλαυση, ανακάλυψη, αφιλόξενος, μένω, κόστος, φήμη, φιλοξενούμενος, εξοπλισμένος, βάρκα, διανυκτερεύω

ρήμα	ουσιαστικό	επίθετο
τοποθετώ	0 _τοποθεσία_ , 1 _____	2 _____
διακοσμώ	3 _____	4 _____
εξοπλίζω	5 _____	6 _____
απολαμβάνω	7 _____	8 _____
φιλοξενώ	9 _____	10 _____, 11 _____, 12 _____
ανακαλύπτω	13 _____	-
μειώνω	14 _____	15 _____
16 _____	διαμονή	-
κοστίζω	17 _____	-
φημίζομαι	18 _____	19 _____
προορίζω	20 _____	-
-	21 _____ , βαρκάδα	-
22 _____	διανυκτέρευση	-

Άσκηση 8

Γίνετε ζευγάρια και συμπληρώστε τα κενά, όπως στο παράδειγμα.

ΚΕΝΥΑ
Αναλυτικό πρόγραμμα

1η ημέρα — Αναχώρηση από Αθήνα

⁰ _Αναχώρηση_ (αναχωρώ) από το αεροδρόμιο της Αθήνας «Ελευθέριος Βενιζέλος» με ¹_____ (προορίζω) το Ναϊρόμπι και ενδιάμεσο σταθμό τη Ντόχα.

2η ημέρα — Άφιξη στο Ναϊρόμπι — Λίμνη Naivasha

Άφιξη στο αεροδρόμιο. Αφού περάσετε από το τελωνείο, οι αντιπρόσωποι των γραφείων μας θα σας μεταφέρουν στο ξενοδοχείο και μετά σε ένα ωραίο εστιατόριο, για να ²_____ (απόλαυση) το μεσημεριανό σας γεύμα. Στη συνέχεια, θα δείτε τη λίμνη της περιοχής και θα κάνετε ³_____ (βάρκα).

3η ημέρα — Πρωινό ξύπνημα για σαφάρι.

Θα έχετε την πρώτη σας επαφή με μοναδικές ⁴_____ (τοποθετώ). Απολαύστε τη διαδρομή και ⁵_____ (ανακάλυψη) τα μυστικά της άγριας φύσης της Κένυας.

4η ημέρα — Χωριό των Μασάι

Ξενάγηση στο αυθεντικό χωριό των Μασάι και στη συνέχεια απογευματινό σαφάρι. Δείπνο και ⁶_____ (διανυκτερεύω).

5η ημέρα — Επιστροφή.

Πρωινό. Μετάβαση στο αεροδρόμιο της Ζανζιβάρης για την πτήση της επιστροφής.

Κάντε κράτηση νωρίς, για να πετύχετε σημαντική ⁷_____ (μειώνω) στην τιμή, μέχρι και 40%. Το ⁸_____ (κοστίζω) της εκδρομής είναι μεταξύ 2.000 και 2.500 ευρώ για κάθε άτομο. Η ⁹_____ (μένω) σας στα καταλύματα της περιοχής θα σας μείνει πραγματικά αξέχαστη. Αν είστε τυχεροί, θα δείτε πολλά άγρια ζώα, όπως ελέφαντες, λιοντάρια και ρινόκερους.

Οι πληροφορίες προέρχονται από το διαδίκτυο.

Άσκηση 9

Γίνετε ζευγάρια, διαβάστε τα παρακάτω τουριστικά πακέτα διακοπών και στον πίνακα που ακολουθεί σημειώστε ✓ στο τι προσφέρει το καθένα, όπως στο παράδειγμα. Τα ✓ που πρέπει να συμπληρώσετε είναι 12, χωρίς το παράδειγμα.

Πολυτελής διαμονή σε συγκρότημα 4 αστέρων με υψηλή αισθητική κι εκπληκτική θέα στο πέλαγος, στη γέφυρα Ρίου-Αντιρρίου και στο Παναχαϊκό όρος! Περάστε αξέχαστα μέσα στη φύση, σε μια καταπράσινη έκταση 35 στρεμμάτων μόλις 8χλμ. από την αχαϊκή πρωτεύουσα.

αναχωρήσεις:
28/2, 01/03 & 22/03/2014

55€ για μια φοβερή, αξέχαστη εμπειρία 2 ατόμων σε έναν μοναδικά όμορφο προορισμό. Πλήρως εξοπλισμένο δίκλινο δωμάτιο με μπαλκόνι. 5 χλμ. από το Μέτσοβο. Αρχική αξία 92€

μόνο 189€

189€ για ένα 3ήμερο σε ξενοδοχείο πολυτελείας στο Πήλιο, για 2 ενηλίκους και 1 παιδί έως 12 ετών. Δίκλινο δωμάτιο με θέα στην παραλία, πλούσια πρωινά σε μπουφέ, ελεύθερη χρήση γυμναστηρίου, χαμάμ, σάουνα, τζακούζι και 1 θεραπεία σώματος για 2 άτομα!

3ήμερη απόδραση στην Αράχοβα!

145 ευρώ για 2 διανυκτερεύσεις 2 ατόμων με πλούσιο πρωινό και μεσημεριανό στη μαγευτική και κοσμοπολίτικη Αράχοβα, με έκπτωση 40% !!

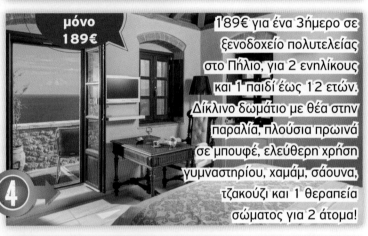

Αποδράστε στην πολυτέλεια του ξενοδοχείου 5 αστέρων στη Μονεμβασιά!! 180 € για ένα 3ήμερο (2 νύχτες) 2 ατόμων, από Παρασκευή έως Κυριακή. Διαμονή σε δίκλινο δωμάτιο, πρωινό σε μπουφέ, ένα γεύμα, μία θεραπεία σώματος για 2 άτομα, δωρεάν διαμονή ενός παιδιού έως 12 ετών, ελεύθερη χρήση γυμναστηρίου, χαμάμ και σάουνας. Αρχική Αξία 310 € Έκπτωση 42%!! μόνο 180 €

		1	2	3	4	5
α.	θέα στη θάλασσα	✓				
β.	ημιδιατροφή					
γ.	μειωμένη τιμή					
δ.	πολλά αστέρια					
ε.	θέα στο βουνό					
στ.	επιπλέον υπηρεσίες					

Άσκηση 10

Κάνε ερωτήσεις στον διπλανό / στη διπλανή σου και συμπλήρωσε τον πίνακά σου.

Παράδειγμα:

Μαθητής Α: _Τι δωμάτιο έχεις στο Α1;_

Μαθητής Β: _Ένα δίκλινο με δύο μονά κρεβάτια στο ισόγειο του ξενοδοχείου._

Μαθητής Α: _Μπορώ να κλείσω 1 δωμάτιο;_

Μαθητής Β: _Ναι._

Μαθητής Α: _Μπορούμε να βάλουμε ένα κρεβατάκι για μωρό;_

Μαθητής Β: _Ναι, χωράει μία βρεφική κούνια._

Μαθητής Α	1	2	3
Α	**1 ζευγάρι με 1 παιδί** Είδος: _Δίκλινο_ **Μέγεθος κρεβατιού:** _2 Μονά_ Όροφος: _Ισόγειο_ **Βαθμολογία:** _____	**Παροχές δωματίου:** _____ _____ _____ _____ _____ _____ _____ _____	 **Μέγεθος δωματίου:** 20 τ.μ. **Τιμή:** € 252
Β	**2 ζευγάρια** Είδος: _____ **Μέγεθος κρεβατιού:** _____ **Τοποθεσία:** _____ **Βαθμολογία:** _____	**Παροχές δωματίου:** θέα στη θάλασσα, τηλεόραση, κλιματισμός, ντουλάπα, ντους, τουαλέτα, μπάνιο, μικρή κουζίνα, ψυγείο, τραπεζαρία	 **Μέγεθος δωματίου:** 25 τ.μ. **Τιμή:** € 150
Γ	**Τρίκλινο δωμάτιο θέα κήπος / πόλη** **Μένει 1 δωμάτιο ακόμη!** Οι τιμές είναι ανά δωμάτιο για 3 διανυκτερεύσεις. **Συμπεριλαμβάνεται:** 5% ΦΠΑ, 0,50% Δημοτικός φόρος. 3 μονά κρεβάτια ή 1 μονό και 1 διπλό κρεβάτι. ΔΩΡΕΑΝ ακύρωση πριν από τις 23 Ιουλίου 2014. **Βαθμολογία:** 7,5	**Παροχές δωματίου:** _____ _____ _____ _____ _____ _____ _____ _____	 **Μέγεθος δωματίου:** _____ **Τιμή:** _____

Μαθητής Β	1	2	3
Α	**Δίκλινο δωμάτιο με 2 μονά κρεβάτια - ισόγειο** Μένουν 2 δωμάτια ακόμη! Οι τιμές είναι ανά δωμάτιο για 3 διανυκτερεύσεις. **Συμπεριλαμβάνεται:** 5% ΦΠΑ, 0,50% Δημοτικός φόρος. Αυτό το δωμάτιο μπορεί να φιλοξενήσει 1 βρεφική κούνια ή 1 επιπλέον κρεβάτι. **Βαθμολογία:** 8,9	**Παροχές δωματίου:** θέα στον κήπο, τηλεόραση, τηλέφωνο, κλιματισμός, θέρμανση, ντους, πιστολάκι για τα μαλλιά, τουαλέτα, μπάνιο, ψυγείο	**Μέγεθος δωματίου:** _____ **Τιμή:** _____
Β	**Στούντιο / διπλό κρεβάτι με θέα στη θάλασσα** Μένει 1 δωμάτιο ακόμη! Οι τιμές είναι ανά δωμάτιο για 3 διανυκτερεύσεις. **Συμπεριλαμβάνεται:** 5% ΦΠΑ, 0,50% Δημοτικός φόρος. ΔΩΡΕΑΝ ακύρωση πριν από τις 16 Ιουλίου 2014. **Βαθμολογία:** 8,0	**Παροχές δωματίου:** _____ _____ _____ _____ _____ _____ _____ _____ _____	**Μέγεθος δωματίου:** _____ **Τιμή:** _____
Γ	**3 φίλοι** **Είδος:** _____ **Μέγεθος κρεβατιού:** _____ **Τοποθεσία:** _____ **Βαθμολογία:** _____	**Παροχές δωματίου:** μπαλκόνι, τηλέφωνο, ραδιόφωνο, δορυφορική τηλεόραση, κλιματισμός, ντους, πιστολάκι για τα μαλλιά, τουαλέτα, μπάνιο, ψυγείο	**Μέγεθος δωματίου:** 18 τ.μ. **Τιμή:** € 80 χωρίς πρωινό.

Άσκηση 11

Ζήτησε τη βοήθεια του συμμαθητή / της συμμαθήτριάς σου, για να συμπληρώσεις το σταυρόλεξό σου.

Παράδειγμα:

Μαθητής Α: Τι έχεις στο 1 κάθετα; **Μαθητής Β:** Σημαίνει τόπος. **Μαθητής Α:** Μέρος.

Μαθητής Α

			¹Φ	Ι	Λ	Ο	Ξ	²Ν	Ο	Σ		⁴		⁶
²Π	Ρ	Ο	Σ	Φ	Ο	Ρ	Α			³				
	¹Μ			³Η	Μ	Ι	Δ	Ι	Α	Τ	Ρ	Ο	Φ	Η
	Ε													
⁴Π	Ρ	Ο	Ο	Ρ	Ι	Σ	Μ	Ο	Σ					
	Ο													
	Σ		⁵Ε	Ξ	Ω	Τ	Ι	Κ	Ο				⁵	
			⁶Κ	Ρ	Α	Τ	Η	Σ	Η					
						⁷Γ	Ε	Υ	Μ	Α				

Μαθητής Β

			¹					²Ν			⁴Δ		⁶Α
								Τ			Ι		Φ
²								Ο	³Κ		Α		Ι
								Π	Α		Μ		Ξ
	¹Μ			³				Ι	Τ		Ο		Η
	Ε							Ο	Α		Ν		
⁴	Ρ							Σ	Λ		Η		
	Ο								Υ				
	Σ		⁵						Μ		⁵Ν		
									Α		Η		
			⁶								Σ		
											Ι		
					⁷								

Άσκηση 12

Ο κάθε μαθητής / Η κάθε μαθήτρια διαλέγει μια εικόνα από τον πίνακα. Την περιγράφει δυνατά στην τάξη. Οι υπόλοιποι μαθητές / Οι υπόλοιπες μαθήτριες βρίσκουν την εικόνα και τη διαγράφουν. Σημειώνουν τέσσερα διαδοχικά κελιά διαγώνια, οριζόντια ή κάθετα που περνούν από το κεντρικό BINGO και φωνάζουν BINGO.

Παράδειγμα: Μια οικογένεια βρίσκεται στην παραλία. Ο μπαμπάς βγάζει φωτογραφίες τα παιδιά και τη γυναίκα του.

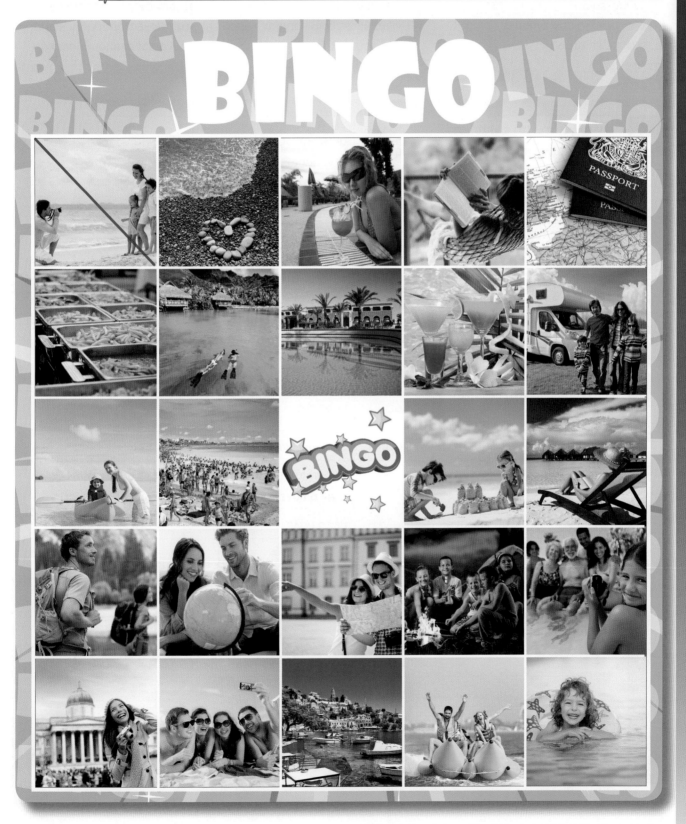

Λέξεις, φράσεις και εκφράσεις ...

Άσκηση 1

Γίνετε ζευγάρια, διαβάστε τον πίνακα και βρείτε σε ποια παραδείγματα η λέξη *πηγαίνω* έχει τις παρακάτω σημασίες:

α. κάνω μια απόσταση, για να φτάσω κάπου
β. προοδεύω
γ. καθυστερώ
δ. εκφ: μεγάλη συγκίνηση
ε. εκφ: με επιστροφή
στ. φοιτώ
ζ. φεύγω

η. δεν υπάρχω πια
θ. πεθαίνω
ι. συνοδεύω
ια. μεταφέρω κάποιον κάπου
ιβ. συνδυάζομαι
ιγ. εκφ: κινδυνεύω
ιδ. εκφ: συμπαθώ

ιε. εκφ: (δεν) έχω καλή σχέση
ιστ. εξελίσσομαι
ιζ. δεν αντέχω άλλο
ιη. επισκέπτομαι έναν χώρο, για να παρακολουθήσω κάτι

0.	Αν το ξεχάσω (το κινητό) στο σπίτι, τρελαίνομαι. Και είμαι ικανός να	πάω	από 'δω ως τη Λαμία με τα πόδια, για να το ξαναπάρω.	α
1.	Αύριο βγαίνουν τα αποτελέσματα των εξετάσεων.	Πάω	να τρελαθώ από την αγωνία μου.	
2.	Πολύ τον	πάω	τον Δημήτρη. Είναι πολύ καλό παιδί.	
3.	Δεν τα	πάω	καλά με την Ελπίδα. Μαλώνουμε πολύ συχνά.	
4.	Θα με	πας	σινεμά αυτό το σαββατοκύριακο;	
5.	Δεν	πάει	άλλο πια αυτή η κατάσταση!	
6.	Ο πόλεμος σε	πάει	πολλά χρόνια πίσω.	
7.	Ο Άλκης είναι πολύ εργατικός και θα	πάει	μπροστά.	
8.		Πάνε	οι παλιές καλές εποχές.	
9.	Ο σύγχρονος άντρας	πηγαίνει	τα παιδιά στο σχολείο και συμμετέχει ενεργά στην οικογενειακή και κοινωνική ζωή.	
10.	Το κόκκινο	πηγαίνει	με το μπλε.	
11.	Αυτή την εβδομάδα φίλοι καρκίνοι η δουλειά σας	πηγαίνει	πολύ καλά, όπως και οι συνεργασίες.	
12.	Τι τάξη	πηγαίνεις	στο σχολείο;	
13.	Ποπό! 3 η ώρα. Είναι ώρα να	πηγαίνουμε.		
14.		Πηγαίνω	σινεμά κάθε εβδομάδα.	
15.		Πήγε	από καρδιά.	
16.	Όταν είδα τον πρώην άντρα μου, η καρδιά μου	πήγε	και ήρθε από την αγωνία.	
17.	Το εισιτήριο κάνει 30 ευρώ	πήγαινε	έλα.	

Διασκευασμένα παραδείγματα από το σώμα κειμένων του ΚΕΓ και από το Λεξικό της Κοινής Νεοελληνικής (Τριανταφυλλίδη)

ΠΟΣΟ ΚΛΙΚ ΚΑΝΕΙΣ;

Κάνε το παρακάτω τεστ και διάβασε τα αποτελέσματα.
Πόσο αληθινά πιστεύεις ότι είναι;

1 Πόσο σου αρέσει να επισκέπτεσαι καινούρια μέρη;
α. Πολύ.
β. Αρκετά.
γ. Καθόλου.

2 Όταν κάνεις ένα ταξίδι, παίρνεις μαζί σου
α. ένα μικρό σακίδιο.
β. μια μεγάλη βαλίτσα.
γ. μια βαλίτσα και ένα σακίδιο.

3 Πόσο συχνά ταξιδεύεις;
α. 1 φορά τον μήνα.
β. 2 φορές τον χρόνο.
γ. 1 φορά τον χρόνο.

4 Όταν κάνεις ένα ταξίδι, προτιμάς να μένεις
α. σε ένα φθηνό ξενοδοχείο.
β. στο σπίτι φίλου.
γ. σε ακριβά ξενοδοχεία.

5 Προτιμάς να ταξιδεύεις
α. με μεγάλη παρέα.
β. μόνος / μόνη.
γ. με τον / τη σύντροφό σου.

6 Πριν από κάθε ταξίδι,
α. αγοράζεις καινούρια ρούχα.
β. διαβάζεις πληροφορίες για την ιστορία της περιοχής.
γ. δεν κάνεις τίποτα απολύτως.

7 Όταν επισκέπτεσαι μια ευρωπαϊκή πρωτεύουσα, σου αρέσει να
α. να πηγαίνεις στα μπαράκια.
β. κάνεις βόλτες στους δρόμους και τις πλατείες της.
γ. να πηγαίνεις στα μουσεία.

ΑΠΟΤΕΛΕΣΜΑΤΑ

Αν έχεις περισσότερα Α: Είσαι ταξιδιωτικός τύπος. Αγαπάς τα ταξίδια και την περιπέτεια. Θέλεις να γυρίσεις όλο τον κόσμο και να γνωρίσεις καινούρια πράγματα. Πρόσεξε, όμως, τα οικονομικά σου και μην ξοδεύεσαι τόσο πολύ.

Αν έχεις περισσότερα Β: Αγαπάς τα ταξίδια αλλά, όπως και όλα τα πράγματα στη ζωή σου, το κάνεις με μέτρο. Οι επιλογές σου είναι αρκετά συντηρητικές, χωρίς ιδιαίτερο ενδιαφέρον.

Αν έχεις περισσότερα Γ: Δεν αγαπάς τα ταξίδια. Φοβάσαι τις αλλαγές στη ζωή σου και δεν θέλεις ποτέ να αλλάζεις τόπο και περιβάλλον. Προσπάθησε να αποκτήσεις λίγη περισσότερη ενέργεια και να κάνεις ταξίδια. Δεν μαθαίνεις καινούρια πράγματα μόνο μέσα από τα βιβλία. Τα ταξίδια είναι γνώση και μόρφωση.

Γραμματική: Βλέπω και παρατηρώ ...

Διάβασε το παρακάτω κείμενο και απάντησε στις ερωτήσεις.

Η μαμά και ο μπαμπάς δεν είχαν καμιά αντίρρηση, τώρα που αρχίζουν οι διακοπές, να πάει ο Αντώνης στην Κω με τον παππού. Μόνο που η μαμά δεν <u>ήθελε</u> να περάσουν όλο το βράδυ στο κατάστρωμα, σε υπνόσακους όπως <u>έλεγε</u> ο παππούς. Ο μπαμπάς, όμως, είπε πως θα βγάλει εκείνος εισιτήρια και θα κλείσει καμπίνα. Ούτε να τ' ακούσει ο παππούς.

- Εγώ προτείνω να κοιτάμε τα αστέρια κι εσείς θέλετε να μας κλείσετε σε κουτί.
- Άκου, Μάριε, είπε η μαμά, ο Αντώνης δεν έχει ταξιδέψει ποτέ κατάστρωμα.
- Ένας λόγος παραπάνω, απάντησε ο παππούς.
- Καλά, Μάριε, έκανε ο μπαμπάς, ξέρω πως δεν πρόκειται να σε κάνω να αλλάξεις γνώμη.
- Και βέβαια δεν πρόκειται να αλλάξω. Δεν βλέπω κανένα σοβαρό λόγο να μην περάσουμε το βράδυ έξω. Καλοκαίρι είναι, τα αστέρια λάμπουν...

Είχε δίκιο ο παππούς που ήθελε να ταξιδέψουν κατάστρωμα. Βρήκαν μια γωνιά που δεν τους <u>ενοχλούσαν</u> οι άλλοι, γιατί είχε πολύ κόσμο και, χωμένοι μέσα στους υπνόσακούς τους, <u>κοίταζαν</u> τον ουρανό. Ο παππούς τού <u>μιλούσε</u> για τα αστέρια και του <u>έλεγε</u> ποιο είναι το κάθε ένα. Δεν ήταν η πρώτη φορά, μα του Αντώνη τού άρεσε. Λες να γινόταν αστροφυσικός; Γιατί ο παππούς είχε δίκιο, για ηθοποιός... δεν <u>έδειχνε</u>. Ήθελε, όμως, να γίνει ποιητής. Του άρεσαν πολύ τα ποιήματα. <u>Έγραφε</u> κάπου κάπου. Είχε μερικά ολοκληρωμένα κι ένα μισό αφιερωμένο στον παππού, που δεν ήξερε πώς να το τελειώσει. Ήθελε να του τα δείξει, <u>πίστευε</u>, όμως, ότι ο παππούς πάλι θα έλεγε «δεν δείχνει». Γι' αυτό τελικά δεν τα έδειχνε.

Διασκευασμένο κείμενο από το βιβλίο της Άλκης Ζέη: Ο ψεύτης παππούς.

Ερωτήσεις:

1. Ποια ήταν η διαφωνία του παππού με τους γονείς του Αντώνη;
2. Γιατί ο παππούς προτιμούσε το κατάστρωμα;
3. Πώς πέρασαν όλο το βράδυ ο παππούς και ο Αντώνης στο καράβι;
4. Ο Αντώνης είχε πολλά δικά του ποιήματα;
5. Γιατί ο Αντώνης δεν έδειχνε τα ποιήματά του στον παππού;
6. Με ποια ρήματα αναφέρεται η συγγραφέας στο παρελθόν;

   Ποια από αυτά δείχνουν:

   - στιγμιαίες πράξεις; _____

   - πράξεις με διάρκεια; _____

Βλέπω

Διάβασε με προσοχή τα παρακάτω παραδείγματα.

ΠΙΝΑΚΑΣ 1	
Παρατατικός	**Αόριστος**
Ο Αντώνης **όλο το καλοκαίρι** διάβαζε το βιβλίο που του έκανε δώρο ο παππούς.	Ο Αντώνης **το καλοκαίρι** διάβασε το βιβλίο που του έκανε δώρο ο παππούς.
Καθώς / Την ώρα που ο παππούς μιλούσε στον Αντώνη για τα αστέρια...	...ανέβηκε στο πλοίο η μαμά του Αντώνη.
Όταν ο Αντώνης ήταν μικρός, άκουγε ιστορίες για τα αστέρια από τον παππού του.	Όταν ο Αντώνης ήταν μικρός, άκουσε πολλές ιστορίες για τα αστέρια από τον παππού του.
Κάθε καλοκαίρι ο Αντώνης και ο παππούς ταξίδευαν στο κατάστρωμα.	Ο Αντώνης δεν ταξίδεψε σε καμπίνα **ποτέ**.
Κάθε καλοκαίρι ο Αντώνης το περνούσε στο νησί με τον παππού.	**Εκείνο το καλοκαίρι** ο Αντώνης το πέρασε με τους γονείς του στην Αθήνα.
Ο Αντώνης πολλά καλοκαίρια τα περνούσε με τον παππού στο νησί.	Ο Αντώνης πέρασε πολλά καλοκαίρια με τον παππού στο νησί.
Ο Αντώνης στο νησί έβλεπε όλους τους φίλους του.	Ο Αντώνης στο νησί είδε τους φίλους του.
Ο Αντώνης το καλοκαίρι **συχνά** πήγαινε για μπάνιο με τον παππού.	Ο Αντώνης το καλοκαίρι πήγε **μόνο μία φορά** για μπάνιο με τον παππού.
Ο παππούς τού μιλούσε για τα αστέρια **όλο το βράδυ** και του έλεγε ποιο είναι το καθένα.	**Εκείνο το βράδυ** ο παππούς τού μίλησε για τα αστέρια και του είπε ποιο ήταν το καθένα.

και παρατηρώ ...

Απάντησε στις ερωτήσεις.

1. Όταν αναφερόμαστε στο παρελθόν, ποιον χρόνο χρησιμοποιούμε, για να εκφράσουμε:

α. τη διάρκεια μιας πράξης; _____

β. την εξέλιξη μιας πράξης; _____

γ. την ολοκλήρωση μιας πράξης; _____

δ. τη διακοπή μιας πράξης; _____

ε. την επανάληψη μιας πράξης; _____

στ. τη στιγμιαία πράξη; _____

2. Ποιον χρόνο χρησιμοποιούμε, όταν διηγούμαστε κάτι;

_____

3. Με ποιες λέξεις χρησιμοποιούμε τον παρατατικό και με ποιες τον αόριστο;

_____

ΓΡΑΜΜΑΤΙΚΗ

Ενεστώτας	Αόριστος	Παρατατικός
ετοιμάζω	ετοίμασα	ετοίμαζα
ετοιμάζεις	ετοίμασες	ετοίμαζες
ετοιμάζει	ετοίμασε	ετοίμαζε
ετοιμάζουμε	ετοιμάσαμε	ετοιμάζαμε
ετοιμάζετε	ετοιμάσατε	ετοιμάζατε
ετοιμάζουν(ε)	ετοίμασαν	ετοίμαζαν/ετοιμάζανε
παίζω	έπαιξα	έπαιζα
παίζεις	έπαιξες	έπαιζες
παίζει	έπαιξε	έπαιζε
παίζουμε	παίξαμε	παίζαμε
παίζετε	παίξατε	παίζατε
παίζουν(ε)	έπαιξαν	έπαιζαν/παίζανε
ακούω	άκουσα	άκουγα
ακούς	άκουσες	άκουγες
ακούει	άκουσε	άκουγε
ακούμε	ακούσαμε	ακούγαμε
ακούτε	ακούσατε	ακούγατε
ακούν(ε)	άκουσαν	άκουγαν/ακούγανε
μιλάω/μιλώ	μίλησα	μιλούσα
μιλάς	μίλησες	μιλούσες
μιλάει/μιλά	μίλησε	μιλούσε
μιλάμε	μιλήσαμε	μιλούσαμε
μιλάτε	μιλήσατε	μιλούσατε
μιλάν(ε)/μιλούν	μίλησαν	μιλούσαν/μιλούσανε
μπορώ	μπόρεσα	μπορούσα
μπορείς	μπόρεσες	μπορούσες
μπορεί	μπόρεσε	μπορούσε
μπορούμε	μπορέσαμε	μπορούσαμε
μπορείτε	μπορέσατε	μπορούσατε
μπορούν(ε)	μπόρεσαν	μπορούσαν/μπορούσανε

Βλέπω

Διάβασε με προσοχή τους παρακάτω πίνακες.

ΠΙΝΑΚΑΣ 1		
Ενεστώτας (•) (•) • •	**Αόριστος** (•) • • •	**Παρατατικός** (•) • • •
ε-τοι-μά-**ζ**ω	ετοίμα**σ**α	ετοίμα**ζ**α
πλη-ρώ-**ν**ω	πλήρω**σ**α	πλήρω**ν**α
νιώ-**θ**ω	ένιω**σ**α	ένιω**θ**α
α-κ**ού**-ω	άκου**σ**α	άκουγα
παί-**ζ**ω	έπαι**ξ**α	έπαι**ζ**α
πλέ-**κ**ω	έπλε**ξ**α	έπλε**κ**α
α-νοί-**γ**ω	άνοι**ξ**α	άνοιγα
βρέ-**χ**ει	έβρε**ξ**ε	έβρεχε
ψά-**χν**ω	έψα**ξ**α	έψαχνα
τα-ξι-δεύ-ω	ταξίδε**ψ**α	ταξίδευα
λεί-**π**ω	έλει**ψ**α	έλειπα
α-νά-**β**ω	άνα**ψ**α	άναβα
γρά-**φ**ω	έγρα**ψ**α	έγραφα

ΠΙΝΑΚΑΣ 2		
Ενεστώτας (•) (•) (•) • (•)	**Αόριστος** (•) (•) • • •	**Παρατατικός** (•) (•) • • •
μι-**λ**ά-ω / μιλώ (Ρ.10.9) *	μίλ**ησ**α	μιλ**ού**σα
βοηθάω / βοηθώ (Ρ.10.1) *	βοήθ**ησ**α	βοηθ**ού**σα
ακολουθώ (Ρ.10.11) *	ακολούθ**ησ**α	ακολουθ**ού**σα
γε-**λ**ά-ω / γελώ (Ρ.10.4) *	γέλα**σ**α	γελ**ού**σα
φοράω / φορώ (Ρ.10.5) (Ρ.10.10) *	φόρε**σ**α μπόρε**σ**α	φορ**ού**σα μπορ**ού**σα
βουτάω / βουτώ (Ρ.10.7) *	βούτ**ηξ**α	βουτ**ού**σα
σκουντάω / σκουντώ (Ρ.10.7) *	σκούντ**ηξ**α	σκουντ**ού**σα
πετάω / πετώ (Ρ.10.6) *	πέτ**αξ**α	πετ**ού**σα

* αριθμός που δείχνει το κλιτικό παράδειγμα σύμφωνα με
το *Λεξικό της Κοινής Νεοελληνικής (Τριανταφυλλίδη)*

και παρατηρώ ...

Απάντησε στις ερωτήσεις.

1. Δες προσεκτικά τους Πίνακες 1 και 2. Ο παρατατικός έχει το ίδιο θέμα με τον ενεστώτα ή τον αόριστο;

2. Δες τον πίνακα 1. Τι παρατηρείς στον παρατατικό και τον αόριστο σε σχέση με:

   α. τις καταλήξεις;   **β.** τον τονισμό;   **γ.** τον αριθμό των συλλαβών;

3. Δες τον πίνακα 2. Τι παρατηρείς στον παρατατικό και τον αόριστο σε σχέση με:

   α. τις καταλήξεις;   **β.** τον τονισμό;   **γ.** τον αριθμό των συλλαβών;

Άσκηση 1

Παίζουμε τένις! Γίνετε ζευγάρια και παίξτε τένις. Χρησιμοποιήστε τις λέξεις:

σταματάω, *πηγαίνω, φτιάχνω, γνωρίζω, ρωτάω, μπαίνω, ανάβω, πεινάω, καλώ, παίρνω, περιμένω, πονάω, δίνω*

Παράδειγμα:

Μαθητής Α: <u>σταματούσα</u>   **Μαθητής Β:** <u>σταματούσαμε, πήγαινα κτλ.</u>

Άσκηση 2

Γίνετε ζευγάρια, ακολουθήστε τις λέξεις που είναι στον παρατατικό και βγείτε από τον λαβύρινθο.

Αρχή					
σπουδάζαμε	μίλησε	κολυμπούσαμε	διάβασα	έφευγα	μπήκαν
έτρωγαν	είπα	ταξιδεύαμε	έφτιαχνες	έπινα	έπαιζαν
περνούσα	έδινες	φτάνω	γύριζαν	έπλυνα	πέταξα
κάνω	ζητούσατε	έβγαιναν	αγοράζαμε	έστειλαν	πήρε
είδα	ετοιμάζαμε	μαγειρεύω	έβγαζες	καταλαβαίναμε	πιστεύαμε
πήγα	πλένω	περιμένω	έφαγα	έμεινες	**έβγαινα**

Τέλος

Άσκηση 3

Γίνετε ζευγάρια και βρείτε τα λάθη.

0. Κάθε απόγευμα ~~πήγα~~ στην παραλία.   <u>πήγαινα</u>

1. Ταξίδευα στην Πάρο τρεις φορές.   _____

2. Όλη τη μέρα φόρουσα το μαγιώ μου.   _____

3. Το προηγούμενο σαββατοκύριακο πέτουξα για Ρώμη.   _____

4. Στο Λονδίνο έμενα 3 μέρες.   _____

5. Η φίλη μου μου έδειξα όλα τα αξιοθέατα της περιοχής.   _____

6. Δίψασα πολύ και έπινα πολύ νερό.   _____

7. Άκουγα 3 φορές το τραγούδι του.   _____

Άσκηση 4

Στον παρακάτω πίνακα γράψε τις λέξεις της στήλης Α στο β΄ ενικό και στο β΄ πληθυντικό πρόσωπο του παρατατικού. Δες τι γράφει ο συμμαθητής / η συμμαθήτριά σου και βρείτε τα λάθη σας.

Στήλη Α	(•) (•) (•) ● ● ●	(•) (•) ● ● ●
στέλνω	έστελνες, στέλνατε	
περνώ		
τηλεφωνώ		
πλέκω		
συνηθίζω		
αργώ		
φτάνω		
μιλώ		
κατεβαίνω		
πετάω		
περιμένω		

Άσκηση 5

Γίνετε ζευγάρια και συμπληρώστε τα κενά με τις λέξεις της παρένθεσης στον σωστό τύπο.

Όταν ήμουν παιδί, 0 ___περνούσα___ (περνώ) όλες τις διακοπές μου στο σπίτι μας στη θάλασσα. Εκείνα τα καλοκαίρια δεν θα τα ξεχάσω ποτέ. 1_____ (περνώ) τόσο ωραία... Κάθε πρωί 2_____ (φοράω) το μαγιό μου και 3_____ (πηγαίνω) με τα ξαδέρφια μου στην παραλία. Εκεί, όλοι μαζί 4_____ (κολυμπώ) και 5_____ (παίζω) ρακέτες. Τα απογεύματα εγώ 6_____ (διαβάζω) πολλά βιβλία. Ο αδερφός μου 7_____ (παίζω) βόλεϊ και η αδερφή μου 8_____ (πίνω) τον καφέ της. Εμάς δεν μας 9_____ (αφήνω) να πιούμε καφέ, μας 10_____ (αγοράζω), όμως, αναψυκτικά και χυμούς. Πολλές φορές η μαμά μάς 11_____ (ετοιμάζω) νόστιμα σάντουιτς κι έτσι δεν 12_____ (γυρνώ) σπίτι το μεσημέρι. Κάποια απογεύματα ο μπαμπάς με 13_____ (πηγαίνω) στο καφενείο. Του άρεσε να μας δείχνει στους φίλους του. Τους 14_____ (λέω) πόσο καλά παιδιά ήμασταν και μας 15_____ (κερνώ) παγωτό. Εγώ, συνήθως, 16_____ (παίρνω) σοκολάτα και φράουλα. Η αδερφή μου 17_____ (προτιμώ) την κρέμα.

Άσκηση 6

Γίνετε ζευγάρια και συμπληρώστε τα κενά με τις λέξεις της παρένθεσης στον αόριστο ή τον παρατατικό.

0 _____Είχε_____ (έχω) δίκιο ο Νώλης. 1_____ (είμαι) σαν αληθινή βάρκα η βαρέλα. Εκείνη τη μέρα 2_____ (γίνομαι), όμως, ένας καβγάς! Γιατί η βαρέλα 3_____ (χωράω) μόνο τρεις. Εγώ 4_____ (μπαίνω) μόνο μία φορά κι ύστερα δεν περιμένα να 'ρθει πάλι η σειρά μου. 5_____ (δίνω) μια βουτιά ... Το πρώτο μπάνιο φέτος. Τι όμορφα που είναι να κολυμπάς! Και να σκεφτείς πως υπάρχουν άνθρωποι που ήρθαν στη ζωή και 6_____ (πεθαίνω) και δεν 7_____ (βλέπω) ποτέ τους θάλασσα. Δεν είδαν ποτέ τους το Λαμαγάρι...

Στην ακρογιαλιά τα παιδιά 8_____ (κοιτάζω) πολλή ώρα ένα τεράστιο ψόφιο ψάρι. Η Άρτεμη 9_____ (λέω) συνέχεια πως ήταν δελφίνι. Μετά 10_____ (φωνάζω) τον παππού.

Βέβαια και είναι δελφίνι – 11_____ (λέω) ο παππούς, μόλις το είδε. Και ύστερα μας είπε την ιστορία του δελφινιού και του Αρίωνα. Ο Αρίωνας 12_____ (είμαι) τραγουδιστής –στα αρχαία χρόνια, φυσικά– και 13_____ (ταξιδεύω) πάντα με ένα καράβι. Οι ναύτες 14_____ (θέλω) να του κλέψουν ό,τι είχε και να τον πετάξουν στη θάλασσα. Εκείνος τους 15_____ (παρακαλώ) να τον αφήσουν μόνο να τραγουδήσει.

16_____ (παίρνω) την κιθάρα του, 17_____ (τραγουδώ) και ύστερα 18_____ (πέφτω) στη θάλασσα. Ένα δελφίνι, όμως, που 19_____ (περνώ) εκείνη τη στιγμή άκουσε το τραγούδι του Αρίωνα. Του άρεσε πάρα πολύ και γι' αυτό τον 20_____ (παίρνω) στην πλάτη του και τον 21_____ (βγάζω) στη στεριά. Η στεριά αυτή 22_____ (είναι) το νησί μας.

– Κι έτσι, να το ξέρετε, –είπε ο παππούς– ο πρώτος κάτοικος του νησιού μας ήταν ο Αρίων.

Η Άρτεμη το 23_____ (ξέρω) πως στα δελφίνια αρέσει η μουσική. Μια μέρα τα 24_____ (βλέπω) που 25_____ (τρέχω) πίσω από ένα κότερο, όπου οι άνθρωποι 26_____ (τραγουδώ) κι 27_____ (παίζω) μουσική.

Διασκευασμένο κείμενο από το βιβλίο της Άλκης Ζέη:
Το καπλάνι της βιτρίνας.

Άσκηση 7

Γίνετε ζευγάρια, δείτε τις εικόνες και πείτε την ιστορία.

> Όταν ήμασταν παιδιά, κάθε χρόνο πηγαίναμε ένα ταξίδι με τους γονείς μας ...

ΚΑΤΑΝΟΗΣΗ ΠΡΟΦΟΡΙΚΟΥ ΛΟΓΟΥ

- Τι βλέπεις στις φωτογραφίες;
- Σου αρέσει να ταξιδεύεις με αεροπλάνο;
- Με ποιο μέσο δεν σου αρέσει να ταξιδεύεις; Γιατί;

Άσκηση 1
Άκου προσεκτικά και κράτησε σύντομες σημειώσεις.

(cd 1, 23)

0. Για να βγάλετε αεροπορικό εισιτήριο, πρέπει να δώσετε

τα προσωπικά σας στοιχεία
.

1. Μερικά από τα στοιχεία του διαβατηρίου είναι

α. _____
β. _____
γ. _____

2. Για ταξίδια σε κάποιες χώρες είναι απαραίτητη

3. Η διαδρομή ενός αεροπορικού ταξιδιού μπορεί να έχει

4. Μπορείτε να πάρετε πίσω τα χρήματά σας, όταν μια πτήση ακυρώνεται ή

5. Αν οι αποσκευές σας είναι πιο βαριές από όσο πρέπει, τότε

6. Για όποιον λόγο κι αν ταξιδεύετε, πρέπει να βρίσκεστε στο αεροδρόμιο

7. Όταν το σήμα της ζώνης είναι αναμμένο, πρέπει να

8. Κατά τη διάρκεια της πτήσης οι ηλεκτρονικές συσκευές πρέπει να

Συμβουλή:
Πριν ακούσεις το κείμενο, δες την άσκηση και απάντησε στις παρακάτω ερωτήσεις:
1. Το κείμενο που θα ακούσεις είναι σχετικό με: α) ταξίδια με τρένο, β) αεροπορικά ταξίδια, γ) ταξίδια με πλοίο.
2. Πρώτα διάβασε τις προτάσεις και μετά σημείωσε τι πρέπει να προσέξεις.
3. Μπορείς να απαντήσεις σε κάποιες ερωτήσεις χωρίς να ακούσεις το κείμενο;

Άσκηση 2
Άκου ξανά το κείμενο και απάντησε στις παρακάτω ερωτήσεις.

(cd 1, 23)

- Τι σου έκανε μεγαλύτερη εντύπωση;
- Υπάρχει κάτι που δεν ήξερες ως τώρα για τα αεροπορικά ταξίδια;

 λεξιλόγιο

Άσκηση 1
Γίνετε ζευγάρια, εκτυπώστε το κείμενο της κατανόησης προφορικού λόγου, δείτε τις υπογραμμισμένες λέξεις / φράσεις του κειμένου και βρείτε με ποιες από τις παρακάτω λέξεις / φράσεις ταιριάζουν στη σημασία.

0. η τελευταία μέρα που μπορεί να καταναλώνεται κάτι = <u>ημερομηνία λήξης</u>

1. έντυπο με λίγες σελίδες / βιβλιαράκι με πληροφορίες = _____

2. βαλίτσες, σάκοι, δέματα και ό,τι άλλο μεταφέρει κάποιος, όταν ταξιδεύει = _____

3. το σημείο μιας διαδρομής όπου κάνουμε στάση = _____

4. όταν το αεροπλάνο κατεβαίνει από τον αέρα στο έδαφος = _____

5. το επιπλέον βάρος των αποσκευών από αυτό που επιτρέπεται = _____

6. ομάδα από υπαλλήλους που αντιπροσωπεύουν την κυβέρνηση της χώρας τους σε μια ξένη χώρα = _____

Άσκηση 2
Γίνετε ζευγάρια, ενώστε τις λέξεις με αντίθετη σημασία και κάνετε προτάσεις με αυτές.

0. περισσότερη ___δ___   **α.** προσγείωση
1. βαριές _____   **β.** σβησμένο
2. απογείωση _____   **γ.** ελαφριές
3. αναμμένο _____   **δ̶.** λιγότερη
4. προσεκτικός _____   **ε.** φεύγω από
5. επιτρέπω _____   **στ.** κάθομαι
6. φτάνω σε _____   **ζ.** απρόσεκτος
7. σηκώνομαι _____   **η.** απαγορεύω

Άσκηση 3
Γίνετε ζευγάρια και ενώστε τις λέξεις, για να κάνετε φράσεις που χρησιμοποιούνται πολύ συχνά. Με μερικές λέξεις μπορείτε να κάνετε περισσότερους από έναν συνδυασμούς. Μετά γράψτε προτάσεις με τις φράσεις που κάνατε.

0. ημερομηνία ___η, ζ___   **α.** ασφαλείας
1. ενδιάμεσος _____   **β.** στοιχεία
2. διάρκεια _____   **γ.** φυλλάδιο
3. προσωπικά _____   **δ.** τηλέφωνο
4. αεροπορική _____   **ε.** εταιρεία
5. ζώνη _____   **στ.** έκδοσης
6. κινητό _____   **ζ.** λήξης
7. αριθμός _____   **η̶.** γέννησης
8. ενημερωτικό _____   **θ.** σταθμός
9. χώρα _____   **ι.** διαβατηρίου
              ια. ταξιδιού

Άσκηση 4

Γίνετε ζευγάρια, διαβάστε τους παρακάτω ορισμούς και συμπληρώστε τα κενά στις προτάσεις με τις λέξεις του κρυπτόλεξου.

0. Το έγγραφο που χρησιμοποιώ, όταν ταξιδεύω σε ξένες χώρες –λέει από ποια χώρα είμαι και έχει πάνω το όνομα και τη φωτογραφία μου–, λέγεται _διαβατήριο_.

1. _____ σημαίνει ότι κάτι που έχω κανονίσει δεν θα γίνει.

2. Όταν δίνω χρήματα σε κάποιον, επειδή έκανα κάποια ζημιά σε βάρος του, τον _____.

3. Όταν ένα μεταφορικό μέσο έρχεται ή φεύγει πιο αργά από τον κανονικό χρόνο, τότε λέμε ότι έχει _____.

4. Όταν κάνω κάτι παράνομο και δίνω κάποια χρήματα για τιμωρία, τότε πληρώνω _____.

5. Όταν το αεροπλάνο σηκώνεται από το έδαφος στον αέρα, τότε _____.

0	Α	Π	Ο	Κ	Δ	Ι	Α	Β	Α	Τ	Η	Ρ	Ι	Ο	Τ
1	Μ	Ε	Τ	Ξ	Υ	Θ	Ι	Κ	Α	Κ	Υ	Ρ	Ω	Σ	Η
2	Ε	Π	Α	Π	Ο	Ζ	Η	Μ	Ι	Ω	Ν	Ω	Κ	Ι	Σ
3	Γ	Κ	Α	Θ	Υ	Σ	Τ	Ε	Ρ	Η	Σ	Η	Π	Ο	Μ
4	Α	Κ	Ρ	Η	Π	Ρ	Ο	Σ	Τ	Ι	Μ	Ο	Α	Ε	Σ
5	Ζ	Ν	Α	Π	Ο	Γ	Ε	Ι	Ω	Ν	Ε	Τ	Α	Ι	Η

Άσκηση 5

Γίνετε ζευγάρια, δείτε τις παρακάτω λέξεις και συμπληρώστε τα κενά κάθε σειράς του πίνακα με λέξεις που ανήκουν στην ίδια οικογένεια.

εκδοτικός, αποζημίωση, συμβουλευτικός, ενημέρωση, οργάνωση, απογείωση, ταξιδιωτικός, αναχώρηση, ασφαλιστικός, ακύρωση, καθυστέρηση, επιστροφή

ρήμα	ουσιαστικό	επίθετο
ταξιδεύω	ταξίδι	0 ταξιδιωτικός
οργανώνω	1 _____	οργανωτικός
ασφαλίζω	ασφάλεια	2 _____
εκδίδω	έκδοση	3 _____
ενημερώνω	4 _____	ενημερωτικός, ενημερωμένος
επιστρέφω	5 _____	-
ακυρώνω	6 _____	άκυρος
αποζημιώνω	7 _____	-
καθυστερώ	8 _____	καθυστερημένος
απογειώνω, απογειώνομαι	9 _____	-
συμβουλεύω	συμβουλή	10 _____
αναχωρώ	11 _____	-

Άσκηση 6

Διάβασε ξανά τις λέξεις του πίνακα της άσκησης 5 και γράψε μια μικρή παράγραφο που να περιέχει τουλάχιστον 5 από τις λέξεις αυτές.

ΛΕΞΙΛΟΓΙΟ

Άσκηση 7

Γίνετε ζευγάρια, διαβάστε το κείμενο και συμπληρώστε τα κενά με τη λέξη της παρένθεσης στον σωστό τύπο.

http://www.newsbeast.gr/car

Συμβουλές για ταξίδι στο εξωτερικό με το αυτοκίνητο

ΤΑΞΙΔΙ | ΔΙΑΜΟΝΗ | ΠΡΟΟΡΙΣΜΟΙ | ΝΕΑ

Πώς σας φαίνεται ένα ⁰____ταξίδι____ (ταξιδεύω) στο εξωτερικό με αυτοκίνητο; Είναι μια πρόταση που αρέσει σε πολλούς. Σίγουρα, όμως, θέλει πολύ καλή ¹_____ (οργανώνω), για να έχετε ένα ταξίδι χωρίς ²_____ (καθυστερώ) και προβλήματα.

Διαβάστε τις παρακάτω ³_____ (συμβουλεύω) και όλα θα πάνε καλά.

Πριν από κάθε ταξίδι πρέπει να γίνει μια επίσκεψη στο συνεργείο για έναν καλό έλεγχο του αυτοκινήτου σας. Είναι πολύ σημαντικό, ειδικά όταν θα βγείτε από τη χώρα.

Οπουδήποτε κι αν ταξιδέψετε, χρειάζεστε «πράσινη κάρτα» για το αυτοκίνητό σας. Αυτή θα την πάρετε από την ⁴_____ (ασφαλίζω) σας εταιρεία. Έτσι θα είστε σίγουροι πως θα σας δώσει ⁵_____ (αποζημιώνω), αν χρειαστεί. Αν πάτε σε μια χώρα που δεν είναι μέλος της Ευρωπαϊκής Ένωσης, τότε χρειάζεστε το «Διεθνές Δίπλωμα Οδήγησης».

Ακόμη κι αν γνωρίζετε τη διαδρομή που θα ακολουθήσετε, πρέπει να έχετε καινούριους και ενημερωμένους χάρτες. Εκτός από εξαιρετικούς χάρτες, υπάρχουν και διάφορα ⁶_____ (ενημερώνω) έντυπα, όπου θα βρείτε διάφορα σημαντικά στοιχεία για το ταξίδι σας. Τέτοια στοιχεία είναι το κόστος των διοδίων σε κάθε χώρα, οι χιλιομετρικές αποστάσεις, όλα τα πιθανά μέρη όπου μπορείτε να μείνετε, τα όρια ταχύτητας, τα συνεργεία αυτοκινήτων, καθώς και όλα τα βενζινάδικα.

ΟΔΗΓΕΙΤΕ ΜΕ ΠΡΟΣΟΧΗ ΚΑΙ ΚΑΛΟ ΣΑΣ ΤΑΞΙΔΙ!!!

Άσκηση 8

Ζήτησε τη βοήθεια του συμμαθητή / της συμμαθήτριάς σου, για να συμπληρώσεις το σταυρόλεξο.

Παράδειγμα:

Μαθητής Α: *Τι έχεις στο 1 οριζόντια;*

Μαθητής Β: *Όταν το αεροπλάνο δεν φεύγει στην ώρα του έχει...*

Μαθητής Α: *καθυστέρηση!*

Μαθητής Α

					¹Κ	Α	Θ	Υ	Σ	Τ	Ε	Ρ	Η	⁶Σ	Η	
														Τ		
	¹Α				²	⁴Α			⁵Δ					Α		
	Κ					Π			Ι					Θ		
	Υ		²Α			Ο			Α					Μ		
³	Ρ		Σ		³Ε			Σ		Β				Ο		
	Ω		Φ		Κ			Κ		⁴Α				Σ		
	Σ		Α		Δ			Ε		Τ						
	Η		Λ		Ο			Υ		Η						
			Ε		Σ			Η		⁵	Ρ					
			Ι		Η					Ι						
⁶			Α					⁷		Ο						

Μαθητής Β

					¹Κ	Α	Θ	Υ	Σ	Τ	Ε	Ρ	Η	⁶Σ	Η
	¹				²Τ	⁴Α	Ξ	Ι	⁵Δ	Ι					
			²												
³Π	Ρ	Ο	Σ	Γ	³Ε	Ι	Ω	Σ	Η						
										⁴Α	Κ	Υ	Ρ	Ω	Σ	Η
										⁵Π	Ρ	Ο	Ξ	Ε	Ν	Ε	Ι	Ο
⁶Β	Ι	Ζ	Α				⁷Π	Ρ	Ο	Σ	Τ	Ι	Μ	Ο	

Άσκηση 1
Άκου και συμπλήρωσε τα κενά.
(cd 1, 24)

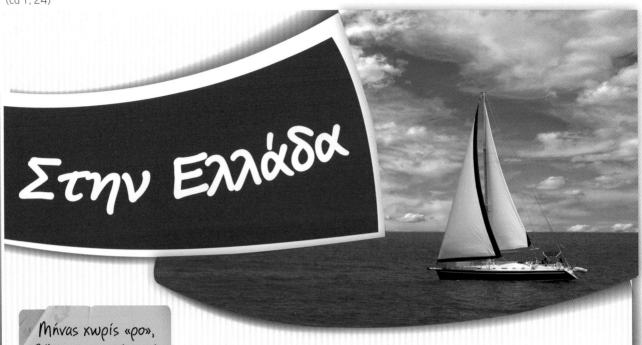

Στην Ελλάδα

> Μήνας χωρίς «ρο»,
> βάλε στο κρασί νερό.

> Και με βάρκα
> κόστα κόστα
> ταξιδεύεις μακριά.

> Δεν ταξιδεύει κανείς,
> για να φτάσει κάπου.
> Ταξιδεύει, για να ταξιδεύει.

> Ο πολυταξιδεμένος
> είναι και πολύξερος.

> Σε όσους μήνες
> έχουν «ρο», μπάνιο
> με ζεστό νερό.

Μήλος

Η Μήλος είναι γνωστή για τις ακρογιαλιές της. Έχει πάνω από 75 μικρές και μεγάλες ⁰ __παραλίες__, καθαρά και γαλανά νερά, πολύχρωμα βράχια και χρυσές ¹ _____ και γι' αυτό η Μήλος είναι μια ξεχωριστή εμπειρία για όλους τους ² _____ της. Οι τουρίστες μπορούν να κολυμπήσουν σε οργανωμένες παραλίες ή να επιλέξουν πιο μοναχικές και άγριες ³ _____. Επίσης, το νησί είναι γνωστό για τον υπέροχο ⁴ _____ του, ο οποίος έχει πολλά και ξεχωριστά χρώματα και βάθη.

Αστυπάλαια

Η αρχιτεκτονική και το τοπίο θυμίζουν Κυκλάδες, ο χάρτης, όμως, γράφει «Δωδεκάνησα». Η βασική εικόνα του νησιού είναι η ⁵ _____ με το βενετσιάνικο κάστρο. Η Αστυπάλαια αποτελεί αγαπημένο ⁶ _____ για ταξιδιώτες με σοφιστικέ αλλά και νεανικό προφίλ. Διαθέτει κάμπιγκ και μοναδικά ⁷ _____ στέκια. Το νησί δεν είναι ιδιαίτερα μεγάλο. Έχει ΚΤΕΛ αλλά και ⁸ _____ σκάφη, τα οποία μεταφέρουν τους τουρίστες στα κύρια ⁹ _____ του νησιού, όπως το θέρετρο της Μαλτεζάνας, τον τουριστικό οικισμό Λιβάδι και τις πανέμορφες παραλίες της δυτικής πλευράς.

Οι πληροφορίες προέρχονται από το διαδίκτυο.

Προφορά

Άσκηση 1

Άκου το παρακάτω κείμενο και διάβασέ το δυνατά στην τάξη.

(cd 1, 25)

Στον βυθό της θάλασσας υπάρχουν θαμμένες θαυμάσιες φυσικές ομορφιές που θα σας αφήσουν άφωνους! Τολμήστε να κάνετε τις καταδύσεις και θα δείτε σπάνια φανταστικά θαλάσσια είδη και μια πολύ όμορφη φύση. Σφουγγάρια, κοχύλια, κοράλλια, οστρακοειδή και ψάρια. Ένας αληθινός, τεράστιος, φυσικός θησαυρός. Θα κολυμπήσετε σε φανταστικά νερά, θα φωτογραφίσετε θεαματικά τοπία, θα γνωρίσετε και θα θαυμάσετε τον μαγικό κόσμο κάτω από το νερό. Τα φοβερά χρώματα, τα σχέδια, η κίνηση του νερού ανάμεσα στα διάφορα είδη που ζουν εκεί κάτω θα σας μαγέψουν.

[θ], [f], [s], [t]

Άσκηση 2

Άκου και συμπλήρωσε τα κενά. Μετά διάβασε τις απαντήσεις στην τάξη.

(cd 1, 26)

- ___μα, ___μα, ___μα
- πο___, πο___, πο___
- πά___, πά___, Πά___
- βά___, Βά___, βά___

- μί___, μύ___, μί___
- ___μόνι, ___μώνει, ___μώνει, ___μώνει
- ___τεία, ___τεία, ___τεία
- πλά___, πλά___, πλά___

- νό___, νό___, νό___
- μύ___, μύ___, μί___
- πο___, πο___, πο___

Άσκηση 3

Κάνε ερωτήσεις στον διπλανό / στη διπλανή σου και συμπλήρωσε τον πίνακά σου.

Παράδειγμα:

Μαθητής Β: _Τι έχεις στο 0;_ **Μαθητής Α:** _Μέθη. Εσύ;_ **Μαθητής Β:** _Μέση._

	Μαθητής Α			Μαθητής Β	
0	μέθη	μέση	0	μέθη	μέση
1	μάσημα		1		μάθημα
2	έτοιμο		2		έθιμο
3	ίσως		3		ήθος
4	πίσω		4		πείθω
5	μίσος		5		μύθος

	Μαθητής Α			Μαθητής Β	
6	μέσα		6		μέθα
7	φέσι		7		θέση
8	θηλιά		8		φιλιά
9	ύφος		9		ήθος
10	φάρος		10		θάρρος
11	φιλικός		11		θηλυκός

Άσκηση 4

Βρες μερικές λέξεις που να περιέχουν τα [θ], [f], [s], [t], κάνε μια ιστορία και πες τη δυνατά στην τάξη.

Γραμματική: Βλέπω και παρατηρώ ...

Διάβασε το παρακάτω κείμενο και απάντησε στις παρακάτω ερωτήσεις.

Ορθοπεταλιές με το τρένο έκαναν το περασμένο σαββατοκύριακο οι φίλοι του ποδηλάτου. Περίπου 200 ποδηλάτες πραγματοποίησαν μια υπέροχη «τρενο-ποδηλατοβόλτα» στην Κερκίνη. Η εκδρομή αυτή δεν **έχει ξαναγίνει**. Είναι η πρώτη φορά που διοργανώνεται από την ΤΡΑΙΝΟΣΕ. Βέβαια, πολλοί από αυτούς που πήραν μέρος **έχουν πάει** κι άλλες φορές στη λίμνη Κερκίνη και **έχουν αγαπήσει** το μοναδικό της τοπίο. Κανείς, όμως, δεν **έχει πραγματοποιήσει** παρόμοια εκδρομή με ποδήλατο και τρένο μαζί.

Η διαδρομή ξεκίνησε από τον σιδηροδρομικό σταθμό της Θεσσαλονίκης με προορισμό τον σταθμό της Βυρώνειας Σερρών και τη λίμνη Κερκίνη. Η εκδρομή **έγινε** από περίπου 200 φίλους του ποδηλάτου που ξεκίνησαν από τη Θεσσαλονίκη, τις Σέρρες και το Κιλκίς. Προχθές, λοιπόν, φόρτωσαν τα ποδήλατά τους στον σταθμό Θεσσαλονίκης σε ειδικά βαγόνια και **ανέβηκαν** στην αμαξοστοιχία 600 και μετά από μία ώρα **κατέβηκαν** στον προορισμό τους. Από εκεί πήγαν με τα ποδήλατά τους προς το λιμανάκι της Κερκίνης και στο γραφικό χωριό Λιθότοπος. **Έμειναν** για λίγο εκεί και μετά ακολούθησαν τη διαδρομή ανατολικά της λίμνης. Στη διάρκεια της διαδρομής, είδαν και λάτρεψαν το μοναδικό φυσικό τοπίο, **έμαθαν** για τα δεκάδες σπάνια πουλιά, είδαν τα μικρά χωριά και τις φάρμες βουβαλιών. Το συνολικό μήκος της διαδρομής που ακολούθησαν οι ποδηλάτες με την επιστροφή στη Βυρώνεια ήταν 51 χλμ. Οι λιγότερο «δραστήριοι» ποδηλάτες **κατάλαβαν** ότι δεν μπορούν να κάνουν όλα αυτά τα χιλιόμετρα και **θέλησαν** να ακολουθήσουν μια εναλλακτική διαδρομή 18,5 χλμ.

Πριν οι ποδηλάτες επιστρέψουν στη Βυρώνεια, οι υπεύθυνοι του σιδηροδρομικού σταθμού τον είχαν μετατρέψει σε παραδοσιακό καφενείο. Επίσης, είχαν ετοιμάσει ειδικά μενού για τους ποδηλάτες. Οι ποδηλάτες **κάθισαν**, έφαγαν και διασκέδασαν.

Το απόγευμα της Κυριακής, η ομάδα των εκδρομέων επέστρεψε με την αμαξοστοιχία 601 στη Θεσσαλονίκη.

Διασκευή άρθρου από www.kathimerini.gr

Ερωτήσεις:

1. Έχει ξαναγίνει άλλη εκδρομή με τρένο και ποδήλατο στην Κερκίνη;

2. Είναι το πρώτο ταξίδι στην Κερκίνη για όλους όσους πήραν μέρος στην εκδρομή;

3. Με ποια αμαξοστοιχία ταξίδεψαν οι ποδηλάτες;

4. Τι έκαναν οι υπεύθυνοι στον σιδηροδρομικό σταθμό, πριν επιστρέψουν οι ποδηλάτες από τη βόλτα τους στη λίμνη Κερκίνη;

Βλέπω

Δες με προσοχή τον παρακάτω πίνακα.

Α	Β	Γ
ΠΑΡΑΚΕΙΜΕΝΟΣ	**ΑΟΡΙΣΤΟΣ**	**ΥΠΕΡΣΥΝΤΕΛΙΚΟΣ**
Κάποιοι **έχουν πάει** στη λίμνη Κερκίνη και έχουν αγαπήσει το μοναδικό της τοπίο.	Κάποιοι **πήγαν** στη λίμνη Κερκίνη την προηγούμενη εβδομάδα.	Κάποιοι **είχαν πάει** στη λίμνη Κερκίνη, πριν γίνει αυτή η εκδρομή.

και παρατηρώ ...

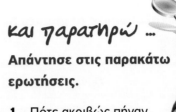

Απάντησε στις παρακάτω ερωτήσεις.

1. Πότε ακριβώς πήγαν στη λίμνη Κερκίνη, οι ποδηλάτες
   α. στη στήλη Α;
   _____
   β. στη στήλη Β;
   _____
   γ. στη στήλη Γ;
   _____

ΠΑΡΑΚΕΙΜΕΝΟΣ	ΥΠΕΡΣΥΝΤΕΛΙΚΟΣ
έχω ταξιδέψει	είχα ταξιδέψει
έχεις ταξιδέψει	είχες ταξιδέψει
έχει ταξιδέψει	είχε ταξιδέψει
έχουμε ταξιδέψει	είχαμε ταξιδέψει
έχετε ταξιδέψει	είχατε ταξιδέψει
έχουν ταξιδέψει	είχαν ταξιδέψει

Άσκηση 1

Διάβασε ξανά το κείμενο στην προηγούμενη σελίδα και συμπλήρωσε τον παρακάτω πίνακα.

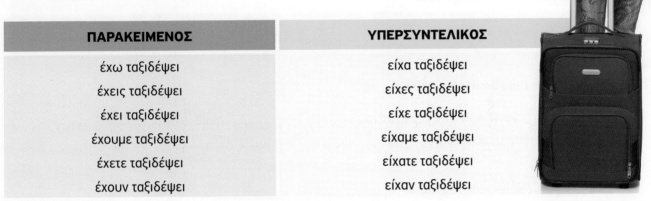

ΕΝΕΣΤΩΤΑΣ	ΑΟΡΙΣΤΟΣ
ανεβαίνω	
γίνομαι	
θέλω	
θυμάμαι	θυμήθηκα
κάθομαι	
καίω	έκαψα
καταλαβαίνω	
κατεβαίνω	
κοιμάμαι	κοιμήθηκα
λυπάμαι	λυπήθηκα
μαθαίνω	
μένω	
πεθαίνω	πέθανα

Άσκηση 2

Γίνετε ζευγάρια, ακολουθήστε τα ρήματα που είναι στον αόριστο και βγείτε από τον λαβύρινθο.

Αρχή

κοιμήθηκα	έγινα	είχα φάει	βγήκα	ήπια
είχα καταλάβει	έκαψα	πέρασα	ήρθα	έχω περάσει
έχω μείνει	θέλησα	κατέβαινα	θυμήθηκα	είδα
τρώω	έβρισκα	έκαιγα	είχα καθίσει	έμεινα
ταξίδευα	έχω βγει	έφαγα	έψαξα	κατάλαβα
έμαθα	έπαιρνα	έπαιρνα	έδινα	**έστειλα**

Τέλος

Άσκηση 3

Γίνετε ζευγάρια και διορθώστε τα λάθη.

0. Ο παππούς μου ~~πέθαινε~~ πριν από έναν χρόνο.   _πέθανε_

1. Δεν εκατάλαβα ποτέ τη συμπεριφορά του.   _____

2. Έγικε δικηγόρος.   _____

3. Έκαιψα όλες τις παλιές μου φωτογραφίες.   _____

4. Λυπήθησα πολύ επειδή έφυγε μακριά μου.   _____

5. Πρώτη φορά ανέβησα σε αεροπλάνο.   _____

6. Κατέβησε τις σκάλες πολύ γρήγορα.   _____

Άσκηση 4

Συμπλήρωσε τον πίνακα με τις λέξεις που είναι στη στήλη Α στο β΄ πρόσωπο ενικού αριθμού στον ενεστώτα και στον αόριστο. Δες τι γράφει ο συμμαθητής / η συμμαθήτριά σου και βρες τα λάθη σου.

Στήλη Α	•	(•) (•) (•) • •	(•) (•) (•) • • •
ανεβαίνω		ανεβαίνεις	ανέβηκες
γίνομαι			
μένω			
κάθομαι			
καίω			
πεθαίνω			
καταλαβαίνω			
κοιμάμαι			

Άσκηση 5

Γίνετε ζευγάρια και γράψτε το κείμενο στο παρελθόν.

Βλέπω τη φίλη μου, τη Γεωργία, από το παράθυρο. Κατεβαίνω τις σκάλες και την αγκαλιάζω. Η Γεωργία μού δίνει ένα φιλί και κοιτάζει πίσω. Καταλαβαίνω ότι δεν είναι μόνη. Από πίσω της έρχεται και ο σκύλος της, ο Μαξ. Κάθεται στα πόδια της και περιμένει. Ανεβαίνουμε όλοι μαζί τις σκάλες και μπαίνουμε στο σπίτι. Κάποια στιγμή χτυπάει το κινητό της και απαντάει. Τελειώνει το τηλεφώνημα και βγάζει από την τσάντα της ένα κουτάκι. Το κουτάκι έχει μέσα ένα υπέροχο βραχιόλι για μένα. Τότε θυμάμαι ότι έχω τα γενέθλιά μου...

Είδα τη φίλη μου, τη Γεωργία, από το παράθυρο.

Άσκηση 6

Τι έκανε χθες η Άννα; Γίνετε ζευγάρια, δείτε τις εικόνες και χρησιμοποιήστε τις παρακάτω λέξεις, για να γράψετε προτάσεις.

περιμένω, ανεβαίνω, κατεβαίνω, κάθομαι

Χτες η Άννα περίμενε στον σταθμό των τρένων.

➜ ΠΑΡΑΓΩΓΗ ΠΡΟΦΟΡΙΚΟΥ ΛΟΓΟΥ

Άσκηση 1

Γίνετε ζευγάρια και απαντήστε στις παρακάτω ερωτήσεις.

- Σου αρέσει να επισκέπτεσαι μουσεία;
- Όταν επισκέπτεσαι ένα μουσείο, θέλεις να έχεις ξεναγό ή όχι;
- Πού πήγες πέρυσι το καλοκαίρι; Πώς πέρασες;
- Ποια είναι τα σχέδιά σου για το φετινό καλοκαίρι;
- Τι κάνεις συνήθως στις διακοπές σου;
- Προτιμάς τις διακοπές τον χειμώνα ή το καλοκαίρι;
- Πιστεύεις ότι ένα ταξίδι μπορεί να έχει εκπαιδευτικό χαρακτήρα;
- Πόσο συχνά ταξιδεύεις;
- Ποια ξενοδοχεία σού αρέσουν περισσότερο;

- Ποιες ήταν οι καλύτερες διακοπές στη ζωή σου; Γιατί;
- Αν σου αρέσει ένα μέρος, ξαναπηγαίνεις ή προτιμάς πάντα να επισκέπτεσαι νέους προορισμούς;
- Αν έπρεπε να πάρεις μαζί σου στις διακοπές μόνο 3 πράγματα, ποια θα ήταν αυτά;
- Προτιμάς τις οργανωμένες διακοπές;
- Σε ποιες χώρες έχεις ταξιδέψει;

> **Συμβουλή:**
> Μη δίνεις μονολεκτικές απαντήσεις. Δεν υπάρχει σωστή και λάθος απάντηση. Απλώς αιτιολόγησε.

Άσκηση 2

Διάβασε τις παρακάτω φράσεις. Τι είναι οι **διακοπές** για σένα;

Διακοπές είναι ...	
θάλασσα και κολύμπι.	
ένα ταξίδι στο εξωτερικό.	
το κάμπιγκ.	
φαγητό και ύπνος.	
ξενύχτι και διασκέδαση.	
10 μέρες σε ξενοδοχείο πολυτελείας.	
να κάτσω σπίτι για ξεκούραση.	
ένα βιβλίο και παραλία.	
εξερεύνηση και περιπέτεια.	
λίγες μέρες μόνος / μόνη.	
μεγάλη παρέα και θάλασσα.	
ένα ταξίδι με τον / τη σύντροφό μου.	

Άσκηση 3

Δες τις εικόνες και σημείωσε στον παρακάτω πίνακα ποια εικόνα περιγράφει κάθε πρόταση.

		1	2	3
α.	Μια παρέα κάνει ράφτιγκ σε ένα ποτάμι.			
β.	Μια παραλία γεμάτη κόσμο.			
γ.	Αυτό το είδος τουρισμού λέγεται *εναλλακτικός* και προσφέρει στους τουρίστες εμπειρίες με ποιότητα και «χρώμα».			
δ.	Μια ομάδα ανθρώπων σε ένα αυτοκίνητο βλέπει από πολύ κοντινή απόσταση κάποια άγρια ζώα.			
ε.	Αυτό το είδος τουρισμού λέγεται *μαζικός* και συχνά έχει αρνητικές συνέπειες για το περιβάλλον, εξαιτίας του μεγάλου αριθμού των τουριστών.			
στ.	Οι τουρίστες που επιλέγουν τον εναλλακτικό τουρισμό σέβονται το περιβάλλον και τον πολιτισμό.			
ζ.	Η μέρα είναι πολύ ζεστή, γιατί η παραλία είναι γεμάτη κόσμο.			
η.	Αν σας αρέσει η περιπέτεια και το μυστήριο, επιλέξτε αυτού του είδους τις διακοπές.			
θ.	Η βάρκα έχει ανθρώπους που φοράνε κράνος και σωσίβιο.			

Άσκηση 4

Άκου με προσοχή ένα άτομο να μιλάει για τη δυνατότητα ανταλλαγής σπιτιών κατά τη διάρκεια των διακοπών και συμπλήρωσε τα κενά.

(cd 1, 27)

🌐 **HomeExchange.com**   Search Homes   How It Works   About   Help

http://www.homeExchange.com/

Ανταλλάξτε το σπίτι σας και χαρείτε τις διακοπές σας

Γίνετε μέλος μιας κοινότητας ανταλλαγής σπιτιών στον κόσμο. Σπίτια για ανταλλαγή υπάρχουν σε 153 χώρες. Όλα βρίσκονται σε ⁰___*γνωστούς*___ προορισμούς: Γαλλία, Ιταλία, Ισπανία, Τουρκία, Βραζιλία, Αυστραλία, Χονγκ Κονγκ, Εκουαδόρ, Άγιο Μαυρίκιο. Κάθε εβδομάδα γράφονται στην κοινότητα 200 νέα μέλη. Στόχος τους είναι να ταξιδέψουν με τον πιο ¹_____ και ωραίο τρόπο.

Η ανταλλαγή σπιτιού βασίζεται σε μια απλή ιδέα: «Στις διακοπές ανταλλάσουμε τα σπίτια μας». Αυτό σημαίνει πως, εκτός από το κόστος ²_____, οι διακοπές κοστίζουν το ίδιο με το να μένεις σπίτι σου: δωρεάν ³_____ και δυνατότητα να ανταλλάξεις αυτοκίνητα, ⁴_____, ποδήλατα.

Τα μέλη των κοινοτήτων είναι νεαρά ζευγάρια ή οικογένειες με παιδιά, φοιτητές ή συνταξιούχοι: άνθρωποι που θέλουν να γνωρίσουν από κοντά την κάθε χώρα και τον ⁵_____ της.

Στην Ελλάδα υπάρχουν πολλοί ⁶_____ σπιτιών σε τουριστικά μέρη. Οι κοινότητες απευθύνονται σε όσους χρησιμοποιούν το εξοχικό τους για μικρό χρονικό διάστημα μέσα στον χρόνο. Όλοι αυτοί με την ανταλλαγή σπιτιών έχουν τη δυνατότητα να αξιοποιήσουν την ⁷_____ κατοικία τους. Οι ⁸_____ εταιρείες σε όλο τον κόσμο προτείνουν την ανταλλαγή σπιτιών. Υποστηρίζουν ότι με αυτόν τον τρόπο τα σπίτια δεν μένουν άδεια και δεν γίνονται κλοπές.

Οι ανταλλαγές δεν χρειάζεται να είναι ταυτόχρονες. Έτσι, τα μέλη έχουν τη δυνατότητα να χρησιμοποιήσουν τη συνδρομή τους σε όλη τη διάρκεια του χρόνου. Τα καλοκαίρια μπορούν να πηγαίνουν στην Ελλάδα και τον χειμώνα σε μια άλλη χώρα.

Ξεχάστε τις ⁹_____, τις ημιδιατροφές, τα αστέρια και την ποιότητα του ξενοδοχείου. Τώρα έχετε την ευκαιρία να ζήσετε στο μέρος που επιλέγετε σαν στο σπίτι σας.

Άσκηση 5

Δες με προσοχή τις φωτογραφίες και περίγραψέ τες.

Συμβουλή:
Μίλα για το θέμα τους, τις ομοιότητες και τις διαφορές τους. Ποια φωτογραφία σού αρέσει περισσότερο;

Χρήσιμο λεξιλόγιο

- δημοφιλής προορισμός
- εξωτικό μέρος

- κοσμοπολίτικο
- κατασκήνωση
- εναλλακτικός τουρισμός

- μαζικός τουρισμός
- τοπική κουζίνα
- οργανωμένες διακοπές

Άσκηση 6

Γίνετε ζευγάρια και παίξτε τα παρακάτω παιχνίδια ρόλων.

Συμβουλή:
Υπογράμμισε τις λέξεις-κλειδιά που έχει κάθε ρόλος. Γράψε το λεξιλόγιο που θα χρειαστείς.
Αν ο συμμαθητής / η συμμαθήτριά σου μιλάει γρήγορα και δεν τον / την καταλαβαίνεις, μπορείς να πεις «Συγνώμη, δεν κατάλαβα, μπορείς να το ξαναπείς; Πιο αργά, παρακαλώ...»

Εναλλακτικός ή μαζικός τουρισμός;

Ρόλος Α

Πλησιάζει το καλοκαίρι και συζητάς με την παρέα σου για το μέρος που θα κάνετε διακοπές. Εσύ θέλεις να πας σε ένα ήσυχο ορεινό χωριό και να βοηθήσεις στην προετοιμασία του τοπικού πανηγυριού. Η παρέα σου προτιμά να πάτε σε ένα κοσμικό νησί, όπως είναι η Μύκονος. Προσπαθείς να τον / την πείσεις.

Ρόλος Β

Πλησιάζει το καλοκαίρι και συζητάς με την παρέα σου για το μέρος που θα κάνετε διακοπές. Εσύ θέλεις να πας σε ένα κοσμικό νησί, όπως είναι η Μύκονος. Η παρέα σου προτιμά να πάτε σε ένα ήσυχο ορεινό χωριό και να βοηθήσετε στην προετοιμασία του τοπικού πανηγυριού. Προσπαθείς να τον / την πείσεις.

Ξενοδοχείο ή κάμπιγκ;

Ρόλος Α

Αποφασίσατε με την παρέα σου να πάτε το καλοκαίρι στη Χαλκιδική, που έχει πολύ ωραίες παραλίες. Συζητάτε για τη διαμονή σας. Εσύ θέλεις να πάτε σε ένα κάμπιγκ, ενώ η παρέα σου προτιμά ένα ξενοδοχείο πολυτελείας. Προσπαθείς να τον / την πείσεις.

Ρόλος Β

Αποφασίσατε με την παρέα σου να πάτε το καλοκαίρι στη Χαλκιδική, που έχει πολύ ωραίες παραλίες. Συζητάτε για τη διαμονή σας. Εσύ θέλεις να πάτε σε ένα ξενοδοχείο πολυτελείας, ενώ η παρέα σου προτιμά το κάμπιγκ. Προσπαθείς να τον / την πείσεις.

ΠΑΡΑΓΩΓΗ ΓΡΑΠΤΟΥ ΛΟΓΟΥ

Άσκηση 1

Παρακάτω είναι η περιγραφή ενός ελληνικού νησιού, της Κέρκυρας. Διάβασε προσεκτικά το κείμενο και διάλεξε έναν πλαγιότιτλο για κάθε παράγραφο.

ξενοδοχείο, εισαγωγή, συναισθήματα, φαγητό, έθιμα, τοπίο

ΠΑΣΧΑ ΣΤΗΝ ΚΕΡΚΥΡΑ

1 _____ Η Κέρκυρα είναι ένα από τα πιο όμορφα νησιά της Ελλάδας. Αν έχετε μόνο μία ευκαιρία, για να ταξιδέψετε στην Κέρκυρα, τότε διαλέξτε την άνοιξη και την εβδομάδα του Πάσχα. Είναι η περίοδος που η Κέρκυρα φοράει τα καλά της! Τότε φανερώνει τη φυσική και πολιτιστική της ομορφιά.

2 _____ Πήγα στο νησί την Κυριακή των Βαΐων. Πριν φτάσω στο ξενοδοχείο, κατάλαβα ότι η Κέρκυρα είναι ένας τόπος μοναδικός. Το άρωμα των λουλουδιών, το πράσινο του βουνού και το μπλε της θάλασσας δημιουργούσαν ένα πολύ όμορφο τοπίο.

3 _____ Έφτασα στην κεντρική πλατεία. Εκεί ήταν το ξενοδοχείο μου. Ένα παραδοσιακό αρχοντικό με μεγάλες βεράντες και καταπληκτική θέα στην πόλη και το φρούριο. Το δωμάτιο είχε ζεστά χρώματα και πολύ όμορφη διακόσμηση. Είχε καταπληκτικό πρωινό και πολύ ωραίο μπαρ.

4 _____ Στο κέντρο και στην αγορά της πόλης μύριζε υπέροχα το γλυκό των ημερών, η φογάτσα. Η φογάτσα είναι σαν τσουρέκι με στρογγυλό σχήμα και ωραίο άρωμα. Υπήρχε σε όλους τους φούρνους του νησιού και είναι πραγματικά πολύ νόστιμη.

5 _____ Δεν θα ξεχάσω ποτέ τις μπάντες με την υπέροχη μουσική. Επίσης, μου άρεσε πάρα πολύ το έθιμο με τους «μπότηδες». Είναι πολύ εντυπωσιακό και γίνεται το Μεγάλο Σάββατο στην πλατεία Σπιανάδα. Στις 12 μ.μ. του Σαββάτου, οι κάτοικοι πετούν από τα μπαλκόνια τους τεράστια κανάτια γεμάτα νερό που λέγονται «μπότηδες». Όλα τα μπαλκόνια είναι στολισμένα και οι κάτοικοι δένουν στους «μπότηδες» κόκκινες κορδέλες.

6 _____ Μη χάσετε την ευκαιρία να περάσετε ένα Πάσχα στην Κέρκυρα. Θα σας μεθύσει το άρωμα των λουλουδιών, θα σας μαγέψει η μουσική και θα σας ενθουσιάσουν οι γιορταστικές εκδηλώσεις.

Άσκηση 2

Στην παρακάτω ακροστιχίδα γράψε σε κάθε γραμμή όσες περισσότερες λέξεις μπορείς που έχουν σχέση με τα ταξίδια και περιέχουν ή αρχίζουν από το κάθε γράμμα της λέξης *ταξίδια*.

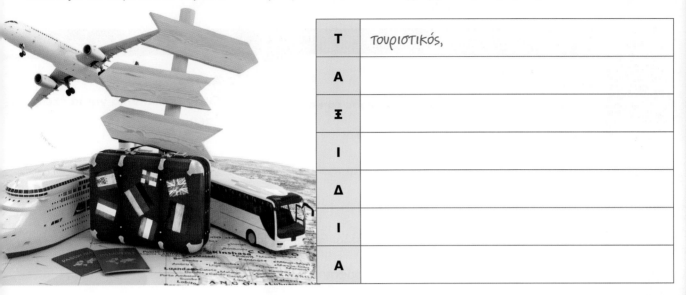

Τ	τουριστικός,
Α	
Ξ	
Ι	
Δ	
Ι	
Α	

Άσκηση 3

Είσαι δημοσιογράφος και γράφεις ένα άρθρο, για να παρουσιάσεις ένα τουριστικό μέρος της χώρας σου. Γράφεις το άρθρο και αναφέρεις τις απαραίτητες πληροφορίες για τον τόπο της επιλογής σου, τα ξενοδοχεία, τα ιδιαίτερα πιάτα και τα έθιμα της περιοχής. (150-200 λέξεις)

Συμβουλή:
Υπογράμμισε τις λέξεις-κλειδιά και, για κάθε λέξη-κλειδί, σημείωσε το λεξιλόγιο που θα σου χρειαστεί.

σχεδιάγραμμα / χρήσιμο λεξιλόγιο

Το κείμενο που έγραψα:

– έχει τίτλο.	
– περιγράφει το τουριστικό μέρος.	
– περιγράφει τα ξενοδοχεία.	
– περιγράφει τα τοπικά πιάτα.	
– περιγράφει τα τοπικά έθιμα.	

Ώρα για τραγούδι

(cd 1, 28)

Άκου μία φορά το τραγούδι.

Άσκηση 1
Άκου ξανά το τραγούδι και συμπλήρωσε τα κενά.

Έφτασε καλοκαιράκι, φύγαμε για Σαμοθράκη!

Μία τσάντα, μια ⁰ _σκηνή_, έτοιμοι για το νησί!

Δέντρα με παχιά σκιά, βάθρες κρύες με ¹_____,

γάργαρα παντού ηχούν και ²_____ κελαηδούν!

Για ³_____ στα καφενεία, Χώρα και προφήτη Ηλία!

Και στις βάθρες του «φονιά», παραδεισένια τα νερά!

Κάθε μέρα ⁴_____, ύπνος μέσα στις σκηνές!

Χρώματα, ήχοι, μυρωδιές, απόψε ⁵_____ Καστανιές

και στα Θέρμα το βραδάκι, μουσικούλα και ⁶_____! } (δις)

Διακοπές στη Σαμοθράκη, έφτασε καλοκαιράκι!

Άσκηση 2
Σε ποια ελληνικά νησιά έχεις πάει;

_____

_____

_____

_____

_____

_____

_____

_____

_____

⚠ Τώρα ξέρεις ...

	Ναι	Όχι
να μιλάς για τις διακοπές σου;		
να καταλαβαίνεις διαφημίσεις από τουριστικά γραφεία;		
να καταλαβαίνεις οδηγίες για μεγάλα ταξίδια;		
να καταλαβαίνεις άρθρα σχετικά με διακοπές;		
να παρουσιάζεις ένα τουριστικό μέρος;		
να χρησιμοποιείς τον αόριστο και τον παρατατικό;		
να αναγνωρίζεις τον παρακείμενο και τον υπερσυντέλικο;		

ΕΚΠΤΩΣΕΙΣ

-20%

- Σου αρέσει να κάνεις ψώνια;

- Ψωνίζεις στις εκπτώσεις;

- Τι ψώνια κάνεις;

Άσκηση 1

Διάβασε το παρακάτω κείμενο και διάλεξε τον κατάλληλο τίτλο.

α. Ρούχα της μόδας για σας

β. Ψωνίστε στις εκπτώσεις

γ. Προσέξτε το στιλ σας με λίγα χρήματα

Άσκηση 2

Διάβασε με προσοχή το παρακάτω κείμενο και συμπλήρωσε τα κενά με τις φράσεις του πίνακα. Υπάρχουν 3 φράσεις που δεν ταιριάζουν σε κανένα κενό.

Συμβουλή:
Πρώτα διάβασε τις φράσεις του πίνακα και προσπάθησε να καταλάβεις τη σημασία τους.

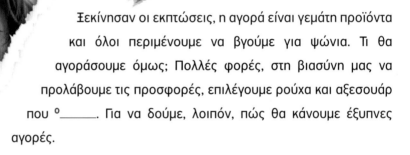

Ξεκίνησαν οι εκπτώσεις, η αγορά είναι γεμάτη προϊόντα και όλοι περιμένουμε να βγούμε για ψώνια. Τι θα αγοράσουμε όμως; Πολλές φορές, στη βιασύνη μας να προλάβουμε τις προσφορές, επιλέγουμε ρούχα και αξεσουάρ που ^{0}_____. Για να δούμε, λοιπόν, πώς θα κάνουμε έξυπνες αγορές.

1 Προτιμήστε τα κλασικά κομμάτια, γιατί θα τα φοράτε πάντα: από το πρωί έως το βράδυ. Αγοράστε ρούχα για κάθε μέρα. Τα έχετε περισσότερη ανάγκη από τα βραδινά φορέματα. Σίγουρα οι βραδινές εμφανίσεις είναι πιο λίγες από ^{1}_____.

2 Ακολουθήστε τη μόδα, αλλά προσέξτε να αγοράσετε ρούχα που <u>σας πηγαίνουν</u>. Ωραία είναι τα ριγέ, τα καρό, τα πουά και οι πιέτες, αλλά μήπως <u>σας παχαίνουν</u>; <u>Είναι στη μόδα</u> τα ρούχα σε παλ αποχρώσεις, αλλά μήπως είστε πολύ χλωμή και ^{2}_____; Είναι πολύ κλασάτα τα μακριά φορέματα, αλλά μήπως δεν είστε αρκετά ψηλή για να τα φορέσετε; Το ντύσιμό σας μπορεί να είναι πάντα κομψό χωρίς να ακολουθείτε τη μόδα.

3 Ψωνίστε ³_____ το καλοκαίρι. Σίγουρα δεν είναι πολύ βολικό ⁴_____ να δοκιμάζετε ζιβάγκο μέσα στον καύσωνα. Όμως, πολλά καταστήματα έχουν μεγάλες προσφορές στα ρούχα εκτός σεζόν, γιατί είναι περσινά κομμάτια.

4 Αγοράστε τζιν. Φοριέται εύκολα <u>χειμώνα-καλοκαίρι</u>, <u>πρωί-βράδυ</u> και, όσα τζιν κι αν έχουμε, ⁵_____.

5 Και τέλος, μην ξεχνάτε το σπίτι σας. Τώρα είναι η τέλεια ευκαιρία να ανανεώσετε σεντόνια, πετσέτες, μπουρνούζια, ⁶_____.

Κάνετε πάντα σωστή έρευνα αγοράς. Μην κάνετε βιαστικές αγορές, γιατί μετά θα το <u>μετανιώσετε</u>. Μην ξεχνάτε ότι πολλές φορές στις εκπτώσεις δεν γίνονται αλλαγές. Αγοράστε ρούχα καλής ποιότητας. Τώρα μπορείτε να <u>ψωνίσετε</u> επώνυμα προϊόντα χωρίς ⁷_____.

Και μην ξεχνάτε την απόδειξη στο τέλος των αγορών σας! Ίσως τη χρειάζεστε για τη φορολογική σας δήλωση.

α.	δεν φοράμε ποτέ	0	**ζ.**	τις ίδιες	
β.	τελικά δεν μας φτάνουν		**η.**	να αδειάσει το πορτοφόλι σας	
γ.	τα χειμωνιάτικα ρούχα σας		**θ.**	ακόμη και σερβίτσια	
δ.	δεν είναι σίγουρο		**ι.**	στα σίγουρα	
ε.	αυτές στην εργασία σας		**ια.**	θέλετε κάτι πιο έντονο	
στ.	να είστε σ' ένα δοκιμαστήριο και				

Άσκηση 3

Διάβασε ξανά το κείμενο και απάντησε στην παρακάτω ερώτηση:

• Σε ποιους συμμαθητές / ποιες συμμαθήτριές σου πηγαίνουν τα πουά, τα ριγέ υφάσματα, τα παλ ή τα έντονα χρώματα;

λεξιλόγιο

Άσκηση 1

Γίνετε ζευγάρια, δείτε τις υπογραμμισμένες λέξεις / φράσεις του κειμένου (σελ. 218-219) και βρείτε με ποιες από τις παρακάτω λέξεις / φράσεις ταιριάζουν στη σημασία.

0. σας δείχνουν πιο χοντρή = _σας παχαίνουν_

1. σας ταιριάζουν = _____

2. αλλάζω γνώμη = _____

3. όλες τις εποχές = _____

4. αγοράζω = _____

5. όλες τις ώρες = _____

6. είναι μοντέρνο = _____

Άσκηση 2

Γίνετε ζευγάρια, ενώστε τις λέξεις με αντίθετη σημασία και κάνετε προτάσεις μ' αυτές.

0. γεμάτος _β_ **α.** θυμάμαι

1. κομψό _____ **β.** άδειος

2. ξεχνώ _____ **γ.** ανώνυμο

3. επώνυμο _____ **δ.** άκομψο

Άσκηση 3

Γίνετε ζευγάρια, διαβάστε τους παρακάτω ορισμούς και συμπληρώστε τα κενά στις προτάσεις με τις λέξεις του κρυπτόλεξου.

0. Όταν κάνω κάτι γρήγορα, το κάνω με _βιασύνη_.

1. Όταν κάποιος δεν έχει χρώμα και η επιδερμίδα του είναι κίτρινη, είναι _____.

2. Αυτό που είναι φτιαγμένο με ωραίο γούστο, είναι _____.

3. Όταν πληρώνουμε κάτι στο ταμείο, παίρνουμε πάντα μια _____ που γράφει την τιμή του προϊόντος.

4. Όταν κάτι δεν είναι αρκετό, τότε δεν μας _____.

5. Ο χώρος που δοκιμάζουμε τα ρούχα σε ένα μαγαζί είναι το _____.

6. Οι διαφορετικοί τόνοι σε ένα χρώμα είναι οι _____.

0	Α	Β	Ι	Α	Σ	Υ	Ν	Η	Ω	Ψ	Χ	Φ
1	Χ	Λ	Ω	Μ	Ο	Σ	Ο	Π	Ρ	Σ	Τ	Υ
2	Β	Η	Θ	Μ	Ν	Ξ	Κ	Ο	Μ	Ψ	Ο	Γ
3	Γ	Ζ	Ι	Α	Π	Ο	Δ	Ε	Ι	Ξ	Η	Η
4	Δ	Ε	Κ	Λ	Φ	Τ	Α	Ν	Ε	Ι	Ε	Ρ
5	Δ	Ο	Κ	Ι	Μ	Α	Σ	Τ	Η	Ρ	Ι	Ο
6	Α	Π	Ο	Χ	Ρ	Ω	Σ	Ε	Ι	Σ	Η	Κ

Άσκηση 4

Γίνετε ζευγάρια και ενώστε τις λέξεις, για να κάνετε φράσεις που χρησιμοποιούνται πολύ συχνά. Μετά γράψτε προτάσεις με τις φράσεις που κάνατε.

0. βραδινό	**α.** για ψώνια	_____
1. βγαίνω	**β.** αγορά	_____
2. κλασικά	**γ.** αγοράς	_____
3. έξυπνη	**δ.** φόρεμα	_0_
4. έρευνα	**ε.** κομμάτια	_____
5. πρωί	**στ.** εμφάνιση	_____
6. χειμώνα	**ζ.** ποιότητα	_____
7. παλ	**η.** προϊόντα	_____
8. βραδινή	**θ.** βράδυ	_____
9. επώνυμα	**ι.** αποχρώσεις	_____
10. καλή	**ια.** καλοκαίρι	_____

Άσκηση 5

Ποιες από τις παρακάτω φράσεις είναι Σωστές και ποιες Λάθος;

0. Αυτά τα ρούχα είναι πολύ ωραία πάνω σου. Δεν σου πηγαίνουν καθόλου. _Λ_

1. Αγοράζω πάντα ρούχα που είναι στη μόδα και όλοι λένε ότι είμαι πολύ μοντέρνος. _____

2. Αγόρασα ένα φόρεμα και το μετάνιωσα, γιατί το φοράω κάθε μέρα. _____

3. Η Ελένη είναι πολύ κομψή. Φοράει πάντα ρούχα που της πηγαίνουν. _____

4. Δεν αγοράζω ποτέ επώνυμα ρούχα. Αγοράζω, όμως, πολύ ακριβά και γνωστά ρούχα. _____

5. Ψωνίζω πάντα στις εκπτώσεις, για να αγοράσω φθηνά ρούχα. _____

6. Ο Δημήτρης έχει κόκκινα μάγουλα και είναι πολύ χλωμός. _____

Άσκηση 6

Δες το παρακάτω χρωματολόγιο και πρότεινε στον διπλανό / στη διπλανή σου τα χρώματα που του / της ταιριάζουν.

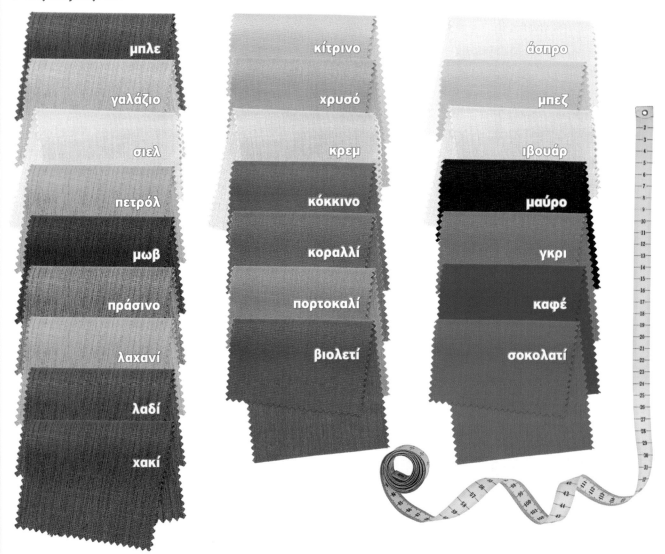

Άσκηση 7

Διάλεξε ένα από τα παρακάτω μαγαζιά. Αγόρασε τα προϊόντα που σε ενδιαφέρουν και πες στους συμμαθητές / στις συμμαθήτριές σου τι πρέπει να πληρώσεις. Οι συμμαθητές / συμμαθήτριές σου προσπαθούν να καταλάβουν τι αγόρασες.

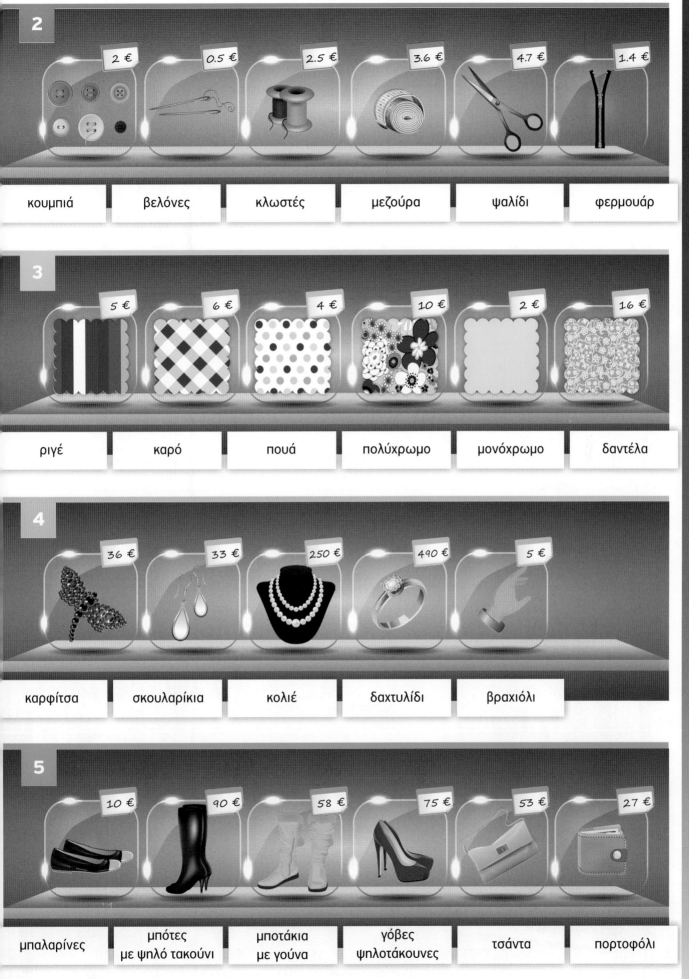

2

2 €	0.5 €	2.5 €	3.6 €	4.7 €	1.4 €
κουμπιά	βελόνες	κλωστές	μεζούρα	ψαλίδι	φερμουάρ

3

5 €	6 €	4 €	10 €	2 €	16 €
ριγέ	καρό	πουά	πολύχρωμο	μονόχρωμο	δαντέλα

4

36 €	33 €	250 €	490 €	5 €
καρφίτσα	σκουλαρίκια	κολιέ	δαχτυλίδι	βραχιόλι

5

10 €	90 €	58 €	75 €	53 €	27 €
μπαλαρίνες	μπότες με ψηλό τακούνι	μποτάκια με γούνα	γόβες ψηλοτάκουνες	τσάντα	πορτοφόλι

Άσκηση 8

Γίνετε ζευγάρια, δείτε τις παρακάτω λέξεις και συμπληρώστε τα κενά κάθε σειράς του πίνακα με λέξεις που ανήκουν στην ίδια οικογένεια.

αναγκάζω, προσεκτικός, εκπτωτικός, αγοράζω, αναγκαστικός, δοκιμαστήριο, φορώ, πάχος, βραδιάζει, έλεγχος, ύψος, παχουλός, δοκιμή, βράδυ, ψωνίζω, ψηλώνω, βιάζομαι, ένταση, προσφέρω, προτίμηση, δοκιμαστικός

ρήμα	ουσιαστικό	επίθετο
προσέχω	προσοχή	0 _Προσεκτικός_
-	εκπτώσεις	1 _____
2 _____	αγορά	-
3 _____	ψώνια	-
4 _____	βιασύνη	βιαστικός
5 _____	προσφορά	-
προτιμώ	6 _____	-
7 _____	ανάγκη	8 _____
9 _____	10 _____	βραδινό
11 _____	φόρεμα	-
παχαίνω	12 _____	13 _____, παχύς
-	14 _____	έντονος
15 _____	16 _____	ψηλός
δοκιμάζω	17 _____, 18 _____	19 _____
ελέγχω	20 _____	-

Άσκηση 9
Γίνετε ζευγάρια και συμπληρώστε τα κενά, όπως στο παράδειγμα.

Επιτέλους έφτασαν οι εκπτώσεις. Θέλω να βγω στην ⁰___*αγορά*___ (αγοράζω) και να ψωνίσω

μερικά πραγματάκια. Χρειάζομαι σίγουρα ένα ¹_____ (βράδυ) φόρεμα, γιατί θα πάω σε

μια δεξίωση το Σάββατο το βράδυ. Είμαι λίγο ²_____ (πάχος) και νομίζω ότι δύσκολα

θα βρω κάτι που να μου πηγαίνει. Σκέφτομαι ότι, ίσως ένα ζευγάρι ψηλοτάκουνα παπούτσια θα μου

δώσουν λίγο ³_____ (ψηλώνω) και θα με κάνουν πιο κομψή.

Ενώ μου αρέσει να ψωνίζω, δεν έχω πολλή όρεξη αυτήν τη φορά. Ίσως επειδή αυτές οι

αγορές είναι ⁴_____ (αναγκάζω) και πρέπει να γίνουν με ⁵_____ (βιάζομαι).

Δεν μου αρέσει να ψωνίζω βιαστικά, αλλά δεν μπορούσα να κάνω κάτι διαφορετικό αυτή τη φορά.

Τα βραδινά ⁶_____ (φοράω) κοστίζουν πολύ και εγώ δεν θέλω να ξοδέψω πολλά

γι' αυτά τα ρούχα. Γι' αυτό περίμενα τις εκπτώσεις. Ελπίζω να βρω κάποιες ⁷_____

(προσφέρω).

Γενικά μου αρέσει πολύ να ψωνίζω. Αφιερώνω πολλές ώρες στα ⁸_____

(ψωνίζω) μου. Η αλήθεια είναι ότι με κουράζει να περιμένω στην ουρά έξω από το ⁹_____

(δοκιμάζω). Πάντα, όμως, δοκιμάζω τα ρούχα που θα αγοράσω, γιατί θέλω να είμαι σίγουρη για τις

αγορές μου.

Άσκηση 10
Διάλεξε 6-7 λέξεις από τον πίνακα της άσκησης 8 και κάνε μια ιστορία.

ΛΕΞΙΛΟΓΙΟ

Άσκηση 11

Οι παρακάτω λέξεις έχουν περισσότερες από μία σημασίες. Γίνετε ζευγάρια, βρείτε τις λέξεις μέσα στο κείμενο (σελ. 218-219) και σημειώστε ποια σημασία έχουν μέσα σε αυτό.

προσέχω

- **παρακολουθώ:** Ο καθηγητής μιλάει, αλλά κανείς δεν τον προσέχει.
- **κάνω κάτι με συγκεντρωμένο μυαλό:** Όταν οδηγείς, πρέπει να προσέχεις.
- **διακρίνω:** Μήπως πρόσεξες τι φορούσε ο Κώστας χθες;
- **περιποιούμαι, φροντίζω:** Η Άννα προσέχει πολύ τη μητέρα της.
- **παίρνω τα μέτρα μου, προφυλάγομαι:** Πρόσεξε να μην κρυώσεις.
- **εκφράζω απειλή:** Πρόσεχε πώς μου μιλάς!

γεμάτος

- **που έχει πολλά άτομα (για χώρο):** Χθες είχε πολύ κόσμο έξω. Όλες οι ταβέρνες και όλα τα καφέ ήταν γεμάτα.
- **που έχει πολλές δραστηριότητες (για χρόνο):** Η μέρα μου είναι πολύ γεμάτη και δεν έχω καθόλου ελεύθερο χρόνο.
- **που έχει πολλά κιλά (για άνθρωπο):** Η Βίκυ δεν έχασε ακόμη τα κιλά της εγκυμοσύνης και είναι γεμάτη.
- **που έχει κάτι σε μεγάλη ποσότητα:** Το γραφείο μου είναι γεμάτο μολύβια.

προλαβαίνω

- **φτάνω κάπου εγκαίρως:** Πρέπει να ξεκινήσεις τώρα, για να προλάβεις το τρένο.
- **φτάνω κάποιον που είναι μπροστά από μένα:** Ξεκίνα κι έρχομαι· θα σε προλάβω στον δρόμο.
- **κάνω κάτι εγκαίρως:** Πρόλαβα να κάνω αίτηση για το Πανεπιστήμιο.
- **βρίσκω χρόνο να κάνω κάτι:** Προλαβαίνω να πάω γυμναστήριο, πριν πάω στη δουλειά.

προσφορά

- **πολύ καλή τιμή:** Αγόρασα αυτά τα μπλουζάκια σε προσφορά.
- **βοήθεια:** Η προσφορά του Λευτέρη στην κοινότητα είναι τεράστια.
- **τα χρήματα που προτείνει κάποιος, για να αγοράσει ή να πουλήσει κάτι ή για να κάνει μια δουλειά:** Μου έκανε πολύ καλή προσφορά για το σπίτι και θα το αγοράσω.

βιαστικός

- **που πιέζεται, επειδή δεν έχει χρόνο:** Είμαι πολύ βιαστική. Φεύγω!
- **που γίνεται μέσα σε σύντομο χρονικό διάστημα:** Μην παίρνεις βιαστικές αποφάσεις.
- **που ο χρόνος πιέζει να γίνει σε σύντομο (χρονικό) διάστημα, επείγον:** Η υπόθεση είναι πολύ βιαστική.

Άσκηση 12

Ο κάθε μαθητής / Η κάθε μαθήτρια διαλέγει μια εικόνα από τον πίνακα. Την περιγράφει δυνατά στην τάξη. Οι υπόλοιποι μαθητές / Οι υπόλοιπες μαθήτριες βρίσκουν την εικόνα και τη σημειώνουν. Σημειώνουν τέσσερα διαδοχικά κελιά διαγώνια, οριζόντια ή κάθετα που περνούν από το κεντρικό BINGO και φωνάζουν BINGO.

Παράδειγμα: _Μια κοπέλα με καρέ μαλλιά. Φοράει κοντό φόρεμα, φτερό στα μαλλιά και ψηλά τακούνια. Στο χέρι της κρατάει τσιγάρο._

Άσκηση 13

Ζήτησε τη βοήθεια του συμμαθητή / της συμμαθήτριάς σου, για να συμπληρώσεις το σταυρόλεξο.

Παράδειγμα:

Μαθητής Α: Τι έχεις στο 1 κάθετα;　　　　**Μαθητής Β:** Είναι τα ρούχα σε πάρα πολύ καλές τιμές.

Μαθητής Α

			¹Τ	Ι	Μ	Η		Ε	Υ	Κ	Α	Ι	Ρ	Ι	Α	Σ	
	²Β	Ρ	Α	Δ	Ι	Ν	Ο			⁴							
											³Α	Π	Ο	⁵Δ	Ε	Ι	Ξ	Η
⁴Α	¹Π	Ο	Χ	Ρ	Ω	Σ	Η										
	Ρ							³		⁵Μ	Ε	Τ	Α	Ξ	Ι		
	Ο																
	Σ									⁶Β	Α	Μ	Β	Α	Κ	Ι	
	Φ																
	Ο																
	Ρ																
	⁷Ε	Μ	Φ	Α	Ν	Ι	Σ	Η									
	Σ												⁸Ρ	Ι	Γ	Ε	
			⁹Τ	Η	Σ		Μ	Ο	Δ	Α	Σ						
			²														
¹⁰Ζ	Ι	Β	Α	Γ	Κ	Ο				¹¹Δ	Ε	Ρ	Μ	Α			

Μαθητής Β

			¹														
	²								⁴Ε								
									Π								
									Ω		³			⁵Δ			
⁴	¹Π								Ν					Ο			
	Ρ								Υ					Κ			
	Ο				³Κ				⁵Μ					Ι			
	Σ				Α				Α					Μ			
	Φ				Ρ			⁶						Α			
	Ο				Ο				Π					Σ			
	Ρ								Ρ					Τ			
	⁷Ε								Ο					Η			
	Σ								Ι				⁸Ρ				
			⁹						Ο					Ι			
									Ν					Ο			
					²Π				Τ								
¹⁰					Ο				Α			¹¹					
					Υ												
					Α												

Λέξεις, φράσεις και εκφράσεις ...

Άσκηση 1

Γίνετε ζευγάρια, διαβάστε τον πίνακα και βρείτε σε ποια παραδείγματα η λέξη *αγορά* έχει τις παρακάτω σημασίες

α. απόκτηση πραγμάτων με χρήματα

β. ο τόπος όπου πωλούνται και αγοράζονται φρούτα και λαχανικά

γ. το κέντρο της δημόσιας ζωής στις αρχαίες ελληνικές πόλεις

δ. η αγοραπωλησία εκτός κανόνων

ε. το σύνολο των ανθρώπων που έχουν σχέση με την αγορά

στ. τα μαγαζιά, εμπορικό κέντρο

0.	Στη «μαύρη	αγορά»	εισιτήρια του αγώνα Ρουμανία – Ελλάδα.	δ
1.	Υπολογίστε μόνοι σας τις δόσεις για	αγορά	αυτοκινήτου.	
2.	Αθήνα: Πηγαίνουν στη λαϊκή	αγορά	με άδειες τσέπες!	
3.	Το Σάββατο πήγα στην	αγορά	για ψώνια.	
4.	Η συνταγή της επιτυχίας είναι το καλό όνομα στην	αγορά.	Αυτό κερδίζεται σταδιακά και με πολύ κόπο.	
5.	Η Αρχαία	Αγορά	βρίσκεται στη βόρεια πλευρά της Ακρόπολης. Ήταν το κέντρο της αστικής ζωής, μια μικρή πολιτεία μέσα στη μεγάλη. Εδώ έφταναν όσοι είχαν να αγοράσουν ή να πουλήσουν κάτι, έμποροι, γεωργοί, τεχνίτες και δούλοι.	

Διασκευασμένα παραδείγματα από το σώμα κειμένων του ΚΕΓ και από το Λεξικό της Κοινής Νεοελληνικής (Τριανταφυλλίδη)

ΠΟΣΟ ΚΛΙΚ ΚΑΝΕΙΣ;

Κάνε το παρακάτω τεστ και διάβασε τα αποτελέσματα.
Πόσο αληθινά πιστεύεις ότι είναι;

Πόσο συχνά ψωνίζεις ...

1 με πιστωτική κάρτα;
α. Ποτέ.
β. Αρκετά συχνά.
γ. Πάντα.

2 στις εκπτώσεις;
α. Ποτέ.
β. Αρκετά συχνά.
γ. Πάντα.

3 με λίστα των πραγμάτων που χρειάζεσαι;
α. Ποτέ.
β. Αρκετά συχνά.
γ. Πάντα.

4 πράγματα για το σπίτι;
α. 1 φορά τον μήνα.
β. 2 φορές τον χρόνο.
γ. 1 φορά κάθε δύο χρόνια.

5 επώνυμα ρούχα;
α. Ποτέ.
β. Αρκετά συχνά.
γ. Πάντα.

6 από το διαδίκτυο;
α. Ποτέ.
β. Αρκετά συχνά.
γ. Πάντα.

7 ρούχα περσινής μόδας;
α. Ποτέ.
β. Αρκετά συχνά.
γ. Πάντα.

ΑΠΟΤΕΛΕΣΜΑΤΑ

Αν έχεις περισσότερα Α: Είσαι θύμα της μόδας και ψωνίζεις χωρίς να σκέφτεσαι. Ξοδεύεις περισσότερα χρήματα από αυτά που είναι απαραίτητα για το ντύσιμό σου. Πρόσεξε το πορτοφόλι σου. Οι εποχές είναι δύσκολες.

Αν έχεις περισσότερα Β: Σου αρέσει η κομψότητα και το ωραίο ντύσιμο, όμως, σίγουρα δεν είσαι θύμα της κατανάλωσης. Αγοράζεις πράγματα που έχεις αληθινή ανάγκη και η ντουλάπα σου είναι γεμάτη με ρούχα που φοράς συχνά.

Αν έχεις περισσότερα Γ: Πρέπει να προσέχεις λίγο περισσότερο το ντύσιμό σου. Σίγουρα δεν είναι καλό να είσαι θύμα της μόδας, όμως, εσύ είσαι στο άλλο άκρο. Ξόδεψε λίγα χρήματα για την εμφάνισή σου. Θα νιώσεις καλύτερα.

Γραμματική: Βλέπω και παρατηρώ ...

Διάβασε το παρακάτω κείμενο και απάντησε στις ερωτήσεις.

Σωστό πλύσιμο ρούχων!

Το πλύσιμο, το στέγνωμα και το σιδέρωμα των ρούχων είναι απλές δουλειές για τις παλιές νοικοκυρές, πονοκέφαλος, όμως, για τις καινούριες! Πώς θα πλύνουν τα ρούχα χωρίς να ξεβάψουν και χωρίς να μαζέψουν; Αξίζει να αγοράσουν στεγνωτήριο; Σε ποια θερμοκρασία θα τα σιδερώσουν, για να μην τα καταστρέψουν; Ποιο είναι το ιδανικό απορρυπαντικό για τα ρούχα των παιδιών;

Μην ανησυχείτε, φίλες μας. Είμαστε εδώ, για να δώσουμε απαντήσεις σε όλες τις απορίες σας.

- **Πλύσιμο:** Φροντίστε πρώτα-πρώτα να πλένετε μαζί ρούχα ίδιας ποιότητας και ίδιου χρώματος. Μην πλένετε τα μεταξωτά μαζί με τα μάλλινα ή τα βαμβακερά. Μη βάζετε ένα κόκκινο της φωτιάς μαζί με τα άσπρα: θα γίνουν όλα ροζ. Υπάρχουν διαφορετικά προγράμματα πλυσίματος σε κάθε πλυντήριο. Προσέξτε πολύ την ποσότητα του απορρυπαντικού, γιατί, αν βάλετε περισσότερο από όσο χρειάζεται, θα βγάλετε από το πλυντήριο ρούχα γεμάτα λεκέδες. Μην πλένετε όλα τα ρούχα σε χαμηλές θερμοκρασίες. Τα ρούχα της δουλειάς ή του σχολείου, για παράδειγμα, είναι πιο βρόμικα από τα ρούχα του σπιτιού. Γι' αυτό πλύνετε τα ρούχα της δουλειάς στους 60 βαθμούς και τα ρούχα του σπιτιού στους 30 ή 40 βαθμούς. Τέλος, πλύνετε τα ρούχα των παιδιών με απλό σαπούνι.

- **Στέγνωμα:** Μη χρησιμοποιείτε συχνά το στεγνωτήριο ρούχων. Απλώστε τα ρούχα σας, ο αέρας τα στεγνώνει γρήγορα και υγιεινά. Προσέξτε μόνο τον ήλιο του καλοκαιριού, γιατί μπορεί να τα ξεβάψει.
- **Σιδέρωμα:** Μη σιδερώνετε κάθε μέρα. Αφιερώστε λίγο χρόνο μία φορά την εβδομάδα, για να σιδερώσετε και να τακτοποιήσετε τα ρούχα στις ντουλάπες σας. Δείτε τις ετικέτες των ρούχων, για να επιλέξετε τη σωστή θερμοκρασία και τα ρούχα σας θα είναι πάντα σαν καινούρια, ακόμη κι όταν δεν θα είναι πια της μόδας.

Οι πληροφορίες προέρχονται από το διαδίκτυο.

Ερωτήσεις:

1. Ποια είναι τα προβλήματα των νέων νοικοκυρών;
2. Ποια ρούχα πρέπει να πλένονται μαζί;
3. Πότε μπορεί να βγάλουμε από το πλυντήριο ρούχα γεμάτα λεκέδες;
4. Ποια ρούχα πρέπει να πλένονται στους 60 βαθμούς;
5. Πώς θα αποφασίσει μια νοικοκυρά σε ποια θερμοκρασία πρέπει να σιδερώσει κάθε ρούχο;

Βλέπω

Δες με προσοχή τα παρακάτω παραδείγματα.

ΓΕΝΙΚΗ	1	Οι μαμάδες **των μικρών παιδιών** έχουν πολύ πλύσιμο και σιδέρωμα.
	2	Προσέξτε πολύ τα ρούχα **των παιδιών** στο πλύσιμο.
	3	Πλύνετε τα ρούχα **της δουλειάς** σε υψηλές θερμοκρασίες.
	4	Τα ρούχα αυτού **του σχεδιαστή** είναι πολύ μοντέρνα.
	5	Τα ρούχα καλής **ποιότητας** δεν χαλάνε στο πλύσιμο.
	6	Προσέξτε τον ήλιο **του καλοκαιριού**, γιατί μπορεί να ξεβάψει τα ρούχα.
	7	Παλιά οι γυναίκες έπλεναν τα ρούχα με το νερό **της βροχής**.
	8	Δείτε τις ετικέτες **των ρούχων**, πριν σιδερώσετε.
	9	Έκλεισε το καθαριστήριο **της πλατείας** Σκρα.
	10	Έδωσα **του Γιάννη** ένα βιβλίο.
ΑΙΤΙΑΤΙΚΗ	11	Για να ράψετε ένα φόρεμα, αγοράστε ύφασμα δύο **μέτρα**.
	12	Σιδερώστε δύο φορές **την εβδομάδα**.
	13	**Το Σάββατο το βράδυ**, αν δεν βγείτε, είναι καλή ώρα να σιδερώσετε τα ρούχα.
	14	**Τον χειμώνα** χρησιμοποιήστε το στεγνωτήριο, γιατί ο καιρός δεν βοηθάει να στεγνώσουν τα ρούχα σας.
	15	Σιδερώστε τα ρούχα σας μία φορά **την εβδομάδα**.
	16	Μην πλένετε μαζί **τα ρούχα** κάποιου παιδιού που είναι **δύο χρονών** με τα ρούχα ενός βρέφους.

και παρατηρώ ...

Απάντησε στις παρακάτω ερωτήσεις.

1. Χρησιμοποιούμε αιτιατική ή γενική, όταν απαντούμε στην ερώτηση
   α. τίνος;
   β. τι;
   γ. ποιον;
   δ. πότε;

2. Όταν έχουμε δύο ουσιαστικά στη σειρά, σε ποια πτώση μπαίνει το δεύτερο ουσιαστικό
   α. τις περισσότερες φορές;
   β. όταν αναφέρεται στον χρόνο;

Διάβασε τα παρακάτω παραδείγματα και πες ποια διαφορά έχουν στη σημασία οι προτάσεις στις δύο στήλες.

ΣΤΗΛΗ Α	ΣΤΗΛΗ Β
Πού είναι τα <u>ποτήρια κρασιού</u>;	Ένα <u>ποτήρι κρασί</u>, παρακαλώ.
Στον καφέ βάζω ένα <u>κουταλάκι του γλυκού</u> ζάχαρη.	Μου δίνεις ένα <u>κουταλάκι γλυκό</u>;
Πόσα <u>πιάτα σούπας</u> να φέρω;	Το μεσημέρι έφαγα ένα <u>πιάτο σούπα</u>.

ΠΡΟΘΕΣΕΙΣ			ΕΚΦΡΑΣΕΙΣ	
ΓΕΝΙΚΗ	**ΑΙΤΙΑΤΙΚΗ**		**ΓΕΝΙΚΗ**	**ΑΙΤΙΑΤΙΚΗ**
εξαιτίας	με	χωρίς / δίχως	Ρούχα της μόδας.	Σε πήρα τηλέφωνο.
	για		Πεθαίνω της πείνας.	Λείπει (σε) ταξίδι.
	από		Θα φύγω του χρόνου.	Τον πήρε αγκαλιά.
	σε		Και του χρόνου!	Βγήκα βόλτα.
	ως		Μπράβο σου!	Πήγα επίσκεψη στην Ελένη.
	μετά		Περαστικά σου!	Τον καημένο!

Άσκηση 1

Δες τις εικόνες και διάλεξε ποια πρόταση περιγράφει η καθεμία.

α. Η μαμά αγκαλιάζει τον μπαμπά. *(επιλεγμένο)*
β. Ο μπαμπάς αγκαλιάζει τη μαμά.

α. Τα παιδιά κοιτάζουν τις μαμάδες.
β. Οι μαμάδες κοιτάζουν τα παιδιά.

α. Ο καθηγητής μιλάει στον μαθητή.
β. Ο μαθητής μιλάει στον καθηγητή.

α. Να, τα παιδιά του γυμνασίου.
β. Να, το γυμνάσιο των παιδιών.

α. Οι γονείς φροντίζουν τα παιδιά.
β. Τα παιδιά φροντίζουν τους γονείς.

α. Η μαμά του μπαμπά μου.
β. Ο μπαμπάς της μαμάς μου.

α. Οι έφηβοι γράφουν για τις εφημερίδες.
β. Οι εφημερίδες γράφουν για τους εφήβους.

ΓΡΑΜΜΑΤΙΚΗ

Άσκηση 2

Γίνετε ζευγάρια και βρείτε τα λάθη.

0. Αυτή η τσάντα είναι τον Γιάννη. _του_

1. Είδα της Μαρίας με τον αδερφό της χθες το βράδυ. _____

2. Διαβάστε τις οδηγίες για το πλυσίματος, για να έχετε πάντα καθαρά και φρέσκα ρούχα. _____

3. Μου αρέσουν πολύ τα ρούχα στη μόδα. _____

4. Καλή χρονιά! Και τον χρόνο με υγεία! _____

5. Γύρισα στο σπίτι πριν του Γιώργου. _____

6. Είμαι από μιας πόλης της βόρειας Ελλάδας. _____

7. Διψάω. Μπορείς να μου φέρεις ένα ποτήρι νερού, σε παρακαλώ; _____

8. Χρειάζομαι πιάτα τη σούπα. Θα αγοράσω σίγουρα μια εξάδα. _____

Άσκηση 3

Γίνετε ζευγάρια και βάλτε τις λέξεις στη σειρά, για να κάνετε προτάσεις.

0. Ο / παιδιά / τα / βγήκε / Αποστόλης / με / βόλτα / του
Ο Αποστόλης βγήκε βόλτα με τα παιδιά του.

1. των / ρούχα / Μαρία / υψηλών / εξαιτίας / αγόρασε / Η / καθόλου / δεν / τιμών
_____

2. της / Η / πεθαίνει / κιλά / Βίκυ / πείνας / να / κάνει / για / επειδή / δίαιτα / χάσει
_____

3. Ο / δεν / υπολογιστή / πουθενά / του / χωρίς / τον / Γιάννης / πηγαίνει
_____

4. Ο / σπίτι / πριν / Λευτέρης / στο / Ελευθερία / ήρθε / την / από
_____

5. Η / δεν / τα / πηγαίνει / εξαιτίας / καλά / ο / ψωνίζει / κόσμος / αγορά / κρίσης / δεν / της / οικονομικής / γιατί
_____

6. Στις / θα / αγοράσω / καφέ / 6 / εκπτώσεις / φλιτζανάκια / του
_____

7. Μπορείτε / ποτήρι / μου / ένα / φέρετε / νερό / γιατί / να / διψάω
_____

8. απόγευμα / επίσκεψη / στην / Σήμερα / το / Ιωάννα / πήγα
_____

9. Αγόρασα / ευκαιρίας / ποιότητας / παντελόνι / πολύ / ένα / καλής / σε / τιμή
_____

Άσκηση 4

Γίνετε ζευγάρια και συμπληρώστε τα κενά με τις λέξεις της παρένθεσης στον σωστό τύπο.

1. Aleppo, Συρία

Πολλοί λένε ότι το παζάρι στην πόλη Aleppo

0 ___της Συρίας___ (Συρία) είναι μια από

τις καλύτερες αγορές στον κόσμο. Έχει

έκταση 10 ¹_____ (χιλιόμετρα)

και αποτελεί έναν τεράστιο λαβύρινθο από

δρομάκια και μαγαζιά που πουλάνε χρυσά

²_____ (κόσμημα),

³_____ (ρούχο), κ.ά.

Τα προϊόντα μεταφέρονται με γαϊδουράκια.

2. Khan Al-Khalili, Αίγυπτος

Η αγορά Χαν Αλ Χαλίλι βρίσκεται στην

καρδιά ⁴_____ (Κάιρο) που

προστατεύεται από την UNESCO. Τα

900 καταστήματά της πουλάνε

⁵_____ (εμπόρευμα),

όπως γυάλινα δοχεία, αρώματα και

κοσμήματα.

3. Chiang Mai, Ταϊλάνδη

Η αγορά Chiang Mai ανοίγει, αφού δύσει

ο ήλιος. Οι τιμές ⁶_____

(αντικείμενο) είναι πολύ καλές. Εδώ θα βρείτε

⁷_____ (ύφασμα), μεταξωτά,

γυαλιά κτλ. Το κέντρο ⁸_____

(αγορά) είναι το Night Bazaar Building, με

τρεις ⁹_____ (όροφος). Κάνετε

10_____ (παζάρι) για ό,τι θελήσετε

να αγοράσετε και πετύχετε αγορές σε τιμές

11_____ (ευκαιρία).

4. Νυχτερινή αγορά Temple Street, Χονγκ Κονγκ

Αυτή η διάσημη νυχτερινή αγορά στο Yau Ma

Tei, Kowloon, είναι ιδιαίτερα ζωντανή. Εδώ θα

βρείτε πετράδια νεφρίτη, που διώχνουν το κακό

σύμφωνα με ¹²_____ (Κινέζος). Μπορείτε,

αν θέλετε, να γευματίσετε σε κάποιο από

13_____ (εστιατόριο) ¹⁴_____

(αγορά). Ο δρόμος είναι, επίσης, γνωστός και ως ο

«δρόμος ¹⁵_____ (άνδρας)», εξαιτίας

16_____ (ανδρικό ρούχο) που πωλούνται

εκεί. Η αγορά ανοίγει συνήθως γύρω στις 14:00.

Διασκευή κειμένου από http://www.travelmagic.gr

Άσκηση 5

Κάνετε προτάσεις με τις παρακάτω προθέσεις: *από, χωρίς, με, για*

ΚΑΤΑΝΟΗΣΗ ΠΡΟΦΟΡΙΚΟΥ ΛΟΓΟΥ

- Τι βλέπεις στις φωτογραφίες;
- Σου αρέσουν τα ψώνια;
- Ψωνίζεις από το διαδίκτυο; Τι αγορές κάνεις συνήθως;

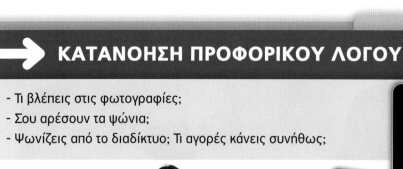

Συμβουλή:
Πριν κάνεις την άσκηση, διάβασε τις προτάσεις του πίνακα και σημείωσε τι πρέπει να προσέξεις.

Άσκηση 1
(cd 1, 29)
Άκου προσεκτικά μια συζήτηση με δύο εμπόρους ηλεκτρονικών καταστημάτων. Καθώς ακούς, στον παρακάτω πίνακα, σημείωσε με ✓ στις πληροφορίες που ταιριάζουν στον κάθε έμπορο.

		κ. Θεοδώρου	κ. Κοσμίδης
0.	Διαδικτυακή λειτουργία από το 2003.	✓	
1.	Εξυπηρέτηση από το διαδίκτυο και από το κατάστημα.		
2.	Διαδικτυακές προσφορές προϊόντων.		
3.	Χωρίς έξοδα αποστολής.		
4.	Χρόνος παράδοσης προϊόντων ακόμη και σε 1 μέρα.		
5.	Πληρωμή και με αντικαταβολή.		
6.	Αντικατάσταση ελαττωματικών ειδών.		
7.	Επιστροφή χρημάτων.		

Άσκηση 2
(cd 1, 29)
Άκου ξανά το κείμενο. Από ποιο από τα δύο καταστήματα θα ήθελες να ψωνίσεις; Βρες 3 λόγους από τη συζήτηση που άκουσες.

λεξιλόγιο

Άσκηση 1
Γίνετε ζευγάρια, εκτυπώστε το κείμενο της κατανόησης προφορικού λόγου, δείτε τις υπογραμμισμένες λέξεις / φράσεις του κειμένου και βρείτε με ποιες από τις παρακάτω λέξεις / φράσεις ταιριάζουν στη σημασία.

0. αυτός που αγοράζει προϊόντα και τα πουλάει, για να κερδίσει χρήματα = ___*έμπορος*___

1. με αυτή τη μικρή πλαστική κάρτα αγοράζουμε κάτι τώρα και το πληρώνουμε αργότερα = _____

2. αυτό που δεν λειτουργεί σωστά ή δεν είναι καλά φτιαγμένο = _____

3. όταν στέλνουμε κάτι σε κάποιον και αυτός πρέπει να πληρώσει την αξία του, μόλις το παραλάβει = _____

4. αυτοί που αγοράζουν κάποια προϊόντα και τα χρησιμοποιούν, τα τρώνε ή τα πίνουν = _____

5. όταν ένα προϊόν πουλιέται πολύ φθηνά, σε τιμή ευκαιρίας = _____

6. αυτός που παίρνει κάτι που του στέλνουμε = _____

7. τα χρήματα που πληρώνουμε / ξοδεύουμε, για να στείλουμε κάτι σε κάποιον = _____

8. η γραπτή συμφωνία ότι, αν κάτι που αγοράζουμε δεν λειτουργεί σωστά, θα το επισκευάσουν ή θα μας δώσουν πίσω τα χρήματά μας = _____

Άσκηση 2
Γίνετε ζευγάρια και ενώστε τις λέξεις με αντίθετη σημασία.

0. πώληση _____β_____   **α.** ανίκανος
1. σπαταλάω _____   **β.** αγορά
2. επιτυχία _____   **γ.** αποτυχία
3. ικανός _____   **δ.** κάνω οικονομία

Άσκηση 3
Γίνετε ζευγάρια και ενώστε τις λέξεις, για να κάνετε φράσεις που χρησιμοποιούνται πολύ συχνά. Μετά γράψτε προτάσεις με τις φράσεις που κάνατε.

0. μεγάλη _____δ_____   **α.** κάρτα
1. ηλεκτρονικό _____   **β.** αποστολής
2. χάνω _____   **γ.** παπούτσια
3. τιμή _____   **δ.** επιτυχία
4. πιστωτική _____   **ε.** κατάστημα
5. έξοδα _____   **στ.** ευκαιρίας
6. ζευγάρι _____   **ζ.** τον χρόνο μου

Άσκηση 4

Γίνετε ζευγάρια, διαβάστε τους παρακάτω ορισμούς και συμπληρώστε τα κενά στις προτάσεις με τις λέξεις του κρυπτόλεξου.

0. Όταν συνεχίζω να κάνω κάτι παρά τις δυσκολίες που αντιμετωπίζω, τότε __*επιμένω*__.

1. _____ σημαίνει ότι ξοδεύω ή καταναλώνω κάτι χωρίς λόγο και μέτρο.

2. Όταν ζητώ να μου δώσουν ή να μου στείλουν κάτι από ένα κατάστημα, τότε κάνω μια _____

3. Το ύψος ενός αντικειμένου είναι μια _____. Οι άλλες δύο είναι το πλάτος και το βάθος.

4. Κάθε πράγμα που παράγεται από την ανθρώπινη δραστηριότητα είναι ένα _____.

5. Όταν κάτι έχει κάποιο πρόβλημα στην κατασκευή του ή στη λειτουργία του, λέμε ότι έχει κάποιο _____

6. Όταν ψωνίζουμε κάτι και το πληρώνουμε εκείνη τη στιγμή, τότε πληρώνουμε με _____.

7. Όταν πουλάμε κάτι πιο φθηνά, τότε κάνουμε _____.

0	Μ	Π	Ε	Π	Ι	Μ	Ε	Ν	Ω	Κ	Λ	Ρ	Ο	Τ	Σ
1	Χ	Ε	Τ	Η	Ο	Μ	Σ	Π	Α	Τ	Α	Λ	Ω	Σ	Η
2	Β	Ι	Α	Π	Α	Ρ	Α	Γ	Γ	Ε	Λ	Ι	Α	Ω	Σ
3	Ζ	Η	Ω	Ν	Τ	Δ	Ι	Α	Σ	Τ	Α	Σ	Η	Η	Μ
4	Ρ	Α	Ν	Τ	Ρ	Φ	Ο	Π	Ρ	Ο	Ι	Ο	Ν	Τ	Σ
5	Ν	Τ	Ι	Θ	Ε	Λ	Α	Τ	Τ	Ω	Μ	Α	Τ	Ι	Σ
6	Ε	Ρ	Α	Μ	Ε	Τ	Ρ	Η	Τ	Α	Λ	Θ	Α	Ρ	Υ
7	Ο	Ψ	Χ	Ν	Π	Δ	Ι	Ε	Κ	Π	Τ	Ω	Σ	Η	Μ

Άσκηση 5

Γίνετε ζευγάρια και αντιστοιχίστε τα καταστήματα με τα προϊόντα / τις υπηρεσίες που παρέχουν.

http://www.agora-zw.gr/

Καλώς ήρθατε στο agora-zw.gr

στον καλύτερο διαδικτυακό τόπο για ηλεκτρονικές αγορές. Στην ιστοσελίδα μας θα βρείτε τα καλύτερα ηλεκτρονικά καταστήματα, από όπου μπορείτε να κάνετε τις αγορές σας γρήγορα και εύκολα.

Κατηγορίες καταστημάτων | **Προϊόντα**

1. Ρούχα
2. Παπούτσια
3. Αξεσουάρ
4. Ρολόγια
5. Καλλυντικά
6. Είδη δώρων
7. Ηλεκτρικά είδη
8. Βιβλιοπωλεία
9. Ανθοπωλεία
10. Κομμωτήρια
11. Είδη σπιτιού / Διακοσμητικά είδη
12. Εποχιακά είδη

Ρολόι | Γραβάτα 3 | Εκτυπωτής / Κλιματιστικό | Ζώνη

Σανδάλια | Σαγιονάρες | Βερμούδα | Μπουκέτο τριαντάφυλλα

Τηλεόραση / Ψυγείο / Κουζίνα | Παραδοσιακές στολές | Κούρεμα / Χτένισμα | Ρολόι τοίχου

Βάζο | Κορνίζα | Γυαλιά ηλίου | Γλάστρα

Αποκριάτικες στολές | Βατραχοπέδιλα | Σωσίβιο | Μπότες

Γόβες | Βιβλία | Μαρκαδόροι | Κραγιόν / Μολύβια ματιών / Ρουζ / Σκιά

Άσκηση 6

Γίνετε ζευγάρια και βάλτε τις παρακάτω λέξεις στη σωστή θέση πάνω στην εικόνα με το μπουφάν. Στη συνέχεια συμπληρώστε τα κενά του κειμένου με τις λέξεις αυτές.

γιακάς, τσέπες, κουκούλα, φερμουάρ, μανίκια, ετικέτα

α γιακάς

β

γ

δ

ε

στ

Η Μαρία μού πήρε για τη γιορτή μου ένα ωραίο μπουφάν. Δυστυχώς, όμως, μου ήταν πολύ στενό και ο ⁰ _____γιακάς_____ γύρω από τον λαιμό ήταν πολύ σφιχτός. Πήγα, λοιπόν, από το κατάστημα που το αγόρασε και το άλλαξα. Πήρα ένα άλλο στο νούμερό μου. Έχει χαλαρό γιακά και από πίσω μια μοντέρνα 1_____. Κλείνει με ένα μεγάλο 2_____ και τα 3_____ του είναι φαρδιά και άνετα. Στο πλάι έχει δύο μεγάλες 4_____. Όπως διάβασα στην 5_____ του, χρειάζεται πλύσιμο στο χέρι, για να μην ξεχειλώσει και χαλάσει.

Άσκηση 7

Γίνετε ζευγάρια, δείτε τις παρακάτω λέξεις και συμπληρώστε τα κενά κάθε σειράς του πίνακα με λέξεις που ανήκουν στην ίδια οικογένεια.

ελαττωματικός, πωλητής, δοκιμή, επιμονή, σπάταλος, πληρώνω, εξυπηρετώ, καταναλωτικός, αγορά, παραγγέλνω, δοκιμαστήριο

ρήμα	ουσιαστικό	επίθετο
πουλάω	πώληση, ⁰ _____πωλητής_____	-
1_____	εξυπηρέτηση	εξυπηρετικός
επιμένω	2_____	επίμονος
σπαταλάω	σπατάλη	3_____
4_____	παραγγελία	-
5_____	πληρωμή	-
καταναλώνω	καταναλωτής, κατανάλωση	6_____
δοκιμάζω	7_____, 8_____	δοκιμαστικός
αγοράζω	αγοραστής, 9_____	-
-	ελάττωμα	10_____

Άσκηση 8

Γίνετε ζευγάρια και συμπληρώστε τα κενά με τις παρακάτω λέξεις.

Καταναλώνω, οικονομική, μετρητά, πιστωτική, αντικαταβολή, σπαταλούσαν,
τιμές ευκαιρίας, ψώνιζαν, παραγγελία, καταναλωτή, έξοδα αποστολής

Κατανάλωση και Ευτυχία

0 ___Καταναλώνω___, άρα υπάρχω. Αυτή η πρόταση ήταν στη μόδα τα τελευταία χρόνια.

Οι άνθρωποι [1]_____ τα χρήματά τους, για να αγοράσουν διάφορα προϊόντα. Έτσι νόμιζαν

ότι θα γίνουν ευτυχισμένοι. Ακόμη και αυτοί που δεν είχαν πολλά χρήματα, [2]_____ όταν τα

καταστήματα είχαν εκπτώσεις ή όταν έβρισκαν πράγματα σε [3]_____. Και όταν δεν είχαν καθόλου

[4]_____; Πώς πλήρωναν τις αγορές τους; Μα με τη μαγική [5]_____ κάρτα.

Μ' αυτήν μπορούσε κανείς να αγοράσει τα πάντα. Από ένα ζευγάρι φθηνά σανδάλια μέχρι ένα πανάκριβο κολιέ.

Τα ηλεκτρονικά καταστήματα κάθε μέρα γινόταν όλο και περισσότερα. Δεκάδες προϊόντα περνούσαν και

περνούν μπροστά από τα μάτια του [6]_____. «Διαλέξτε το προϊόν που θέλετε, κάντε την

[7]_____ σας με ένα κλικ και σε μια μέρα θα είναι έξω από την πόρτα σας. Κι αν δεν θέλετε να

χρεώσετε την κάρτα σας, ψωνίστε με [8]_____ και χωρίς [9]_____. Μη χάνετε τον

χρόνο σας στις αγορές και στα καταστήματα. Εδώ τα βρίσκετε όλα γρήγορα και απλά». Και έτσι, μέσα σε λίγες

ώρες ο κύριος ή η κυρία πίσω από τον υπολογιστή του γραφείου ή του

σπιτιού κατανάλωνε χωρίς να καταλαβαίνει.

Και μετά ήρθε η [10]_____ κρίση. Και τα

άλλαξε όλα. Πολλοί άνθρωποι δίπλα μας δεν μπορούν να καλύψουν

τις βασικές τους ανάγκες. Μήπως είναι εποχή και ευκαιρία, για να

ξανασκεφτούμε τον τρόπο ζωής μας, τις αξίες μας και τελικά τη σχέση

ευτυχίας και κατανάλωσης;

Άσκηση 9

Διάβασε ξανά τις λέξεις από τον πίνακα της άσκησης 5 και γράψε μια μικρή παράγραφο που να
περιέχει τουλάχιστον 5 από τις λέξεις αυτές.

_____

Άσκηση 1
Άκου και συμπλήρωσε τα κενά.
(cd 1, 30)

Στην Ελλάδα

Είμαι πανί με πανί.

Μου ήρθε γάντι!

Στο παρελθόν κάθε περιοχή της Ελλάδας είχε τη δική της τοπική ενδυμασία. Οι παραδοσιακές στολές των Ελλήνων είχαν σχέση με το κλίμα, τις ασχολίες, την ⁰ _οικονομική_ και κοινωνική κατάσταση των ανθρώπων. Έτσι, στα νησιά οι φορεσιές ήταν ελαφριές με φωτεινά χρώματα, γιατί η θερμοκρασία δεν ήταν ποτέ πολύ χαμηλή, ενώ στις ορεινές περιοχές οι άνθρωποι φορούσαν βαριές ¹_____, για να προστατεύονται από το κρύο.

Σε όλη τη Θράκη, οι άντρες ²_____ την ίδια ενδυμασία. Ένα φαρδύ παντελόνι καφέ χρώμα για κάθε μέρα ή μαύρο χρώμα για τις επίσημες περιστάσεις (το *ποτούρι*). Γύρω-γύρω είχε ένα γαϊτάνι ανάλογα με την οικονομική κατάσταση του καθενός. Η στολή είχε, επίσης, ένα λευκό ³_____, ένα γιλέκο κι ένα σακάκι καφέ ή μαύρο. Τον χειμώνα φορούσαν μια ⁴_____. Το εξάρτημα αυτό ήταν ανάλογο με την οικονομική κατάσταση αυτού που το φορούσε. Οι πιο φτωχοί φορούσαν ένα μακρύ παλτό με ⁵_____. Στο κεφάλι είχαν τα σαρίκια (καπέλα) σε μαύρο χρώμα. Μαύρο χρώμα είχαν, επίσης, τα ζωνάρια τους. Μόνο το ζωνάρι του γαμπρού είχε κόκκινο χρώμα.

Αντίθετα με την αντρική ενδυμασία που ήταν ίδια για όλους, η ⁶_____ ενδυμασία της Θράκης παρουσιάζει αρκετές διαφορές. Τα γυναικεία ρούχα αποτελούσαν έναν κώδικα επικοινωνίας που δήλωναν την κοινωνική θέση ή την κοινωνική κατηγορία της γυναίκας.

Το κάθε εξάρτημα, το χρώμα, η διακόσμηση, η μορφή του ενδύματος, όλα δήλωναν τη θέση της γυναίκας στην παραδοσιακή κοινωνία: οι ελεύθερες, π.χ., είχαν ρούχα με ζωηρά ⁷_____. Επίσης, το μαντίλι για το κεφάλι ήταν σεμνό για τις ηλικιωμένες, ενώ οι ελεύθερες είχαν ⁸_____ με λουλούδια και πολλά χρώματα.

Διασκευή κειμένου από http://www.users.sch.gr

Προφορά

 Άσκηση 1
(cd 1, 31) Άκου το παρακάτω κείμενο και διάβασέ το δυνατά στην τάξη.

 Άσκηση 2
(cd 1, 32) Άκου και συμπλήρωσε τα κενά. Μετά διάβασε τις λέξεις στην τάξη.

ΕΚΤΑΚΤΟ ΔΕΛΤΙΟ ΕΠΤΩΣΕΩΝ

[δ], [d], [z]

Διάλυση τιμών!

Αν η ντουλάπα σας είναι άδεια και θέλετε να ανανεώσετε το ντύσιμό σας, μη χάνετε χρόνο! Ελάτε τώρα στο νέο μας κατάστημα στο 2ο χλμ. Δράμας – Καβάλας. Ντύσιμο για όλη την οικογένεια, τον άντρα, τη γυναίκα, τα παιδιά, σε τιμές που δεν φαντάζεστε.

Μπλούζες ζιβάγκο ή ντεκολτέ από 12 ευρώ.
Βραδινά φορέματα με παριζιάνικη δαντέλα από 50 ευρώ.
Δερμάτινες ζώνες 10 ευρώ.

Ελάτε και φτιάξτε τη διάθεσή σας. Αγοράστε δώρα για σας και τους δικούς σας σε τιμές κόστους με όσες δόσεις θέλετε. Με αγορές πάνω από 170 ευρώ, δώρο αξίας 30 ευρώ.

- ____νω, ____νω
- ____λος, ____λος
- ____ση, ____σει
- ____ω, ____ω
- χά____, χά____
- βί____, βί____

Άσκηση 3
Κάνε ερωτήσεις στον διπλανό / στη διπλανή σου και συμπλήρωσε τον πίνακά σου.

Παράδειγμα:

Μαθητής Β: _Τι έχεις στο 0;_   **Μαθητής Α:** _Ντένις. Εσύ;_   **Μαθητής Β:** _Δένεις._

	Μαθητής Α	
0	Ντένις	δένεις
1	δώρα	
2	ζήσει	
3	πεζοί	
4	ζόρι	
5	ζορίζω	
6	τοίχος	

	Μαθητής Β	
0	Ντένις	δένεις
1		Ντόρα
2		δύση
3		παιδί
4		δόρυ
5		δωρίζω
6		δίχως

Άσκηση 4
Βρες 10 λέξεις που να περιέχουν το [δ], [d], [z], κάνε μια ιστορία και πες τη δυνατά στην τάξη.

Γραμματική: Βλέπω και παρατηρώ ...

Διάβασε το παρακάτω κείμενο για τις διαφημίσεις και απάντησε στις ερωτήσεις.

Κάθε μέρα, από το πρωί ως το βράδυ, βλέπουμε και ακούμε δεκάδες διαφημίσεις στην τηλεόραση, στο ραδιόφωνο, στις εφημερίδες και τα περιοδικά, στο διαδίκτυο, σε εξωτερικούς ή σε **άλλους** χώρους. Οι διαφημίσεις επηρεάζουν με δύο βασικούς τρόπους τους καταναλωτές. Ο ένας είναι η εικόνα και ο **άλλος** ο λόγος. **Κάποιες** έχουν καλό και έξυπνο σενάριο. Σε **μερικές**, μάλιστα, παίζουν πολύ γνωστοί ηθοποιοί. **Άλλες** έχουν ωραία μηνύματα και μουσική, **άλλες** προκαλούν μόνο θόρυβο και φασαρία. **Κάποιες** είναι ιδιαίτερα πετυχημένες και αγαπητές στους περισσότερους και **κάποιες άλλες** τόσο αποτυχημένες και ενοχλητικές! **Καθεμιά** από αυτές προσπαθεί με τον δικό της τρόπο να κερδίσει τον καταναλωτή. Πολύ συχνά οι καταναλωτές αγοράζουν **κάποια** προϊόντα που στην πραγματικότητα δεν χρειάζονται. Επίσης, **αρκετές** διαφημίσεις έχουν χαμηλό επίπεδο και μπορεί να είναι ακατάλληλες για μικρά παιδιά.

Γι' αυτό την **άλλη** φορά που θα δείτε **κάποια** διαφήμιση, κρίνετε το περιεχόμενό της και ποτέ μην ξεχνάτε: ο **καθένας** πρέπει πάντα να ψωνίζει ανάλογα με τις πραγματικές του ανάγκες.

Ερωτήσεις:

1. Δες στο κείμενο τις αντωνυμίες *κάποιες, κάποια*. Σε ποιες λέξεις του κειμένου αναφέρονται;

2. Σε ποιες προτάσεις του κειμένου μπορούμε να αντικαταστήσουμε τις αντωνυμίες *κάποιες, κάποια* με τα *μια, ένα* ή τα *μερικές, μερικά*;

3. Δες στο κείμενο τις αντωνυμίες *άλλους, άλλος, άλλες, άλλη*. Σε ποιες λέξεις του κειμένου αναφέρονται;

4. Σε ποια πρόταση του κειμένου η αντωνυμία *άλλος, άλλη, άλλο* σημαίνει
   α. μερικοί / κάποιοι,   **β.** δεύτερος,   **γ.** επόμενος;

5. Σε ποια πρόταση του κειμένου η αντωνυμία *καθένας, καθεμιά, καθένα* σημαίνει
   α. κάθε πρόσωπο ή πράγμα ξεχωριστά,   **β.** όλοι γενικά;

6. Τι δείχνει η λέξη *μερικές* μέσα στο κείμενο;
   α. ποιότητα,   **β.** ποσότητα,   **γ.** χρόνο.

Αυτή
η σακούλα είναι
σκισμένη. Δώστε
μου, παρακαλώ, μια
άλλη σακούλα.

Αυτή
η σακούλα
γέμισε. Δώστε μου,
παρακαλώ, άλλη μια
σακούλα.

ΑΟΡΙΣΤΕΣ ΑΝΤΩΝΥΜΙΕΣ	
ΕΝΙΚΟΣ	**ΠΛΗΘΥΝΤΙΚΟΣ**
κάποιος, κάποια, κάποιο (Ε6) *	κάποιοι, κάποιες, κάποια
άλλος, άλλη, άλλο (Ε3) *	άλλοι, άλλες, άλλα
-	μερικοί, μερικές, μερικά
καθένας, καθεμιά (καθεμία), καθένα	-

* αριθμός που δείχνει το κλιτικό παράδειγμα σύμφωνα με το *Λεξικό της Κοινής Νεοελληνικής (Τριανταφυλλίδη)*

Άσκηση 1

Γίνετε ζευγάρια, βρείτε και σημειώστε τα λάθη που υπάρχουν.

0. Το ωράριο κάποιον καταστημάτων είναι μόνο 8.00 – 16.00. ____κάποιων____

1. Ο κάθε μπορεί να πληρώσει με την πιστωτική του κάρτα. _____

2. Ποιος άλλον θέλει να δοκιμάσει αυτές τις σαγιονάρες; _____

3. Πηγαίνετε στο άλλη ταμείο, παρακαλώ. _____

4. Αρκετά διαφημίσεις με κάνουν και γελάω. _____

5. Καθένας μας μπορεί να δουλέψει ως πωλήτρια σ' αυτό το κατάστημα. _____

6. Το καθένας παιδί μπορεί να τρομάξει από αυτή τη διαφήμιση. _____

7. Διψάω πολύ. Θέλω ένα άλλο ποτήρι νερό. _____

Άσκηση 2

Γίνετε ζευγάρια και φτιάξτε διαλόγους.

0. ποιος / από το σχολείο
   - *Ποιος με ζήτησε;*
   - *Κάποιος από το σχολείο.*

1. ποια / από το γυμναστήριο
2. ποιος / από το ανθοπωλείο
3. ποιοι / από τη δουλειά
4. ποιες / από το κολυμβητήριο

Άσκηση 3

Γίνετε ζευγάρια και φτιάξτε διαλόγους.

0. ήρθε / Κώστας
   - *Ήρθε ο Κώστας;*
   - *Όχι, αυτός που ήρθε ήταν άλλος.*

1. μίλησε / Μαρία
2. γέλασε / Γιώτα + Πέτρος
3. τηλεφώνησε / Γεωργία + Ιωάννα
4. φώναξε / Γιάννης

Άσκηση 4

Κάνε ερωτήσεις στον διπλανό / στη διπλανή σου και συμπλήρωσε τον πίνακά σου.

Παράδειγμα:

Μαθητής Α: *Τι έχεις στο Α1;*   **Μαθητής Β:** *Ήρθαν όλοι οι συμμαθητές στη γιορτή σου;*

Μαθητής Α: *Όχι δεν ήρθαν όλοι, ήρθαν μόνο μερικοί.*

Μαθητής Α	1	2	3	4
Α	Όχι δεν ήρθαν όλοι, ήρθαν μόνο μερικοί.	ξένες γλώσσες		φακέλους
Β	αξεσουάρ		πιστωτικές κάρτες	
Μαθητής Β	**1**	**2**	**3**	**4**
Α	συμμαθητές *Ήρθαν όλοι οι συμμαθητές στη γιορτή σου;*		φίλοι	
Β		καταστήματα		δουλειές

Άσκηση 5
Γίνετε ζευγάρια και σχηματίστε προτάσεις.

0. σπίτι / μεγάλο / μικρό
<u>Υπάρχουν διαφορετικά σπίτια. Άλλα</u>
<u>είναι μεγάλα και άλλα είναι μικρά.</u>

1. γυναίκα / ξανθιά / μελαχρινή
_____
_____

2. χαρακτήρας / αισιόδοξος / απαισιόδοξος
_____
_____

3. παιδί / ήσυχο / ζωηρό
_____
_____

4. αυτοκίνητο / ακριβό / φτηνό
_____
_____

5. διαφήμιση / διασκεδαστική / ενοχλητική
_____
_____

Άσκηση 6
Γίνετε ζευγάρια και σχηματίστε προτάσεις.

0. παιδιά / ποδήλατο
<u>Καθένα από τα παιδιά έχει το δικό του</u>
<u>ποδήλατο.</u>

1. δασκάλα / τάξη
_____
_____

2. υπολογιστής / οθόνη
_____
_____

3. κορίτσια / κοσμήματα
_____
_____

4. ανιψιές / δωμάτιο
_____
_____

Άσκηση 7
Γίνετε ζευγάρια και συμπληρώστε τα κενά με μια από τις παρακάτω αντωνυμίες στον σωστό τύπο.

κάποιος, κάποια, κάποιο – καθένας, καθεμία, καθένα – άλλος, άλλη, άλλο – μερικοί, μερικές, μερικά

0. Πηγαίνετε στην _____άλλη_____ κυρία, εγώ δεν μπορώ να σας εξυπηρετήσω.

1. Αυτά τα σκουλαρίκια έχουν 50 ευρώ το _____.

2. Στο πάρτι της Μαίρης θα πάνε _____ φίλοι.

3. Έσπασε το ποτήρι μου. Φέρε μου ένα _____ ποτήρι, σε παρακαλώ.

4. Αργά το βράδυ, _____ μπήκε στο γραφείο σου.

5. Πάρε ένα _____ παντελόνι. Αυτό δεν σου κάνει.

6. Όχι, δεν ήρθε ο Παναγιώτης. Αυτός που ήρθε ήταν _____.

7. _____ φίλοι σου τηλεφώνησαν το πρωί.

8. Ο _____ μας θέλει να είναι ευτυχισμένος.

9. _____ από αυτές τις μπλούζες κάνει 25€.

10. Έχεις _____ παιδιά εκτός από τον Μάριο;

11. _____ γελάνε και _____ κλαίνε με τα αποτελέσματα των εξετάσεων.

12. - Μίλησες με γυναίκες της ομάδας;
- Ναι, μίλησα με _____.

13. Κανένας _____ δεν θα έρθει μέχρι το βράδυ.

14. _____ ήρθε στη δουλειά και σε έψαχνε.

15. Έχω δύο κόρες. Η μια είναι καστανή και η _____ μελαχρινή.

Άσκηση 8
Γίνετε ζευγάρια, χρησιμοποιήστε τις παραπάνω αντωνυμίες και περιγράψτε μια μέρα σας στην αγορά για ψώνια.

ΠΑΡΑΓΩΓΗ ΠΡΟΦΟΡΙΚΟΥ ΛΟΓΟΥ

Άσκηση 1

Γίνετε ζευγάρια και απαντήστε στις παρακάτω ερωτήσεις.

- Πώς σε λένε;
- Πόσων χρονών είσαι;
- Πώς ντύνεσαι συνήθως;
- Ακολουθείς τη μόδα;
- Σου αρέσει να πηγαίνεις για ψώνια;
- Τι σου αρέσει να ψωνίζεις;
- Ψωνίζεις από μικρά καταστήματα ή από μεγάλα εμπορικά κέντρα; Γιατί;
- Κάνεις αγορές την περίοδο των εκπτώσεων ή όταν βρίσκεις κάτι σε προσφορά;
- Πληρώνεις με μετρητά ή χρησιμοποιείς πιστωτική κάρτα;

- Κάνεις αγορές από το διαδίκτυο; Τι αγοράζεις συνήθως;
- Ποια είναι τα πλεονεκτήματα και ποια τα μειονεκτήματα των αγορών από το διαδίκτυο;
- Ο τρόπος που ντύνεται κάποιος φανερώνει τον χαρακτήρα του. Συμφωνείς; Γιατί;

Συμβουλή:
Μη δίνεις μονολεκτικές απαντήσεις. Δεν υπάρχει σωστή και λάθος απάντηση. Απλώς αιτιολόγησε.

Άσκηση 2

Διάβασε τις παρακάτω φράσεις. Τι είναι για σένα τα *χρήματα*;

Τα χρήματα ...	
με κάνουν να νιώθω δυνατός. (εξουσία, δύναμη)	
με κάνουν να νιώθω ελεύθερος και ανεξάρτητος. (ελευθερία, ανεξαρτησία)	
με κάνουν ευτυχισμένο. (ευτυχία)	
μου δίνουν ασφάλεια και ηρεμία. (ασφάλεια, ηρεμία)	
είναι απαραίτητα, για να κάνω ταξίδια και να διασκεδάζω. (διασκέδαση, ταξίδια)	
είναι απαραίτητα, για να αγοράζω ακριβά πράγματα. (αγορές και πολυτέλεια)	
είναι απαραίτητα, για να βοηθάμε αυτούς που έχουν ανάγκη. (βοήθεια σε τρίτους)	
δεν φέρνουν την ευτυχία. Δημιουργούν προβλήματα. (προβλήματα)	
δεν έχουν καμία αξία. Μπορώ να ζήσω και χωρίς αυτά. (καμία σημασία / αξία)	

Άσκηση 3

Δες τις εικόνες και σημείωσε στον παρακάτω πίνακα ποια εικόνα περιγράφει κάθε πρόταση.

		1	2	3
α.	Δουλεύω πολλές ώρες και δεν προλαβαίνω να πάω για ψώνια.			
β.	Σε αυτόν τον δρόμο μπορείς να ψωνίσεις ρούχα και παπούτσια.			
γ.	Στον κάτω όροφο έχει και άλλα καταστήματα.			
δ.	Είναι πολύ κουρασμένες από τα ψώνια.			
ε.	Είναι ένας κεντρικός δρόμος της πόλης με πολλά καταστήματα.			
στ.	Είναι ντυμένες με καθημερινά και άνετα ρούχα.			
ζ.	Φοράει ρούχα γραφείου.			
η.	Έχουν σακούλες με ψώνια.			
θ.	Είναι χαρούμενες για τις αγορές που έκαναν.			
ι.	Προτιμούν να δοκιμάσουν κάτι, πριν το αγοράσουν.			
ια.	Έχει πολύ κόσμο στην αγορά. Μπορεί να έχει εκπτώσεις!			
ιβ.	Κάνει ένα διάλειμμα από τη δουλειά της και ψωνίζει.			
ιγ.	Μάλλον ψάχνει άνετα και φαρδιά ρούχα, γιατί φαίνεται πως είναι έγκυος.			

Άσκηση 4

Άκου το κείμενο και συμπλήρωσε τα κενά.

(cd 1, 33)

http://www.visitgreece.gr

GREECE
ALL TIME CLASSIC

Ελλάδα   Προορισμοί   Αξιοθέατα-Δραστηριότητες   Διάθεση για   Newsletter

Λατρεύετε να ψωνίζετε παπούτσια; Αναζητάτε την ⁰___Πολυτέλεια___ στις αγορές σας; Ψάχνετε για «θησαυρούς» από περασμένες εποχές ή κρυμμένα έργα ¹_____; Θέλετε να βρίσκετε τα πάντα σε ένα μόνο μέρος; Σε όποια κατηγορία ²_____ κι αν ανήκετε, είναι σίγουρο ότι η Αθήνα δεν θα σας απογοητεύσει.

Όσοι ψάχνετε για πολυτέλεια στην καρδιά της πόλης, το Κολωνάκι είναι η καλύτερη επιλογή για ψώνια. Οι ³_____ δρόμοι Σκουφά, Πατριάρχου Ιωακείμ και Τσακάλωφ έχουν πολλά μαγαζιά με ⁴_____ προϊόντα. Προτιμάτε τα βόρεια προάστια; Στην Κηφισιά υπάρχουν εμπορικά κέντρα σε κτίρια με μοναδική αρχιτεκτονική, αλλά και ⁵_____ καταστήματα. Αν πάλι θέλετε να κάνετε τα ψώνια σας στην πόλη με θέα τη θάλασσα, η Γλυφάδα είναι το πιο κατάλληλο μέρος για εσάς.

✓ Αναζητάτε παλιά έπιπλα και ⁶_____ για το σπίτι, ρούχα και αντικείμενα από μια άλλη εποχή; Η αγορά στο Μοναστηράκι και η γειτονική περιοχή του Ψυρρή θα σας μαγέψουν.

✓ Θέλετε να τα βρίσκετε όλα σε ένα μέρος, να ⁷_____ τα ψώνια σας με φαγητό, ποτό ή μια ταινία στον κινηματογράφο; Τότε τα εμπορικά κέντρα της Αθήνας είναι στη διάθεσή σας.

✓ Τα παπούτσια και οι τσάντες είναι τα αγαπημένα ⁸_____ στο ντύσιμό σας; Οι οδοί Ιπποκράτους και Χαριλάου Τρικούπη στο κέντρο της Αθήνας σάς περιμένουν. Πολλά μαγαζιά με παπούτσια θα βρείτε, επίσης, στην αρχή της οδού Ερμού κοντά στην πλατεία Συντάγματος, ενώ στην οδό Αδριανού θα έχετε την ⁹_____ να αγοράσετε δερμάτινα σανδάλια και τσάντες φτιαγμένες στο χέρι.

Θέλετε να βρείτε ελληνικά φυσικά προϊόντα; Στις ¹⁰_____ λαϊκές αγορές βιολογικών προϊόντων μπορείτε να δοκιμάσετε ελληνικά φρούτα και λαχανικά με υπέροχη γεύση και χαμηλή τιμή. Οι πιο ωραίες αγορές της πόλης σας είναι εδώ και σας περιμένουν. Ανακαλύψτε τες!!!

Άσκηση 5

Δες με προσοχή τις φωτογραφίες και περίγραψέ τες.

Συμβουλή:

Μίλα για το θέμα τους, τις ομοιότητες και τις διαφορές τους. Ποια φωτογραφία σού αρέσει περισσότερο;

Τώρα και με γεύση μέντας

Χρήσιμο λεξιλόγιο

- τατουάζ
- σκουλαρίκια
- μόδα / ακολουθώ τη μόδα
- είναι της μόδας
- κοσμήματα
- χρώματα
- διαφήμιση
- προϊόντα
- καταναλωτές
- επηρεάζω

Άσκηση 6

Γίνετε ζευγάρια και παίξτε τα παρακάτω παιχνίδια ρόλων.

Συμβουλή:

Υπογράμμισε τις λέξεις-κλειδιά που έχει κάθε ρόλος. Γράψε το λεξιλόγιο που θα χρειαστείς.

Αν ο συμμαθητής / η συμμαθήτριά σου μιλάει γρήγορα και δεν τον / την καταλαβαίνεις, μπορείς να πεις «Συγνώμη, δεν κατάλαβα, μπορείς να το ξαναπείς; Πιο αργά, παρακαλώ...»

Αγορές από το διαδίκτυο

Ρόλος Α

Ένας φίλος / Μια φίλη σου θέλει να πάτε μαζί στην αγορά, για να ψωνίσει ρούχα. Του / Της λες ότι δεν σου αρέσει καθόλου να πηγαίνεις για ψώνια στην αγορά και ότι προτιμάς να κάνεις τις αγορές σου μέσα από το διαδίκτυο. Εκείνος / Εκείνη δεν συμφωνεί με τις αγορές μέσα από το διαδίκτυο, γι' αυτό προσπαθείς να τον / την πείσεις.

Ρόλος Β

Θέλεις να ψωνίσεις ρούχα και ζητάς από έναν φίλο / μια φίλη σου να πάτε μαζί στην αγορά. Εκείνος / Εκείνη σου λέει ότι δεν του / της αρέσει καθόλου να πηγαίνει στην αγορά και ότι προτιμάει να κάνει αγορές μέσα από το διαδίκτυο. Εσύ διαφωνείς με τις αγορές μέσα από το διαδίκτυο, γι' αυτό προσπαθείς να τον / την πείσεις.

Διαφημίσεις

Ρόλος Α

Συζητάς με έναν φίλο / μια φίλη σου για τις διαφημίσεις στην τηλεόραση. Εσένα δεν σου αρέσουν καθόλου και πιστεύεις ότι κάνουν κακό στους καταναλωτές. Εκείνος / Εκείνη δεν συμφωνεί, γι' αυτό προσπαθείς να τον / την πείσεις.

Ρόλος Β

Συζητάς με έναν φίλο / μια φίλη σου για τις διαφημίσεις στην τηλεόραση. Εσένα σου αρέσουν πολύ και πιστεύεις ότι είναι απαραίτητες για την ενημέρωση των καταναλωτών. Εκείνος / Εκείνη δεν συμφωνεί, γι' αυτό προσπαθείς να τον / την πείσεις.

ΠΑΡΑΓΩΓΗ ΓΡΑΠΤΟΥ ΛΟΓΟΥ

Άσκηση 1

Παρακάτω είναι το ηλεκτρονικό μήνυμα ενός πελάτη που γράφει τα παράπονά του σε ένα διαδικτυακό κατάστημα. Διάβασε προσεκτικά το κείμενο και διάλεξε έναν πλαγιότιτλο για κάθε παράγραφο.

προτάσεις / λύσεις, εισαγωγή / στόχος μηνύματος, δεύτερο πρόβλημα / παράπονο,
ανακεφαλαίωση / κλείσιμο, πρώτο πρόβλημα / παράπονο

Inbox - Windows Mail

File   Edit   View   Tools   Message   Help   　　　　Search

Create Mail ▾   Reply   Reply All   Forward   　　Send/Receive ▾

! 🖉 ⚑

✉

Αγαπητοί κύριοι / Αγαπητές κυρίες,

1 ____

Είμαι ένας πελάτης σας και σας γράφω αυτό το μήνυμα, για να εκφράσω τα παράπονά μου σχετικά με μια αγορά που έκανα από το διαδικτυακό σας κατάστημα.

2 ____

Συγκεκριμένα, πριν από μια-δυο εβδομάδες παράγγειλα από το ηλεκτρονικό σας κατάστημα μια φωτογραφική μηχανή (μοντέλο 654GTA). Η τιμή της ήταν 89 ευρώ. Στην ιστοσελίδα σας γράφετε ότι δύο μέρες μετά την παραγγελία μπορούμε να έχουμε το προϊόν στο σπίτι μας. Επίσης, λέτε ότι δεν υπάρχουν έξοδα αποστολής. Είμαι στη δυσάρεστη θέση να σας ενημερώσω ότι πήρα τη φωτογραφική μηχανή μία εβδομάδα μετά την παραγγελία. Επίσης, πλήρωσα τα έξοδα αποστολής.

3 ____

Επιπλέον, το μοντέλο που μου στείλατε δεν είναι αυτό που παράγγειλα. Είναι παλαιότερο μοντέλο, αλλά έχει την ίδια τιμή με αυτό που σας ζήτησα. Τέλος, η μηχανή που μου στείλατε είναι ελαττωματική. Προσπάθησα να τη χρησιμοποιήσω, όμως, δεν λειτούργησε καθόλου.

4 ____

Όπως καταλαβαίνετε, είμαι πολύ δυσαρεστημένος από την αγορά που έκανα και δεν μπορώ να κρατήσω τη φωτογραφική μηχανή που μου στείλατε. Σας παρακαλώ να την αντικαταστήσετε με το μοντέλο που παράγγειλα. Διαφορετικά, θα πρέπει να μου επιστρέψετε τα χρήματα που σας έδωσα αλλά και τα έξοδα αποστολής που δεν θα έπρεπε να πληρώσω από την αρχή.

5 ____

Έχω ψωνίσει αρκετές φορές από το κατάστημά σας και τέτοια προβλήματα δεν αντιμετώπισα ποτέ ξανά. Μέχρι σήμερα ήμουν πολύ ευχαριστημένος. Πιστεύω ότι θα αναλάβετε τις ευθύνες σας και θα διορθώσετε την κατάσταση. Περιμένω άμεσα την απάντησή σας.

Με εκτίμηση,
Αντώνης Σοφιανός

Άσκηση 2

Διάβασε προσεκτικά το παραπάνω κείμενο ξανά και βρες:

Ποιες λέξεις / φράσεις δείχνουν δυσαρέσκεια: _____

Άσκηση 3

Στην παρακάτω ακροστιχίδα γράψε σε κάθε γραμμή όσες περισσότερες λέξεις μπορείς που έχουν σχέση με τις αγορές και περιέχουν ή αρχίζουν από το κάθε γράμμα της λέξης *αγορές*.

A	αντικαταβολή,
Γ	
Ο	
Ρ	
Ε	
Σ	

Άσκηση 4

Πριν από κάποιο καιρό αγόρασες ένα ρούχο από το διαδίκτυο. Άργησαν πολύ να σου το στείλουν, σου είναι μικρό και έχει κάποιο ελάττωμα. Γράφεις ένα μήνυμα στο διαδικτυακό κατάστημα από όπου το αγόρασες. Γράφεις τα παράπονά σου για την κακή εξυπηρέτηση και ζητάς να σου αντικαταστήσουν το ρούχο ή να σου επιστρέψουν τα χρήματα και ό,τι άλλο νομίζεις. (150-200 λέξεις)

Συμβουλή:
Υπογράμμισε τις λέξεις-κλειδιά και, για κάθε λέξη-κλειδί, σημείωσε το λεξιλόγιο που θα σου χρειαστεί.

σχεδιάγραμμα / χρήσιμο λεξιλόγιο

Στο μήνυμά μου:

– γράφω με το κατάλληλο ύφος.	
– περιγράφω το προϊόν που αγόρασα.	
– αναφέρω με λεπτομέρεια τα παράπονά μου.	
– προτείνω τη λύση που προτιμώ.	

ΤΡΑΓΟΥΔΙ

Ώρα για τραγούδι

(cd 1, 34) **Άκου μία φορά το τραγούδι.**

Άσκηση 1
Άκου ξανά το τραγούδι και συμπλήρωσε τα κενά.

Γεια σας. Είμαι ένα ⁰ _νόμισμα_ πολύ ταξιδεμένο,
έμπειρο, χαρούμενο, μαζί και πικραμένο.
Ταξίδια έκανα αρκετά, σ' όλης της γης τα μέρη,
Ελλάδα, Αγγλία, Αργεντινή, ίσως και Υεμένη.
Ανθρώπους γνώρισα πολλούς, λογιών-λογιών τυπάδες,
πλούσιους, ¹_____, φτωχούς και χουβαρντάδες.
Πολλά τα χέρια που άλλαξα, πάντα με κάποια αιτία,
αλλού με τίμησαν πολύ κι αλλού ούτε σημασία.
Μπήκα μέσα σε ²_____ και σε κλειστές θυρίδες,
μπροστά μου έγιναν πολλές μεγάλες συμφωνίες.
Τα μεγαλεία χόρτασα κι άριστα τα γνωρίζω
και δύναμη απέκτησα, ξέρω καλά τι αξίζω.
Άλλες φορές κατέληξα σε άδειους ³_____,
μέρες και νύχτες πέρασα χωρίς άλλους παράδες.
Όταν γινόμασταν πολλοί, ύστερα από χρόνο,
μαζί με το φως αντίκριζα τη ⁴_____ και τον πόνο.
Μα πριν προλάβω να σκεφτώ, πώς άλλοι καταφέρνουν
και πώς στο σπίτι ⁵_____ μαζί και πλούτο φέρνουν,
σ' ένα συρτάρι έμπαινα, συχνά παντοπωλείου
για γάλα, ψωμί ή φαγητό, για είδη του σχολείου.
Και πάλι ο κύκλος άρχιζε, η ίδια ιστορία,
σε τίνος ⁶_____ θα 'μπαινα είχα την αγωνία. } (δις)

Άσκηση 2
Απάντησε στις ερωτήσεις.

Ποια είναι η ιστορία του νομίσματος;

_____

_____

_____

_____

_____

_____

_____

_____

_____

_____

_____

_____

_____

_____

_____

⚠ Τώρα ξέρεις ...

	Ναι	Όχι
να μιλάς για τα προϊόντα που θέλεις ν' αγοράσεις;		
να περιγράφεις κάτι που θέλεις ν' αγοράσεις;		
να γράφεις τα παράπονά σου σε ένα κατάστημα;		
να χρησιμοποιείς τη γενική και την αιτιατική;		
να χρησιμοποιείς τις αόριστες αντωνυμίες *κάποιος, -α, -ο, άλλος, -η, -ο, αρκετός, -ή, -ό, καθένας, καθεμιά, καθετί;*		

Άσκηση 1
Ποιες από τις παρακάτω προτάσεις είναι Σωστές και ποιες Λάθος;

0. Τα έχασα μόλις έμαθα ότι σε δύο μέρες δίνω εξετάσεις. Δεν είχα καθόλου πανικό. _Λ_

1. Εμπιστεύομαι πολύ τον Αποστόλη. Είναι πολύ υπεύθυνος στη δουλειά του. _____

2. Δεν είναι καθόλου εγωιστής. Σκέφτεται μόνο τον εαυτό του. _____

3. Ίσως θέλεις να πάμε μια εκδρομή το σαββατοκύριακο; _____

4. Η ταινία είναι ακατάλληλη για ενηλίκους. _____

5. Το αμερικανικό πρωινό είναι πολύ βαρύ. _____

6. Οι εργατικοί άνθρωποι έρχονται συνήθως μπροστά. _____

7. Σε μία ώρα το αεροπλάνο προσγειώνεται. _____

Άσκηση 2
Ποια είναι τα αντίθετα των παρακάτω επιθέτων;

0. αισιόδοξος — απαισιόδοξος

1. εργατικός —

2. συμπαθητικός —

3. πρόθυμος —

4. ζεστός —

Άσκηση 3
Διάλεξε το σωστό.

0. Τα παιδιά, όταν είναι 2 χρονών, είναι πολύ (περίεργα) / ιδιότροπα / παράξενα και ρωτούν συνέχεια «γιατί».

1. Παίρνεις / Έχεις / Δίνεις τον λόγο μου ότι θα κρατήσω καλά το μυστικό σου.

2. Η ημερομηνία / μέρα / ώρα λήξης γράφεται πάνω στο κουτί.

3. Έκλεισα ένα πολύ καλό ξενοδοχείο με διατροφή / τροφή / ημιδιατροφή.

4. Πάντα κάνω / κλείνω / φτιάχνω πολύ νωρίς κράτηση σε εισιτήρια και βρίσκω πολύ καλές τιμές.

5. Στις πόλεις δεν έχει αρκετό χώρο / μέρος / τόπο στάθμευσης.

6. Το Ναύπλιο είναι μια γραμμένη / ζωγραφισμένη / γραφική πόλη στη νότια Ελλάδα.

7. Αυτή η κοπέλα συνέχεια φτιάχνει / κάνει / προκαλεί πολλά προβλήματα στη δουλειά μου.

8. Επιτέλους ξεκίνησαν οι εκπτώσεις. Αύριο θα βγω στην αγορά, για να αγοράσω / ψωνίσω / πάρω.

9. Αυτό το φόρεμα είναι για όλες τις εποχές. Το φοράω χειμώνα-άνοιξη / καλοκαίρι / φθινόπωρο.

10. Πάντα ψωνίζω τα καλοκαιρινά μου ρούχα τον χειμώνα, για να τα παίρνω σε πολύ καλές αγορές / τιμές / ψώνια.

Άσκηση 4
Παίξτε το επιτραπέζιο παιχνίδι.

Με μια πρόταση να την φράση «αεροπορική» «εσπλοιμηδ».

Τι είναι ο «εχαινγιοχο» «εκφοβιαομός»;

Περίγραψε την πιο ακριβή σου.

Ποια είναι τα αγαπημένα σου αντικείμενα της αγάπησης;

Κάνε τη δοκιμασία.

Χάνεις τη σειρά σου.

Περίγραψε ένα ωραίο ξενοδοχείο της περιοχής σου.

Ποιος είναι ο αγαπημένος σου τρόπος διασκέδασης;

Τι σημαίνει το facebook για σένα;

Κάνε τη δοκιμασία.

Ποια είναι τα κύρια προβλήματα στις σχέσεις των ανθρώπων;

Πήγαινε δύο βήματα μπροστά.

Δοκιμασία

Διάλεξε έναν συμμαθητή / μια συμμαθήτριά σου. Ζήτησε να σου κάνει μια ερώτηση ή να σου πει να κάνεις κάτι. Αν μείνει ευχαριστημένος από την απάντησή σου, κέρδισες! Αλλιώς, πηγαίνεις πάλι στην αρχή!

256   Ενότητες 4-6

Πήγαινε δύο βήματα πίσω.

Πώς πέρασες το περσινό καλοκαίρι;

Πες 2 λέξεις που ανήκουν στην ίδια οικογένεια με τη λέξη αγνάντεψε.

Κάνε τη δοκιμασία.

Σχημάτισε ρούχα και παπλώματα που αγνάντεψε.

Κάνε μια πρόταση με το αντίθετο της λέξης εργατικός.

Πήγαινε πάλι στην αρχή.

Κάνε τη δοκιμασία.

Κάνε από μία πρόταση με τις λέξεις συμπαθητικός και εχθρικός.

Περίγραψε την εικόνα.

Κάνε μια πρόταση με τη φράση «πληρώνω ακριβά το λάθος μου».

Ποιοι είναι οι πιο ψηλοί μαθητές στην τάξη σου;

Άσκηση 5
Διάλεξε το σωστό.

0. Μια πολύ καλή κι εύκολη συνταγή είναι το τεμπέλο / (τεμπέλικο) παστίτσιο.

1. Τον Αύγουστο είναι παχιές / παχιοί οι μύγες.

2. Κορίτσια, ποια άλλη / άλλοι θέλει να έρθει μαζί μου αύριο;

3. Μη λες βαριές / βαριά κουβέντες, γιατί θα το μετανιώσεις.

4. Δίψασα / Διψούσα πολλή ώρα και το στόμα μου είχε στεγνώσει. Σταμάτησα / Σταματούσα, να πιω νερό.

5. Φέτος διάβασα / διάβαζα αρκετά βιβλία που μου άρεσαν / άρεζαν πολύ.

6. Πεινάω ακόμη. Μου δίνεις και ένα άλλο / άλλο ένα πιάτο φαγητό;

7. Η Άντζελα μου τηλεφώνησε / τηλεφωνούσε και μου ζητούσε / ζήτησε να τη βοηθήσω. Μου μίλησε για το πρόβλημά της. Κλείσαμε το τηλέφωνο, επειδή έκλαιγε / έκλαψε το μικρό της για αρκετή ώρα.

8. Όλο το πρωί έψαξα / έψαχνα το βραχιόλι μου και τελικά το βρήκα / έβρισκα τυχαία.

9. Δεν έχω καθόλου ποτήρια μπίρας / μπίρα.

10. Δεν έχω φάει τίποτα όλη τη μέρα. Πεθαίνω της πείνας / την πείνα.

11. Εξαιτίας τον καιρό / του καιρού δεν πήγαμε στη θάλασσα το σαββατοκύριακο.

12. Δείτε αυτό το πουκάμισο και μετά θα σας δείξω κι ένα άλλο / κάποιο που νομίζω ότι θα σας αρέσει.

Άσκηση 6
Βάλε τις λέξεις της παρένθεσης στον σωστό τύπο.

0. Κατά τη διάρκεια _____του αγώνα_____ (αγώνα) είχα μεγάλη αγωνία.

1. Ο παπάς ο _____ (παχύς) έφαγε _____ (παχύς) φακή. Γιατί παπά _____ (παχύ) έφαγες _____ (παχύς) φακή;

2. Θα πάω στην Αγγλία με _____ (αδερφός) μου.

3. Μη φωνάζετε και μη θυμώνετε, όταν το παιδί σας κλαίει συνεχώς. Προσπαθήστε να καταλάβετε τι θέλει. Το _____ (γκρινιάρης) παιδί κάτι προσπαθεί να σας πει.

4. Έχω δύο παιδιά. Το ένα είναι πέντε χρονών και το _____ (άλλος) επτά.

5. Πήγα στη μοδίστρα, μου στένεψε όλες τις _____ (φαρδύς) φούστες και τα _____ (φαρδύς) φορέματα που είχα.

6. Όταν ήμουν νέος _____ (ταξιδεύω) πολύ συχνά. _____ (ταξιδεύω) σε πολλές χώρες της Ευρώπης και της Αφρικής.

7. Ήμουν στην αγορά κι _____ (ψάχνω) δώρο για τη φίλη μου, όταν _____ (ξεκινώ) η βροχή. _____ (βρέχω) πολλή ώρα και _____ (φεύγω) γρήγορα.

8. _____ (ανεβαίνω) στο λεωφορείο στις 10 το πρωί. Είχε πολλή κίνηση. _____ (μένω) εκεί μέσα μία ολόκληρη ώρα. Όταν _____ (κατεβαίνω), ήταν ήδη 11.

9. Ένα ποτήρι _____ (κρασί), παρακαλώ.

- Ποια από τις τροφές που βλέπεις στις φωτογραφίες σού αρέσει πιο πολύ;
- Ποιο γεύμα της ημέρας είναι το αγαπημένο σου;

ΚΑΤΑΝΟΗΣΗ ΓΡΑΠΤΟΥ ΛΟΓΟΥ

Άσκηση 1

Δες τον τίτλο του κειμένου. Ποιο πιστεύεις ότι είναι το περιεχόμενό του;

Άσκηση 2

Διάβασε με προσοχή το παρακάτω κείμενο και, στον πίνακα που ακολουθεί, σημείωσε με ✓ τι περιλαμβάνει το πρωινό κάθε χώρας.

Συμβουλή:
Πριν διαβάσεις το κείμενο, δες τις κατηγορίες τροφών στον πίνακα. Ποιες τροφές περιλαμβάνει η κάθε κατηγορία;

Internet

File   Edit   View   History   Bookmarks   Tools   Help

http://www.clickatlife.gr/diatrofi/   search...

Γευστικά πρωινά από όλο τον κόσμο

| ΣΥΝΤΑΓΕΣ | ΤΙ ΘΑ ΦΑΜΕ | ΦΟΡΟΥΜ | ΕΠΙΚΟΙΝΩΝΙΑ |

Το πρωινό προσφέρει ενέργεια για όλη τη μέρα. Οι τροφές που περιλαμβάνει **διαφέρουν** από χώρα σε χώρα...

Αίγυπτος

Το παραδοσιακό πρωινό των Αιγυπτίων αποτελείται από ένα μπολ γεμάτο φασόλια, ρεβίθια και φακές. Συνοδεύεται από πίκλες και ρόκα. Το γεύμα πωλείται στις υπαίθριες αγορές της Αιγύπτου. Αν το δοκιμάσετε, θα καταλάβετε πως θα σας δώσει δύναμη για όλη τη μέρα.

Βραζιλία

Το πρωινό στη Βραζιλία είναι πιο απλό από το πρωινό των άλλων χωρών. Αποτελείται από παπάγια και καφέ με γάλα. Η παπάγια προσφέρει στον οργανισμό την απαραίτητη βιταμίνη A και C. Συχνά, αντί για την παπάγια, υπάρχει ο επίσης **γευστικός**, φρέσκος ανανάς.

Μαλαισία

Το αρωματικό ρύζι στον ατμό και τα τηγανητά ψάρια προσφέρουν καθημερινά στους Μαλαισιανούς υδατάνθρακες για ενέργεια και πρωτεΐνες για αντοχή. Το ρύζι μαγειρεύεται με γάλα καρύδας και φύλλα από ένα εξωτικό φυτό. Έχει, επίσης, πολλά καρυκεύματα. Αυτά δίνουν στο φαγητό **νοστιμιά** και αυξάνουν τον μεταβολισμό.

Πακιστάν

Φακές και άγριο ρύζι μαγειρεύονται μαζί με μπαχαρικά και σερβίρονται με πίκλες, λαχανικά και γιαούρτι. Το πακιστανικό πρωινό είναι πολύ δυναμωτικό και γεμάτο ενέργεια.

Ρωσία

Οι ρώσικες τηγανίτες έχουν πολύ ανθότυρο και λίγα λιπαρά. Είναι τηγανητές ή ψητές και αποτελούν ένα υγιεινό και **διαιτητικό** πρωινό. Συνοδεύονται από φρούτα και μέλι. Γι' αυτό είναι και πολύ νόστιμες και πολύ θρεπτικές.

Τουρκία

Το τούρκικο πρωινό έχει στοιχεία από τη μεσογειακή διατροφή. Περιλαμβάνει φρέσκα αγγουράκια, ντομάτες και ελιές. Αυτές οι τροφές κάνουν καλό στη λειτουργία της καρδιάς. Αν **προσθέσετε** λίγο πρόβειο τυρί και ένα βραστό αυγό, θα έχετε ένα πρωινό πλήρες και πολύ χορταστικό.

Loading ...

		λαχανικά	γαλακτοκομικά	όσπρια	φρούτα
0.	Αίγυπτος	✓		✓	
1.	Βραζιλία				
2.	Μαλαισία				
3.	Πακιστάν				
4.	Ρωσία				
5.	Τουρκία				

Άσκηση 3

Διάβασε ξανά το κείμενο και απάντησε στις ερωτήσεις.

- Ποιο από τα παραπάνω πρωινά σού αρέσει περισσότερο;
- Ποιο πιστεύεις ότι είναι το πιο υγιεινό;
- Με ποιο από τα παραπάνω πρωινά μοιάζει το δικό σου;
- Ψάξε στο διαδίκτυο και γράψε μια μικρή παράγραφο για το ελληνικό πρωινό.

λεξιλόγιο

Άσκηση 1

Γίνετε ζευγάρια, δείτε τις υπογραμμισμένες λέξεις / φράσεις του κειμένου (σελ. 260-261) και βρείτε με ποιες από τις παρακάτω λέξεις / φράσεις ταιριάζουν στη σημασία.

0. είμαι διαφορετικός = _διαφέρω_

1. συμπληρώνω, βάζω λίγο ακόμη = _____

2. που δεν παχαίνει = _____

3. ωραία κι ευχάριστη γεύση = _____

4. αυτός που έχει ωραία γεύση = _____

Άσκηση 2

Γίνετε ζευγάρια και αντιστοιχίστε τις λέξεις με τις εικόνες.

0. χυλός

1. παπάγια

2. ανανάς

3. φασόλια

4. ρεβίθια

5. φακές

6. πίκλες

7. ρόκα

8. ανθότυρο

9. ξηροί καρποί

10. μπαχαρικά

11. γάλα καρύδας

12. ζύμη

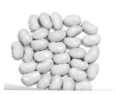

α.

β.

γ.

δ.

ε.

στ.

ζ.

η.

θ.

ι.

ια.

ιβ.

ιγ. _χυλός_

Άσκηση 3

Γίνετε ζευγάρια, ενώστε τις λέξεις με αντίθετη σημασία και κάνετε φράσεις με αυτές.

0. αυξάνω   _δ_   **α.** βλαβερό

1. προσθέτω   _____   **β.** αφαιρώ

2. διαιτητικό   _____   **γ.** παχυντικό

3. θρεπτικό   _____   **δ.** μειώνω

4. φρέσκο   _____   **ε.** μπαγιάτικο

Άσκηση 4

Γίνετε ζευγάρια και ενώστε τις λέξεις, για να κάνετε φράσεις που χρησιμοποιούνται πολύ συχνά.
Μετά γράψτε προτάσεις με τις φράσεις που κάνατε.

0. φρέσκα   **α.** λαχανικά   _0_

1. πλήρες   **β.** διατροφή   _____

2. μεσογειακή   **γ.** αγορές   _____

3. υπαίθριες   **δ.** τον μεταβολισμό _____

4. αυξάνω   **ε.** πρωινό   _____

Άσκηση 5

Οι παρακάτω λέξεις έχουν περισσότερες από μία σημασίες. Γίνετε ζευγάρια, βρείτε τις λέξεις στο κείμενο (σελ. 260-261) και σημειώστε ποια σημασία έχουν μέσα σε αυτό.

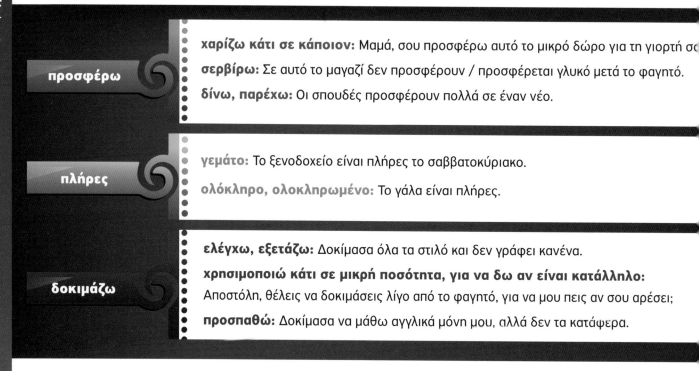

προσφέρω

χαρίζω κάτι σε κάποιον: Μαμά, σου προσφέρω αυτό το μικρό δώρο για τη γιορτή σο

σερβίρω: Σε αυτό το μαγαζί δεν προσφέρουν / προσφέρεται γλυκό μετά το φαγητό.

δίνω, παρέχω: Οι σπουδές προσφέρουν πολλά σε έναν νέο.

πλήρες

γεμάτο: Το ξενοδοχείο είναι πλήρες το σαββατοκύριακο.

ολόκληρο, ολοκληρωμένο: Το γάλα είναι πλήρες.

δοκιμάζω

ελέγχω, εξετάζω: Δοκίμασα όλα τα στιλό και δεν γράφει κανένα.

χρησιμοποιώ κάτι σε μικρή ποσότητα, για να δω αν είναι κατάλληλο: Αποστόλη, θέλεις να δοκιμάσεις λίγο από το φαγητό, για να μου πεις αν σου αρέσει;

προσπαθώ: Δοκίμασα να μάθω αγγλικά μόνη μου, αλλά δεν τα κατάφερα.

Άσκηση 6

Γίνετε ζευγάρια, διαβάστε τους παρακάτω ορισμούς και συμπληρώστε τα κενά στις προτάσεις με τις λέξεις του κρυπτόλεξου.

0. Κάθε τι που τρώει ένας άνθρωπος ή ένα ζώο, λέγεται _____τροφή_____.

1. Όλες οι τροφές που τρώμε κάθε μέρα, αποτελούν την καθημερινή μας _____.

2. Όταν τρώμε κάτι και μετά δεν πεινάμε, τότε φάγαμε κάτι _____.

3. Όταν μια τροφή είναι καλή για τον οργανισμό μας, είναι _____.

4. Το κρέας, τα αυγά και το γάλα είναι τροφές πλούσιες σε _____.

5. Το ψωμί και τα μακαρόνια είναι τροφές πλούσιες σε _____.

6. Αυτός που έχει ευχάριστη γεύση είναι _____.

0	Π	Ο	Τ	Ρ	Ο	Φ	Η	Ρ	Ε	Γ	Τ	Η	Κ
1	Δ	Ι	Α	Τ	Ρ	Ο	Φ	Η	Α	Β	Γ	Α	Δ
2	Χ	Ο	Ρ	Τ	Α	Σ	Τ	Ι	Κ	Ο	Τ	Η	Τ
3	Α	Ν	Θ	Ρ	Ε	Π	Τ	Ι	Κ	Η	Τ	Ο	Σ
4	Π	Ρ	Ω	Τ	Ε	Ι	Ν	Ε	Σ	Γ	Υ	Γ	Α
5	Ε	Υ	Δ	Α	Τ	Α	Ν	Θ	Ρ	Α	Κ	Ε	Σ
6	Α	Γ	Ε	Υ	Σ	Τ	Ι	Κ	Ο	Σ	Τ	Β	Η

Άσκηση 7

Ποιες από τις παρακάτω φράσεις είναι Σωστές και ποιες Λάθος;

0. Τα κολοκυθάκια έχουν λίγες θερμίδες και γι' αυτό παχαίνουν πολύ.   Λ

1. Το μανάβικο της γειτονιάς μου έχει πολύ μπαγιάτικα φρούτα και πάντα το προτιμώ. _____

2. Προσθέστε λίγο λάδι στη σαλάτα και θα έχετε ένα πολύ νόστιμο γεύμα. _____

3. Προτιμήστε για τη διατροφή σας τροφές πλούσιες σε λιπαρά. _____

4. Η μεσογειακή διατροφή είναι πολύ υγιεινή. _____

5. Τρώω πολλά λιπαρά. Τρέφομαι πολύ υγιεινά. _____

6. Κάθε πρωί τρώω ένα πλήρες πρωινό. _____

7. Η μπανάνα είναι πολύ γευστική και δεν μου αρέσει καθόλου. _____

8. Ο Γιάννης μού σέρβιρε ένα πολύ ωραίο δώρο στα γενέθλιά μου. _____

Άσκηση 8

Διάλεξε 7-8 λέξεις / φράσεις από τις παραπάνω ασκήσεις και γράψε μια ιστορία.

Άσκηση 9

Γίνετε ζευγάρια, δείτε τις παρακάτω λέξεις και συμπληρώστε τα κενά κάθε σειράς του πίνακα με λέξεις που ανήκουν στην ίδια οικογένεια.

γεύση, ανθυγιεινός, *προσφορά*, μαγειρείο, υγιεινός, νόστιμος, χορταίνω, μάγειρας, πρόβατο, βράζω, πρωινό, νοστιμεύω, πρόσθετος, παράδοση, μαγειρεμένος, τηγανίζω, χόρταση, μαγειρευτός, πρόσθεση, μαγείρεμα, βράσιμο, δίαιτα, τηγάνι, ψήνω, ψήσιμο, γεύομαι

ρήμα	ουσιαστικό	επίθετο
προσφέρω	0 _Προσφορά_	-
-	υγεία	1 _____, 2 _____
-	πρωί 3 _____	-
-	4 _____	πρόβειος
5 _____	νοστιμιά	6 _____
προσθέτω	7 _____	8 _____
μαγειρεύω	9 _____, 10 _____, 11 _____	12 _____, 13 _____
14 _____	15 _____	βραστός
16 _____	17 _____	χορταστικός
-	18 _____	παραδοσιακός
-	19 _____	διαιτητικός
20 _____	21 _____, τηγανίτα	τηγανητός
22 _____	23 _____	ψητός
24 _____	25 _____	γευστικός

Άσκηση 10

Γίνετε ζευγάρια και συμπληρώστε τα κενά, όπως στο παράδειγμα.

Το όνομά μου είναι Αλέκος Λαυρεντιάδης. Ζω μόνος μου σε μια συνοικία της Αθήνας. Είμαι μηχανικός και δουλεύω πολλές ώρες κάθε μέρα. Δεν έχω χρόνο για πολλά πράγματα και σίγουρα δεν προλαβαίνω ποτέ να μαγειρέψω. Δεν είναι ότι δεν μου αρέσει. Μου αρέσει πολύ το ⁰___μαγείρεμα___ (μαγειρεύω), αλλά στο σπίτι μου δεν έχω τα υλικά. Και πότε να τα πάρω δηλαδή, αφού γυρίζω βράδυ; Έτσι, αναγκάζομαι πολύ συχνά να τρώω κάτι από έξω. Δεν μου αρέσουν, όμως, τα σάντουιτς με γύρο, γιατί είναι πολύ ¹_____ (υγεία). Θέλω να κάνω ²_____ (υγεία) διατροφή και να καταναλώνω θρεπτικές τροφές. Αυτό για πολύ καιρό με δυσκόλευε υπερβολικά, γιατί μετά τη δουλειά έπρεπε να βρίσκω διάφορους τρόπους να νικήσω την πείνα μου, μέχρι να ετοιμάσω το φαγητό. Πρόσφατα, όμως, άνοιξε στη γειτονιά μου ένα πολύ καλό ³_____ (μαγειρεύω). Αυτό ήταν η λύση στο πρόβλημά μου. Αυτό το μαγαζάκι μού αρέσει πολύ για τις ⁴_____ (παράδοση) του συνταγές και τα ⁵_____ (γεύση) του πιάτα. Κάνει πολύ ⁶_____ (νοστιμιά) παστίτσιο και ωραία ⁷_____ (τηγανίζω) κεφτεδάκια. Εμένα μου αρέσουν πολύ και κάποιες σαλάτες του. Είναι ⁸_____ (δίαιτα), αλλά και πολύ ⁹_____ (χορταίνω). Από τα ¹⁰_____ (μαγειρεύω) φαγητά προτιμώ τις γεμιστές πιπεριές. Επίσης, ο ¹¹_____ (μαγειρεύω) είναι καταπληκτικός στο ¹²_____ (ψήνω). Όλα τα ¹³_____ (ψήνω) του είναι εξαιρετικά. Παλιά πήγαινα κι έτρωγα εκεί. Τώρα τελευταία μου φέρνουν το φαγητό στο σπίτι. Πρόσφατα, μάλιστα, έκανα μια γιορτή και τους ζήτησα να μου ετοιμάσουν όλα τα πιάτα και τις σαλάτες. Όλα έκαναν πολύ καλή εντύπωση για την εμφάνιση και τη ¹⁴_____ (νόστιμος) τους.

Άσκηση 11

Διάλεξε 6-7 λέξεις από τον πίνακα της άσκησης 9 και γράψε μια παράγραφο για κάποιο ελληνικό πιάτο.

Άσκηση 12

Ο κάθε μαθητής / Η κάθε μαθήτρια διαλέγει μια εικόνα από τον πίνακα. Την περιγράφει δυνατά στην τάξη. Οι υπόλοιποι μαθητές / Οι υπόλοιπες μαθήτριες βρίσκουν την εικόνα και τη σημειώνουν. Σημειώνουν τέσσερα διαδοχικά κελιά διαγώνια, οριζόντια ή κάθετα που περνούν από το κεντρικό BINGO και φωνάζουν BINGO.

Παράδειγμα: _Στην εικόνα βλέπω διάφορα φρούτα και λαχανικά._

Άσκηση 13

Είσαι μέλος μιας ομάδας που ανεβάζει στο διαδίκτυο διάφορες συνταγές σε μια σχετική ιστοσελίδα. Την τελευταία εβδομάδα πήρες τις παρακάτω συνταγές. Βλέπεις τις φωτογραφίες και τους τίτλους τους και τις τοποθετείς σε μια από τις κατηγορίες της ιστοσελίδας.

http://www.sintages.gr

ΣΥΝΤΑΓΕΣ | **ΤΙ ΘΑ ΦΑΜΕ** | **ΦΟΡΟΥΜ** | **ΕΠΙΚΟΙΝΩΝΙΑ**

- **ορεκτικά**
- **σαλάτες**
- **αλοιφές**
- **κυρίως πιάτο**
  - κρεατικά
  - ψαρικά
  - θαλασσινά
  - λαδερά
  - κατσαρόλας
  - λαδερά
  - φούρνου
- **σούπες**
- **πίτες**
- **γλυκά**
  - του κουταλιού
  - ταψιού
  - κέικ

κολοκυθάκια τηγανητά
0. _ορεκτικά_

κροκέτες
1. _____

μαγειρίτσα
2. _____

κέικ σοκολάτας
3. _____

χωριάτικη
4. _____

μπριζόλες
5. _____

παντζάρια
6. _____

γεμιστές πιπεριές
7. _____

τζατζίκι
8. _____

καλαμαράκια
9. _____

ρεβανί
10. _____

κοτόσουπα
11. _____

τυρί σαγανάκι
12. _____

μυδοπίλαφο
13. _____

κρεατόσουπα
14. _____

τυροπιτάκια
15. _____

σαρδέλες
16. _____

κολοκυθόπιτα
17. _____

τυροσαλάτα
18. _____

κέικ λεμονιού
19. _____

μπακλαβάς
20. _____

μελιτζανοσαλάτα
21. _____

αρακάς
22. _____

πατατοσαλάτα
23. _____

παστίτσιο
24. _____

κοκκινιστό
25. _____

σολομός
26. _____

γάβρος
27. _____

σπανακόπιτα
28. _____

μύδια σαγανάκι
29. _____

ψαρόσουπα
30. _____

πικάντικη
31. _____

χταπόδι
32. _____

φασολάδα
33. _____

γλυκό κεράσι
34. _____

γιαχνί
35. _____

γιουβέτσι
36. _____

μουσακάς
37. _____

Άσκηση 14

Διάβασε τις παρακάτω οδηγίες για το πώς μπορείς να χρησιμοποιήσεις τα μπαχαρικά στο μαγείρεμα και σημείωσε σε ποια φαγητά από την προηγούμενη άσκηση χρησιμοποιούνται.

Πιπέρι

Είναι το πιο γνωστό μπαχαρικό. Αρωματίζει και δίνει νόστιμη γεύση σε όλα τα μαγειρευτά φαγητά (σούπες, κατσαρόλας, φούρνου).

_____
_____
_____
_____

Ρίγανη

Χρησιμοποιείται κυρίως στη μαγειρική, αλλά και ως ρόφημα. Κάνει πολύ καλό στον βήχα. Ταιριάζει πολύ ωραία στη χωριάτικη σαλάτα.

_____
_____
_____
_____

Άνηθος

Δίνει πολύ ωραίο άρωμα στο σπανακόρυζο, στον αρακά, στη σπανακόπιτα, στα θαλασσινά (όπως στο μυδοπίλαφο), στη μαγειρίτσα το Πάσχα και στο τζατζίκι.

_____
_____
_____

Μαϊντανός

Δίνει ωραία μυρωδιά στα ψάρια, στο σπανακόρυζο, στον αρακά και στα φασολάκια. Επίσης, ταιριάζει πολύ στις γεμιστές πιπεριές.

_____
_____
_____

Δάφνη

Τα φύλλα του δέντρου, είτε φρέσκα είτε ξερά, χρησιμοποιούνται στις φακές και στο κοκκινιστό μοσχαράκι.

_____
_____
_____

Γαρίφαλο

Σημαντικό μπαχαρικό που δίνει άρωμα σε πολλές τροφές. Είναι κατάλληλο και για τη ζαχαροπλαστική.

_____
_____
_____
_____

Δυόσμος

Τα ξερά ή φρέσκα φύλλα του φυτού χρησιμοποιούνται στα φαγητά και στα ροφήματα. Ταιριάζει πολύ ωραία με το τζατζίκι.

_____
_____
_____

Κανέλα

Χρησιμοποιείται στη ζαχαροπλαστική, στα λικέρ και στη μαγειρική για τον αρωματισμό των φαγητών.

_____
_____
_____
_____

Άσκηση 15

Είσαι διαιτολόγος. Δες τις πληροφορίες για τη μεσογειακή διατροφή που είναι γραμμένες στην πυραμίδα και τις φωτογραφίες με τα διάφορα τρόφιμα στην επόμενη σελίδα. Προσπάθησε να κάνεις ένα διαιτολόγιο για έναν φίλο / μια φίλη σου. Γράψε τις τροφές που πρέπει να τρώει σε κάθε γεύμα της ημέρας, σύμφωνα με τις οδηγίες της πυραμίδας. Πες τη δίαιτα στην τάξη σου.

	Δευτέρα	Τρίτη	Τετάρτη	Πέμπτη	Παρασκευή	Σάββατο	Κυριακή
Πρωινό							
Δεκατιανό							
Μεσημεριανό							
Απογευματινό							
Βραδινό							

Η πυραμίδα της σύγχρονης μεσογειακής δίαιτας

2 το πολύ γλυκά, 2 το πολύ μερίδες κόκκινο κρέας, 1 μερίδα αλλαντικά

Για πρώτη φορά εισάγονται σε κάθε γεύμα της μεσογειακής δίαιτας δημητριακά, φρούτα και λαχανικά. Οι ειδικοί συνιστούν να χρησιμοποιούμε τοπικά και εποχιακά προϊόντα στα πιάτα μας, να πίνουμε νερό και να αποφεύγουμε το κρασί. Τονίζουν, επίσης, τη σημασία της ευχάριστης παρέας στο φαγητό και την αξία της γυμναστικής.

ΕΒΔΟΜΑΔΙΑΙΑ

1-2 μερίδες πουλερικά, 2 τουλάχιστον μερίδες ψάρι ή θαλασσινά

2 τουλάχιστον μερίδες όσπρια, 2 έως 4 αυγά

ΚΑΘΗΜΕΡΙΝΑ

1-2 μερίδες ξηρούς καρπούς, ελιές

χόρτα, καρυκεύματα, σκόρδο, κρεμμύδι

2-3 μερίδες γάλα ή γιαούρτι

3-4 κουταλιές ελαιόλαδο

ΣΕ ΚΑΘΕ ΓΕΥΜΑ

1-2 μερίδες φρούτα

2 μερίδες λαχανικά

1-2 μερίδες ψωμί και ζυμαρικά ή ρύζι ή κουσκούσι ή άλλα δημητριακά

NEPO

ψωμί	κουλούρι σουσαμένιο	χόρτα	παντζάρια	μαρούλια
μπρόκολο	μαρούλι	κουνουπίδι	ντομάτα	αγγούρι
μήλα	πορτοκάλια	μπανάνες	φράουλες	κεράσια
καρπούζι	πεπόνι	ροδάκινα	βερίκοκα	γιαούρτι
τυρί	γάλα	λάδι	καρύδια	σταφίδες
αμύγδαλα	φιστίκια	αυγά	φασόλια	φακές
αρακάς	φασολάκια	μελιτζάνες	κολοκυθάκια	κοτόπουλο
ψάρια	κρέας	γλυκό	σπόρια	φουντούκια

Άσκηση 16

Κάνεις διανομές τροφίμων. Σήμερα πρέπει να παραδώσεις τα παρακάτω προϊόντα σε 2 μαγαζιά. Δες τα τρόφιμα που έχεις και γράψε κάτω από κάθε μαγαζί τι θα του παραδώσεις.

Άσκηση 17

Κάνε ερωτήσεις στον διπλανό / στη διπλανή σου και συμπλήρωσε τον πίνακά σου.

Παράδειγμα:

Μαθητής Α: Τι έχεις στο Α1;   **Μαθητής Β:** Έναν ατμομάγειρα.

Μαθητής Α: Στον ατμό μπορείς να μαγειρέψεις κοτόπουλο, μπρόκολο κτλ.

Μαθητής Α	1	2	3
Α	κοτόπουλο, μπρόκολο κτλ.		
Β			

Μαθητής Β	1	2	3
Α			
Β			

Λέξεις, φράσεις και εκφράσεις …

Άσκηση 1

Γίνετε ζευγάρια, διαβάστε τον πίνακα και βρείτε σε ποια παραδείγματα η λέξη *τρώω* έχει τις παρακάτω σημασίες

α. μασώ και καταπίνω τροφή

β. (παθ.) αυτό που είναι κατάλληλο για τροφή

γ. μου αρέσει ένα φαγητό

δ. καταναλώνω

ε. πιστεύω

στ. είμαι πιο καλός από κάποιον

ζ. μαλώνω συνεχώς με κάποιον

η. γκρινιάζω

θ. ζητώ, επιδιώκω κάτι πολύ επίμονα και πιεστικά

0.	Μη μου τα λες εμένα αυτά, γιατί δεν τα	τρώω	κάτι τέτοια.	ε
1.	Αυτό το αυτοκίνητο	τρώει	πολλή βενζίνη.	
2.	Δεν	τρώει	τα λαχανικά.	
3.	Τους	τρώει	όλους στα μαθηματικά.	
4.	Τα δύο αδέλφια	τρώγονται	χωρίς λόγο.	
5.	Υπάρχουν είδη μανιταριών που	τρώγονται	και άλλα που έχουν δηλητήριο και δεν τρώγονται.	
6.	Μην	τρώγεσαι	συνέχεια, πες κάτι καλό και μια φορά.	
7.	Τα βράδια, συνήθως την ώρα που	τρώγαμε,	περνούσαν τα παιδιά κάτω απ' το σπίτι και φώναζαν τα παρατσούκλια μου.	
8.	Με	έφαγε	να του αγοράσω ένα ποδήλατο.	

Τα παραδείγματα προέρχονται από το σώμα κειμένων του ΚΕΓ και από το *Λεξικό της Κοινής Νεοελληνικής (Τριανταφυλλίδη)*.

Άσκηση 2

Τσιμπώ, τρώω, καταβροχθίζω, δοκιμάζω. Δες τη σημασία τους στο λεξικό και συμπλήρωσε τα κενά στις προτάσεις.

0. Ελάτε το βράδυ να _____*τσιμπήσουμε*_____ κάτι, να πάρουμε έναν μεζέ.

1. Το μεσημέρι κάθομαι πολλή ώρα στο σπίτι. _____ κάτι πρόχειρα και φεύγω αμέσως για τη δουλειά.

2. Τι θα _____ σήμερα, μαμά;

3. Μην _____ λαίμαργα. Είναι επικίνδυνο.

4. Έλα, παιδί μου, κάτσε να _____!

5. Σήμερα πεινούσα σαν λύκος το μεσημέρι. Δεν _____ μόνο. _____ ένα ολόκληρο πακέτο μακαρόνια!

6. _____ λίγο φαγητό, να μου πεις αν έγινε καλό.

ΠΟΣΟ ΚΛΙΚ ΚΑΝΕΙΣ;

**Κάνε το παρακάτω τεστ και διάβασε τα αποτελέσματα.
Πόσο αληθινά πιστεύεις ότι είναι;**

1
Ο αγαπημένος σου τρόπος μαγειρέματος είναι:
α. στον ατμό.
β. στον φούρνο.
γ. στο τηγάνι.

2
Το αγαπημένο σου συστατικό σε μια συνταγή είναι:
α. τα φρούτα.
β. το λάδι.
γ. η ζάχαρη.

3
Τρως κρέας:
α. μία φορά τον μήνα.
β. μία φορά την εβδομάδα.
γ. κάθε μέρα.

4
Τρως φρούτα:
α. σε κάθε γεύμα.
β. μόνο σε παγωτά.
γ. πολύ σπάνια.

5
Τρως πίτσες και σάντουιτς:
α. μία φορά τον μήνα.
β. μία φορά την εβδομάδα.
γ. κάθε μέρα.

6
Τα λαχανικά που καταναλώνεις:
α. τα καλλιεργείς εσύ.
β. είναι πάντα βιολογικά.
γ. είναι από το σούπερ μάρκετ της γειτονιάς σου.

7
Πόσα ποτήρια νερό πίνεις κάθε μέρα;
α. 7-10
β. 4-6
γ. 2-3

ΑΠΟΤΕΛΕΣΜΑΤΑ

Αν έχεις περισσότερα Α: Συγχαρητήρια! Τρως πολύ υγιεινά. Δεν χρειάζεται να κάνεις σχεδόν καμιά αλλαγή στη διατροφή σου. Συνέχισε να τρέφεσαι με αυτόν τον τρόπο και θα ζήσεις πολλά χρόνια!

Αν έχεις περισσότερα Β: Προσπάθησε να κάνεις μικρές αλλαγές στη διατροφή σου. Μην παρασύρεσαι, όταν οι γύρω σου τρώνε τροφές που δεν είναι καλές για τον οργανισμό. Σε γενικές γραμμές ξέρεις τι πρέπει να τρως και βρίσκεσαι σε καλό δρόμο.

Αν έχεις περισσότερα Γ: Πρέπει να βελτιώσεις τη διατροφή σου τώρα! Αν συνεχίσεις να τρως με τον ίδιο τρόπο, θα παχύνεις πάρα πολύ. Δοκίμασε να βάλεις στη διατροφή σου περισσότερα φρούτα και λαχανικά. Πιες πιο πολύ νερό και μείωσε το έτοιμο φαγητό, τα λίπη και τη ζάχαρη.

Γραμματική: Βλέπω και παρατηρώ ...

Δες με προσοχή τις παρακάτω συνταγές και τις συμβουλές.

Υλικά

70 γρ. βούτυρο γάλακτος

100 γρ. γάλα φρέσκο

160 γρ. ζάχαρη

3 αυγά

4 γρ. μαχλέπι σκόνη

4 γρ. μαστίχα σκόνη

100 γρ. χλιαρό νερό

40 γρ. φρέσκια μαγιά

700 γρ. αλεύρι κίτρινο για τσουρέκια (ίσως χρειαστεί και λίγο παραπάνω)

1 αυγό

αμύγδαλα

Α. Διαδικασία

Σε μια κατσαρόλα **λιώνετε** το βούτυρο, τη ζάχαρη, το γάλα, το μαχλέπι και τη μαστίχα. Κατεβάζετε την κατσαρόλα από τη φωτιά και **ρίχνετε** τα αυγά. Τα βάζετε όλα στον κάδο του μίξερ και τα χτυπάτε λίγο, για να λιώσει η ζάχαρη. Διαλύετε τη μαγιά στο χλιαρό νερό και τη ρίχνετε και αυτή στον κάδο του μίξερ. Τέλος, **προσθέτετε** το αλεύρι και ζυμώνετε πολύ καλά μέχρι να ξεκολλάει η ζύμη από τα χέρια σας. Βάζετε τη ζύμη σε μια μεγάλη λεκάνη, τη **σκεπάζετε** με τραπεζομάντιλο και την αφήνετε να φουσκώσει σε ζεστό μέρος για 3 ώρες. Μετά ζυμώνετε για λίγο και **πλάθετε** τα τσουρέκια στο σχήμα που σας αρέσει. Τα αφήνετε ξανά σε ζεστό μέρος για 1 ώρα. Ανάβετε τον φούρνο στους 180 βαθμούς. Ανακατεύετε το αυγό με λίγο νερό και **αλείφετε** με πινέλο την επιφάνεια κάθε τσουρεκιού. Πασπαλίζετε με το αμύγδαλο. **Ψήνετε** τα τσουρέκια μέχρι να ροδίσουν και να ξεκολλάνε από το ταψί. Αν δείτε ότι παίρνουν πολύ χρώμα από πάνω, μπορείτε να τα καλύψετε με αλουμινόχαρτο.

Β. Διαδικασία

Χτυπήστε τα αυγά με την άχνη ζάχαρη σε μια λεκάνη για 3 λεπτά. **Λιώστε** τη μαγιά με το γάλα και προσθέστε τα στη λεκάνη. **Λιώστε** το βούτυρο και **προσθέστε** το κι αυτό στη λεκάνη. **Προσθέστε** τα μπαχαρικά (μαχλέπι, ξύσμα, μαστίχα). Στο τέλος, ρίξτε το αλεύρι λίγο λίγο. Κάντε τη ζύμη μια μπάλα μέσα στη λεκάνη και **σκεπάστε** με μια πετσέτα ή μια κουβέρτα. **Αφήστε** τη μέσα στον φούρνο στους 30 βαθμούς για περίπου 2 ώρες. Πλάστε τα τσουρεκάκια. **Τοποθετήστε** τα σε βουτυρωμένο ταψί, σκεπάστε τα πάλι και αφήστε τα σε ζεστό φούρνο (30 βαθμοί) για 1 ώρα ακόμη. **Αλείψτε** τα με το κροκάδι και πασπαλίστε με σουσάμι, αν θέλετε. **Ψήστε** τα τσουρέκια στους 180 βαθμούς για 50 λεπτά ή μέχρι να ροδίσουν.

Υλικά

2 κιλά αλεύρι σκληρό

6 αυγά σε θερμοκρασία δωματίου

160 γρ. βούτυρο λιωμένο

3 φακελάκια ξερή μαγιά

1/2 λίτρο ζεστό γάλα (πλήρες)

1 φακελάκι μαχλέπι

το ξύσμα από 2 πορτοκάλια

1 φακελάκι μαστίχα

500 γρ. άχνη ζάχαρη

κροκάδι αραιωμένο με νερό

σουσάμι

Γ. ΠΡΟΣΟΧΗ!!!

Μη χτυπάτε τα αυγά πολλή ώρα μόνα τους. **Μη λιώνετε** τη μαγιά σε πολύ ζεστό γάλα. **Μην προσθέτετε** τα μπαχαρικά σε πολύ μεγάλες ποσότητες. **Μη βάζετε** πολλή ζάχαρη, για να φουσκώσουν τα τσουρέκια. **Μην πλάθετε** μεγάλα τσουρέκια, για να ψηθούν καλά. **Μην τοποθετείτε** τα τσουρέκια στο ταψί χωρίς να το αλευρώσετε. Θα κολλήσουν! **Μην τα ψήνετε** περισσότερο από 1 ώρα. Θα γίνουν ξερά. **Μην τα ζυμώνετε** μόνο 10 λεπτά. Θέλει καλό ζύμωμα!

Διασκευασμένα κείμενα από την ιστοσελίδα www.sintagespareas.gr

Απάντησε στις παρακάτω ερωτήσεις.

1. Για ποιο φαγητό ή γλυκό δίνουν οδηγίες οι συνταγές;

2. Ποιες διαφορές έχουν οι δύο συνταγές στα υλικά και τη διαδικασία;

3. Σε ποια από τις δύο συνταγές χρησιμοποιείται η προστακτική;

4. Σε ποια από τις δύο συνταγές χρησιμοποιείται ο ενεστώτας;

5. Τι πρέπει να προσέχει αυτός / αυτή που προσπαθεί να κάνει τσουρέκια;

6. Τι παρατηρείς στα τονισμένα ρήματα στο κείμενο Γ;

7. Με τι μοιάζει στον σχηματισμό της η μη συνοπτική προστακτική;

ΠΙΝΑΚΑΣ 1

Προστακτική (απαγόρευση*, συμβουλή, οδηγίες, διαταγή / παράκληση)

	μη συνοπτική τώρα, όλο τον χρόνο / το πρωί, όλη τη μέρα / τη βδομάδα / την ώρα, κάθε μέρα / πρωί / χρόνο / βδομάδα	συνοπτική τώρα, σε λίγο, αύριο, την επόμενη βδομάδα / μέρα / χρονιά, το(ν) επόμενο μήνα / χρόνο / διάστημα, σε λίγες μέρες
κατεβάζω	κατέβαζε / μην κατεβάζεις κατεβάζετε / μην κατεβάζετε	κατέβασε / μην κατεβάσεις κατεβάστε / μην κατεβάσετε
ρίχνω	ρίχνε / μη ρίχνεις ρίχνετε / μη ρίχνετε	ρίξε / μη ρίξεις ρίξτε / μη ρίξετε
χτυπάω	χτύπα / μη χτυπάς χτυπάτε / μη χτυπάτε	χτύπησε / μη χτυπήσεις χτυπήστε / μη χτυπήσετε
γελάω	γέλα / μη γελάς γελάτε / μη γελάτε	γέλασε / μη γελάσεις γελάστε / μη γελάσετε
φοράω	φόρα / μη φοράς φοράτε / μη φοράτε	φόρεσε / μη φορέσεις φορέστε / μη φορέσετε
τοποθετώ	- / μην τοποθετείς τοποθετείτε / μην τοποθετείτε	τοποθέτησε / μην τοποθετήσεις τοποθετήστε / μην τοποθετήσετε
τρώω	τρώγε / μην τρως τρώτε / μην τρώτε	φάε / μη φας φάτε / μη φάτε
ακούω	άκου-άκουγε / μην ακούς ακούτε / μην ακούτε	άκουσε / μην ακούσεις ακούστε / μην ακούσετε
λέω	λέγε / μη λες λέγετε, λέτε / μη λέτε	πες / μην πεις πείτε, πέστε / μην πείτε
τρέχω	τρέχα / μην τρέχεις τρέχτε-τρεχάτε / μην τρέχετε	τρέξε / μην τρέξεις τρέξτε / μην τρέξετε

* Για την απαγόρευση χρησιμοποιούνται οι τύποι της υποτακτικής.

ΠΙΝΑΚΑΣ 2

Προστακτική (απαγόρευση*, συμβουλή, οδηγίες, διαταγή / παράκληση)

	συνοπτική		
	τώρα, σε λίγο, αύριο, την επόμενη βδομάδα / μέρα / χρονιά, το(ν) επόμενο μήνα / χρόνο / διάστημα, σε λίγες μέρες		
ανεβαίνω	ανέβα / μην ανέβεις ανεβείτε / μην ανεβείτε	κατεβαίνω	κατέβα / μην κατέβεις κατεβείτε / μην κατεβείτε
αφήνω	άφησε, άσε / μην αφήσεις αφήστε / μην αφήσετε	κοιμάμαι	κοιμήσου / μην κοιμηθείς κοιμηθείτε / μην κοιμηθείτε
βάζω	βάλε / μη βάλεις βάλτε / μη βάλετε	μαθαίνω	μάθε / μη μάθεις μάθετε / μη μάθετε
βγάζω	βγάλε / μη βγάλεις βγάλτε / μη βγάλετε	μένω	μείνε / μη μείνεις μείνετε / μη μείνετε
βγαίνω	βγες / μη βγεις βγείτε / μη βγείτε	μπαίνω	μπες / μην μπεις μπείτε / μην μπείτε
βλέπω	δες / μη δεις δείτε / μη δείτε	παίρνω	πάρε / μην πάρεις πάρτε / μην πάρετε
βρίσκω	βρες / μη βρεις βρείτε / μη βρείτε	περιμένω	περίμενε / μην περιμένεις περιμένετε / μην περιμένετε
γίνομαι	γίνε / μη γίνεις γίνετε / μη γίνετε	πίνω	πιες / μην πιεις πιείτε / μην πιείτε
δίνω	δώσε / μη δώσεις δώστε / μη δώσετε	πηγαίνω	πήγαινε, πάνε / μην πηγαίνεις, μην πας πηγαίνετε, πάτε / μην πηγαίνετε, μην πάτε
έρχομαι	έλα / μην έρθεις ελάτε / μην έρθετε	πλένω	πλύνε / μην πλύνεις πλύν(ε)τε / μην πλύνετε
θυμάμαι	θυμήσου / μη θυμηθείς θυμηθείτε / μη θυμηθείτε	στέλνω	στείλε / μη στείλεις στείλ(ε)τε / μη στείλετε
κάνω	κάνε / μην κάνεις κάνετε, κάντε / μην κάνετε	φέρνω	φέρε / μη φέρεις φέρτε / μη φέρετε
κάθομαι	κάθισε, κάτσε / μην καθίσεις, μην κάτσεις καθίστε / μην καθίσετε, μην κάτσετε	φεύγω	φύγε / μη φύγεις φύγετε / μη φύγετε

* Για την απαγόρευση χρησιμοποιούνται οι τύποι της υποτακτικής.

Άσκηση 1

Βάλε τις λέξεις στον παρακάτω πίνακα, όπως στο παράδειγμα.

Στήλη Α	(•) (•) (•) ● ●	(•) (•) (•) ● ● ●
λιώνω	λιώσε, λιώστε	λιώνετε
ρίχνω		
προσθέτω		
σκεπάζω		
ζυμώνω		
ανακατεύω		

Άσκηση 2

Παίζουμε τένις! Γίνετε ζευγάρια και παίξτε τένις. Χρησιμοποιήστε τις λέξεις:

κατεβάζω, βλέπω, ρίχνω, πηγαίνω, ανεβαίνω, κατεβαίνω, ράβω, γράφω, ετοιμάζω, οδηγώ, τρώω, ακούω, καθαρίζω, κόβω, ζωγραφίζω

Παράδειγμα:

Μαθητής Α: *κατέβαζε, μην κατεβάζετε* **Μαθητής Β:** *κατέβασε, μην κατεβάσετε*

Άσκηση 3

Γίνετε ζευγάρια, ακολουθήστε τις λέξεις που βρίσκονται στη μη συνοπτική προστακτική και βγείτε από τον λαβύρινθο.

Αρχή

ρίχνε	δεν αφήνετε	πάρε	μην πίνεις	μην τρώτε	μην πάτε
μην τοποθετείτε	βλέπε	κοιμήσου	κλάψε	μην κατέβεις	θυμήσου
δεν ανεβαίνετε	προχώρα	κάτσε	κοιμήσου	πρόσεχε	δεν βλέπεις
τρώγε	κλαίγε	πίνε	προχώρα	λέγε	μη βράζεις
άνοιγε	δεν βρίσκετε	σταμάτα	πέρνα	κάθισε	μη δίνεις
πίνε	μη φέρνεις	κράτα	μη φας	μην πηγαίνεις	**κατέβαινε**

Τέλος

Άσκηση 4
Γίνετε ζευγάρια και βρείτε τα λάθη.

0. Μη τρώγετε πολλές φορές την εβδομάδα κρέας. _____*τρώτε*_____

1. Βάλεις λίγο λάδι στα φαγητά. _____

2. Δεν τρώτε πολλά τηγανητά. _____

3. Πλύνετε πάντα τα λαχανικά και τα φρούτα. _____

4. Μη μαγειρεύσεις σε φούρνο μικροκυμάτων. _____

5. Δεν χρησιμοποιήσετε το αλουμινόχαρτο στο ψήσιμο. Προτιμάτε τη λαδόκολα. _____

6. Μη ρίξε το αλεύρι όλο μαζί, αλλά σταδιακά. _____

7. Μη βράζε το φαγητό σε δυνατή φωτιά. _____

Άσκηση 5
Γίνετε ζευγάρια και διαλέξτε το σωστό.

0. (Ποτίζετε)/ Ποτίστε πάντα τα λουλούδια το απόγευμα.

1. Μη ρίχνετε / ρίξετε λιπάσματα στα φυτά σας, για να τρώτε υγιεινά.

2. Πήγαινε στον μανάβη και πάρε / παίρνε φρούτα.

3. Λέγε / Πες μου τι θα μαγειρέψουμε την Κυριακή.

4. Δώσε / Δίνε μου, σε παρακαλώ, το αλάτι.

5. Στρώσε / Στρώνε το τραπέζι. Πείνασα.

6. Βάλε / Βάζε μου ένα ποτήρι νερό.

7. Μην τρως / φας πολλά γλυκά, γιατί παχαίνουν.

8. Από 'δω και πέρα μαγείρευε / μαγείρεψε εσύ τα μεσημέρια. Εγώ θα ετοιμάζω το πρωινό.

9. Αν μένετε πολλές ώρες στο γραφείο, μην παραγγέλνετε / παραγείλετε φαγητό από έξω.

10. Μη δίνετε / δώσετε συχνά σοκολάτες στα παιδιά. Θα χαλάσουν τα δόντια τους.

11. Κράτησε / Κράτα με να σε κρατώ να ανεβούμε το βουνό.

12. Μοναχός σου χόρευε / χόρεψε και όσο θέλεις πήδηξε / πήδα.

13. Μάθαινε / Μάθε, παιδί μου, γράμματα.

Άσκηση 6
Γίνετε ζευγάρια και συμπληρώστε τα κενά με το ρήμα στον σωστό τύπο της προστακτικής.

0. _____*Πίνε*_____ (πίνω) πολύ νερό κάθε μέρα.

1. _____ (τρώω) κάθε μέρα ωμές σαλάτες.

2. _____ (αγοράζω) πάντα φρέσκα λαχανικά.

3. _____ (περπατώ) κάθε απόγευμα μία ώρα.

4. _____ (δεν βάζω) ποτέ αλάτι στα φαγητά.

5. _____ (δεν πίνω) αλκοόλ, όταν κάνεις δίαιτα.

6. _____ (δεν χρησιμοποιώ) πολλές φορές το ίδιο λάδι στο τηγάνισμα.

7. Μην πάρεις το ασανσέρ. _____ (ανεβαίνω) με τις σκάλες.

8. _____ (κατεβαίνω) από το λεωφορείο δύο στάσεις πριν από τον προορισμό σου και περπάτησε.

9. _____ (τρώω) λίγο το μεσημέρι, γιατί το βράδυ θα πάμε σε ταβέρνα.

10. _____ (τρώω) μικρά και συχνά γεύματα, για να χάσετε γρήγορα τα κιλά σας.

11. _____ (βάζω) την κίνηση στη ζωή σας και _____ (αδυνατίζω).

12. _____ (αλλάζω) τρόπο ζωής και παραμείνετε νέοι.

Άσκηση 7

Ποιες συμβουλές δίνει ο δάσκαλος στους μαθητές του που θέλουν να δώσουν εξετάσεις σε λίγο καιρό;

Παράδειγμα:

Μην βλέπετε τηλεόραση.

όχι	τηλεόραση, γλυκά, υπολογιστή, ξενύχτια, ποτά
ναι	φρούτα, λαχανικά, βόλτες, μικρά διαλείμματα, μουσική

Άσκηση 8

Γίνετε ζευγάρια, δείτε τα παρακάτω υλικά και περιγράψτε πώς μπορείτε να κάνετε ένα φαγητό με αυτά.

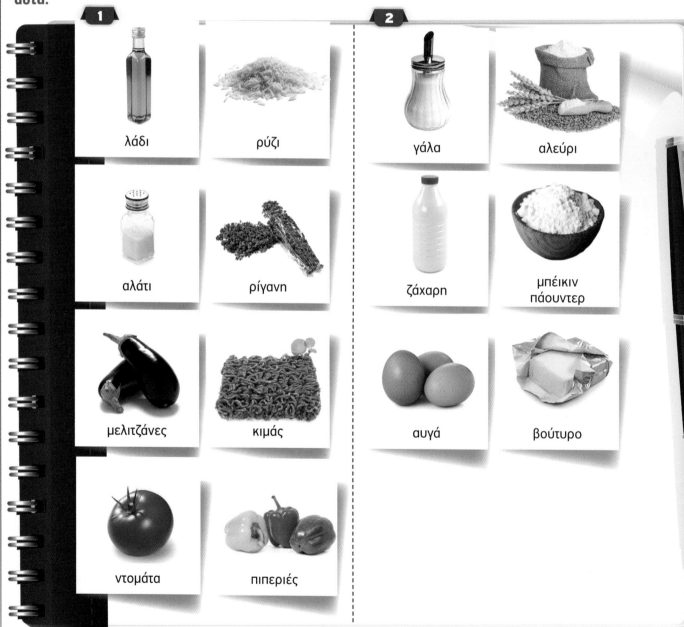

Άσκηση 9

Περίγραψε τον τρόπο που μαγειρεύεις ένα παραδοσιακό φαγητό της χώρας σου.

ΚΑΤΑΝΟΗΣΗ ΠΡΟΦΟΡΙΚΟΥ ΛΟΓΟΥ

- Τι βλέπεις στις φωτογραφίες;
- Εσύ προσέχεις την υγεία σου; Με ποιον τρόπο;
- Πήγες ποτέ σε νοσοκομείο; Για ποιον λόγο;

Συμβουλή:
Πριν ακούσεις τον διάλογο, διάβασε προσεκτικά τις προτάσεις και σημείωσε τι πρέπει να προσέξεις.

Άσκηση 1
Άκου προσεκτικά τη συνομιλία δύο φίλων για ένα πρόβλημα υγείας και βάλε σε κύκλο το σωστό, όπως στο παράδειγμα.

(cd 2, 1)

0. Ο Γιάννης έμαθε τα νέα της Μαρίας
   (α.) από τον Γιώργο.
   β. από τον Παύλο.
   γ. από τη Μίνα.

1. Η Μαρία έπαθε
   α. δηλητηρίαση από κάποιο φαγητό.
   β. αλλεργία από κάποιο φαγητό.
   γ. δηλητηρίαση από το νερό.

2. Η Μαρία άρχισε να μην αισθάνεται καλά
   α. αμέσως μετά το φαγητό.
   β. λίγες ώρες μετά το φαγητό.
   γ. μία μέρα, αφού έφαγε το φαγητό.

3. Η Μαρία πήγε στο νοσοκομείο
   α. με το αυτοκίνητο του Παύλου.
   β. μόνη της.
   γ. με το ασθενοφόρο.

4. Στο νοσοκομείο που πήγε η Μαρία
   α. δεν είχε καθόλου κόσμο.
   β. είχε πολύ λίγο κόσμο.
   γ. είχε πολύ κόσμο.

5. Στο νοσοκομείο η Μαρία
   α. έδωσε αίμα, για να δει τι έχει.
   β. έκανε ακτινογραφία στην κοιλιά.
   γ. πήρε φάρμακο.

6. Η Μαρία, για να γίνει καλά, θα πρέπει να τρώει
   α. γάλα και γιαούρτια.
   β. από όλα τα φαγητά.
   γ. ρύζι και μακαρόνια.

7. Η Μαρία, μετά το νοσοκομείο,
   α. θα πάει κανονικά στη δουλειά.
   β. θα λείψει τρεις μέρες από τη δουλειά.
   γ. θα λείψει μία εβδομάδα από τη δουλειά.

Άσκηση 2
Εσύ είχες ποτέ κάποιο παρόμοιο πρόβλημα υγείας με αυτό που άκουσες; Υπάρχει κάποιο φαγητό που σε πειράζει και δεν πρέπει να τρως; Γιατί;

λεξιλόγιο

Άσκηση 1

Γίνετε ζευγάρια, εκτυπώστε το κείμενο της κατανόησης προφορικού λόγου, δείτε τις υπογραμμισμένες λέξεις / φράσεις του κειμένου και βρείτε με ποιες από τις παρακάτω λέξεις φράσεις ταιριάζουν στη σημασία.

0. ο ειδικός έλεγχος της κατάστασης της υγείας μας που γίνεται με συγκεκριμένες μετρήσεις στο αίμα μας = <u>εξετάσεις αίματος</u>

1. το σπάσιμο σε ένα κόκαλο του σώματός μας = _____

2. γιατρός με αντικείμενο όλες τις αρρώστιες = _____

3. όταν κάτι γίνεται γρήγορα και ξαφνικά, γιατί δεν υπάρχει πολύς χρόνος = _____

4. οι οδηγίες και οι κανόνες για την ασφάλεια στους δρόμους = _____

5. οι μέρες που λείπουμε από τη δουλειά, για να γίνουμε σιγά σιγά καλά μετά από μια αρρώστια = _____

6. τα ατυχήματα που γίνονται μεταξύ αυτοκινήτων ή άλλων οχημάτων = _____

7. την παθαίνουμε, όταν τρώμε κάτι χαλασμένο = _____

8. το αυτοκίνητο που μεταφέρει γρήγορα αρρώστους και τραυματίες στο νοσοκομείο, όταν έχουν κάποιο σοβαρό πρόβλημα = _____

9. έχω ελεύθερο χρόνο, για να κάνω κάτι = _____

10. όταν κάνω κάποια εξυπηρέτηση σε κάποιον από φιλική διάθεση = _____

11. ρυθμίζουν την κυκλοφορία στους δρόμους = _____

12. μια ειδική ζώνη που μας κρατάει σταθερούς στο κάθισμα, όταν ταξιδεύουμε με αυτοκίνητο, αεροπλάνο ή άλλο μέσο = _____

Άσκηση 2

Γίνετε ζευγάρια, ενώστε τις λέξεις με αντίθετη σημασία και κάνετε προτάσεις με αυτές.

0. προηγούμενος _a_   **α.** επόμενος

1. δυστυχώς _____   **β.** νωρίτερα

2. σημαντικό _____   **γ.** ξεκουράζομαι

3. κουράζομαι _____   **δ.** ευτυχώς

4. αργότερα _____   **ε.** ασήμαντο

Άσκηση 3

Γίνετε ζευγάρια και ενώστε τις λέξεις, για να κάνετε φράσεις που χρησιμοποιούνται πολύ συχνά. Με μερικές λέξεις μπορείτε να κάνετε περισσότερους από έναν συνδυασμούς. Μετά γράψτε προτάσεις που περιέχουν τις φράσεις που κάνατε.

0. τροφική _στ_   **α.** άδεια

1. εξέταση _____   **β.** οδικής κυκλοφορίας

2. ζώνη _____   **γ.** τη χάρη

3. κώδικας _____   **δ.** ακτινογραφία

4. βγάζω _____   **ε.** αίματος

5. αναρρωτική _____   **στ.** δηλητηρίαση

6. έχω _____   **ζ.** ασφαλείας

7. κάνω _____   **η.** χρόνο

Άσκηση 4

Γίνετε ζευγάρια, διαβάστε τους παρακάτω ορισμούς και συμπληρώστε τα κενά στις προτάσεις με τις λέξεις του κρυπτόλεξου.

0. Όταν φάμε κάτι και γεμίσουμε σπυράκια, παθαίνουμε _____ *αλλεργία* _____.

1. Η ταβέρνα όπου σερβίρονται κυρίως ψάρια και θαλασσινά λέγεται _____.

2. Όταν _____, νιώθω ζάλη, νιώθω ότι όλα γύρω μου γυρίζουν.

3. Όταν τρώμε, οι τροφές πηγαίνουν πρώτα στο _____.

4. Όταν αρρωστήσουμε ξαφνικά, πηγαίνουμε στα _____ (περιστατικά) του νοσοκομείου.

5. Όταν ο γιατρός φωτογραφίζει με ακτίνες Χ τα κόκαλά μας ή άλλα όργανα του σώματός μας, μας βγάζει

_____.

6. Φοράνε _____ στο κεφάλι οι στρατιώτες, οι οδηγοί μοτοσικλέτας κ.ά., για να προστατεύονται.

7. Το σημείο όπου συναντιούνται δύο δρόμοι ή ένας δρόμος με μια σιδηροδρομική γραμμή κτλ., λέγεται

_____.

8. _____ είναι το φάρμακο που σταματά τους πόνους.

9. _____ φαγητά είναι τα φαγητά που περιέχουν λίπος.

0	Π	Ο	Μ	Α	Λ	Λ	Ε	Ρ	Γ	Ι	Α	Ξ	Θ	Ι	Ε	Χ
1	Π	Κ	Ι	Ν	Ψ	Α	Ρ	Ο	Τ	Α	Β	Ε	Ρ	Ν	Α	Μ
2	Α	Λ	Ο	Κ	Μ	Ι	Ζ	Α	Λ	Ι	Ζ	Ο	Μ	Α	Ι	Λ
3	Β	Ι	Σ	Τ	Ο	Μ	Α	Χ	Ι	Θ	Ι	Υ	Φ	Ε	Ρ	Ο
4	Α	Π	Ο	Κ	Ρ	Ο	Ι	Ε	Π	Ε	Ι	Γ	Ο	Ν	Τ	Α
5	Ζ	Α	Κ	Τ	Ι	Ν	Ο	Γ	Ρ	Α	Φ	Ι	Α	Τ	Α	Ι
6	Σ	Τ	Ο	Ξ	Ο	Κ	Ο	Τ	Ε	Ρ	Κ	Ρ	Α	Ν	Ο	Σ
7	Α	Π	Ο	Δ	Ι	Α	Σ	Τ	Α	Υ	Ρ	Ω	Σ	Η	Ν	Η
8	Μ	Ι	Α	Β	Ο	Υ	Π	Α	Υ	Σ	Ι	Π	Ο	Ν	Ο	Ι
9	Χ	Ω	Ρ	Ο	Γ	Ο	Σ	Ε	Ι	Ν	Λ	Ι	Π	Α	Ρ	Α

Άσκηση 5

Γίνετε ζευγάρια και γράψτε τα μέλη του σώματος δίπλα στον σωστό αριθμό, σύμφωνα με την εικόνα.

ο αντίχειρας, ο αστράγαλος, ο αφαλός, το γόνατο, τα δάχτυλα, ο εγκέφαλος, η καρδιά, ο καρπός, ο λαιμός, το μάγουλο, η μέση, οι μύες, τα νεύρα, τα οστά (κόκαλα), η παλάμη, οι πνεύμονες, το στομάχι, το στήθος, τα χείλη, ο ώμος

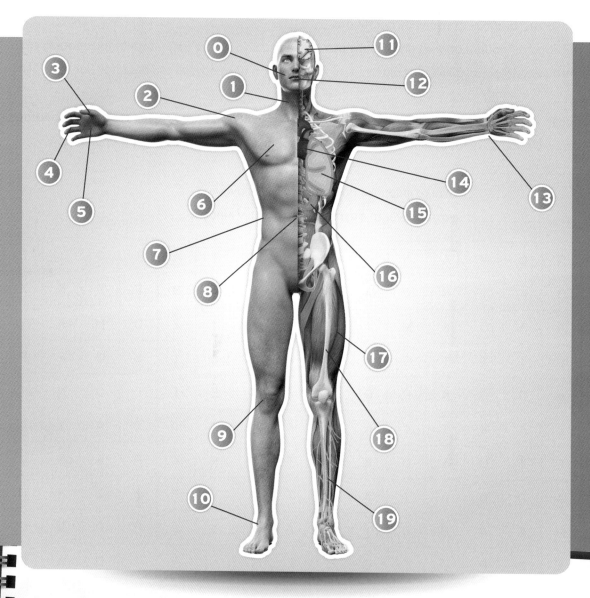

0. _το μάγουλο_   7. _____   14. _____
1. _____   8. _____   15. _____
2. _____   9. _____   16. _____
3. _____   10. _____   17. _____
4. _____   11. _____   18. _____
5. _____   12. _____   19. _____
6. _____   13. _____

Άσκηση 6

Γίνετε ζευγάρια και αντιστοιχίστε τις λέξεις με τις εικόνες.

ακτινολόγος, δερματολόγος, γυναικολόγος, καρδιολόγος, μικροβιολόγος, οφθαλμίατρος, παιδίατρος, ορθοπεδικός, πνευμονολόγος, χειρουργός, ψυχολόγος/ψυχίατρος, ωτορινολαρυγγολόγος

0. μικροβιολόγος   **1.**   **2.**

3.   **4.**   **5.**

6.   **7.**   **8.**

9.   **10.**   **11.**

Άσκηση 7

Γίνετε ζευγάρια, δείτε τις παρακάτω λέξεις και συμπληρώστε τα κενά κάθε σειράς του πίνακα με λέξεις που ανήκουν στην ίδια οικογένεια.

αλλεργικός, σπάζω, βιασύνη, ζαλισμένος, δηλητηριασμένος, οδός, αναρρωτικός, κυκλοφοριακός

ρήμα	ουσιαστικό	επίθετο
βιάζομαι	ο _βιασύνη_	βιαστικός
ζαλίζομαι	ζαλάδα, ζάλη	1 _____
2 _____	σπάσιμο	σπασμένος
-	αλλεργία	3 _____
-	4 _____	οδικός
κυκλοφορώ	κυκλοφορία	5 _____
δηλητηριάζω, δηλητηριάζομαι	δηλητηρίαση	6 _____
αναρρώνω	ανάρρωση	7 _____

Άσκηση 8

Διάλεξε 6-7 λέξεις από τον πίνακα της άσκησης 7 και γράψε μια ιστορία.

Άσκηση 9
Γίνετε ζευγάρια και συμπληρώστε τα κενά με τις παρακάτω λέξεις.

εγκέφαλο, βιαστικά, εξετάσεις αίματος, διασταύρωση, επείγοντα, σημαντικός, καρδιολόγοι, δέρμα, οδοντίατροι, λιπαρά, αλλεργίες, λαιμό, μέση, στομάχι, μύες, φανάρια

Άγχος: Οι επιπτώσεις στον ανθρώπινο οργανισμό

Άγχος. Μια λέξη που τον τελευταίο καιρό αφορά όλο και πιο πολλούς ανθρώπους. Ο σύγχρονος τρόπος ζωής είναι ο πιο ⁰ _σημαντικός_ παράγοντας που προκαλεί άγχος. Πότε ήταν η τελευταία φορά που δεν φύγατε ¹_____ για τη δουλειά; Πότε ήταν η τελευταία φορά που περιμένατε ήρεμα στα ²_____ σε κάποια ³_____ χωρίς να πατάτε την κόρνα; Πολύ καιρό πριν; Μήπως και η δική σας καθημερινότητα είναι γεμάτη άγχος;

Μπορεί το άγχος να είναι αναγκαίο και φυσιολογικό κομμάτι της ζωής, όταν, όμως, ξεπερνά τα όρια, τότε γίνεται επικίνδυνο. Άλλος ξυπνάει με πονοκέφαλο, άλλος πονάει πολύ στο ⁴_____ και άλλος νιώθει τσιμπήματα στην καρδιά. Υπάρχουν άνθρωποι που έχουν φτάσει ακόμη και στα ⁵_____ περιστατικά του νοσοκομείου μόνο από το άγχος τους. Ποιες είναι οι επιπτώσεις του άγχους στην υγεία μας;

- Όπως υποστηρίζουν και οι ⁶_____, οι περισσότεροι άνθρωποι με προβλήματα στην καρδιά έχουν συνήθως πολύ στρες στην καθημερινότητά τους.
- Το δυνατό στρες για πολύ καιρό προκαλεί βλάβες στον ⁷_____.
- Όταν έχετε άγχος, αυτό φαίνεται και στο ⁸_____ σας. Η ξηρότητα, οι λεπτές γραμμές, τα αδύναμα μαλλιά δείχνουν την κατάστασή σας.
- Μήπως ξυπνάτε με πόνο στα δόντια; Οι ⁹_____ υποστηρίζουν ότι χαλασμένα δόντια έχουν συχνά άνθρωποι με πολύ άγχος.
- Επίσης, όσοι έχουν άγχος, καταναλώνουν φαγητά πολύ ¹⁰_____ και πλούσια σε αλάτι και θερμίδες.
- Πολλοί άνθρωποι με έντονο άγχος παρουσιάζουν ξαφνικές ¹¹_____ σε τροφές.
- Το άγχος προκαλεί πόνους στον ¹²_____, στη ¹³_____, στην πλάτη και σε διάφορους ¹⁴_____ του σώματος.
- Οι ¹⁵_____ των ανθρώπων με άγχος δείχνουν προβλήματα σε διάφορα όργανα του σώματος.

Αν και εσείς έχετε αρκετά από τα παραπάνω προβλήματα υγείας, μην κάθεστε παρέα με το άγχος σας. Κάνετε μόνο θετικές σκέψεις, φροντίστε τη διατροφή σας, κάνετε γυμναστική και παρέα με ανθρώπους που σας αγαπάνε.

Τέλος, πιστέψτε στον εαυτό σας και στη δύναμη που κρύβετε μέσα σας.

Διασκευή άρθρου από το http://www.vita.gr/ygeia/

Άσκηση 1
Άκου και συμπλήρωσε τα κενά.
(cd 2, 2)

Στην Ελλάδα

Το ρακόμελο είναι ένα αλκοολούχο ποτό. Παρασκευάζεται από 0 ___μέλι___ με ρακή (τσικουδιά) ή τσίπουρο και διάφορα μπαχαρικά, όπως η κανέλα, το γαρίφαλο, το κάρδαμο ή άλλα τοπικά 1_____. Παρασκευάζεται στην Κρήτη και σε άλλα νησιά του Αιγαίου πελάγους, αλλά και στην ελληνική ηπειρωτική χώρα. Καταναλώνεται κυρίως τους χειμερινούς μήνες σαν 2_____ ρόφημα.

Το ρακόμελο μπορεί κανείς να το αγοράσει εμφιαλωμένο, έτοιμο για σερβίρισμα. Πρώτα, βέβαια, πρέπει να το ζεστάνει. Μια απλή συνταγή για ρακόμελο θέλει 1-2 3_____ του τσαγιού μέλι για τέσσερις μεζούρες ρακής, με ένα ξυλάκι και μία κουταλιά του τσαγιού κανέλας. Τα υλικά ζεσταίνονται σε μπρίκι του καφέ. Κατάλληλα συνοδευτικά για το ρακόμελο είναι διάφοροι 4_____ και σαλάτες, όπως τα τυριά και ο ντάκος (κρητική σαλάτα με παξιμάδι, ντομάτα, τυρί και ελαιόλαδο).

Με το ρακόμελο μοιάζει η ψημένη ρακή. Αυτή είναι τοπικό 5_____ της Αμοργού. Είναι σαν λικέρ και παρασκευάζεται από ρακή, ζάχαρη, μπαχαρικά ή ξερά φρούτα. Σερβίρεται σε θερμοκρασία δωματίου.

Τα παραπάνω ποτά, όπως και το 6_____, συντροφεύουν τον άνθρωπο στις καθημερινές του στιγμές. Πρωταγωνιστούν στην παρέα γύρω από το 7_____ με τους μεζέδες. Συνοδεύουν τις μικρές και μεγάλες χαρές, αλλά και τις λύπες. Είναι σήμα κατατεθέν της φιλοξενίας και του κεράσματος.

Υγεία πάνω απ' όλα.

Όταν τρώμε, δεν μιλάμε.

Νηστικό αρκούδι δεν χορεύει.

Διασκευή κειμένου από http://www.el.wikipedia.org

Προφορά

Άσκηση 1
Άκου το παρακάτω κείμενο και διάβασέ το δυνατά
(cd 2, 3) **στην τάξη.**

Αν θέλετε να χάσετε κιλά, φάτε υγιεινά. Δεν χρειάζεται να κάνετε εξαντλητικές δίαιτες. Μην τρώτε αλλαντικά και κυρίως σαλάμια και μπέικον. Μακριά από τα πολλά ψωμιά! Φάτε πολλά φρούτα. 10 ρώγες σταφύλια έχουν 30 θερμίδες. 2 πορτοκάλια έχουν 140 θερμίδες. Αν θέλετε να φάτε κάτι γλυκό, προτιμήστε τα γλυκά του κουταλιού ή το υποβρύχιο. Μια μερίδα βανίλια έχει 80 θερμίδες. Προτιμήστε το μέλι και όχι τη ζάχαρη. 1 κουταλιά μέλι έχει 65 θερμίδες. Αποφύγετε τα ποτά. 1 δόση κονιάκ έχει 100 θερμίδες. Οι ξηροί καρποί είναι πολύ υγιεινοί, όμως προσέξτε την ποσότητα. 100 γραμμάρια στραγάλια έχουν 370 θερμίδες. Τέλος, για να κάψετε λίπος, στύψτε δύο λεμόνια σε ένα ποτήρι νερό το πρωί. Καίει το λίπος.

[ʎ] = [li] + φωνήεν με το [i] άτονο

[ɱ] = [mi] + φωνήεν με άτονο το [i]

[ɲ] = [ni] + φωνήεν με άτονο το [i]

Άσκηση 2
Άκου και συμπλήρωσε
(cd 2, 4) **τα κενά. Μετά διάβασε
τις λέξεις στην τάξη.**

- χιό___
- κού___
- προξε___
- ___τα
- χά___

- χιό___
- κού___
- προξε___
- ___τα
- χά___

Άσκηση 3
Κάνε ερωτήσεις στον διπλανό / στη διπλανή σου και συμπλήρωσε τον πίνακά σου.

Παράδειγμα:
Μαθητής Β: _Τι έχεις στο 0;_   **Μαθητής Α:** _Κουνέλια. Εσύ;_   **Μαθητής Β:** _Κουνέλα._

	Μαθητής Α	
0	κουνέλα	κουνέλια
1	κουτάλια	
2	βρομιά	
3	ποταμών	
4	γενιά	
5	κολόνια	

	Μαθητής Β	
0	κουνέλα	κουνέλια
1		κουτάλα
2		βρομά
3		ποταμιών
4		γεννά
5		κολόνα

Άσκηση 4
Διάβασε γρήγορα και πες την παρακάτω φράση στην τάξη.

Μιλά η μηλιά στα μήλα της με μια μιλιά όλο γλύκα.

Άσκηση 5
Βρες 10-15 λέξεις που να περιέχουν τα [l], [ʎ], [m], [ɱ], [n], [ɲ], κάνε μια ιστορία και πες τη δυνατά στην τάξη.

Γραμματική: Βλέπω και παρατηρώ ...

Διάβασε το κείμενο και απάντησε στις ερωτήσεις.

Σοκολάτα και υγεία

«**Θα τρώτε** σοκολάτα και **θα λειτουργεί καλύτερα** η καρδιά σας». Αυτό υποστηρίζουν επιστήμονες που ανακάλυψαν μια νέα δράση της μαύρης σοκολάτας στον ανθρώπινο οργανισμό. Σύμφωνα με μελέτες, όταν τρώμε μαύρη σοκολάτα, δημιουργούνται κάποιες ουσίες που ωφελούν τον οργανισμό μας και κυρίως την καρδιά μας.

Αυτό βέβαια δεν σημαίνει ότι, αν **θα τρώμε** καθημερινά μεγάλες ποσότητες μαύρης σοκολάτας, η καρδιά μας δεν **θα έχει** κανένα πρόβλημα. Δεν πρέπει να ξεχνάμε, άλλωστε, ότι οι σοκολάτες εμπορίου περιέχουν λίπος και σάκχαρα.

Μια άλλη επιστημονική ομάδα, ανακοίνωσε ότι, σε συνεργασία με μεγάλη βιομηχανία σοκολάτας, σκοπεύει να ξεκινήσει μια μεγάλη έρευνα. Στο πλαίσιο αυτής της έρευνας θα κυκλοφορήσουν χάπια σοκολάτας που δεν θα περιέχουν σάκχαρα και λίπη. Στόχος της έρευνας είναι να ελέγξει αν η σοκολάτα κάνει καλό στην καρδιά.

Η μελέτη θα κρατήσει 4 χρόνια και θα πάρουν μέρος σ' αυτήν περίπου 18.000 άνθρωποι. Ορισμένοι από αυτούς **θα παίρνουν** καθημερινά χάπια σοκολάτας και οι υπόλοιποι **θα πίνουν** ένα εικονικό φάρμακο. Στο τέλος της έρευνας οι ερευνητές **θα έχουν συγκεντρώσει** πολλά και σημαντικά στοιχεία.

Πληροφορίες από το διαδίκτυο.

Ερωτήσεις:

1. Τι θα γίνει σύμφωνα με τους επιστήμονες, αν τρώμε μαύρη σοκολάτα;
2. Τι θα κάνουν καθημερινά αυτοί που θα συμμετέχουν στην κλινική δοκιμή;
3. Τι θα έχουν οι ερευνητές, όταν τελειώσει η έρευνα;

Βλέπω

Δες με προσοχή τους παρακάτω πίνακες.

	Α. Συνοπτικός Μέλλοντας αύριο, μετά, στο μέλλον (χωρίς αναφορά στη διάρκεια)	Β. Μη συνοπτικός Μέλλοντας στο μέλλον (επανάληψη, διάρκεια)	Γ. Συντελεσμένος Μέλλοντας στο μέλλον (ολοκλήρωση πριν από ένα ορισμένο χρονικό σημείο)
1	**Θα φάτε** σοκολάτα και **θα λειτουργήσει** καλύτερα η καρδιά σας.	**Θα τρώτε** σοκολάτα και **θα λειτουργεί** καλύτερα η καρδιά σας.	Στο τέλος της έρευνας οι ερευνητές **θα έχουν συγκεντρώσει** πολλά και σημαντικά στοιχεία.
2	Ορισμένοι από αυτούς **θα πάρουν** χάπια σοκολάτας και οι υπόλοιποι **θα πιουν** ένα εικονικό φάρμακο.	Ορισμένοι από αυτούς **θα παίρνουν** χάπια σοκολάτας και οι υπόλοιποι **θα πίνουν** ένα εικονικό φάρμακο.	Μέχρι το τέλος του χρόνου **θα έχω έρθει** στην Ελλάδα.
3	**Θα έρθω** αύριο να σε δω.	**Θα έρχομαι** κάθε μέρα να σε βλέπω.	**Θα έχω μαγειρέψει**, πριν γυρίσεις από το γραφείο.
4	Το απόγευμα **θα πάω** στο νοσοκομείο για εξετάσεις.	Όλο τον μήνα **θα πηγαίνω** στο νοσοκομείο για εξετάσεις.	Ως τη Δευτέρα **θα έχω αρχίσει** γυμναστική.
5	Αν βγεις έξω χωρίς το μπουφάν σου, **θα αρρωστήσεις**.	Αν βγαίνεις έξω χωρίς το μπουφάν σου, **θα αρρωσταίνεις** συνέχεια.	**Θα έχω τελειώσει** τα ψώνια πριν από το μεσημέρι.

και παρατηρώ ...

Απάντησε στις παρακάτω ερωτήσεις.

1. Τι κοινό έχουν οι τονισμένες εκφράσεις στους πίνακες Α και Β;

2. Ποια είναι η διαφορά τους;

3. Σύγκρινε τις τονισμένες εκφράσεις στους πίνακες Α και Β με αυτές στον πίνακα Γ. Τι παρατηρείς;

Θυμάσαι;

Συνοπτικός Μέλλοντας	Μη συνοπτικός Μέλλοντας θα + Ενεστώτας	Συντελεσμένος Μέλλοντας θα + Παρακείμενος
θα μαγειρέψω	θα μαγειρεύω	θα έχω μαγειρέψει
θα μαγειρέψεις	θα μαγειρεύεις	θα έχεις μαγειρέψει
θα μαγειρέψει	θα μαγειρεύει	θα έχει μαγειρέψει
θα μαγειρέψουμε	θα μαγειρεύουμε	θα έχουμε μαγειρέψει
θα μαγειρέψετε	θα μαγειρεύετε	θα έχετε μαγειρέψει
θα μαγειρέψουν	θα μαγειρεύουν	θα έχουν μαγειρέψει

Άσκηση 1

Παίζουμε τένις! Γίνετε ζευγάρια και παίξτε τένις. Χρησιμοποιήστε τις λέξεις:

θα ακούσω, θα ετοιμάσω, θα πληρώσω, θα παίξω, θα ανοίξω, θα ψάξω, θα ταξιδέψω, θα ανάψω, θα γράψω, θα συναντήσω, θα πεινάσω, θα μπορέσω, θα βάλω, θα βρω, θα έρθω, θα πλύνω, θα πιω, θα φέρω, θα φύγω

Παράδειγμα:

Μαθητής Α: θα ακούσω

Μαθητής Β: θα ακούω, θα ετοιμάσω

Άσκηση 2

Γίνετε ζευγάρια, ακολουθήστε τα ρήματα που είναι σε μη συντοπτικό μέλλοντα και βγείτε από τον λαβύρινθο.

Αρχή

θα πλέκω	θα τρέχω	θα έχω φύγει	θα ρωτήσω	θα μαγειρέψω
θα δω	θα ξυπνάω	θα φωνάξω	θα πάω	θα αρρωστήσω
θα έχω κλείσει	θα δίνω	θα βγαίνω	θα γελάσω	θα έχω ξυπνήσει
θα μπαίνω	θα έχω δώσει	θα δείχνω	θα έχω μάθει	θα περάσω
θα τρώω	θα πάρω	θα γελάω	θα ποτίζω	θα φοράω
θα έχω πλύνει	θα πω	θα καταλάβω	θα φύγω	**θα χαρίζω**

Τέλος

Άσκηση 3

Γίνετε ζευγάρια και διαλέξτε το σωστό.

0. Μην ανησυχείς, από αύριο (θα βγαίνουμε)/ θα βγούμε μαζί.

1. Δυστυχώς η Δήμητρα θα μείνει / θα μένει όλο το καλοκαίρι στο νοσοκομείο.

2. Θα πηγαίνετε / Θα πάτε μαζί με τη Μαρία κάθε μέρα στη δουλειά;

3. Τον επόμενο μήνα θα πηγαίνουμε / θα πάμε διακοπές με τον Γιώργο.

4. Πάντα θα σου πω / θα σου λέω την αλήθεια.

5. Τι θα παραγγείλετε / θα παραγγέλνετε, παρακαλώ;

6. Θα πάρετε / Θα παίρνετε το χάπι κάθε πρωί πριν το φαγητό.

7. Λοιπόν, από Δευτέρα αρχίζω δίαιτα. Θα τρώω / Θα φάω όλα τα φαγητά μαγειρεμένα στον ατμό και θα κόψω / θα κόβω εντελώς τη ζάχαρη.

8. Θα μπαίνετε / Θα μπείτε στον γιατρό; Είναι η σειρά σας.

9. Είμαι σίγουρη ότι στις διακοπές μας θα περάσουμε / θα περνάμε τέλεια. Θα βουτάμε / Θα βουτήξουμε στη θάλασσα κάθε μέρα, θα πηγαίνουμε / θα πάμε συνέχεια βόλτες και θα διασκεδάζουμε / θα διασκεδάσουμε έξω κάθε βράδυ.

Άσκηση 4

Έχετε κάποιο πρόβλημα υγείας. Αποφασίσατε να αλλάξετε κάποιες καθημερινές συνήθειές σας. Χρησιμοποιήστε τα παρακάτω ρήματα και κάνετε προτάσεις.

τρώω, πίνω, βγαίνω, κολυμπάω, πηγαίνω στον γιατρό, προσέχω

Παράδειγμα: *Από αύριο θα προσέχω τη διατροφή μου.*

Άσκηση 5

Γίνετε ζευγάρια και συμπληρώστε τα κενά με συνοπτικό ή μη συνοπτικό μέλλοντα.

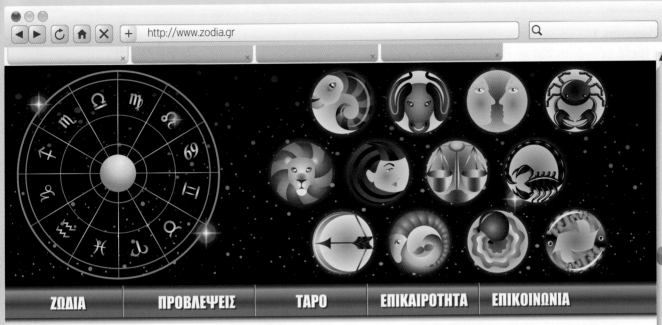

ΖΩΔΙΑ   ΠΡΟΒΛΕΨΕΙΣ   ΤΑΡΟ   ΕΠΙΚΑΙΡΟΤΗΤΑ   ΕΠΙΚΟΙΝΩΝΙΑ

Το καλοκαιράκι μπήκε για τα καλά και οι ρυθμοί χαλαρώνουν. Όλοι μας έχουμε την επιθυμία να βγούμε και να διασκεδάσουμε. Πώς θα περάσετε αυτή την εβδομάδα; Πώς θα είναι η υγεία σας και πόσο θα σας επιτρέψει να διασκεδάσετε; Δείτε τι λέει το ζώδιό σας.

Ταύρος

Δεν είστε ο τύπος που
0 _θα διασκεδάζει_
(διασκεδάζω) **καθημερινά μέχρι το πρωί**. Τις βραδινές ώρες προτιμάτε να χαλαρώνετε στο σπιτάκι σας. Αυτή την εβδομάδα, όμως, οι προτάσεις για έξοδο θα είναι πολλές και
1 _____ (βγαίνω) σχεδόν κάθε βράδυ! Προσοχή, όμως, στο ποτό. Το στομάχι σας δεν αντέχει και πολλά πολλά!

Δίδυμος

Μέσα σε έναν χώρο διασκέδασης
2 _____ (καταλαβαίνω) αμέσως έναν Δίδυμο, γιατί θα είναι η ψυχή της παρέας.
3 _____ (γελάω) και 4 _____ (μιλάω) **συνέχεια με** γνωστούς και άγνωστους. Αυτή την εβδομάδα, δυστυχώς, αγαπημένοι μου Δίδυμοι, ένα πρόβλημα υγείας 5 ____ σας _____ (ταλαιπωρώ) και
6 ____ σας _____ (κλείνω) μέσα στο σπίτι. Υπομονή!

Καρκίνος

«Εγώ ακόμη και στο σπίτι μου, μια χαρά περνάω. 7 _____ (προσκαλώ) **τα φιλαράκια μου**,
8 _____ (μαγειρεύω) **και**
9 _____ (κουβεντιάζω) όλο το βράδυ» λέει το Καρκινάκι. Κάπως έτσι
10 _____ (περνάω) **και αυτή η εβδομάδα**, καλοί μου Καρκίνοι, με φίλους και παρέα στο σπίτι. Στο σπίτι με καλή παρέα 11 _____ (ηρεμώ) **και**
12 _____ (ξεπερνώ) **γρήγορα τα προβλήματα** που έχετε στη μέση σας το τελευταίο διάστημα.

Αιγόκερως

Είστε ο τύπος που δεν 13 _____ (βγαίνω) **εύκολα από το σπίτι του**, ακόμη και μετά από πολύ καιρό. Αλλά και όταν 14 _____ (πηγαίνω) **κάπου**, 15 _____ (κοιτάζω) **επίμονα κάθε λεπτό το κινητό σας**, μήπως χάσετε κάποιο σημαντικό τηλεφώνημα. Μια ξαφνική πρόταση για χορό και ξεφάντωμα 16 _____ (έρχομαι) **αυτή την εβδομάδα από ένα πολύ αγαπημένο** σας πρόσωπο. Πείτε «ναι», αλλά μην το παρακάνετε, γιατί έχετε και το πρόβλημα με τα γόνατά σας που
17 _____ (πονάω) **συνεχώς αυτές τις μέρες**.

Άσκηση 1

Γίνετε ζευγάρια και απαντήστε στις παρακάτω ερωτήσεις.

- Προσέχεις τη διατροφή σου; Με ποιον τρόπο;
- Τι τρως για πρωινό;
- Τρως υγιεινά; Γιατί;
- Τρως έτοιμα φαγητά από έξω; Πόσο συχνά;
- Πιστεύεις ότι, για να χάσεις κιλά, πρέπει να κάνεις αυστηρή δίαιτα;
- Είσαι αλλεργικός σε κάτι; Σε τι;
- Φοράς ζώνη ασφαλείας, όταν είσαι στο αυτοκίνητο; Τι άλλο προσέχεις;
- Πηγαίνεις εύκολα στον γιατρό;
- Κάνεις εξετάσεις, για να δεις ποια είναι η κατάσταση της υγείας σου;

- Παίρνεις εύκολα φάρμακα ή προσπαθείς να ξεπεράσεις μόνος / μόνη σου ένα κρύωμα;
- Λένε ότι είμαστε ό,τι τρώμε; Συμφωνείς με αυτή την άποψη; Γιατί;
- «Ένα μήλο την ημέρα τον γιατρό τον κάνει πέρα». Τι ακριβώς σημαίνει αυτή η παροιμία; Συμφωνείς με την άποψη που εκφράζει;

Συμβουλή: Μη δίνεις μονολεκτικές απαντήσεις. Δεν υπάρχει σωστή και λάθος απάντηση. Απλώς αιτιολόγησε.

Άσκηση 2

Διάβασε τις παρακάτω φράσεις. Τι είναι για σένα η *μαγειρική*;

Η μαγειρική ...	
είναι φαντασία.	
είναι δημιουργία.	
είναι πολύ κουραστική και βαρετή.	
είναι πολύ ενδιαφέρουσα. Θέλω πολύ να μάθω.	
θέλει χρόνο. Θα ήθελα να μαγειρεύω, αλλά είμαι πολλές ώρες έξω από το σπίτι και δεν μπορώ.	
είναι δείγμα αγάπης. Μου αρέσει να φωνάζω φίλους στο σπίτι και να μαγειρεύω για αυτούς.	
είναι μια αναγκαστική δουλειά.	
είναι υγεία.	
είναι περιπέτεια. Μου αρέσει να δοκιμάζω καινούριες συνταγές.	
είναι πολιτισμός. Μου αρέσει να δοκιμάζω φαγητά από όλο τον κόσμο.	

Άσκηση 3

Δες τις εικόνες και στον παρακάτω πίνακα σημείωσε σε ποια εικόνα αναφέρεται κάθε πρόταση.

		1	2	3
α.	Μου αρέσει να μαγειρεύω για τους φίλους μου.			
β.	Μου αρέσει να δοκιμάζω ξένη κουζίνα σε ακριβά εστιατόρια.			
γ.	Συνήθως ετοιμάζω παραδοσιακές συνταγές με θρεπτικά συστατικά.			
δ.	Μπορεί να έπαθα δηλητηρίαση.			
ε.	Το κρασί είναι πολύ ωραίο.			
στ.	Μου αρέσουν πολύ τα ζυμαρικά.			
ζ.	Με πονάει πολύ το στομάχι μου και ζαλίζομαι.			
η.	Υπέροχο το ορεκτικό. Για να δούμε και το κυρίως πιάτο.			
θ.	Η διακόσμηση και η μουσική είναι τέλεια. Θα έρθουμε ξανά.			
ι.	Δεν βρίσκω τον άνηθο και τη ρίγανη.			
ια.	Πρέπει να κάνετε εξετάσεις αίματος και μια ακτινογραφία.			

Άσκηση 4
Άκου το κείμενο και συμπλήρωσε τα κενά.
(cd 2, 5)

http://www.vita.gr/fitness

vita.gr

ψάξε για...   αναζήτηση f 𝕏 g+

🏠 Υγεία   Διατροφή   Δίαιτα   Ομορφιά   Ψυχολογία   Fitness   Παιδί   Go Green   Body & Mind   Blogs   ...

Ιδρώνουμε στο γυμναστήριο, βγαίνουμε για τρέξιμο, δεν χάνουμε ούτε ένα μάθημα πιλάτες. Στόχος, να «φτιάξουμε» το σώμα μας. Ξεχνάμε, όμως, μια βασική λεπτομέρεια: τη ⁰_____*διατροφή*_____. Το τι τρώμε την περίοδο που γυμναζόμαστε, αλλά και το πότε το τρώμε επηρεάζουν το αποτέλεσμα της άσκησης. Οι κακές διατροφικές συνήθειες ¹_____ την ενέργεια και την ²_____ μας. Πώς θα συνδυάσουμε άσκηση και διατροφή, για να έχουμε τα καλύτερα αποτελέσματα για το σώμα μας; Ακολουθήστε τις συμβουλές μας και δεν θα χάσετε.

Οι ³_____ αποτελούν την κύρια πηγή ενέργειας για τον οργανισμό. Πλούσια σε υδατάνθρακες είναι τα δημητριακά, ⁴_____, το ψωμί και οι πατάτες. Στο πλαίσιο μιας σωστής ⁵_____ οι υδατάνθρακες είναι απαραίτητοι.

Οι ⁶_____ αποτελούν κύριο συστατικό των μυών και γι' αυτό χρειάζονται σε όσους γυμνάζονται. Πλούσια σε πρωτεΐνη είναι το κρέας, τα ψάρια, τα πουλερικά, τα αυγά και τα ⁷_____ προϊόντα.

Τα όσπρια αποτελούν πολύ καλή τροφή, για να ⁸_____ το λίπος. Βάλτε, λοιπόν, στην καθημερινή σας διατροφή τις φακές, τα φασόλια, τα ρεβίθια. Ένα φρούτο ή ένας χυμός 1 ώρα πριν από την άθληση, τονώνει πολύ τον οργανισμό. Τον δροσίζει και του δίνει πολλή ⁹_____.

Τα λαχανικά μάς δίνουν υδατάνθρακες κι ενέργεια. Δίνουν, επίσης, στο σώμα ¹⁰_____ και φυτικές ίνες, απαραίτητα στοιχεία για την καλή λειτουργία του μεταβολισμού μας. Μετά την άσκηση, μπορείτε να φάτε 1 χορταστική σαλάτα με τα αγαπημένα σας ¹¹_____.

Τέλος, μη γυμνάζεστε ποτέ με άδειο στομάχι. Ένας νηστικός ¹²_____ βρίσκει ενέργεια από τους μύες. Έτσι, όμως, μειώνεται η αντοχή και η δύναμη. Φάτε ένα θρεπτικό ¹³_____ 30 λεπτά πριν από την άσκηση και θα έχετε την ενέργεια που χρειάζεται το σώμα σας για τη γυμναστική.

Άσκηση 5

Δες με προσοχή τις φωτογραφίες και περίγραψέ τες.

Συμβουλή:

Μίλα για το θέμα τους, τις ομοιότητες και τις διαφορές τους. Ποια φωτογραφία σού αρέσει περισσότερο;

Χρήσιμο λεξιλόγιο

- εξετάσεις αίματος
- νοσοκομείο
- επείγοντα
- αναρρωτική άδεια
- παθολόγος
- υγιεινή διατροφή
- λιπαρά
- μεταβολισμός
- θρεπτικά στοιχεία

Άσκηση 6

Γίνετε ζευγάρια και παίξτε τα παρακάτω παιχνίδια ρόλων.

Συμβουλή:

Υπογράμμισε τις λέξεις-κλειδιά που έχει κάθε ρόλος. Γράψε το λεξιλόγιο που θα χρειαστείς.

Αν ο συμμαθητής / η συμμαθήτριά σου μιλάει γρήγορα και δεν τον / την καταλαβαίνεις, μπορείς να πεις «Συγνώμη, δεν κατάλαβα, μπορείς να το ξαναπείς; Πιο αργά, παρακαλώ...»

Μαγειρική και υγιεινή διατροφή

Ρόλος Α

Ένας φίλος / Μια φίλη σου τρώει συνέχεια φαγητά από έξω και δεν μαγειρεύει καθόλου στο σπίτι. Προσπαθείς να τον / την πείσεις ότι αυτό δεν είναι καθόλου καλό για την υγεία του / της και ότι θα πρέπει να αρχίσει να μαγειρεύει και να τρώει πιο υγιεινά.

Ρόλος Β

Είσαι πολλές ώρες έξω από το σπίτι και τρως συνέχεια φαγητά από έξω. Ένας φίλος / Μια φίλη σου διαφωνεί με αυτή τη συνήθειά σου. Εσένα, όμως, δεν σου αρέσει καθόλου να μαγειρεύεις και, επίσης, δεν ταιριάζει με τον τρόπο ζωής σου.

Στον γιατρό

Ρόλος Α

Τον τελευταίο καιρό έχεις πόνους στα γόνατα και κάποια προβλήματα με τη μέση σου. Πηγαίνεις στον / στη γιατρό και του / της λες τι ακριβώς αισθάνεσαι. Εκείνος / Εκείνη σου λέει τι πρέπει να κάνεις.

Ρόλος Β

Είσαι γιατρός και έρχεται στο ιατρείο σου ένας κύριος / μια κυρία με προβλήματα στη μέση και πόνους στα γόνατα. Τον / Τη ρωτάς τι ακριβώς έχει και του / της δίνεις οδηγίες για το τι πρέπει να κάνει, για να ξεπεράσει το πρόβλημά του / της.

Άσκηση 1

Παρακάτω είναι μια κριτική στην τοπική εφημερίδα της πόλης σου για ένα καινούριο εστιατόριο. Διάβασε προσεκτικά το κείμενο και διάλεξε έναν πλαγιότιτλο για κάθε παράγραφο.

κριτική για τους υπαλλήλους, κριτική για τη μαγειρική, κριτική για το κόστος,
συμπέρασμα – συνολική αξιολόγηση, κριτική για τους χώρους, σκοπός της αναφοράς – εισαγωγή

ΕΣΤΙΑΤΟΡΙΑ ΣΤΗΝ ΠΟΛΗ ΜΑΣ

1 _____ Στόχος αυτής της κριτικής είναι να παρουσιάσει στο κοινό αλλά και να αξιολογήσει το καινούριο εστιατόριο Αστέρια που άνοιξε και λειτουργεί εδώ και τέσσερις μήνες στην καρδιά της πόλης.

2 _____ Το εστιατόριο Αστέρια έχει πολύ καλή κουζίνα. Προσφέρει στους πελάτες του μεγάλη ποικιλία πιάτων με πολύ καλή ποιότητα. Στα Αστέρια μπορεί κανείς να δοκιμάσει γεύσεις από την τοπική κουζίνα της περιοχής, αλλά και μοναδικά πιάτα της ιταλικής κουζίνας. Πάρα πολύ γευστικά είναι, επίσης, τα ορεκτικά και τα επιδόρπια που προσφέρονται. Στο εστιατόριο αυτό μπορεί κανείς να δοκιμάσει ιδιαίτερες ποικιλίες κρασιών, τόσο από την Ελλάδα όσο και από όλο τον κόσμο.

3 _____ Επιπλέον, το προσωπικό του εστιατορίου είναι ιδιαίτερα ευγενικό και εξυπηρετικό. Όλοι οι σερβιτόροι είναι πάντα χαμογελαστοί. Ένα αρνητικό στοιχείο είναι ότι το προσωπικό δεν είναι αρκετό. Γι' αυτό η εξυπηρέτηση είναι λίγο αργή, όταν το μαγαζί έχει πολύ κόσμο, δηλαδή τις βραδινές ώρες και το σαββατοκύριακο.

4 _____ Οι τιμές του εστιατορίου στα φαγητά είναι λογικές. Οι τιμές των πιάτων δεν ξεπερνούν τα 10 ευρώ. Το εστιατόριο φημίζεται για την ποικιλία και τις χαμηλές τιμές στις μπίρες. Ωστόσο, τα ποτά και ιδιαίτερα τα κρασιά είναι λίγο ακριβά.

5 _____ Τα Αστέρια προσφέρουν ήρεμη και χαλαρή ατμόσφαιρα. Η διακόσμηση είναι μοντέρνα και απλή. Σε συνδυασμό με την ευχάριστη και μοντέρνα μουσική κάνουν το εστιατόριο κατάλληλο και ιδανικό για τους πελάτες διαφόρων ηλικιών.

6 _____ Το εστιατόριο Αστέρια αποτελεί ένα πραγματικό στολίδι για την πόλη. Είναι μια πολύ καλή επιλογή για εκείνους που θέλουν να συνδυάσουν το καλό φαγητό με την ήρεμη διασκέδαση. Αν οι υπεύθυνοι του εστιατορίου προσέξουν λίγο την εξυπηρέτηση τις ώρες που το εστιατόριο είναι γεμάτο και κατεβάσουν λίγο τις τιμές στα κρασιά, το εστιατόριο θα γίνει ιδανικό για όλους.

Άσκηση 2

Διάβασε προσεκτικά το παραπάνω κείμενο ξανά και βρες:

Ποιες λέξεις / φράσεις δείχνουν θετική ή αρνητική κρίση: _____

Άσκηση 3

Στην παρακάτω ακροστιχίδα γράψε όσες περισσότερες λέξεις μπορείς που έχουν σχέση με την υγεία και τη διατροφή και περιέχουν ή αρχίζουν από το κάθε γράμμα της λέξης *υγεία*.

Υ	υγιεινός,
Γ	
Ε	
Ι	
Α	

Άσκηση 4

Εδώ και έξι μήνες άνοιξε και λειτουργεί ένα ιατρικό κέντρο στην πόλη σου. Γράφεις μια κριτική στην τοπική εφημερίδα της πόλης για αυτό το ιατρικό κέντρο. Γράφεις για τις υπηρεσίες που προσφέρει, το προσωπικό του, τους χώρους του και ό,τι άλλο νομίζεις.
(150-200 λέξεις)

Συμβουλή:
Υπογράμμισε τις λέξεις-κλειδιά και, για κάθε λέξη-κλειδί, σημείωσε το λεξιλόγιο που θα σου χρειαστεί.

σχεδιάγραμμα / χρήσιμο λεξιλόγιο

Το κείμενο που έγραψα:

– είναι κριτική.	
– έχει το κατάλληλο ύφος.	
– αναφέρει στην εισαγωγή τον στόχο της κριτικής.	
– αξιολογεί τις υπηρεσίες που προσφέρει το ιατρικό κέντρο.	
– περιγράφει το ιατρικό κέντρο.	
– αξιολογεί τους χώρους του ιατρικού κέντρου.	
– αξιολογεί το προσωπικό του ιατρικού κέντρου.	
– κάνει στον επίλογο μια συνολική αξιολόγηση του ιατρικού κέντρου.	

ΤΡΑΓΟΥΔΙ

Ώρα για τραγούδι

Άκου μία φορά το τραγούδι.

(cd 2, 6)

Άσκηση 1

Άκου ξανά το τραγούδι και συμπλήρωσε τα κενά.

Δυο ντομάτες νοστιμούλες, ζουμερές και γεματούλες

έχουν λίγο ωριμάσει και το ράφι έχουν πιάσει,

όλη μέρα κουβεντούλα με την όμορφη ⁰ _κοτούλα_ ,

έχουν όλες τους σιτέψει, άγχος έχει κυριέψει.

Προορισμός τους στη ζωή, η ¹_____ διατροφή,

μα φοβούνται μη σαπίσουν και στους κάδους καταλήξουν.

Φύγαν τώρα πια οι μέρες που ήταν όμορφες κι ωραίες,

που ταιριάζανε μ' ²_____, φέτες, λάδι ή μανούρια

και μ' ελιά από Καλαμάτα κάναν όλα μια ³_____!

Τώρα κοιτούν την αγκινάρα κι ας μην είναι και κορμάρα

γεμιστές με τον κιμά ή το ⁴_____ τον λαπά!

Όλη μέρα κουβεντιάζουν και στο ράφι την αράζουν,

έχουν τόση δυστυχία και μεγάλη αγωνία!

Ξάφνου ανοίγει το ⁵_____, βγαίνουν έξω και οι δύο

ζευγαρώνουνε με αυγά, ⁶_____ για παιδιά. (δις)

Μυρωδιά ευωδιαστή φτάνει μέχρι την αυλή!

Ναι, οι ώριμες ντομάτες και το φρέσκο το αυγό } (δις)

κάνουν γρήγορα κι αμέσως ⁷_____ ένα φαγητό!

Άσκηση 2

Απάντησε στις ερωτήσεις.

Πώς γίνεται η χωριάτικη σαλάτα;

_____

_____

_____

_____

_____

Σου αρέσει η στραπατσάδα;

_____

_____

_____

_____

_____

Μαζί με τον διπλανό / τη διπλανή σου κάνετε τον διάλογο ανάμεσα στις δύο ντομάτες, μέσα στο ψυγείο.

⚠ Τώρα ξέρεις ...

	Ναι	Όχι
να καταλαβαίνεις και να λες μια συνταγή;		
να συζητάς για θέματα σχετικά με τη διατροφή;		
να κατανοείς και να περιγράφεις ένα πρόβλημα υγείας;		
να γράφεις μια κριτική για ένα θέμα;		
να χρησιμοποιείς την προστακτική;		
να χρησιμοποιείς τους χρόνους που αναφέρονται στο μέλλον;		

- Σου αρέσει
το διάβασμα;
- Πώς αισθάνεσαι, όταν
δίνεις εξετάσεις;

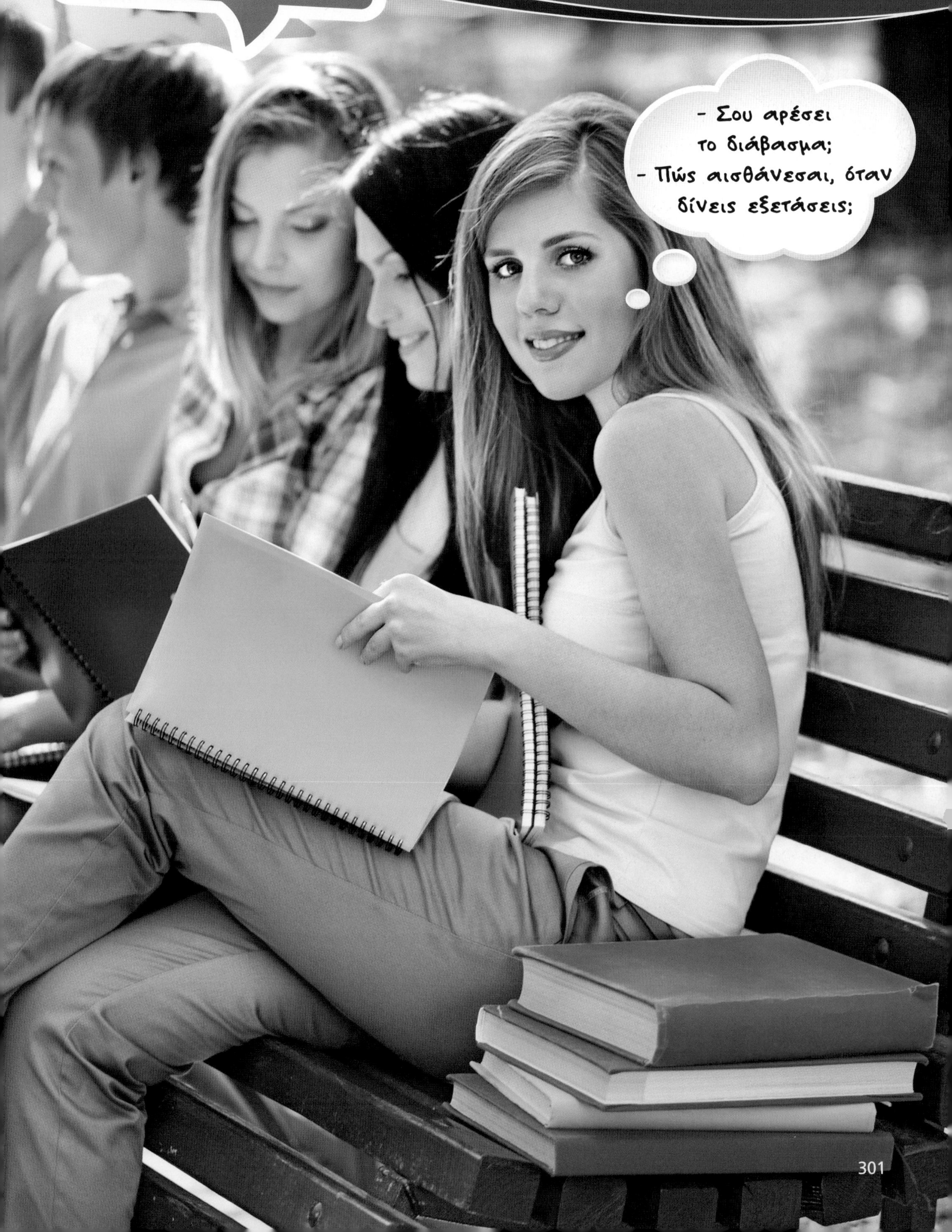

ΚΑΤΑΝΟΗΣΗ ΓΡΑΠΤΟΥ ΛΟΓΟΥ

Άσκηση 1

Διάβασε το παρακάτω κείμενο και διάλεξε τον κατάλληλο τίτλο.

α. Εξετάσεις: Συμβουλές επιτυχίας και προόδου

β. Συμβουλές για να είστε οι άριστοι της τάξης

γ. Συμβουλές για σωστές επαναλήψεις

Άσκηση 2

Διάβασε με προσοχή το παρακάτω κείμενο και συμπλήρωσε τα κενά με τις λέξεις του πίνακα. Υπάρχουν 3 λέξεις που δεν ταιριάζουν σε κανένα κενό.

Συμβουλή:
Όταν επιλέγεις τη λέξη για κάθε κενό, δες αν η επιλογή σου ταιριάζει νοηματικά και γραμματικά!

Το βασικό <u>συναίσθημα</u> των υποψήφιων που δίνουν πανελλαδικές εξετάσεις είναι το άγχος. Παιδιά, μη φοβάστε! Οι εξετάσεις δεν είναι όλη μας η ζωή. Είναι σημαντικό να περάσετε στο

⁰_____, αλλά δεν είναι αυτό το μοναδικό στοίχημα.

Εσείς σίγουρα πρέπει να προσπαθήσετε για την ¹_____. Διαβάστε πολύ καλά την <u>ύλη</u> των εξετάσεων και προσπαθήστε να μειώσετε το άγχος σας.

Πολλές φορές το στρες <u>ευθύνεται</u> για τους κακούς βαθμούς. Υπολογίστε τι βαθμούς πρέπει να πάρετε, για να μπείτε στη <u>σχολή</u> που θέλετε. Δείτε τους βαθμούς που παίρνετε στα τεστ και τα <u>διαγωνίσματα</u> σε όλη τη διάρκεια της σχολικής χρονιάς. Μήπως τελικά δεν πρέπει να ²_____, γιατί πάντα γράφετε πολύ καλά;

Αν πρέπει να <u>προσπαθήσετε</u> περισσότερο, προσέξτε τις επαναλήψεις. Μην τις ξεκινάτε πάντα από το ίδιο σημείο του βιβλίου. Συνήθως τα πρώτα <u>κεφάλαια</u> του βιβλίου τα μαθαίνουμε καλύτερα, γιατί είμαστε πιο ξεκούραστοι. Γι' αυτό ξεκινήστε μερικές ³_____ από το τέλος του βιβλίου. Έτσι θα καλύψετε όλα τα κενά και τις αδυναμίες σας.

Κάνετε συχνά ⁴_____ και μη μαθαίνετε τίποτα παπαγαλία. Προσπαθήστε να ξέρετε τα πάντα νεράκι, όχι όμως χωρίς να καταλαβαίνετε τι διαβάζετε.

α.	Πανεπιστήμιο	0
β.	δύσκολα	
γ.	φοβόμαστε	
δ.	επιτυχία	
ε.	συμμαθητή	

στ.	απλά	
ζ.	επαναλήψεις	
η.	συμμαθητής	
θ.	φοβάστε	
ι.	διαλείμματα	

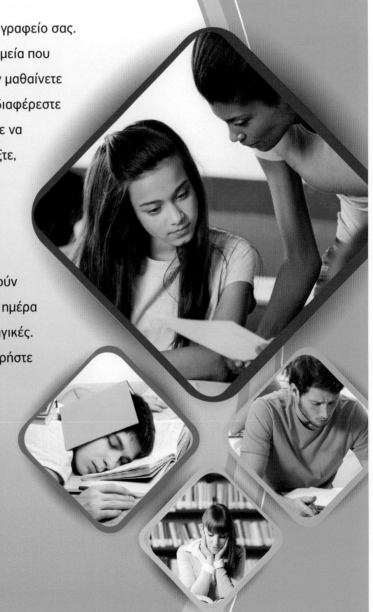

Οργανώστε τη μελέτη σας. Καθαρίστε το γραφείο σας. Ακούστε μουσική. Κρατήστε σημειώσεις με τα σημεία που πρέπει να θυμάστε. Χρησιμοποιήστε το λεξικό, αν μαθαίνετε μια ξένη γλώσσα. Λύστε πολλές ασκήσεις, αν ενδιαφέρεστε για την πρακτική κατεύθυνση. Αν θέλετε, μπορείτε να διαβάσετε με κάποιο [5]_____ σας. Προσέξτε, όμως, να μη χάσετε πολύ χρόνο σε συζητήσεις και κουτσομπολιά. Η συνεργασία βοηθάει στο διάβασμα, αλλά πολλές φορές μπορεί να είναι χαμένος χρόνος.

Ζητήστε από τους καθηγητές που βαθμολογούν σε εξετάσεις να σας εξηγήσουν τα λάθη σας. Την ημέρα των εξετάσεων χρησιμοποιήστε χρήσιμες στρατηγικές. Ξεκινήστε από τα εύκολα θέματα και μετά προχωρήστε στα πιο [6]_____. Αν δεν ξέρετε μια απάντηση, μην τα παρατήσετε. Χαλαρώστε και προχωρήστε στην επόμενη ερώτηση.

Συμμετέχετε στις εξετάσεις με θάρρος! Να θυμάστε ότι, αν αποτύχετε και δεν περάσετε στο πανεπιστήμιο, η ζωή συνεχίζεται.

Άσκηση 3

Διάβασε ξανά το κείμενο και κάνε μια λίστα με τις συμβουλές που δίνει το κείμενο. Σύγκρινε τη λίστα σου με αυτήν των συμμαθητών / συμμαθητριών σου.

Λεξιλόγιο

Άσκηση 1

Γίνετε ζευγάρια, δείτε τις υπογραμμισμένες λέξεις του κειμένου (σελ. 302-303) και βρείτε με ποιες από τις παρακάτω λέξεις / φράσεις ταιριάζουν στη σημασία.

0. χαρά, λύπη, αγάπη, μίσος, φόβος, άγχος = _συναίσθημα_

1. διάβασμα = _____

2. αφήνω, εγκαταλείπω, σταματώ την προσπάθεια = _____

3. παίρνω μέρος = _____

4. δεν καταφέρνω κάτι = _____

5. ενότητες = _____

6. το μέρος όπου μπορεί να μάθει κάποιος κάτι/το τμήμα του Πανεπιστημίου όπου διδάσκεται μια επιστήμη π.χ. ιατρική/νομική = _____

7. έχω ευθύνη, είμαι υπεύθυνος για κάτι = _____

8. αυτά που πρέπει να διαβάσει κάποιος, για να συμμετέχει με επιτυχία σε εξετάσεις = _____

9. κάνω ό,τι μπορώ, για να πετύχω κάτι = _____

10. γραπτή εξέταση στο σχολείο = _____

11. κάνω κάτι με σύστημα = _____

Άσκηση 2

Γίνετε ζευγάρια, ενώστε τις λέξεις με αντίθετη σημασία και κάνετε προτάσεις με αυτές.

0. επιτυχία ___γ___   **α.** ξεκούραστος

1. μειώνω _____   **β.** μητρική γλώσσα

2. κουρασμένος _____

3. πετυχαίνω _____   **γ.** αποτυχία

4. ξένη γλώσσα _____   **δ.** σωστό

                   ε. αυξάνω

5. λάθος _____   **στ.** αποτυχαίνω

Άσκηση 3

Γίνετε ζευγάρια, διαβάστε τους παρακάτω ορισμούς και συμπληρώστε τα κενά στις προτάσεις με τις λέξεις του κρυπτόλεξου.

0. Όταν διαβάζω κάτι ξανά, κάνω _____επανάληψη_____.

1. Όταν σταματώ για λίγο αυτό που κάνω, τότε κάνω _____.

2. Όταν μαθαίνω κάτι από έξω χωρίς να καταλαβαίνω τη σημασία του, τότε το μαθαίνω _____.

3. _____ υπάρχει, όταν δύο ή περισσότερα άτομα δουλεύουν μαζί, βοηθάει ο ένας τον άλλο κι έχουν έναν κοινό στόχο.

4. Όταν εξετάζω ένα γραπτό και βάζω βαθμό, τότε _____.

5. Όταν προσπαθώ να κάνω κάποιον να καταλάβει κάτι, τότε του το _____.

6. Όταν κάποιος σχεδιάζει τις κινήσεις του, για να πετύχει έναν στόχο, τότε έχει _____.

7. Όταν δεν φοβάμαι, έχω _____.

0	Α	Β	Η	Ε	Π	Α	Ν	Α	Λ	Η	Ψ	Η	Ε	Ρ	Τ	Η	Κ	Λ	Θ
1	Ε	Γ	Κ	Ι	Λ	Ο	Π	Α	Σ	Ρ	Δ	Ι	Α	Λ	Ε	Ι	Μ	Μ	Α
2	Ν	Α	Π	Α	Π	Α	Γ	Α	Λ	Ι	Α	Ξ	Ι	Κ	Ω	Ο	Π	Ε	Ρ
3	Ε	Γ	Τ	Η	Ξ	Σ	Υ	Ν	Ε	Ρ	Γ	Α	Σ	Ι	Α	Β	Ι	Ο	Σ
4	Β	Α	Θ	Μ	Ο	Λ	Ο	Γ	Ω	Γ	Η	Ξ	Κ	Ι	Ρ	Τ	Κ	Λ	Ν
5	Χ	Ρ	Τ	Υ	Η	Β	Ν	Μ	Θ	Κ	Λ	Ε	Ξ	Η	Γ	Ω	Ρ	Ε	Κ
6	Α	Σ	Τ	Ρ	Α	Τ	Η	Γ	Ι	Κ	Η	Θ	Ο	Λ	Ε	Β	Ε	Κ	Α
7	Ζ	Η	Γ	Φ	Ρ	Θ	Α	Ρ	Ρ	Ο	Σ	Ι	Β	Γ	Φ	Ρ	Η	Ε	Τ

Άσκηση 4

Οι παρακάτω λέξεις έχουν περισσότερες από μία σημασίες. Γίνετε ζευγάρια, βρείτε τις λέξεις μέσα στο κείμενο (σελ. 302-303) και σημειώστε ποια σημασία έχουν μέσα σε αυτό.

υποψήφιος

αυτός που συμμετέχει στις εκλογές, για να βγει βουλευτής ή δήμαρχος κτλ.: Ο Πέτρος είναι υποψήφιος βουλευτής σε αυτές τις εκλογές.
αυτός που συμμετέχει σε εξετάσεις ή σε διαγωνισμό, για να πάρει μια θέση: Στον διαγωνισμό συμμετέχουν 5 υποψήφιοι.
αυτός που σύντομα πρόκειται να γίνει ή να κάνει κάτι: Σήμερα είδαν το σπίτι δύο υποψήφιοι αγοραστές.

εξέταση

προσεκτική παρατήρηση κάποιου πράγματος / θέματος, για να καταλάβουμε κάτι: Η εξέταση της υπόθεσης γίνεται από ειδική επιτροπή.
ερωτήσεις που κάνει κάποιος, για να μάθει την αλήθεια: Η εξέταση των μαρτύρων ξεκίνησε σήμερα.
έλεγχος των γνώσεων κάποιου: Στις 20 του μήνα έχω προφορικές ή γραπτές εξετάσεις.
ιατρικός έλεγχος: Οι εξετάσεις αίματος είναι πολύ καλές.

υπολογίζω

λογαριάζω: Μπορείς να υπολογίσεις πόσα έξοδα κάναμε χθες;
αναγνωρίζω την αξία κάποιου: Ο διευθυντής μου με υπολογίζει πολύ.
ελπίζω στη βοήθεια κάποιου: Μπορείς πάντα να υπολογίζεις σε μένα.

βαθμός

μέτρο που μετράμε τη θερμοκρασία ή τον σεισμό: Σήμερα έχουμε 30 βαθμούς Κελσίου.
μέτρο που δείχνει την ικανότητα κάποιου: Τελείωσα το Γυμνάσιο με βαθμό άριστα.

καλύπτω

σκεπάζω: Κάλυψα το πάτωμα με χαλιά.
παρέχω, πληρώνω: Η υποτροφία καλύπτει όλα τα έξοδα των σπουδών.
παρουσιάζω ένα θέμα: Τα ΜΜΕ θα καλύψουν τη συνέντευξη του υπουργού.
ολοκληρώνω, συμπληρώνω: Καλύψαμε την ύλη των εξετάσεων πολύ νωρίς.

κενό

χώρος, διάστημα: Τη δεύτερη ώρα έχουμε κενό.
θέση εργασίας που δεν είναι συμπληρωμένη: Υπάρχουν πολλά κενά στην εκπαίδευση.
έλλειψη, αδυναμία, δυσκολία: Η Μαίρη έχει πολλά κενά στα μαθηματικά.

αδυναμία

έλλειψη σωματικής δύναμης: Τον τελευταίο καιρό έχω μεγάλη αδυναμία.
αδύνατο σημείο, ελάττωμα: Ο Κώστας παραδέχεται ότι έχει πολλές αδυναμίες.
ιδιαίτερη συμπάθεια, αγάπη: Έχω μεγάλη αδυναμία στα παιδιά μου.
έλλειψη δυνατότητας: Η αδυναμία της κυβέρνησης να αντιμετωπίσει τα προβλήματα είναι το κύριο θέμα των ΜΜΕ.

προχωρώ

περπατώ: Καθώς προχωρούσα, συνάντησα τον Λευτέρη.
πηγαίνω μπροστά: Μην προχωράς γρήγορα.
συνεχίζω: Όταν τελειώσετε, προχωρήστε στην επόμενη σελίδα.
εξελίσσομαι: Η σχέση μας δεν προχωρούσε και χωρίσαμε.

χαλαρώνω

αφήνω κάτι πιο ελεύθερο: Χαλάρωσα τη ζώνη μου, γιατί έφαγα πολύ το μεσημέρι.
ξεκουράζομαι, ηρεμώ: Έχω ανάγκη από διακοπές, πρέπει να χαλαρώσω.

Άσκηση 5

Γίνετε ζευγάρια και ενώστε τις λέξεις, για να κάνετε φράσεις που χρησιμοποιούνται πολύ συχνά. Με μερικές λέξεις μπορείτε να κάνετε περισσότερους από έναν συνδυασμούς. Μετά κάνετε προτάσεις με αυτές.

0. περνάω	α. νεράκι _____
1. παίρνω	β. ασκήσεις _____
2. μπαίνω	γ. χρόνος _____
3. σχολική	δ. στο Πανεπιστήμιο _0_
4. γράφω	ε. βαθμούς _____
5. ξέρω	στ. γραπτά _____
6. κάνω	ζ. διάλειμμα _____
7. κρατώ	η. θέματα _____
8. λύνω	θ. σημειώσεις _____
9. χαμένος	ι. τις εξετάσεις _0_
10. διορθώνω	ια. καλά _____
11. εύκολα / δύσκολα	ιβ. χρονιά _____
	ιγ. σε μια σχολή _0_

Άσκηση 6

Ποιες από τις παρακάτω προτάσεις είναι Σωστές και ποιες Λάθος;

0. Φέτος δίνω εξετάσεις και διαβάζω πάρα πολύ, γιατί φοβάμαι την αποτυχία. _Σ_

1. Η Ελένη δυσκολεύεται πολύ στο Πανεπιστήμιο, αλλά δεν σκέφτεται να τα παρατήσει. _____

2. Μετά τις εξετάσεις έχω πολλή ανάγκη από λίγη κούραση. _____

3. Δεν αντέχω τη συνεργασία, θέλω μόνο να δουλεύω μαζί με άλλους. _____

4. Το μυστικό της επιτυχίας στις εξετάσεις είναι η οργάνωση της μελέτης. _____

5. Μήπως μπορείς να μου εξηγήσεις αυτό που λες; Το ξέρω πολύ καλά. _____

6. Γεννήθηκα και μεγάλωσα στην Ελλάδα. Η μητρική μου γλώσσα είναι η ελληνική. _____

ΛΕΞΙΛΟΓΙΟ

Άσκηση 7

Γίνετε ζευγάρια, δείτε τις παρακάτω λέξεις και συμπληρώστε τα κενά κάθε σειράς του πίνακα με λέξεις που ανήκουν στην ίδια οικογένεια.

βαθμολογητής, ξεκουράζω, εξετάζω, συναισθηματικός, σημειωμένος, αγχωμένος, βαθμολογώ, θαρραλέος, εξεταστικός, υποψηφιότητα, σχολείο, ξεκουράζομαι, εξεταστής, αγχώνομαι, προσπάθεια, αγχώνω, ξεκούραση, μελετώ, σημειώνω, αγχωτικός, διάβασμα, εξετάζομαι

ρήμα	ουσιαστικό	επίθετο
αισθάνομαι	συναίσθημα	0 _συναισθηματικός_
-	1 _____	υποψήφιος
2 _____, 3 _____	άγχος	4 _____, 5 _____
6 _____, 7 _____	εξέταση, 8 _____	9 _____
προσπαθώ	10 _____	-
11 _____	βαθμός, 12 _____	-
-	13 _____	σχολικός
14 _____, 15 _____	16 _____	ξεκούραστος
17 _____	μελέτη	-
18 _____	σημειώσεις	19 _____
διαβάζω	20 _____	-
-	θάρρος	21 _____

Άσκηση 8

Γίνετε ζευγάρια, διαβάστε το κείμενο και συμπληρώστε τα κενά, όπως στο παράδειγμα.

ΕΞΕΤΑΣΤΕΣ ΚΙ ΕΞΕΤΑΣΕΙΣ

Πλησιάζουν οι ⁰ _εξετάσεις_ (εξετάζω) και δεν είναι μόνο οι υποψήφιοι που έχουν [1]_____ (αγχώνομαι) και αγωνία. Οι εξεταστές και οι [2]_____ (βαθμολογώ) είναι, επίσης, αγχωμένοι, γιατί ξέρουν καλά ότι, από τον βαθμό που εκείνοι θα βάλουν, κρίνεται το μέλλον των παιδιών. Λέμε στους μαθητές να έχουν θάρρος την ημέρα των εξετάσεων, πρέπει, όμως, και οι εξεταστές να είναι [3]_____ (θάρρος). Φίλοι [4]_____ (εξετάζω), ακολουθήστε τις συμβουλές μας. Θα σας βοηθήσουν να είστε έτοιμοι την ημέρα των εξετάσεων. Μην ξεχνάτε ότι εκείνες τις μέρες εξετάζεστε κι εσείς, εξετάζεται η κρίση σας και η αντικειμενικότητά σας.

1 Μη βαθμολογείτε γραπτά, αν δεν είστε [5]_____ (κουράζω) ή αν έχετε δυσάρεστα [6]_____ (συναισθηματικός) για κάποιο λόγο. Πολύ συχνά, όταν είμαστε κουρασμένοι, στεναχωρημένοι ή πολύ χαρούμενοι, επηρεάζεται η κρίση μας.

2 [7]_____ (μελέτη) με προσοχή τις οδηγίες βαθμολόγησης των γραπτών και κρατήστε [8]_____ (σημειώνω). Είναι πολύ σημαντικό να ακολουθήσετε πιστά τις οδηγίες αξιολόγησης, γιατί μόνο έτσι θα υπάρχουν κοινά κριτήρια βαθμολόγησης για όλους τους μαθητές.

3 Την ημέρα των εξετάσεων να είστε στην ώρα σας στο [9]_____ (σχολικός) που είναι εξεταστικό κέντρο. Μη γίνεστε εσείς η αιτία να μην τελειώσει ποτέ η αγωνία των [10]_____ (υποψηφιότητα).

Γνώση, ξεκούραση, συνέπεια και αντικειμενικότητα είναι τα όπλα σας για τη μεγάλη μέρα.

Άσκηση 9

Ο κάθε μαθητής / Η κάθε μαθήτρια διαλέγει μια εικόνα από τον πίνακα. Την περιγράφει δυνατά στην τάξη. Οι υπόλοιποι μαθητές / Οι υπόλοιπες μαθήτριες βρίσκουν την εικόνα και τη διαγράφουν. Σημειώνουν τέσσερα διαδοχικά κελιά διαγώνια, οριζόντια ή κάθετα που περνούν από το κεντρικό BINGO και φωνάζουν BINGO.

Παράδειγμα: <u>Μια δασκάλα και μερικοί μαθητές μπροστά στον πίνακα της τάξης. Όλοι είναι χαρούμενοι.</u>

Άσκηση 10

Ζήτησε τη βοήθεια του συμμαθητή / της συμμαθήτριάς σου, για να λύσεις το σταυρόλεξό σου.

Παράδειγμα:

Μαθητής Α: _Τι έχεις στο 1 οριζόντια;_ **Μαθητής Β:** _Κάνουμε, όταν είμαστε κουρασμένοι._ **Μαθητής Β:** _Διάλειμμα._

Μαθητής Α

	1				2					3			5
1	Δ	Ι	Α	Λ	Ε	Ι	Μ	Μ	Α				Ε
					Π					Β			Ξ
2					Ι					Α			Ε
					Τ					Θ			Τ
3					Υ					Μ			Α
					Χ					Ο			Σ
	1	Μ			Ι					Σ			Η
4		Ε			Α							4	Λ
		Λ											Α
		Ε		5									Θ
		Τ											Ο
6		Η											Σ

Μαθητής Β

	1				2					3			5
1	Δ	Ι	Α	Λ	Ε	Ι	Μ	Μ	Α				
2	Σ	Υ	Ν	Α	Ι	Σ	Θ	Η	Μ	Α			
3	Α	Π	Ο	Τ	Υ	Χ	Ι	Α					
	1												
4	Π	Ε	Τ	Υ	Χ	Α	Ι	Ν	Ω			4	
				5	Θ	Α	Ρ	Ρ	Ο	Σ			
6	Μ	Η	Τ	Ρ	Ι	Κ	Η		Γ	Λ	Ω	Σ	Σ	Α

ΛΕΞΙΛΟΓΙΟ

Λέξεις, φράσεις και εκφράσεις ...

Άσκηση 1

Γίνετε ζευγάρια, διαβάστε τον πίνακα και βρείτε σε ποια από τις παρακάτω προτάσεις η λέξη *τάξη* χρησιμοποιείται σε έκφραση που σημαίνει:

α. τοποθέτηση των πραγμάτων στη σωστή θέση·

β. εφαρμογή ορισμένων κανόνων, για να υπάρχει αρμονία στις πολιτικές ή κοινωνικές σχέσεις των ανθρώπων·

γ. άτομα που βρίσκονται στην ίδια κοινωνική και οικονομική κατάσταση και έχουν τα ίδια οικονομικά συμφέροντα·

δ. διαίρεση της εκπαίδευσης σε κύκλους μαθημάτων που αντιστοιχούν σε ένα σχολικό έτος·

ε. σύνολο των μαθητών που παρακολουθούν τον ίδιο κύκλο μαθημάτων·

στ. αίθουσα διδασκαλίας.

0.	Στην Ελλάδα το Δημοτικό σχολείο έχει 6	τάξεις,	ενώ το Γυμνάσιο και το Λύκειο από 3.	δ
1.	Η μεσαία και κατώτερη	τάξη	δεν αντέχει τους φόρους που επιβάλλει η κυβέρνηση.	
2.	Η	τάξη	μας είναι πολύ φωτεινή και έχει πολύ ωραίες ζωγραφιές στους τοίχους.	
3.	Ευτυχώς σήμερα καθάρισα κι έβαλα	τάξη	στο σπίτι μου, γιατί ήταν άνω-κάτω εδώ και πολύ καιρό.	
4.	Ο Δημήτρης ήταν πάντα ο καλύτερος μαθητής της	τάξης	του.	
5.	Υπεύθυνο για την ασφάλεια των πολιτών είναι το Υπουργείο Δημόσιας	Τάξης.		

Διασκευασμένα παραδείγματα από το σώμα κειμένων του ΚΕΓ και από το Λεξικό της Κοινής Νεοελληνικής (Τριανταφυλλίδη)

Άσκηση 2

Γίνετε ζευγάρια. Πηγαίνετε στη σελίδα http://www.greek-language.gr/greekLang/ modern_greek/tools/lexica/search.html Πληκτρολογήστε τη λέξη *βαθμός* και κάνετε τον δικό σας πίνακα με 3-4 παραδείγματα. Συγκρίνετε τον πίνακά σας με τους πίνακες των συμμαθητών / συμμαθητριών σας. Μετά γράψτε μια ιστορία με τις καινούριες φράσεις που μάθατε.

ΠΟΣΟ ΚΛΙΚ ΚΑΝΕΙΣ;

Κάνε το παρακάτω τεστ και διάβασε τα αποτελέσματα.
Πόσο αληθινό πιστεύεις ότι είναι;

1 Όταν έχεις να μάθεις κάτι από έξω,
α. το διαβάζεις δυνατά.
β. το γράφεις.
γ. κάνεις σχεδιαγράμματα, κρατάς σημειώσεις.

2 Όταν διαβάζεις,
α. ακούς πάντα μουσική.
β. θέλεις απόλυτη ησυχία.
γ. περπατάς.

3 Οι καλύτεροι βαθμοί σου είναι
α. σε προφορικές εξετάσεις.
β. σε γραπτές εξετάσεις.
γ. σε ομαδικές εργασίες.

4 Προτιμάς
α. να ακούς τον δάσκαλό σου να εξηγεί το μάθημα.
β. να βλέπεις τις εικόνες του βιβλίου.
γ. να κάνεις έρευνα στο διαδίκτυο.

5 Όταν θέλεις να κάνεις ένα διάλειμμα,
α. ακούς μουσική.
β. μιλάς με έναν φίλο / μια φίλη σου.
γ. πηγαίνεις μια βόλτα.

6 Όταν διαβάζεις, έχεις δίπλα σου πάντα
α. ένα cd με μουσική.
β. χρωματιστά μολύβια.
γ. τουβλάκια και πλαστελίνη.

7 Διάλειμμα κάνεις κάθε
α. δύο ώρες.
β. μία ώρα.
γ. μισή ώρα.

ΑΠΟΤΕΛΕΣΜΑΤΑ

Αν έχεις περισσότερα Α: Είσαι ακουστικός τύπος. Μαθαίνεις πιο εύκολα και πιο γρήγορα, όταν ακούς πάρα πολύ. Συνήθως κάνεις δυνατή ανάγνωση, όταν μελετάς. Συμβουλή! Διάβασε και ηχογράφησε τις σελίδες από τα βιβλία των θεωρητικών μαθημάτων. Θα σε βοηθήσει να μάθεις από έξω όλη την ύλη ευχάριστα.

Αν έχεις περισσότερα Β: Είσαι οπτικός τύπος. Σε βοηθάει πολύ να βλέπεις γραμμένο ό,τι έχεις να μάθεις. Συμβουλή! Αγόρασε μαρκαδόρους σε πολλά χρώματα και ξεκίνα να κάνεις σχεδιαγράμματα και να κρατάς σημειώσεις. Γράψε με το ίδιο χρώμα πληροφορίες που έχουν σχέση μεταξύ τους. Αυτό θα σε βοηθήσει να θυμάσαι τις πληροφορίες που πρέπει να μάθεις από έξω.

Αν έχεις περισσότερα Γ: Είσαι κινητικός τύπος. Δεν μπορείς να μένεις ακίνητος πολλή ώρα. Θέλεις να συμμετέχεις με κινήσεις, όταν μαθαίνεις κάτι. Εκφράζεσαι περισσότερο με κινήσεις παρά με λόγια. Μπορείς να γίνεις πολύ καλός ηθοποιός ή τραγουδιστής. Συμβουλή! Δημιούργησε σενάρια με την ύλη του μαθήματος, για να τη θυμάσαι. Σκέψου τους ήρωες της ιστορίας ή τους τύπους των μαθηματικών να μιλούν.

Γραμματική: Βλέπω και παρατηρώ ...

Διάβασε το παρακάτω κείμενο και απάντησε στις ερωτήσεις.

Η οικογένεια είναι το πρώτο σχολείο **που** διδάσκει συμπεριφορές, στάσεις και συνήθειες. Σίγουρα **ό,τι** προσφέρει το σχολείο είναι επίσης πολύ σημαντικό. Η στήριξη της οικογένειας, όμως, είναι μοναδική και απαραίτητη. Αν η οικογένεια δεν μπορεί να στηρίξει το παιδί, το σχολείο και οι δάσκαλοι δεν θα τα καταφέρουν μόνοι τους.

Γι' αυτόν τον λόγο η Γενική Γραμματεία Διά Βίου Μάθησης (Γ.Γ.Δ.Β.Μ.) πραγματοποιεί πολλά προγράμματα **που** στοχεύουν στη στήριξη της οικογένειας και των παιδιών. Τα προγράμματα αυτά μπορούν να τα παρακολουθήσουν **όποιοι** και **όποιες** το επιθυμούν.

Οι Σχολές Γονέων είναι ένα από τα προγράμματα Εκπαίδευσης Ενηλίκων **που** σχεδιάζει η Γ.Γ.Δ.Β.Μ. και υλοποιείται από το Ίδρυμα Νεολαίας και Διά Βίου Μάθησης (Ι.ΝΕ.ΔΙ.ΒΙΜ.). Τα πρώτα τμήματα έγιναν στην πιλοτική φάση του προγράμματος. Μετά την αξιολόγησή τους, η Γ.Γ.Δ.Β.Μ. πρότεινε τη δημιουργία σχολών γονέων για την περίοδο 2003-2008.

Υπάρχουν, επίσης, κι άλλα προγράμματα στο πλαίσιο της Διά Βίου Μάθησης. Σε αυτά συμμετέχουν άνθρωποι όλων των ηλικιών και κυρίως **όσοι** ενδιαφέρονται να αποκτήσουν νέες δεξιότητες και γνώσεις. Τα προγράμματα πραγματοποιούνται στο «Εργαστήρι Πολιτισμού». Απευθύνονται σε γονείς και παιδιά που πηγαίνουν στο νηπιαγωγείο και στο δημοτικό σχολείο. Επίσης, στα προγράμματα αυτά μπορούν να συμμετέχουν **όσες** οικογένειες αντιμετωπίζουν προβλήματα εξαιτίας της οικονομικής κρίσης.

Πληροφορίες από την ιστοσελίδα www.gsae.edu.gr

Ερωτήσεις:

1. Πού διδάσκεται ο άνθρωπος για πρώτη φορά συμπεριφορές;
2. Πόσο μπορεί το σχολείο να στηρίξει το παιδί χωρίς τη βοήθεια της οικογένειας;
3. Ποιος είναι ο στόχος της Γ.Γ.Δ.Β.Μ.;
4. Ποιο πρόγραμμα είναι κατάλληλο για τις οικογένειες που έχουν οικονομικά προβλήματα;
5. Δες τις κόκκινες λέξεις του κειμένου και πες σε ποιες λέξεις αναφέρονται.

Βλέπω 👀

Δες με προσοχή τα παρακάτω παραδείγματα.

1. Οι δάσκαλοι **που** έχουμε φέτος στο σχολείο είναι πολύ καλοί.

2. Ο δάσκαλος της ζωγραφικής, **που** ήρθε φέτος στο σχολείο, είναι πολύ καλός.

3. Σήμερα συνάντησα τη δασκάλα **που** ήρθε φέτος στο σχολείο μας.

4. **Ό,τι** μας είπε ο δάσκαλος είναι πολύ σωστό.

5. Διάβασα **ό,τι** μας έβαλε ο δάσκαλος.

6. **Όσες** ασκήσεις μας έβαλε ο δάσκαλος τις έλυσα.

7. **Όσα** μαθήματα είχα για αύριο τα έκανα.

8. **Όσες** καθηγήτριες έχει αυτό το σχολείο είναι πολύ καλές.

9. **Όποιος** δάσκαλος πάρει αυτή την τάξη θα είναι πολύ τυχερός.

10. **Όποιοι** μαθητές έγραψαν άσχημα στο διαγώνισμα δεν θα πάρουν καλούς βαθμούς.

11. **Σε όποια** φροντιστήρια και αν πήγα, δεν βρήκα δάσκαλο σαν αυτόν που έχω φέτος.

12. **Με όποιον** δάσκαλο καθίσεις, τέτοια γράμματα θα μάθεις.

και παρατηρώ ...

Απάντησε στις παρακάτω ερωτήσεις.

1. Ποιες από τις αναφορικές αντωνυμίες κλίνονται;

_____
_____
_____
_____
_____

2. Από τι εξαρτάται το γένος, ο αριθμός και η πτώση της κάθε αντωνυμίας;

_____
_____
_____
_____

Διάβασε τις παρακάτω προτάσεις και βρες τη διαφορά ανάμεσα:

α. στο *που* και το *πού*,

β. στο *ότι* και το *ό,τι*

1. Ο κύριος **που** είδαμε χθες στον δρόμο με ρώτησε **πού** είναι το πανεπιστήμιο.

2. Η κοπέλα **που** γνώρισες χθες με ρώτησε **πού** θα πάμε το καλοκαίρι διακοπές.

3. Ο καθηγητής **που** μας κάνει γυμναστική με ρώτησε **πού** είναι οι φόρμες και τα αθλητικά μου παπούτσια.

4. Ξέρεις **ότι** πεινάω πάρα πολύ; Μπορώ να φάω **ό,τι** να 'ναι.

5. Ο Νίκος μου είπε **ότι** πρέπει προσέξω πάρα πολύ! **Ό,τι** λάμπει δεν είναι χρυσός.

6. Η μαμά μου δεν μ' αφήνει να πάω διακοπές το καλοκαίρι. Εγώ της απάντησα **ότι**, **ό,τι** κι αν πει, εγώ θα πάω.

Άσκηση 1

Γίνετε ζευγάρια και βρείτε τα λάθη.

0. Όσο φόρεμα και να βάλεις σου πάει.　　　*Όποιο φόρεμα και να βάλεις σου πάει.*

1. Με όποια δάσκαλο καθίσεις, τέτοια γράμματα θα μάθεις. _____

2. Ότι επιθυμείς. _____

3. Αυτό και να βάλεις σου πηγαίνει. _____

4. Ό,τι έχει μάτια βλέπει. _____

5. Όποιο δεν θέλει να ζυμώσει 10 μέρες κοσκινίζει. _____

6. Προσπάθησα όσες μπορούσα, για να περάσω στο Πανεπιστήμιο. _____

7. Ο οποίος έχει τη μύγα μυγιάζεται. _____

8. Όσος δεν έχει μυαλό έχει πόδια. _____

9. Ό,τι πέτρα και να σηκώσω εσένα βρίσκω. _____

10. Δεν είμαι η Μαρία πού ήξερες. _____

Άσκηση 2

Γίνετε ζευγάρια και διαλέξτε το σωστό.

Τα Σχολεία Δεύτερης Ευκαιρίας (ΣΔΕ) απευθύνονται σε ενηλίκους 18 ετών και πάνω ⁰ ότι /(που)δεν έχουν ολοκληρώσει την εννιάχρονη υποχρεωτική εκπαίδευση. Τους δίνουν τη δυνατότητα να συνεχίσουν τις σπουδές τους. ¹ Όσοι / Ό,τι φοιτούν σε αυτά τα σχολεία μπορούν να αποκτήσουν τίτλο ² που / ό,τι είναι ισότιμος με το απολυτήριο του Γυμνασίου (νόμος 2525/97). Η διάρκεια της φοίτησης είναι 18 μήνες (δύο σχολικά έτη) και οι ώρες διδασκαλίας 25 την εβδομάδα. Τα μαθήματα γίνονται απογευματινές ώρες, από Δευτέρα έως Παρασκευή.

Το πρόγραμμα των ΣΔΕ χρηματοδοτείται από το Ευρωπαϊκό Κοινωνικό Ταμείο (ΕΚΤ) και το Ελληνικό Δημόσιο, ξεκίνησε στην Ελλάδα το 2000 και έχει τρία βασικά χαρακτηριστικά:

- είναι ευέλικτο, εκπαιδευτικό πρόγραμμα ³ που / πού προσαρμόζεται στις ικανότητες και στις ανάγκες των εκπαιδευομένων
- παρέχει υποστήριξη σε ⁴ όσους / όσες εκπαιδευτικούς αντιμετωπίζουν δυσκολίες
- έχει εκπαιδευτικούς που ανταποκρίνονται στις ανάγκες των μαθητών.

Ένα μεγάλο ποσοστό των αποφοίτων των ΣΔΕ συνεχίζει στην επόμενη βαθμίδα εκπαίδευσης (Επαγγελματικό ή Γενικό Λύκειο). ⁵ Όσοι / Ό,τι επιθυμούν μπορούν να μπουν και στο Πανεπιστήμιο. Η εμπειρία τους από τις σπουδές τους στο τυπικό εκπαιδευτικό σύστημα καθώς και οι επιδόσεις τους μαρτυρούν πως ⁶ ότι / ό,τι κέρδισαν στο ΣΔΕ είναι πολύτιμο και πολύ χρήσιμο. Τώρα πια ξέρουν πώς να μαθαίνουν.

⁷Όποιοι / Όσο επιθυμούν, μπορούν να βρουν πληροφορίες στη σχετική ιστοσελίδα του Υπουργείου.

Πληροφορίες από την ιστοσελίδα www.ypepth.gr

Άσκηση 3
Συμπλήρωσε τα κενά.

Ξεκινούν τα σχολεία! Διαβάστε ⁰____όσα____ πρέπει να γνωρίζετε για τη σωστή προετοιμασία των παιδιών σας. Η πρωινή προετοιμασία σίγουρα θα γίνει ρουτίνα μετά τους πρώτους μήνες του σχολείου. «Κάθε αρχή και δύσκολη» δεν λένε; Το ίδιο ισχύει και για το πρωινό ξύπνημα, ¹_____ μπορεί εσάς να μη σας φαίνεται φοβερό, είναι, όμως, για τα παιδιά σας.

Ξεκινήστε την προετοιμασία σας από το προηγούμενο βράδυ. Δείτε το δελτίο του καιρού, για να διαλέξετε τα ρούχα σας. ²_____ ρούχα και αν επιλέξετε, βγάλτε τα έξω από την ντουλάπα, για να τα βρείτε εύκολα το πρωί.

Μάθετε στο παιδί σας να προετοιμάζει την τσάντα του. Ελέγξτε μαζί το πρόγραμμά του, δείτε τα μαθήματα ³_____ έχει για την επόμενη μέρα. Ετοιμάστε μαζί τα τετράδια και τα βιβλία ⁴_____ είναι απαραίτητα. ⁵_____ μαθητές ετοιμάζουν την τσάντα τους το προηγούμενο βράδυ, ξεκινούν τη μέρα τους πιο ευχάριστα.

Ετοιμάστε ένα καλό πρωινό για τα παιδιά, για να έχουν ενέργεια και να αποδώσουν καλύτερα στο σχολείο. Δείτε μερικά πρωινά ⁶_____ μπορείτε να ετοιμάσετε και περιλαμβάνουν τροφές ⁷_____ πραγματικά θα προσφέρουν βιταμίνες και ενέργεια στους μικρούς μαθητές.

Τοστ με ομελέτα

Νόστιμο και θρεπτικό! Τι θα κάνετε; Χτυπάτε ένα αυγό και το ρίχνετε σε αντικολλητικό τηγάνι, χωρίς λάδι, να γίνει σαν ομελέτα. Την απλώνετε σε δύο φέτες ψωμί ⁸_____ έχετε ψήσει και αλείψει με βούτυρο. Από πάνω βάζετε μία φέτα ντομάτα και μία φέτα τυρί. Για ⁹_____ μανούλες έχετε μικρά παιδιά, μπορείτε να κάνετε το τοστ «ανοιχτό» και να κόψετε τα υλικά σε ¹⁰_____ σχέδια θέλετε.

Γιαούρτι παρφέ

Για ¹¹_____ παιδάκια αγαπούν το γιαούρτι, μια νόστιμη ιδέα είναι να τους προσφέρετε σε ένα μπολ γιαούρτι με τα αγαπημένα τους δημητριακά και φρέσκα φρούτα! Μπορείτε, μάλιστα, να το βάλετε σε ψηλό ποτήρι με ένα μακρύ κουτάλι, για να μοιάζει με παγωτό! ¹²_____ πρωινό και αν επιλέξετε, φροντίστε να έχετε στη διάθεσή σας φρέσκα υλικά.

Οι πληροφορίες προέρχονται από το διαδίκτυο.

ΚΑΤΑΝΟΗΣΗ ΠΡΟΦΟΡΙΚΟΥ ΛΟΓΟΥ

- Τι βλέπεις στις φωτογραφίες;
- Ποια είναι τα θετικά και ποια τα αρνητικά στοιχεία των επαγγελμάτων στις φωτογραφίες;
- Με ποιο κριτήριο διάλεξες ή θα διάλεγες το επάγγελμά σου;
- Πόσο εύκολο είναι για έναν νέο / μια νέα να βρει δουλειά στη χώρα σου;
- Με ποιους τρόπους μπορεί κάποιος να αναζητήσει δουλειά σήμερα;

Άσκηση 1
Άκου προσεκτικά μια συζήτηση και κράτησε σύντομες σημειώσεις.
(cd 2, 7)

Συμβουλή:
Πριν ακούσεις το κείμενο, ρίξε μια ματιά στις προτάσεις και βρες τα σημεία που πρέπει να προσέξεις ιδιαίτερα.

1. Ο ρόλος των συμβούλων καριέρας είναι να βοηθήσουν τους πελάτες τους να
   α. *βάλουν επαγγελματικούς στόχους.*
   β. _____
   γ. _____

2. Τα χαρακτηριστικά των επιτυχημένων συμβούλων καριέρας είναι
   α. _____
   β. _____
   γ. _____
   δ. _____
   ε. _____

3. Οι σύμβουλοι καριέρας μπορούν να βοηθήσουν
   α. _____
   β. _____

4. Τα οργανωμένα γραφεία καριέρας βοηθούν τους φοιτητές με τους εξής τρόπους:
   α. _____
   β. _____

5. Η κρίση στην αγορά εργασίας αντιμετωπίζεται με
   α. _____
   β. _____
   γ. _____
   δ. _____

Άσκηση 2
Άκου ξανά το κείμενο. Τι σου έκανε περισσότερο εντύπωση από τη συζήτηση που άκουσες; Εσύ θα ζητούσες βοήθεια από έναν σύμβουλο καριέρας; Γιατί;

Λεξιλόγιο

Άσκηση 1
Γίνετε ζευγάρια, εκτυπώστε το κείμενο της κατανόησης προφορικού λόγου, δείτε τις υπογραμμισμένες λέξεις / φράσεις του κειμένου και βρείτε με ποιες από τις παρακάτω λέξεις / φράσεις ταιριάζουν στη σημασία.

0. αυτός που δίνει συμβουλές, που λέει σε κάποιον τι πρέπει να κάνει σε μια συγκεκριμένη περίπτωση = *σύμβουλος*

1. το κείμενο με στοιχεία σχετικά με τις σπουδές μας και τις προηγούμενες δουλειές μας που το στέλνουμε, όταν ψάχνουμε για δουλειά = _____

2. κάθε ελάττωμα που κάνει κάποιον ή κάτι λιγότερο αποτελεσματικό και πετυχημένο = _____

3. η γνώση του εαυτού μας, του χαρακτήρα μας = _____

4. συστηματική διδασκαλία που δίνει τις απαραίτητες γνώσεις για κάτι = _____

5. η επίσημη συνάντηση όπου κάποιος μας κάνει ερωτήσεις, για να ελέγξει αν είμαστε κατάλληλοι για μια δουλειά, για σπουδές σε Πανεπιστήμιο κτλ. = _____

6. η εμπιστοσύνη στον εαυτό μας, στις δυνάμεις και στις ικανότητές μας = _____

7. οι πληροφορίες που δίνονται σχετικά με τα διάφορα επαγγέλματα, για να μπορεί κάποιος να διαλέξει το επάγγελμα που θα κάνει = _____

8. κάτι καλό στον χαρακτήρα ενός ανθρώπου = _____

9. ο σκοπός, αυτό που προσπαθούμε να πετύχουμε = _____

10. επαγγελματική πορεία = _____

11. ικανότητα = _____

Άσκηση 2
Γίνετε ζευγάρια, ενώστε τις λέξεις με αντίθετη σημασία και κάνετε φράσεις με αυτές.

0. χαίρομαι _____ε_____   **α.** αποτυχαίνω

1. κατάλληλος _____   **β.** άπειρος

2. πετυχαίνω _____   **γ.** αποθαρρύνω

3. θετικός _____   **δ.** ανοργάνωτος

4. ικανός _____   **ε.** λυπάμαι

5. ενθαρρύνω _____   **στ.** ασήμαντος

6. έμπειρος _____   **ζ.** ακατάλληλος

7. οργανωμένος _____   **η.** αρνητικός

8. σημαντικός _____   **θ.** ανίκανος

ΛΕΞΙΛΟΓΙΟ

Άσκηση 3

Γίνετε ζευγάρια, διαβάστε τους παρακάτω ορισμούς και συμπληρώστε τα κενά στις προτάσεις με τις λέξεις του κρυπτόλεξου.

0. Αυτός που ξεπερνά εύκολα τα εμπόδια και είναι αποφασιστικός έχει _δυναμισμό_.

1. Όταν κάνουμε κάτι σαν επάγγελμα, με υπευθυνότητα και προσοχή, τότε έχουμε _____.

2. Αυτό που είναι σχεδιασμένο, ώστε να λειτουργεί αποτελεσματικά, είναι _____.

3. Αυτός που έχει υπαλλήλους ή εργάτες που δουλεύουν στην επιχείρησή του λέγεται _____.

4. Οικονομική _____ λέγεται η αρνητική κατάσταση στην οικονομική δραστηριότητα και την οικονομία.

5. Αυτός που είναι λιγότερος από το κανονικό ή από το απαραίτητο είναι _____.

6. Όταν κάποιος έχει _____, συνεχίζει να κάνει ή να πιστεύει κάτι παρά τις δυσκολίες.

7. Ο τρόπος που μας βοηθά να πετύχουμε κάτι λέγεται _____ της επιτυχίας.

8. Όταν δίνω θάρρος και δύναμη σε κάποιον να κάνει κάτι, τότε τον _____.

0	Α	Γ	Δ	Υ	Ν	Α	Μ	Ι	Σ	Μ	Ο	Τ	Ο	Π	Ο
1	Σ	Ε	Π	Α	Γ	Γ	Ε	Λ	Μ	Α	Τ	Ι	Σ	Μ	Ο
2	Α	Κ	Ρ	Ο	Ρ	Γ	Α	Ν	Ω	Μ	Ε	Ν	Ο	Ρ	Ξ
3	Ε	Ν	Α	Λ	Ι	Ε	Ρ	Γ	Ο	Δ	Ο	Τ	Η	Σ	Τ
4	Α	Π	Ι	Ρ	Μ	Χ	Γ	Κ	Ρ	Ι	Σ	Η	Ω	Ζ	Ι
5	Μ	Π	Ε	Ρ	Ι	Ο	Ρ	Ι	Σ	Μ	Ε	Ν	Ο	Σ	Η
6	Χ	Α	Φ	Η	Ε	Π	Ι	Μ	Ο	Ν	Η	Τ	Λ	Η	Ψ
7	Δ	Ι	Α	Θ	Ι	Θ	Τ	Μ	Κ	Λ	Ε	Ι	Δ	Ι	Ο
8	Σ	Ε	Χ	Τ	Ε	Ν	Θ	Α	Ρ	Ρ	Υ	Ν	Ω	Κ	Ω

Άσκηση 4

Γίνετε ζευγάρια και ενώστε τις λέξεις, για να κάνετε φράσεις που χρησιμοποιούνται πολύ συχνά. Με μερικές λέξεις μπορείτε να κάνετε περισσότερους από έναν συνδυασμούς. Μετά γράψτε προτάσεις με τις φράσεις που κάνατε.

0. επαγγελματικό   α. προσανατολισμός _____
1. επαγγελματική   β. σκέψη _____
2. αγορά   γ. της επιτυχίας _____
3. επαγγελματικός   δ. ζήτημα __0____
4. οικονομική   ε. εργασίας _____
5. δίνω   στ. εμπειρία _____
6. θετική   ζ. κρίση _____
7. κλειδί   η. συνέντευξη _____

Ενότητα 8

Άσκηση 5

Γίνετε ζευγάρια και αντιστοιχίστε τις λέξεις με τις εικόνες.

δικαστής, γραφίστρια, μεταφραστής, ~~προγραμματιστής~~, ξεναγός

0 προγραμματιστής   1   2   3   4

μηχανοδηγός, καπετάνιος, ναύτης, πιλότος, αεροσυνοδός, τροχονόμος, πυροσβέστης, ανθοπώλης, βιβλιοπώλης, κρεοπώλης

5   6   7   8   9

10   11   12   13   14

ηλεκτρολόγος, υδραυλικός, εργάτης

15   16   17

μοδίστρα, ράφτης

21

αγρότης, μελισσοκόμος, κηπουρός

18   19   20

22

Άσκηση 6

Γίνετε ζευγάρια και ενώστε τις δύο στήλες.

0. Ο Πέτρος δουλεύει στο δικαστήριο και κρίνει το αποτέλεσμα της δίκης. _ιγ_

1. Ο Μπάμπης είναι οδηγός της μηχανής του τρένου. _____

2. Ο Αλέξανδρος οδηγεί πλοία. _____

3. Η Μαριάννα ράβει ρούχα για γυναίκες. _____

4. Ο Γεράσιμος πουλάει λουλούδια και άλλα φυτά. _____

5. Η Σοφία φροντίζει τους επιβάτες σε ένα αεροπλάνο. _____

6. Ο Θανάσης ράβει ή διορθώνει ρούχα. _____

7. Ο Μάριος φροντίζει και περιποιείται τα φυτά και τα δέντρα στους κήπους. _____

8. Ο Γιάννης κάνει πιο εύκολη την κίνηση των αυτοκινήτων και των ανθρώπων στους δρόμους. _____

9. Ο Νίκος δουλεύει πάνω σε πλοίο. _____

10. Ο Άγγελος οδηγεί αεροπλάνα. _____

11. Ο Μανόλης διορθώνει καθετί που έχει σχέση με το νερό σε ένα σπίτι. _____

12. Ο Δημήτρης ζει στην εξοχή και καλλιεργεί τη γη. _____

13. Ο Γιώργος επισκευάζει ηλεκτρικές συσκευές ή μηχανήματα που δουλεύουν με ηλεκτρισμό. _____

α. Είναι ανθοπώλης.

β. Είναι καπετάνιος.

γ. Είναι αεροσυνοδός.

δ. Είναι τροχονόμος.

ε. Είναι αγρότης.

στ. Είναι πιλότος.

ζ. Είναι υδραυλικός.

η. Είναι μηχανοδηγός.

θ. Είναι ηλεκτρολόγος.

ι. Είναι μοδίστρα.

ια. Είναι κηπουρός.

ιβ. Είναι ράφτης.

ιγ. Είναι δικαστής.

ιδ. Είναι ναύτης.

Άσκηση 7

Γίνετε ζευγάρια, δείτε τις παρακάτω λέξεις και συμπληρώστε τα κενά κάθε σειράς του πίνακα με λέξεις που ανήκουν στην ίδια οικογένεια.

επαγγελματίας, άνεργος, δυναμικός, τουρίστας, οργάνωση, ~~συμβουλεύω~~, εμπορικός, ενθάρρυνση, επιμένω, έμπειρος, συμβουλευτικός, επίμονος, τουριστικός, οργανωτικός

ρήμα	ουσιαστικό	επίθετο
0 _συμβουλεύω_	συμβουλή, σύμβουλος	1 _____
-	επάγγελμα, 2 _____	επαγγελματικός
-	δυναμισμός, δύναμη	3 _____
-	εμπειρία	4 _____
ενθαρρύνω	5 _____	ενθαρρυντικός
οργανώνω	6 _____	οργανωμένος, 7 _____
-	ανεργία	8 _____
9 _____	επιμονή	10 _____
-	τουρισμός, 11 _____	12 _____
εμπορεύομαι	εμπόριο	13 _____

Άσκηση 8

Γίνετε ζευγάρια και συμπληρώστε τα κενά με τις παρακάτω λέξεις.

> εμπειρία, αρνητικά, επαγγελματισμό, βιογραφικό, οργανωμένο, επιμονή, συμβουλές, συνέντευξη, στόχο, δεξιότητες, κατάλληλο, αυτοπεποίθηση, αγορά εργασίας, οργανώσουν, προτερήματά, εργοδότη, δυναμισμό

ΒΙΟΓΡΑΦΙΚΟ ΣΗΜΕΙΩΜΑ

Το ⁰ _βιογραφικό_ είναι η πρώτη μας επαφή με κάποιον ¹_____. Είναι η πρώτη εικόνα για τον εαυτό μας και την ²_____ που έχουμε.

Μπορούμε να βρούμε πολλές ³_____ για το πώς θα γράψουμε σωστά το βιογραφικό μας. Καλό βιογραφικό είναι εκείνο που τονίζει τα ⁴_____ μας και καλύπτει τα ⁵_____ μας σημεία. Ένα βιογραφικό, για να πετύχει τον ⁶_____ του, πρέπει να είναι ⁷_____ και πειστικό.

Το ευρωπαϊκό βιογραφικό είναι ⁸_____, για να αναζητήσουμε εργασία στην Ευρωπαϊκή Ένωση. Στην ελληνική ⁹_____, όμως, προτιμούν τα πιο σύντομα βιογραφικά σημειώματα. Η επιστολή που συνοδεύει το βιογραφικό είναι, επίσης, σημαντική. Δείχνει ¹⁰_____ και δίνει πληροφορίες για τις προσωπικές ¹¹_____ του υποψήφιου.

Οι μεγάλες εταιρείες ζητούν συνήθως διαδικτυακές αιτήσεις εργασίας. Έτσι, μπορούν να ¹²_____ σε αρχεία τα στοιχεία που παίρνουν. Οι αιτήσεις αυτές συνήθως έχουν και ερωτήσεις για την ομαδικότητα, τον ¹³_____ ακόμη και την ¹⁴_____ του υποψήφιου.

Απαραίτητη, όμως, για την επιλογή προσωπικού είναι και η ¹⁵_____. Σημαντικό είναι όχι μόνο το τι λέμε σε μια συνέντευξη αλλά και το πώς το λέμε. Για να πάει καλά μια συνέντευξη, πρέπει να προσέξουμε το ντύσιμό μας και τον τρόπο ομιλίας μας. Τέλος, πολύ σημαντικό ρόλο παίζουν η ¹⁶_____ και το χαμόγελό μας.

Άσκηση 9

Διάβασε ξανά όλες τις λέξεις από τις ασκήσεις 1-7 και γράψε μια παράγραφο που να περιέχει τουλάχιστον οκτώ από τις λέξεις αυτές.

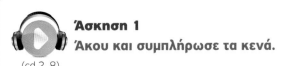

Άσκηση 1
Άκου και συμπλήρωσε τα κενά.
(cd 2, 8)

Στην Ελλάδα

Η ιστορία του μεγαλύτερου έλληνα μαθηματικού

Ο Κωνσταντίνος Καραθεοδωρή γεννήθηκε στο Βερολίνο το 1873. Ο πατέρας του Στέφανος ήταν ⁰ _νομικός_ από την Κωνσταντινούπολη και η μητέρα του Δέσποινα είχε καταγωγή από τη Χίο. Ο Κωνσταντίνος έμεινε ορφανός από μητέρα σε ηλικία 6 ετών και μεγάλωσε με τη γιαγιά του. Έζησε σε ένα ευρωπαϊκό, ¹_____ και αριστοκρατικό περιβάλλον και σπούδασε σε ευρωπαϊκά ²_____, στη Ριβιέρα, στο Σαν Ρέμο και στις Βρυξέλλες, όπου ο πατέρας του ήταν ³_____. Στις Βρυξέλλες ανακάλυψε την ⁴_____ του στα μαθηματικά και τη γεωμετρία και σπούδασε ⁵_____ στη Στρατιωτική Σχολή. Το 1895 πήγε στον θείο του στα Χανιά, όπου γνώρισε τον Ελευθέριο Βενιζέλο.

Αργότερα ⁶_____ στην Αίγυπτο ως μηχανικός στο φράγμα του Ασουάν. Στα 27 του εγκατέλειψε το ⁷_____ του μηχανικού και γύρισε στη Γερμανία, για να συνεχίσει τις ⁸_____ του στα Μαθηματικά. Το 1904 έγινε διδάκτορας στο Πανεπιστήμιο του Γκέτινγκεν, όπου δίδαξε μέχρι το 1908. Τότε παντρεύτηκε την Ευφροσύνη Πετροκόκκινου με την οποία απέκτησε δύο παιδιά, τον Στέφανο και τη Δέσποινα.

Για μια δεκαετία δίδαξε σε Πανεπιστήμια, ενώ είχε τη ⁹_____ του πιο σπουδαίου μαθηματικού σε όλη τη Γερμανία. Είχε φιλικές σχέσεις με τον Αϊνστάιν, με τον οποίο αντάλλαξε αρκετές επιστολές που μαρτυρούν την αμοιβαία εκτίμηση, τον σεβασμό και τη συνεργασία των δύο αντρών.

Πληροφορίες από το διαδίκτυο.

Προφορά

(cd 2, 9)

Άσκηση 1

Άκου τις παρακάτω προτάσεις. Σε τι μοιάζουν οι τονισμένες λέξεις, όταν λέγονται στον προφορικό λόγο;

Στον **παππού** αρέσουν πολύ τα έπιπλα από **μπαμπού**.

Την πήρα την **μπίρα** και την ήπια στην παραλία.

Ο Νίκος πήρε **την παλέτα** του και ζωγράφισε **μπαλέτα**.

Είδα τον Κώστα **να μπαίνει** με **την Πένυ** στο μπαράκι της γειτονιάς.

Ο Σόλωνας μίλησε **στον Κροίσο** από τον **γκρίζο** θρόνο του.

Δες τα λουλούδια **στον κήπο**.

Πήρα **στην Τίνα** ένα δώρο.

Σε δύο διαδοχικές λέξεις

[n] + [k] = [g]   π.χ. τον κόπο

[n] + [c] = [ɟ]   π.χ τον κήπο

[n] + [p] = [b]   π.χ. την Πένυ

[n] + [t] = [d]   π.χ. την Τίνα

Άσκηση 2

Διάβασε δυνατά τις παρακάτω προτάσεις στην τάξη.

Πήγα σινεμά με την Πένυ, την Κική, την Τίνα και την Κάτια.

Ο Αντώνης είναι από την Κύπρο.

Το καλοκαίρι θα πάω στην Κέα με τον Κώστα.

Αγαπώ όλο τον κόσμο, γιατί ζεις κι εσύ μαζί.

Γιατί δεν κοιμάσαι;

Μπορώ να μιλήσω στην Κατερίνα, παρακαλώ;

Μίλησες με την κυρία Κυριακή;

Μίλησες με τον κύριο Κώστα;

Προφορά

Άσκηση 3

Άκου και απάντησε στις ερωτήσεις.

(cd 2, 10)   **1. Τι δηλώνει η φράση που ακούς κάθε φορά;**

θα φύγεις			
	λύπη	έκπληξη	θυμός
1			
2			
3			

θα έρθεις			
	έκπληξη	απορία	θυμός
4			
5			
6			

Ο Γιώργος πέταξε για Ρώμη σήμερα το πρωί			
	χαρά	έκπληξη	ερώτηση
7			
8			
9			

2. Σε ποια ερώτηση απαντάει ο ομιλητής κάθε φορά που λέει τις παρακάτω προτάσεις;

Η Μαρία αγαπάει τον Δημήτρη.			
	Ποιος;	Τι;	Ποιον;
1			
2			
3			

Το καλοκαίρι θα πάω στη Μήλο με την Ελένη.			
	Πότε;	Πού;	Με ποιον;
1			
2			
3			
4			

Άσκηση 4

Άκου και βάλε τις παρενθέσεις στις παρακάτω αριθμητικές παραστάσεις.

(cd 2, 11)

0. $(2 + 5) * 3 =$ _____

1. $2 + 5 * 3 =$ _____

2. $45 - 5 * 8 =$ _____

3. $45 * 5 - 8 =$ _____

4. $5 + 9 - 2 =$ _____

Άσκηση 5

Άκου και συμπλήρωσε.

(cd 2, 12)

Τι μπορεί να φάει η Μαρία και τι η Ελένη;

Μαρία _____

_____

Ελένη _____

_____

Σε ποια νησιά θα πάει η Μαρία και σε ποια νησιά η Ελπίδα;

Μαρία _____

_____

Ελπίδα _____

_____

Γραμματική: Βλέπω και παρατηρώ ...

Διάβασε τα κείμενα στις στήλες Α και Β και απάντησε στις ερωτήσεις.

	Α	**Β**
1	**Διευθυντής:** <u>Περάστε, παρακαλώ, στο γραφείο μου</u> και <u>καθίστε εδώ.</u>	Ο διευθυντής **είπε** στον κ. Μαυρίδη <u>να περάσει στο γραφείο του και να καθίσει εκεί.</u>
2	**Διευθυντής:** <u>Έχετε προηγούμενη επαγγελματική εμπειρία;</u>	Ο διευθυντής **ρώτησε** τον κ. Μαυρίδη <u>αν είχε/έχει προηγούμενη επαγγελματική εμπειρία.</u>
3	**κ. Μαυρίδης:** Ναι, <u>έχω.</u>	Ο κ. Μαυρίδης **απάντησε** <u>ότι είχε/έχει επαγγελματική εμπειρία.</u>
4	**Διευθυντής:** <u>Πότε δουλέψατε για τελευταία φορά στις πωλήσεις αυτοκινήτων;</u>	Ο διευθυντής **ρώτησε** τον κ. Μαυρίδη <u>πότε δούλεψε για τελευταία φορά στις πωλήσεις αυτοκινήτων.</u>
5	**κ. Μαυρίδης:** <u>Δουλεύω ως πωλητής αυτοκινήτων εδώ και πέντε χρόνια. Σταμάτησα, όμως, πριν από δύο μήνες.</u> Η επιχείρηση όπου δούλευα δυστυχώς έκλεισε.	Ο κ. Μαυρίδης **είπε** <u>ότι δουλεύει ως πωλητής αυτοκινήτων εδώ και πέντε χρόνια. Επίσης είπε ότι σταμάτησε πριν από δύο μήνες.</u>
6	**Διευθυντής:** Μάλιστα. <u>Σας αρέσει αυτή η δουλειά;</u>	Ο διευθυντής **ρώτησε** τον κ. Μαυρίδη <u>αν του αρέσει αυτή η δουλειά.</u>
7	**κ. Μαυρίδης:** Ναι, <u>μου αρέσει πολύ.</u>	Ο κ. Μαυρίδης **είπε** <u>ότι του αρέσει πολύ.</u>
8	**Διευθυντής:** <u>Γιατί σας αρέσει αυτή η δουλειά;</u>	Ο διευθυντής τον **ρώτησε** <u>γιατί του αρέσει αυτή η δουλειά.</u>
9	**κ. Μαυρίδης:** <u>Μου αρέσουν πολύ τα αυτοκίνητα.</u>	Ο κ. Μαυρίδης του **είπε** <u>ότι του αρέσουν πολύ τα αυτοκίνητα.</u>
10	**κ. Μαυρίδης:** Επίσης, είμαι πολύ χαρούμενος, <u>όταν επικοινωνώ καθημερινά με πελάτες, επειδή αυτό μου δίνει ενέργεια.</u>	Ο κ. Μαυρίδης **είπε** ότι είναι πολύ χαρούμενος, <u>όταν επικοινωνεί καθημερινά με πελάτες, επειδή αυτό του δίνει ενέργεια.</u>
11	**Διευθυντής:** Κύριε Μαυρίδη, σας ευχαριστώ πολύ για τον χρόνο σας. <u>Θα τα ξαναπούμε.</u>	Ο διευθυντής **είπε** στον κ. Μαυρίδη <u>ότι θα τα ξαναπούν.</u>

Ερωτήσεις:

1. Ποια άτομα μιλάνε στην πρώτη στήλη;

2. Ποιος μιλάει στη δεύτερη στήλη; Για ποιους μιλάει;

Βλέπω και παρατηρώ ...

Δες με προσοχή τις υπογραμμισμένες προτάσεις στις στήλες Α και Β του πίνακα της προηγούμενης σελίδας και απάντησε στις παρακάτω ερωτήσεις.

Ποιες αλλαγές παρατηρείς κατά τη μετατροπή από τον ευθύ στον πλάγιο λόγο

α. στις κύριες προτάσεις Α1; _____

β. στις κύριες προτάσεις Α3, Α5, Α7, Α9, Α11; _____

γ. στις κύριες ερωτηματικές προτάσεις Α2, Α6; _____

δ. στις κύριες ερωτηματικές προτάσεις Α4, Α8; _____

ε. στις δευτερεύουσες προτάσεις Α10; _____

Άσκηση 1

Μετάτρεψε από τον ευθύ στον πλάγιο λόγο τις παρακάτω προτάσεις.

0. Ελένη: Πόσο καιρό δουλεύεις στην τράπεζα;

Η Ελένη με ρώτησε _Πόσο καιρό δουλεύω στην τράπεζα._

1. Θέλεις να μιλήσεις με τον δικηγόρο;

Η γραμματέας με ρώτησε _____

2. Άφησε τον φάκελο πάνω στο γραφείο μου, παρακαλώ.

Η καθηγήτρια μού ζήτησε _____

3. Μην το κάνεις αυτό ποτέ ξανά μέσα στο μαγαζί μου.

Ο βιβλιοπώλης μού είπε _____

4. Αν θέλεις, μπορείς να περάσεις το απόγευμα από το ιατρείο μου.

Η γιατρός μού είπε _____

5. Δουλεύω πολύ, γιατί μεταφράζω ένα βιβλίο στη γαλλική γλώσσα.

Η μεταφράστρια μού είπε _____

6. Πότε μπορείς να μου δώσεις τα χρήματα;

Ο εργάτης με ρώτησε _____

7. Τι θα παραγγείλετε κύριε;

Ο σερβιτόρος με ρώτησε _____

8. Θα πας στο σχολείο;

Η μαμά με ρώτησε _____

Άσκηση 2

Μετάτρεψε από τον πλάγιο λόγο στον ευθύ λόγο τις παρακάτω προτάσεις.

0. Ο ανθοπώλης με ρώτησε αν θέλω κόκκινα τριαντάφυλλα.

Θέλεις κόκκινα τριαντάφυλλα;

_____

1. Ο γεωργός είπε ότι φέτος θα καλλιεργήσει πολλές πατάτες.

_____

_____

2. Ο πιλότος είπε ότι θα καθυστερήσει η προσγείωση.

_____

_____

3. Η αεροσυνοδός μας ρώτησε αν θέλουμε καφέ.

_____

_____

4. Ο δάσκαλος μας είπε ότι δεν θα πάμε εκδρομή, γιατί θα βρέξει.

_____

_____

5. Η Μαρία με ρώτησε γιατί ήμουν θυμωμένος.

_____

_____

6. Ο γιατρός μου είπε να κάνω εξετάσεις.

_____

_____

7. Ο αστυνομικός με ρώτησε πότε έφυγα από το σπίτι.

_____

_____

8. Η νοσοκόμα μου ζήτησε να βάλω θερμόμετρο.

_____

_____

Άσκηση 3

Κάνε ερωτήσεις στον διπλανό / στη διπλανή σου και συμπλήρωσε τον πίνακά σου.

Παράδειγμα:

Μαθητής Α: _Τι έχεις στο Α1;_ **Μαθητής Β:** _Με ρώτησες αν θα έρθω._ **Μαθητής Α:** _Θα έρθεις;_

Μαθητής Α	1	2	3	4
Α	_Θα έρθεις;_	Πότε θα πας;	Φέρε ένα ποτήρι νερό.	Είσαι πολύ χαρούμενος, όταν με βλέπεις.
Β	Σου αρέσει;			

Μαθητής Β	1	2	3	4
Α	Θα έρθεις;			
Β		Γιατί φωνάζεις;	Μαγειρεύεις ωραία;	Πλύνε τα πιάτα.

ΠΑΡΑΓΩΓΗ ΠΡΟΦΟΡΙΚΟΥ ΛΟΓΟΥ

Άσκηση 1

Γίνετε ζευγάρια και απαντήστε στις παρακάτω ερωτήσεις.

- Σου αρέσει το σχολείο;
- Ποιο είναι το αγαπημένο σου μάθημα;
- Πιστεύεις ότι όλα τα μαθήματα είναι χρήσιμα;
- Πιστεύεις ότι κάποια μαθήματα είναι πιο σημαντικά από άλλα;
- Τι θέλεις να σπουδάσεις; / Τι σπουδάζεις;
- Ποιο είναι το αγαπημένο σου επάγγελμα;
- Τι σημαίνει εργασία για σένα;

- Ποια είναι η γνώμη σου για τη μερική απασχόληση;
- Ποιος μισθός είναι ικανοποιητικός για σένα;
- Τι σημαίνει επαγγελματική επιτυχία για σένα;

Συμβουλή: Μη δίνεις μονολεκτικές απαντήσεις. Δεν υπάρχει σωστή και λάθος απάντηση. Απλώς αιτιολόγησε.

Άσκηση 2

Διάβασε τις παρακάτω φράσεις. Τι είναι το *σχολείο* για σένα;

Σχολείο είναι ...	
μόρφωση.	
ένα μέρος που πρέπει να πηγαίνω κάθε μέρα.	
ο δάσκαλος και οι συμμαθητές μου.	
διάβασμα και κούραση.	
διάβασμα και ευχαρίστηση.	
μόνο η ζωή.	
διαλείμματα.	
διαγωνίσματα, βαθμοί, άγχος.	
εξετάσεις.	
κάτι υποχρεωτικό και βαρετό.	
κάτι άχρηστο.	

Άσκηση 3

Δες τις εικόνες και σημείωσε στον παρακάτω πίνακα ποια εικόνα περιγράφει κάθε πρόταση.

		1	2	3
α.	Η εικόνα δείχνει κάποιους μαθητές μέσα σε μια τάξη.			
β.	Όλοι οι μαθητές είναι μπροστά σε έναν ηλεκτρονικό υπολογιστή.			
γ.	Η φωτογραφία δείχνει μια παραδοσιακή τάξη με μαθητές που ενδιαφέρονται για το μάθημα.			
δ.	Στην τάξη υπάρχει μια βιβλιοθήκη και ένας χάρτης.			
ε.	Οι μαθητές είναι ήσυχοι, δεν κάνουν φασαρία.			
στ.	Η δασκάλα μάλλον κάτι ρώτησε στους μαθητές της και περιμένει την απάντησή τους.			
ζ.	Όλοι οι μαθητές έχουν μπροστά τους και βιβλία και τετράδια, αλλά δεν τα χρησιμοποιούν καθόλου.			
η.	Σε κάθε θρανίο κάθονται δύο μαθητές.			
θ.	Η φωτογραφία δείχνει μια παραδοσιακή τάξη με μαθητές που δεν ενδιαφέρονται για το μάθημα.			
ι.	Η τάξη δεν έχει πίνακα και οι μαθητές κάθονται ο ένας δίπλα στον άλλο σε σειρές θρανίων.			
ια.	Η δασκάλα κάθεται στην έδρα και κάποιοι μαθητές σηκώνουν το χέρι.			
ιβ.	Η φωτογραφία θέλει να μας δείξει ότι οι μαθητές στο σχολείο δεν μαθαίνουν τίποτα.			
ιγ.	Η φωτογραφία δείχνει μια σύγχρονη τάξη με υπολογιστές.			

Άσκηση 4

(cd 2, 13)

Άκου δύο ανθρώπους να μιλούν για το επάγγελμά τους και συμπλήρωσε τα κενά.

Γεια σας. Με λένε Νίκο και είμαι
⁰ _ πυροσβέστης _. Δουλεύω στη Ναύπακτο, μια όμορφη περιοχή της Ελλάδας με πολλά δάση. Κάθε καλοκαίρι στην περιοχή μας υπάρχουν πολλές πυρκαγιές. Καταλαβαίνετε ότι τη θερινή περίοδο δεν υπάρχει
¹ _____. Το καθήκον μάς καλεί και είμαστε ² _____ να είμαστε εκεί, όποτε χρειάζεται. Αγαπώ τη δουλειά μου, γιατί μέσα από αυτή προστατεύω τους ανθρώπους και το περιβάλλον. Σίγουρα η μονιμότητα και ο
³ _____ μισθός είναι σημαντικά για μένα. Όμως, νομίζω ότι το πιο σημαντικό είναι η προσφορά στους ανθρώπους. Ξέρετε πόσες φορές έχουμε κλάψει στη
⁴ _____ μας; Κάθε φορά που χτυπάει το τηλέφωνο της πυροσβεστικής είμαστε όλοι σε ⁵ _____. Αμέσως παίρνουμε τα κράνη μας και φεύγουμε για τον τόπο της πυρκαγιάς. Πραγματικά η δουλειά μας είναι δύσκολη και απαιτητική, αλλά μας ανταμείβει κάθε φορά το αποτέλεσμα.

Γεια σας. Το όνομά μου είναι Σοφία και είμαι ⁶ _____ παιδικών βιβλίων. Δεν μπορείς να το πεις κι επάγγελμα ακριβώς, αλλά από αυτό ⁷ _____ το ψωμί μου. Κάθε φορά που γράφω ένα βιβλίο ξεκινάω από το μηδέν. Έχω αγωνία για το αν θα αρέσει στα παιδιά. Αυτή είναι η πιο μεγάλη μου αγωνία. Όχι τα χρήματα. Έχω
⁸ _____ μεγάλη. Με τα βιβλία μου μπαίνω στα σπίτια τους, στα δωμάτιά τους, πολλές φορές αισθάνομαι ότι βρίσκομαι δίπλα τους, όταν κοιμούνται, είμαι στα όνειρά τους. Υπάρχει μεγαλύτερη ικανοποίηση από αυτή; Η δουλειά μου είναι πολύ ⁹ _____ και έχει πάρα πολύ ενδιαφέρον. Έχει βέβαια και τα αρνητικά της στοιχεία. Δεν έχω ωράριο, αργίες, ούτε σίγουρο
¹⁰ _____. Πολύ συχνά δεν έχω έμπνευση και δεν μπορώ να γράψω ούτε μία λέξη. Επίσης, παρόλο που το ξέρω ότι έχω πολλούς μικρούς φίλους, η δουλειά μου είναι μοναχική. Βρίσκομαι απομονωμένη στη σοφίτα μου, βλέπω τη θάλασσα, ταξιδεύω με το μυαλό μου και δημιουργώ. Η πιο ωραία στιγμή είναι όταν παίρνω το βιβλίο από το ¹¹ _____. Μου αρέσει η μυρωδιά του και τα ατσαλάκωτα φύλλα του. Ξέρετε πόσες φορές έγραψα κι έσβησα μέχρι να βάλω την τελευταία τελεία;

Άσκηση 5

Δες με προσοχή τις φωτογραφίες και περίγραψέ τες.

Συμβουλή:

Μίλα για το θέμα τους, τις ομοιότητες και τις διαφορές τους. Ποια φωτογραφία σού αρέσει περισσότερο;

Χρήσιμο λεξιλόγιο

- ωράριο εργασίας
- μισθός

- συνθήκες εργασίας
- εργοτάξιο
- υπάλληλος γραφείου

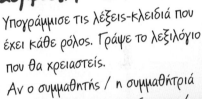

Συμβουλή:

Υπογράμμισε τις λέξεις-κλειδιά που έχει κάθε ρόλος. Γράψε το λεξιλόγιο που θα χρειαστείς.

Αν ο συμμαθητής / η συμμαθήτριά σου μιλάει γρήγορα και δεν τον / την καταλαβαίνεις, μπορείς να πεις «Συγνώμη, δεν κατάλαβα, μπορείς να το ξαναπείς; Πιο αργά, παρακαλώ...»

Άσκηση 6

Γίνετε ζευγάρια και παίξτε τα παρακάτω παιχνίδια ρόλων.

Μουσική ή γλώσσα;

Ρόλος Α

Συζητάς με τη μαμά / τον μπαμπά σου για μια εξωσχολική δραστηριότητα που θέλεις να κάνεις. Εσύ θέλεις να μάθεις ένα μουσικό όργανο (π.χ. κιθάρα), αλλά οι γονείς σου θέλουν να μάθεις μια δεύτερη ξένη γλώσσα. Προσπαθείς να τους πείσεις για την επιλογή σου.

Ρόλος Β

Συζητάς με τον γιο / την κόρη σου για μια εξωσχολική δραστηριότητα που θέλει να κάνει. Εσύ θέλεις να ξεκινήσει μια ξένη γλώσσα, αλλά το παιδί θέλει να μάθει ένα μουσικό όργανο (π.χ. κιθάρα). Προσπαθείς να το πείσεις να αλλάξει γνώμη.

Συνέντευξη για δουλειά

Ρόλος Α

Πηγαίνεις σε μια συνέντευξη για μια θέση εργασίας σε ένα κατάστημα ρούχων. Απαντάς στις ερωτήσεις του διευθυντή / της διευθύντριας και εξηγήσεις γιατί εσύ είσαι ο πιο κατάλληλος για τη θέση.

Ρόλος Β

Είστε ιδιοκτήτης / ιδιοκτήτρια ενός καταστήματος ρούχων και ψάχνετε για έναν / μια υπάλληλο. Παίρνετε συνέντευξη από έναν υποψήφιο / μια υποψήφια. Του / Της κάνετε ερωτήσεις, για να δείτε αν είναι κατάλληλος για τη θέση που έχετε.

Άσκηση 1

Παρακάτω είναι η γνώμη ενός μαθητή για το επάγγελμα του δασκάλου. Διάβασε προσεκτικά το κείμενο και διάλεξε έναν πλαγιότιτλο για κάθε παράγραφο.

εισαγωγή-περιγραφή επαγγέλματος, τυπικά επαγγελματικά προσόντα,
θετικά στοιχεία του χαρακτήρα, επίλογος-συμπέρασμα

1 _____
_____
_____

Όλοι μας γνωρίσαμε έναν δάσκαλο που αγαπήσαμε πολύ και κάποιον που ήταν ο εφιάλτης μας. Πολύ συχνά ένας καλός δάσκαλος είναι η αρχή μιας επιτυχημένης επαγγελματικής ζωής. Αντίθετα, οι κακοί δάσκαλοι στέκονται εμπόδιο στην πρόοδο και τη μόρφωση των μαθητών τους. Γι' αυτούς τους λόγους το επάγγελμα του δασκάλου είναι πολύ σημαντικό και πολύ δύσκολο. Ένας καλός δάσκαλος πρέπει να έχει πολλά προσόντα που έχουν σχέση με τις σπουδές του, αλλά και με τον χαρακτήρα του.

2 _____
_____
_____

Καταρχήν, ένας καλός δάσκαλος πρέπει να έχει σπουδάσει και να γνωρίζει πολύ καλά το αντικείμενο που διδάσκει. Επίσης, είναι πολύ σημαντικό να παρακολουθεί συνέχεια τις εξελίξεις στο επάγγελμά του. Με αυτόν τον τρόπο θα μαθαίνει καινούρια πράγματα που θα είναι χρήσιμα στη διδασκαλία του. Τέλος, ένας καλός δάσκαλος πρέπει να προετοιμάζεται καλά για το μάθημά του και να αφιερώνει πολύ χρόνο για αυτό.

3 _____
_____
_____

Από την άλλη μεριά, ένας δάσκαλος πρέπει να έχει ταλέντο και καλό χαρακτήρα. Η αγάπη και το ενδιαφέρον για τους μαθητές του είναι το κλειδί της επιτυχίας. Επιπλέον, η υπομονή και όχι η αυστηρότητα, δημιουργεί ευχάριστο κλίμα στην τάξη και έχει πάντα θετικά αποτελέσματα. Τέλος, ο δάσκαλος πρέπει να καλλιεργεί τη συνεργασία ανάμεσα στους μαθητές του.

4 _____
_____
_____

Δεν είναι εύκολο να είσαι δάσκαλος. Αντίθετα, αυτό το επάγγελμα είναι ένα από τα πιο δύσκολα αλλά και τα πιο σημαντικά, γιατί διαμορφώνει τον χαρακτήρα των παιδιών τα πρώτα χρόνια της ζωής τους.

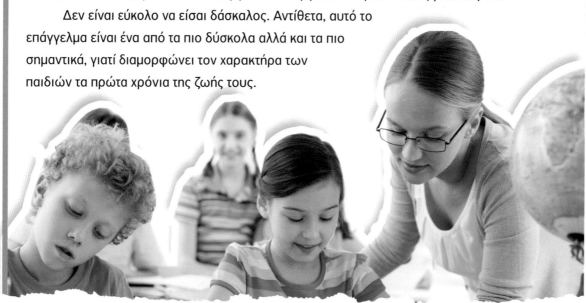

Άσκηση 2

Διάβασε προσεκτικά το παραπάνω κείμενο ξανά και βρες:

Ποιες φράσεις χρησιμοποιεί ο μαθητής, για να απαριθμήσει τα προσόντα του δασκάλου:

_____

Άσκηση 3

Στην παρακάτω ακροστιχίδα γράψε σε κάθε γραμμή όσες περισσότερες λέξεις μπορείς που έχουν σχέση με την εργασία και περιέχουν ή αρχίζουν από το κάθε γράμμα της λέξης *εργασία*.

Ε	επάγγελμα,
Ρ	
Γ	
Α	
Σ	
Ι	
Α	

Άσκηση 4

Ετοιμάζεις μια εργασία για το σχολείο και παρουσιάζεις ένα επάγγελμα. Διαλέγεις το επάγγελμα που θέλεις να παρουσιάσεις. Γράψε τα τυπικά προσόντα που είναι απαραίτητα, τα θετικά και τα αρνητικά στοιχεία του επαγγέλματος αυτού και ό,τι άλλο νομίζεις. (150-200 λέξεις)

Συμβουλή:
Υπογράμμισε τις λέξεις-κλειδιά και, για κάθε λέξη-κλειδί, σημείωσε το λεξιλόγιο που θα σου χρειαστεί.

σχεδιάγραμμα / χρήσιμο λεξιλόγιο

Το κείμενο που έγραψα:	
– παρουσιάζει ένα επάγγελμα.	
– αναφέρει τα τυπικά προσόντα για το επάγγελμα.	
– αναφέρει τα θετικά στοιχεία του επαγγέλματος.	
– αναφέρει τα αρνητικά στοιχεία του επαγγέλματος.	

Ώρα για τραγούδι

(cd 2, 14)

Άκου μία φορά το τραγούδι.

Άσκηση 1

Άκου ξανά το τραγούδι και συμπλήρωσε τα κενά.

Ένα ⁰ __εργατικό__ μυρμήγκι κι ένα τζιτζίκι μπον βιβέρ,
έχουν κάνει τη φωλιά τους και μιλούν το μεσημέρ.
Έξω ο ήλιος ντάλα καίει και οι δυο τους είναι ¹_____,
το τζιτζίκι τραγουδάει, το μυρμήγκι ²_____.
Σπόρους, ψίχουλα, τροφές στην πλάτη έχει από χθες
τα πηγαίνει στη φωλιά του, ³_____, λέει, για τα παιδιά του.
Απ' τη μέρα ως τη νύχτα και μετά λέει «καληνύχτα».
Πέφτει κάτω και κοιμάται, τον χειμώνα συλλογάται.
Κάνει τώρα ⁴_____, μεγάλες οι φιλοδοξίες·
να γεμίσει το σπιτάκι ψίχουλα, τροφές, φαγάκι.
Το τζιτζίκι, από την άλλη, τρώει, πίνει, ξενυχτάει,
⁵_____ πάντα μεσημέρι, αγαπάει το χασομέρι.
Όλη μέρα μουσικούλα, ⁶_____ με τη βούλα,
⁷_____ μηδέν, ψάχνει λέει για μανεκέν·
και περνάει ο καιρός στο κλαδάκι αραχτός.
Δεν βαριέσαι, όλα καλά και ο ⁸_____ έχει 9.
Αλλάξανε οι εποχές, αρχίσανε και οι βροχές,
ξεκινήσαν οι νεφώσεις και οι πρώτες χιονοπτώσεις.
Το μυρμήγκι την αράζει, τίποτα δεν το τρομάζει,
τρόφιμα έχει αρκετά, θα τη βγάλει μια χαρά.
Το τζιτζίκι, όμως, πεινάει, ψιχουλάκια αναζητάει,
το στομάχι του θερίζει, δεν υπάρχει καμιά λύση.
Πράγματι η εργασία ανεκτίμητη έχει αξία,
γιατί είναι ⁹_____, ίσως φέρνει κι ευτυχία.

Άσκηση 2

Κράτα σύντομες σημειώσεις από το τραγούδι και πες στην τάξη σου τον μύθο του Αισώπου για τον τζίτζικα και τον μέρμηγκα.

_____

_____

_____

_____

_____

_____

_____

_____

_____

_____

_____

⚠ Τώρα ξέρεις ...

	Ναι	Όχι
να κατανοείς πληροφορίες σχετικά με την εκπαίδευση;		
να κατανοείς πληροφορίες σχετικά με την εργασία;		
να συζητάς για θέματα σχετικά με την εργασία;		
να συζητάς για θέματα σχετικά με την εκπαίδευση;		
να γράφεις τη γνώμη σου για ένα θέμα;		
να χρησιμοποιείς τις δευτερεύουσες αναφορικές προτάσεις;		
να χρησιμοποιείς τον πλάγιο λόγο;		

Ποια είναι η αγαπημένη σου εποχή; Τι καιρό έχει σήμερα;

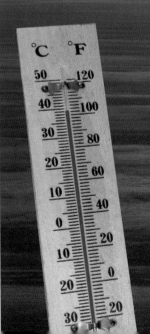

Άσκηση 1

Διάβασε τα παρακάτω κείμενα και απάντησε στις ερωτήσεις.

1. Τα παρακάτω κείμενα μπορούμε να τα βρούμε
   α. σε ένα βιβλίο.
   β. στο διαδίκτυο.
   γ. σε ένα διαφημιστικό φυλλάδιο.
   δ. σε ένα μηνιαίο περιοδικό.

2. Ποια από τα παρακάτω δελτία καιρού αναφέρονται
   α. στον χειμώνα; _____
   β. στο καλοκαίρι; _____
   γ. στην άνοιξη; _____
   δ. στο φθινόπωρο; _____

Άσκηση 2

Διάβασε με προσοχή τα παρακάτω κείμενα και στον πίνακα που ακολουθεί σημείωσε ✓ κάτω από το ΣΩΣΤΟ για τις προτάσεις που συμφωνούν με κάποιο από το κείμενο ή κάτω από το ΛΑΘΟΣ για τις προτάσεις που δεν συμφωνούν με κανένα.

Συμβουλή:
Όταν κάνεις την άσκηση, υπογράμμισε τις απαντήσεις μέσα στα κείμενα.

1

Το πρώτο δεκαήμερο του Οκτωβρίου θα έχουμε καλές θερμοκρασίες. Από τα μέσα του μήνα ο καιρός θα αλλάξει. Στο μεγαλύτερο μέρος της δυτικής, κεντρικής και βόρειας χώρας θα πέσουν οι πρώτες φθινοπωρινές βροχές. Η θερμοκρασία θα αρχίσει **σταδιακά** να πέφτει.

2

Γλυκαίνει και ανοίγει ο καιρός τις πρώτες μέρες του Μαΐου. Θα ζεστάνει αρχικά στα δυτικά και στη συνέχεια στα κεντρικά και βόρεια. Ηλιοφάνεια θα έχουν οι περισσότερες περιοχές της χώρας. Η θερμοκρασία θα φτάσει τους 27 βαθμούς Κελσίου.

3

Για σήμερα, Τρίτη 2 Ιανουαρίου, στη δυτική και βόρεια Ελλάδα προβλέπονται νεφώσεις. Στην υπόλοιπη χώρα θα έχουμε τοπικές βροχές ή καταιγίδες και χιονοπτώσεις στα ορεινά.

4

Αύριο Τρίτη και μεθαύριο Τετάρτη 24 Απριλίου σε όλες τις περιοχές της χώρας τα κύρια χαρακτηριστικά του καιρού θα είναι βροντές, αστραπές και δυνατές καταιγίδες. Μπορεί μάλιστα να ρίξει και χαλάζι. Ιδιαίτερα στα βόρεια ηπειρωτικά θα έχει **ψύχρα** και αρκετά χαμηλές θερμοκρασίες. Η κακοκαιρία δεν θα κρατήσει πολύ. Ο καιρός θα φτιάξει σύντομα και η θερμοκρασία θα ανέβει σε φυσιολογικά για την εποχή επίπεδα.

5

Νέο κύμα καύσωνα προβλέπουν οι **μετεωρολόγοι** προς τα μέσα του Αυγούστου στη χώρα μας. Ο υδράργυρος θα ξεπεράσει τους 40 βαθμούς Κελσίου στις περισσότερες περιοχές.

6

Για την τελευταία μέρα του 2013 σε όλη τη χώρα προβλέπεται **κακοκαιρία** με βροχές και καταιγίδες που κατά τόπους θα είναι **ισχυρές**. Χιόνια θα πέσουν στα βόρεια ορεινά.

7

Τις πρώτες μέρες του Ιούνη περιμένουμε ζεστό και υγρό καιρό στις περισσότερες περιοχές της χώρας. Θα έχει συννεφιά που σταδιακά μπορεί να φέρει βροχές και καταιγίδες, κυρίως στα βορειοδυτικά και σε ορεινά ηπειρωτικά τμήματα. Η θερμοκρασία θα είναι από 9 έως 24 βαθμούς στη βόρεια Ελλάδα, από 12 έως 25 στην κεντρική Ελλάδα, από 15 έως 28 στα υπόλοιπα ηπειρωτικά και από 15 έως 27 βαθμούς στα νησιά του Αιγαίου. Η θερμοκρασία θα ξεπεράσει τους 30 βαθμούς στην Πελοπόννησο, ενώ στα βόρεια **παράλια** της Κρήτης θα φτάσει στους 32 με 33 βαθμούς Κελσίου. Οι **άνεμοι** στο κεντρικό και βόρειο Αιγαίο θα είναι μέτριοι και από το μεσημέρι μέτριοι έως ισχυροί. Αυξημένη υγρασία περιμένουμε την Τετάρτη στην Αττική. Αργά το βράδυ υπάρχει μικρή πιθανότητα να βρέξει. Η θερμοκρασία στο κέντρο της Αθήνας θα φτάσει στους 25-26 βαθμούς Κελσίου. Οι άνεμοι θα **πνέουν** ανατολικοί νοτιοανατολικοί μέτριοι ως ισχυροί.

Διασκευασμένα κείμενα από την ιστοσελίδα www.meteo.gr

		ΣΩΣΤΟ	ΛΑΘΟΣ
0.	Τα πρωτοβρόχια θα ξεκινήσουν μετά τις 10/10.	✓	
1.	Τον Μάιο η θερμοκρασία θα ανεβεί πρώτα στις δυτικές περιοχές της χώρας.		
2.	Στη βόρεια Ελλάδα δεν θα βρέξει στις αρχές Ιανουαρίου.		
3.	Ο καιρός θα είναι άσχημος για πολύ μεγάλο διάστημα τον Απρίλη.		
4.	Στα μέσα του Αυγούστου έρχεται το πρώτο κύμα καύσωνα.		
5.	Σε όλη τη χώρα θα έχει ηλιοφάνεια και πολύ χαμηλές θερμοκρασίες την παραμονή της Πρωτοχρονιάς.		
6.	Τον Ιούνιο η πιο ζεστή περιοχή της Ελλάδας θα είναι η Πελοπόννησος.		

Άσκηση 3

Διάβασε ξανά τα κείμενα και γράψε ένα δελτίο καιρού για τη σημερινή μέρα.

Λεξιλόγιο

Άσκηση 1

Γίνετε ζευγάρια, δείτε τις υπογραμμισμένες λέξεις του κειμένου (σελ. 338-339) και βρείτε με ποιες από τις παρακάτω λέξεις / φράσεις ταιριάζουν στη σημασία.

0. κακός καιρός = _κακοκαιρία_

1. λίγο κρύο = _____

2. σιγά σιγά = _____

3. αέρας = _____

4. δυνατή = _____

5. περιοχή που βρίσκεται δίπλα σε θάλασσα = _____

6. φυσώ = _____

7. αυτός που μελετάει τον καιρό =
_____

Άσκηση 2

Γίνετε ζευγάρια, ενώστε τις λέξεις / φράσεις με αντίθετη σημασία και κάνετε προτάσεις με αυτές.

0. ο καιρός φτιάχνει ___ζ___   **α.** αγριεύει ο καιρός

1. η θερμοκρασία ανεβαίνει ___   **β.** ψυχραίνει

2. χαμηλή θερμοκρασία ___   **γ.** πεδινά

3. ισχυρός ___   **δ.** κρύος

4. γλυκαίνει ο καιρός ___   **ε.** ξηρασία

5. ζεσταίνει ___   **στ.** ασθενής

6. ζεστός ___   **ζ.** ο καιρός χαλάει

7. υγρός ___   **η.** η θερμοκρασία πέφτει

8. ορεινά ___   **θ.** υψηλή θερμοκρασία

9. υγρασία ___   **ι.** ξηρός

Άσκηση 3

Γίνετε ζευγάρια, διαβάστε τους παρακάτω ορισμούς και συμπληρώστε τα κενά στις προτάσεις με τις λέξεις του κρυπτόλεξου.

0. Ο δυνατός ήχος που συνοδεύει την αστραπή λέγεται _____ *βροντή* _____.

1. Όταν έχει πάρα πολύ κρύο, λέμε ότι έχει _____.

2. Όταν έχει πάρα πολλή ζέστη, λέμε ότι έχει _____.

3. Όταν έχει λαμπερό ήλιο χωρίς σύννεφα, τότε έχει _____.

4. Όταν βρέχει πάρα πολύ κι έχει αστραπές, κεραυνούς, ισχυρούς ανέμους και δυνατή βροχή ή χαλάζι, τότε μιλάμε για _____.

5. Η περιοχή που έχει πολλά βουνά λέγεται _____.

6. Η περιοχή που είναι μακριά από θάλασσα λέγεται _____.

0	Α	Ν	Β	Ρ	Ο	Ν	Τ	Η	Ε	Ψ	Ε	Σ	Γ	Η	Τ	Α
1	Φ	Λ	Α	Μ	Ο	Π	Α	Γ	Ω	Ν	Ι	Α	Α	Σ	Δ	Φ
2	Γ	Κ	Α	Υ	Σ	Ω	Ν	Α	Ε	Γ	Τ	Θ	Ε	Λ	Α	Τ
3	Η	Λ	Ι	Ο	Φ	Α	Ν	Ε	Ι	Α	Θ	Α	Σ	Τ	Ι	Α
4	Ι	Τ	Κ	Α	Τ	Α	Ι	Γ	Ι	Δ	Α	Ι	Τ	Φ	Η	Σ
5	Ο	Κ	Τ	Ο	Ρ	Ε	Ι	Ν	Η	Ε	Ρ	Ι	Κ	Η	Φ	Α
6	Κ	Η	Π	Ε	Ι	Ρ	Ω	Τ	Ι	Κ	Η	Ε	Λ	Λ	Α	Δ

Άσκηση 4

Συμπλήρωσε τα κενά με τις λέξεις:

δυνατοί/ισχυροί, ασθενείς, μέτριοι

καύσωνας, ψύχρα, δροσιά, ζέστη, κρύο, παγωνιά

> Στο νότιο Αιγαίο θα πνέουν άνεμοι 8 μποφόρ, δηλαδή θα είναι
> 1_____.

> Στο Ιόνιο θα πνέουν άνεμοι 5 μποφόρ, δηλαδή θα είναι ²_____.

> Στα Δωδεκάνησα θα πνέουν άνεμοι 3 μποφόρ, δηλαδή θα είναι
> 3_____.

Άσκηση 5

Οι παρακάτω λέξεις έχουν περισσότερες από μία σημασίες. Γίνετε ζευγάρια, βρείτε τις λέξεις μέσα στο κείμενο (σελ. 338-339) και σημειώστε ποια σημασία έχουν μέσα σε αυτό.

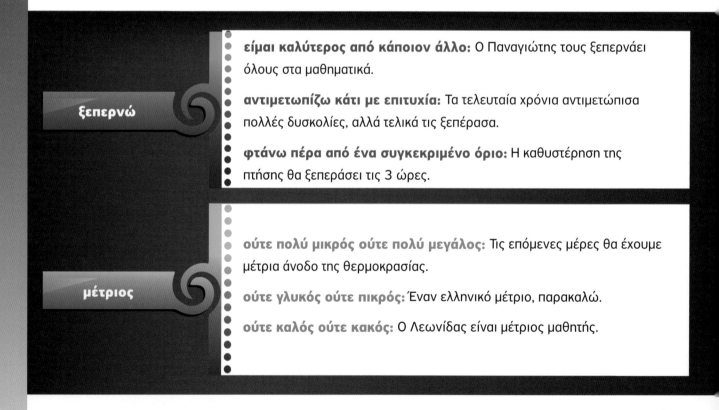

ξεπερνώ

είμαι καλύτερος από κάποιον άλλο: Ο Παναγιώτης τους ξεπερνάει όλους στα μαθηματικά.

αντιμετωπίζω κάτι με επιτυχία: Τα τελευταία χρόνια αντιμετώπισα πολλές δυσκολίες, αλλά τελικά τις ξεπέρασα.

φτάνω πέρα από ένα συγκεκριμένο όριο: Η καθυστέρηση της πτήσης θα ξεπεράσει τις 3 ώρες.

μέτριος

ούτε πολύ μικρός ούτε πολύ μεγάλος: Τις επόμενες μέρες θα έχουμε μέτρια άνοδο της θερμοκρασίας.

ούτε γλυκός ούτε πικρός: Έναν ελληνικό μέτριο, παρακαλώ.

ούτε καλός ούτε κακός: Ο Λεωνίδας είναι μέτριος μαθητής.

Άσκηση 6

Ποιες από τις παρακάτω φράσεις είναι Σωστές και ποιες Λάθος;

0. Αύριο θα έχει ηλιοφάνεια σε όλη τη χώρα και δεν θα έχει πολλές νεφώσεις. _Σ_

1. Η θερμοκρασία ανεβαίνει σταδιακά τις επόμενες μέρες και ο καιρός ψυχραίνει. _____

2. Ανοίγει ο καιρός το σαββατοκύριακο και πυκνά σύννεφα θα καλύψουν όλη τη χώρα. _____

3. Η θερμοκρασία θα αντιμετωπίσει με επιτυχία τους 23 βαθμούς Κελσίου. _____

4. Συννεφιά, όμως και μεγάλα διαστήματα με ήλιο θα έχει την Πρωτομαγιά σε όλη την ηπειρωτική Ελλάδα. _____

5. Οι άνεμοι θα πνέουν σχεδόν μέτριοι τις πρωινές ώρες και από το μεσημέρι μέτριοι ως ισχυροί. _____

6. Ζεσταίνει ο καιρός και η θερμοκρασία θα ανέβει μέχρι και 7 βαθμούς Κελσίου. _____

Άσκηση 7

Γίνετε ζευγάρια, δείτε τις παρακάτω λέξεις και συμπληρώστε τα κενά κάθε σειράς του πίνακα με λέξεις που ανήκουν στην ίδια οικογένεια.

υγρασία, παγώνω, ζέστη, συννεφιά, χιονίζει, αύξηση, αυξημένος, βρέχω, ψυχραίνω, συννεφιασμένος, άνοιξη, ζεστός, βροχερός, ασθενής, αστραφτερός, υγραίνω, βροντάω, ανοιχτός, γλυκός, χαμηλώνω, χιονισμένος, αστράφτω, ψυχρός, παγωμένος, βροντερός

ρήμα	ουσιαστικό	επίθετο
0 _βροντάω_	βροντή	1 _____
2 _____	αστραπή	3 _____
4 _____	ψύχρα	5 _____
6 _____	-	χαμηλός
γλυκαίνω	γλύκα	7 _____
ανοίγω	8 _____	9 _____
ζεσταίνω	10 _____	11 _____
12 _____	13 _____	υγρός
αυξάνω	14 _____	15 _____
16 _____	βροχή	17 _____
18 _____	παγωνιά	19 _____
20 _____	χιόνι	21 _____
-	ασθένεια	22 _____
συννεφιάζει	σύννεφο, 23 _____	24 _____

Άσκηση 8

Γίνετε ζευγάρια και συμπληρώστε τα κενά με τις παρακάτω λέξεις.

άνεμοι, καταιγίδες, ισχυρές, κακοκαιρία, ηλιοφάνεια, θερμοκρασία, πνέουν, συννεφιά

Τη Δευτέρα 28/04 περιμένουμε ⁰____*συννεφιά*____ με βροχές και καταιγίδες στις δυτικές και βόρειες περιοχές της χώρας. Στα νησιά του ανατολικού Αιγαίου και στην υπόλοιπη χώρα θα έχουμε βροχές τις μεσημεριανές και απογευματινές ώρες.

Η ¹_____ θα είναι από 9 έως 18 βαθμούς στη βόρεια και δυτική Ελλάδα, από 14 έως 21 βαθμούς στην κεντρική και νότια Ελλάδα, από 15 έως 19 βαθμούς στις Κυκλάδες, από 16 έως 21 βαθμούς στα νησιά του ανατολικού Αιγαίου και τα Δωδεκάνησα.

Οι άνεμοι θα πνέουν μέτριοι νότιοι-νοτιοδυτικοί στο βόρειο Αιγαίο και τα Δωδεκάνησα 4-5 μποφόρ. Στο υπόλοιπο Αιγαίο οι άνεμοι θα ²_____ μέτριοι έως ισχυροί 5-6 μποφόρ. Στο Ιόνιο θα έχουμε δυτικούς-νοτιοδυτικούς ανέμους μέτριους 4-5 μποφόρ και στον Κορινθιακό κόλπο 6 μποφόρ. Τη Δευτέρα στην Αττική περιμένουμε τοπικές βροχές ή ³_____ τις μεσημεριανές και απογευματινές ώρες. Η θερμοκρασία θα είναι από 13 έως 21 βαθμούς Κελσίου. Οι ⁴_____ θα πνέουν αρχικά ασθενείς έως μέτριοι 3-4 μποφόρ.

Στη Θεσσαλονίκη υπάρχει πιθανότητα να βρέξει τοπικά τις απογευματινές ώρες. Η θερμοκρασία θα είναι από 12 έως 18 βαθμούς Κελσίου. Οι άνεμοι στον Θερμαϊκό κόλπο θα είναι έως μέτριοι 3-5 μποφόρ.

Για σήμερα, Κυριακή, σε όλη τη χώρα προβλέπεται ⁵_____ με βροχές και καταιγίδες που κατά τόπους θα είναι ⁶_____. Χιόνια θα πέσουν στα βόρεια ορεινά. Από αύριο ο καιρός ανοίγει και θα υπάρξουν μεγάλα διαστήματα με ⁷_____ σε όλη τη χώρα.

ΑΘΗΝΑ

ΘΕΣ/ΝΙΚΗ

ΚΥΚΛΑΔΕΣ

15-19°C

12-18°C

13-21°C

Άσκηση 9

Μαζί με τον συμμαθητή / τη συμμαθήτριά σου αντιστοιχίστε τις εικόνες με τις φράσεις.

0. Στην Κεφαλονιά σήμερα είχε καύσωνα και γέμισαν οι παραλίες με κόσμο.

1. Ο Νίκος και η Δήμητρα μένουν στον Βόλο. Εκεί βρέχει πολύ. Ευτυχώς κρατούν ομπρέλες.

2. Στη Φλώρινα φυσάει δυνατός αέρας και ο κόσμος δεν μπορεί εύκολα να περπατήσει στον δρόμο.

3. Στο Νευροκόπι της Δράμας σήμερα έχει παγωνιά.

4. Στην Αθήνα θα έχει πυκνές νεφώσεις όλη τη μέρα, αλλά δεν θα βρέξει.

5. Στη Θεσσαλονίκη έχει ηλιοφάνεια, αλλά η θερμοκρασία είναι πολύ χαμηλή.

6. Στην Κομοτηνή χτες έριξε χαλάζι.

7. Χθες βράδυ έριχνε συνέχεια κεραυνούς.

Άσκηση 10

Γίνετε ζευγάρια και ενώστε τις λέξεις, για να κάνετε φράσεις που χρησιμοποιούνται πολύ συχνά. Με μερικές λέξεις μπορείτε να κάνετε περισσότερους από έναν συνδυασμούς. Μετά γράψτε προτάσεις με τις φράσεις που κάνατε. Ποιες από τις λέξεις που ταιριάζουν με τη λέξη *καιρός* ταιριάζουν και με τη λέξη *άνθρωπος*;

α. δυνατές
β. ρίχνει
γ. χαμηλές
δ. η θερμοκρασία
ε. άνεμοι
στ. καιρός
ζ. ο καιρός

0. καταιγίδες ___α___
1. θερμοκρασίες ___
2. φτάνει ___
3. ανεβαίνει ___
4. πέφτει ___
5. ξεπερνάει ___
6. ζεσταίνει ___
7. μέτριοι ___
8. αγριεύει ___
9. γλυκαίνει ___
10. ισχυροί ___
11. ανοίγει ___
12. φτιάχνει ___
13. δυνατοί ___
14. χαλάει ___

15. τοπικοί ___
16. καλός ___
17. χαλάζι ___
18. ψυχραίνει ___
19. υγρός ___
20. βροχερός ___
21. ασθενείς ___
22. κρύος ___
23. γλυκός ___
24. ζεστός ___
25. άσχημος ___
26. νότιοι ___
27. ωραίος ___
28. βόρειοι ___
29. κακός ___

Άσκηση 11

Ο κάθε μαθητής / Η κάθε μαθήτρια διαλέγει μια εικόνα από τον πίνακα. Την περιγράφει δυνατά στην τάξη. Οι υπόλοιποι μαθητές / Οι υπόλοιπες μαθήτριες βρίσκουν την εικόνα και τη διαγράφουν. Σημειώνουν τέσσερα διαδοχικά κελιά διαγώνια, οριζόντια ή κάθετα που περνούν από το κεντρικό BINGO και φωνάζουν BINGO.

Παράδειγμα: _Έχει συννεφιά._

Άσκηση 12

Με τη βοήθεια του συμμαθητή / της συμμαθήτριάς σου συμπλήρωσε το σταυρόλεξο.

Παράδειγμα:

Μαθητής Α: Τι έχεις στο 1 οριζόντια; **Μαθητής Β:** Έτσι λέγεται ο κακός καιρός. **Μαθητής Β:** Κακοκαιρία.

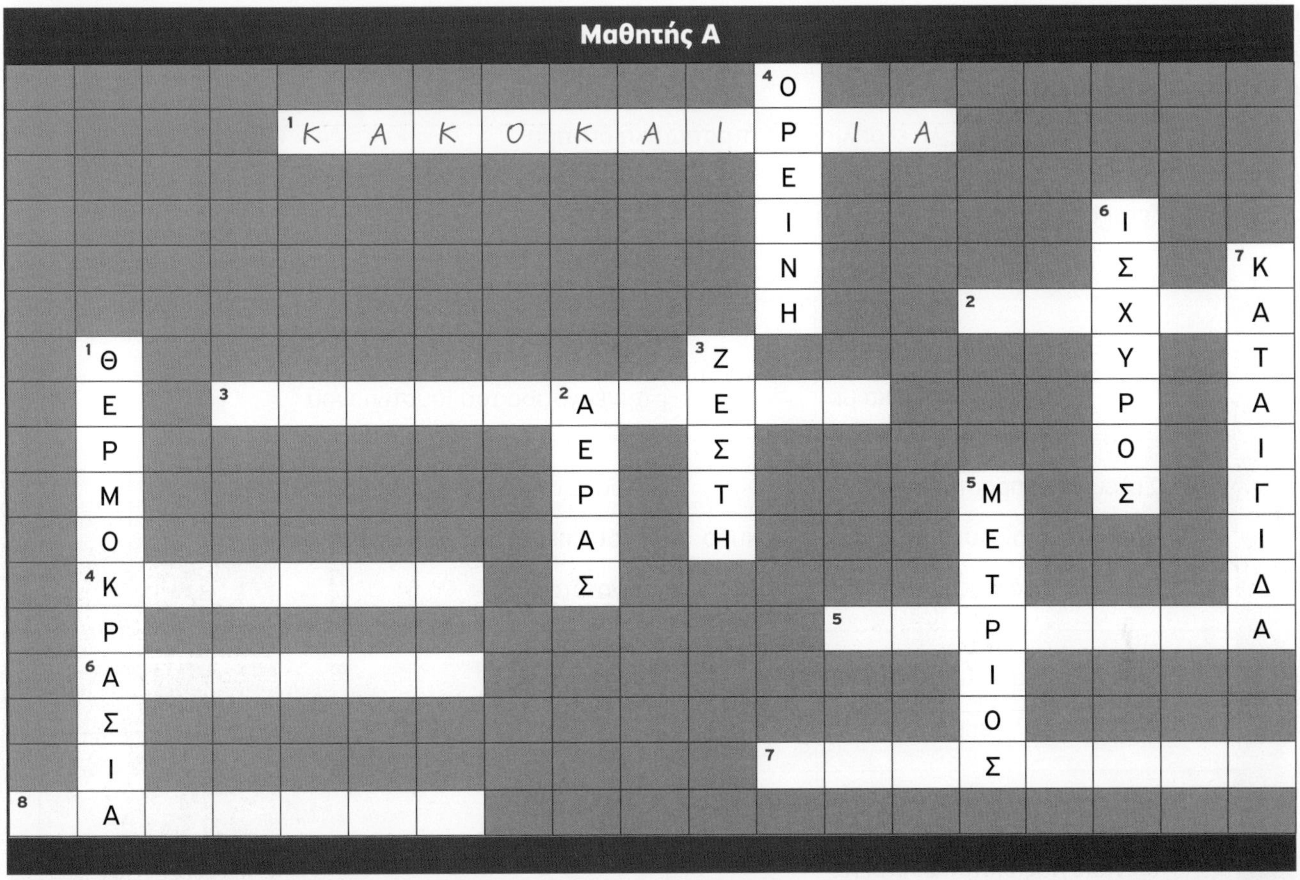
Μαθητής Α
1 ΚΑΚΟΚΑΙΡΙΑ
4 ΟΡΕΙΝΗ
6 ΙΣΧΥΡΟΣ
7 ΚΑΤΑΙΓΙΔΑ
1 ΘΕΡΜΟΚΡΑΣΙΑ
3 ΖΕΣΤΗ
2 ΑΕΡΑΣ
5 ΜΕΤΡΙΟΣ
3
4
5
6
7
8

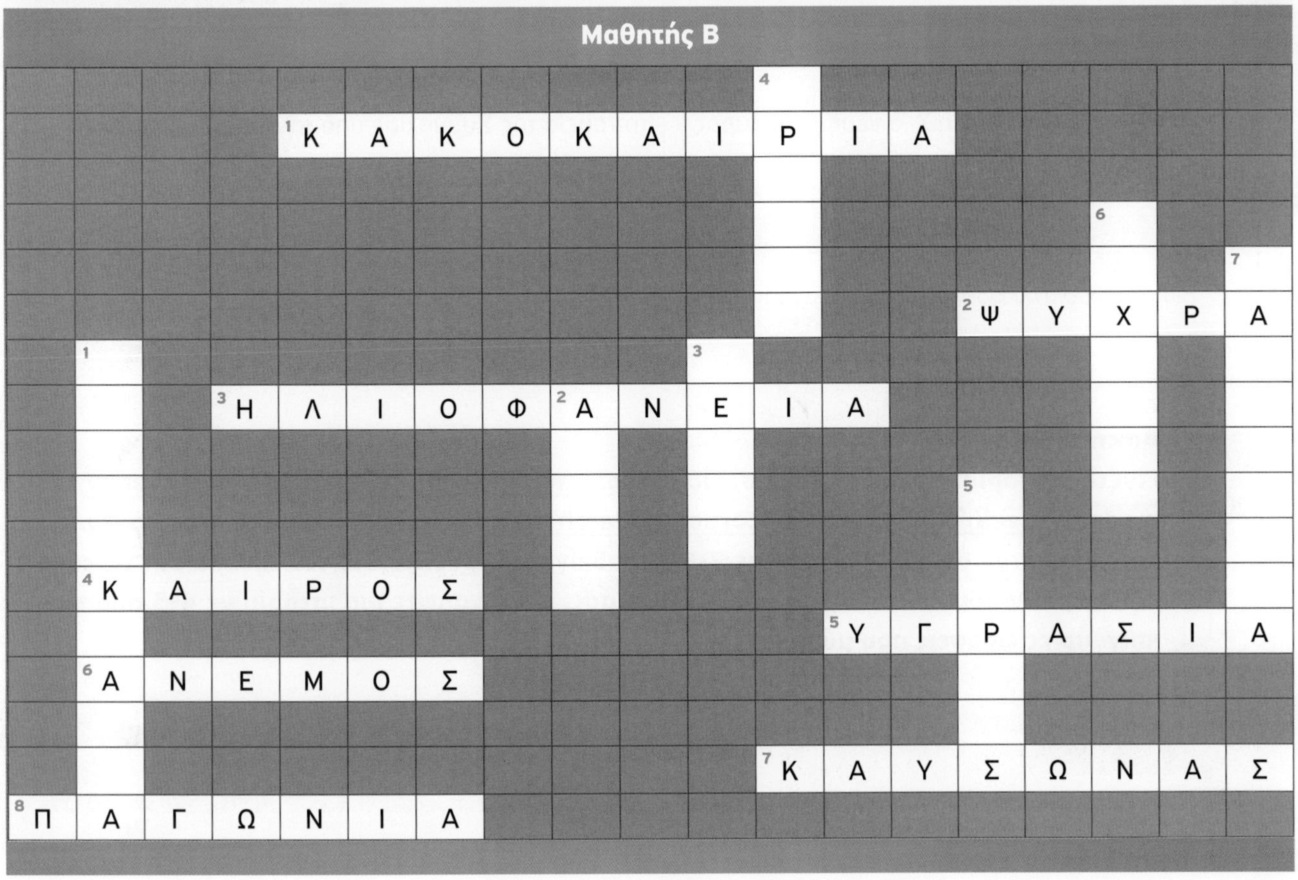
Μαθητής Β
1 ΚΑΚΟΚΑΙΡΙΑ
2 ΨΥΧΡΑ
3 ΗΛΙΟΦΑΝΕΙΑ
4 ΚΑΙΡΟΣ
5 ΥΓΡΑΣΙΑ
6 ΑΝΕΜΟΣ
7 ΚΑΥΣΩΝΑΣ
8 ΠΑΓΩΝΙΑ
1
2
3
4
5
6
7

ΛΕΞΙΛΟΓΙΟ

Λέξεις, φράσεις και εκφράσεις ...

Άσκηση 1

Γίνετε ζευγάρια, διαβάστε τον πίνακα και βρείτε σε ποια παραδείγματα η λέξη *ισχυρός* έχει τις παρακάτω σημασίες

α. που δεν παρασύρεται, έχει σταθερό και αποφασιστικό χαρακτήρα

β. που έχει μεγάλη ένταση

γ. που είναι πολύ μεγάλη και καλά εξοπλισμένη στρατιωτική δύναμη

δ. που έχει μεγάλη εξουσία

ε. που στηρίζεται σε σοβαρά στοιχεία και πείθει

0.	Η Θεοδώρα (6ος αι.) ήταν γυναίκα με	ισχυρή	θέληση. Ήταν πολύ καλή σύντροφος και συνεργάτιδα του Ιουστινιανού.	*a*
1.	Οι Σελευκίδες προσπάθησαν να διατηρήσουν την αυτονομία του κράτους είτε με τον	ισχυρό	στρατό τους είτε με την ίδρυση πόλεων, όπου έμεναν άτομα διαφορετικών εθνοτήτων.	
2.	Οι άνεμοι θα πνέουν βόρειοι βορειοανατολικοί μέτριοι έως	ισχυροί	και στην αρχή της ημέρας πολύ ισχυροί.	
3.	Για πολλά από τα επιτεύγματα της τεχνολογίας διατυπώνεται με	ισχυρά	επιχειρήματα και ο αντίλογος.	
4.	Το 454 π.Χ. ο νέος	ισχυρός	άνδρας της Αθήνας, ο Περικλής, μεταφέρει το ταμείο της Συμμαχίας από τη Δήλο στην Ακρόπολη της Αθήνας.	

Διασκευασμένα παραδείγματα από το σώμα κειμένων του ΚΕΓ και από το *Λεξικό της Κοινής Νεοελληνικής (Τριανταφυλλίδη)*.

Άσκηση 2

Γίνετε ζευγάρια. Πηγαίνετε στη σελίδα http://www.greek-language.gr/greekLang/ modern_greek/tools/corpora/corpora/search.html Πληκτρολογήστε τη λέξη *ασθενής* και κάνετε τον δικό σας πίνακα με 2-3 παραδείγματα. Συγκρίνετε τον πίνακά σας με τους πίνακες των συμμαθητών / συμμαθητριών σας. Μετά γράψτε μια ιστορία με 4-5 από τις καινούριες φράσεις που μάθατε.

Γραμματική: Βλέπω και παρατηρώ ...

Διάβασε το κείμενο και απάντησε στις ερωτήσεις.

Η πρόγνωση του καιρού από τους λαϊκούς μετεωρολόγους!

Η πρόγνωση του καιρού στην Ελλάδα γίνεται σήμερα από την ΕΜΥ.* Παράλληλα, αρκετοί απλοί άνθρωποι κάνουν τις δικές τους προβλέψεις. Ενώ δεν έχουν σπουδάσει, είναι πολύ καλοί μετεωρολόγοι. Αν και δεν έχουν μετεωρολογικά όργανα, οι προβλέψεις τους είναι πολύ σωστές.

Οι περισσότεροι χρησιμοποιούν τα «Μερομήνια». Πιστεύουν ότι η φύση μάς δίνει πολλά σημάδια για τον καιρό. Έτσι, όπου και αν βρίσκονται, μπορούν να καταλάβουν τι καιρό θα κάνει. Παρατηρούν τα ζώα, τα λιβάδια, τον ουρανό... Πολλοί πιστεύουν ότι οι λαϊκοί μετεωρολόγοι ερμηνεύουν όπως θέλουν τα φυσικά σημάδια. Μάλλον, όμως, έχουν άδικο.

Σύμφωνα με τους λαϊκούς μετεωρολόγους, όταν οι άγριες αχλαδιές είναι γεμάτες καρπούς, τότε ο χειμώνας θα είναι βαρύς. Δύσκολο χειμώνα, επίσης, έχουμε, όταν δεν πέφτουν τα φύλλα από τα δέντρα. Πολλοί από αυτούς παρατηρούν τη συμπεριφορά των ζώων. Υποστηρίζουν πως έρχεται δυνατός βοριάς, όταν τα ζώα μαλώνουν μεταξύ τους. Λένε, επίσης, ότι πλησιάζει μεγάλη καταιγίδα, επειδή τα κοπάδια των πουλιών πετάνε χαμηλά. Πολλά σημάδια για τον καιρό βλέπουν και στον ουρανό. Το φεγγάρι που έχει φωτεινό κύκλο γύρω του δείχνει ότι έρχεται δυνατός αέρας. Το όρθιο φεγγάρι σημαίνει ότι θα έχουμε καλό καιρό και το πλαγιαστό φεγγάρι φανερώνει ότι έρχεται κακοκαιρία. Τέλος, σημαντικά στοιχεία για τον καιρό παίρνουμε από τα αστέρια. Πρέπει να περιμένουμε βροχή, όταν τα αστέρια είναι θολά. Αν τα αστέρια τρεμοσβήνουν, θα φυσήξει δυνατός αέρας, όταν, όμως, οι αστερισμοί είναι καθαροί, θα έχουμε πολύ καλό καιρό.

Μόλις φθάσαμε στη Νάπη, καθίσαμε λίγο στο χωριό, για να δω κάποιους φίλους μου Ναπιώτες. Κάτσαμε, λοιπόν, στην αυλή του καφενέ και παραγγείλαμε καφέδες και αναψυκτικά. Ήμουν πολύ χαρούμενος που ήμασταν εκεί. Ο καιρός ήταν ζεστός, καλοκαιρινός.

Ενώ συζητούσαμε και πίναμε τον καφέ μας, ήρθε στο καφενείο ο Στέλιος. Χαιρέτησε την παρέα μας και μπήκε στο καφενείο. Έδωσε παραγγελία για καφέ, αλλά είπε στον καφετζή να τον σερβίρει μέσα στο μαγαζί και όχι έξω στην αυλή. Όλοι απορήσαμε με αυτό που ακούσαμε. Εγώ είπα ότι ίσως μάλωσε με κάποιον και δεν ήθελε να καθίσει στην αυλή. Η απορία μας δεν κράτησε πολύ. Ενώ ο ήλιος έλαμπε, ξαφνικά σκοτείνιασε. Ο καθαρός ουρανός γέμισε σύννεφα και ξέσπασε μια δυνατή καταιγίδα. «Καλά πώς πρόβλεψες τη βροχή;» τον ρώτησα. Τότε αυτός μου απάντησε ... «Καθώς ερχόμουνα, είδα τα σημάδια της φύσης. Ήταν ολοφάνερα».

* ΕΜΥ = Εθνική Μετεωρολογική Υπηρεσία

Διασκευή κειμένων από την ιστοσελίδα: http://www.dimokratism.gr/

Ερωτήσεις:

1. Γιατί είναι παράξενο που οι λαϊκοί μετεωρολόγοι μπορούν να προβλέψουν τον καιρό;
2. Πού πηγαίνουν οι λαϊκοί μετεωρολόγοι, για να κάνουν τις προβλέψεις τους;
3. Γιατί κατηγορούν τους λαϊκούς μετεωρολόγους;
4. Πότε οι άγριες αχλαδιές είναι γεμάτες καρπούς;
5. Πότε τα σμήνη πουλιών πετάνε χαμηλά στον ουρανό;
6. Πότε το φεγγάρι δείχνει ότι θα έχει πολύ αέρα;
7. Γιατί ήταν χαρούμενος ο συγγραφέας του δεύτερου κειμένου;
8. Πότε πήγε στο καφενείο ο Στέλιος;
9. Πότε είδε τα σημάδια της κακοκαιρίας ο Στέλιος;

Βλέπω 👀

Δες με προσοχή τις παρακάτω προτάσεις.

1	Πολλοί από αυτούς, **αν και δεν έχουν καθόλου μετεωρολογικά όργανα**, προβλέπουν συχνά με μεγάλη επιτυχία τον καιρό.
2	**Όπου βρίσκονται**, μπορούν να καταλάβουν τι καιρό θα κάνει.
3	Οι λαϊκοί μετεωρολόγοι ερμηνεύουν **όπως θέλουν** τα φυσικά σημάδια.
4	Πλησιάζει μεγάλη καταιγίδα, **επειδή κοπάδια ή σμήνη πουλιών πετάνε χαμηλά στον ουρανό**.
5	**Ενώ δεν έχουν σπουδάσει**, είναι πολύ καλοί μετεωρολόγοι.
6	**Μόλις φθάσαμε στη Νάπη**, καθίσαμε λίγο στο χωριό, για να δω κάποιους φίλους μου.
7	Ήμουν πολύ χαρούμενος, **που ήμασταν εκεί**.
8	**Ενώ συζητούσαμε και πίναμε τον καφέ μας**, ήρθε στο καφενείο ο Στέλιος.
9	**Καθώς ερχόμουν**, είδα τα σημάδια της φύσης. Ήταν ολοφάνερα.

και παρατηρώ ...

Απάντησε στις παρακάτω ερωτήσεις.

Ποιες από τις παραπάνω προτάσεις δείχνουν

α. χρόνο; _____

β. αιτία; _____

γ. αντίθεση; _____

δ. τόπο; _____

ε. τρόπο; _____

Άσκηση 1

Γίνετε ζευγάρια και διορθώστε τα λάθη στις προτάσεις.

0. Την Πρωτομαγιά δεν πήγα πουθενά, όταν είχε μεγάλη κακοκαιρία. _____επειδή_____

1. Φέτος θα κάνω διακοπές τον Σεπτέμβριο. Σκέφτομαι να πάω στην Κρήτη, ενώ ο καιρός είναι πολύ καλός μέχρι τον Οκτώβριο. _____

2. Αυτός ο Απρίλιος είχε πολλές καταιγίδες. Έτσι όπου πάει ο καιρός, θα φοράμε χειμωνιάτικα την Πρωτομαγιά. _____

3. Ενώ έχει πολλά κιλά, δεν φοράει στενά μπλουζάκια. _____

4. Επειδή έπνεαν δυνατοί άνεμοι και η θάλασσα ήταν αρκετά ταραγμένη, το πλοίο ταξίδεψε κανονικά. _____

5. Μόλις δεν τρώω πολύ όλη τη μέρα, έχασα πολλά κιλά. _____

6. Που κολυμπούσαμε στη θάλασσα, συννέφιασε και άρχισε να βρέχει πολύ δυνατά. _____

Άσκηση 2

Γίνετε ζευγάρια και ενώστε τις προτάσεις.

0. Αν και δεν αγαπώ καθόλου τα χιόνια, _β_   **α.** η θερμοκρασία ήταν πάρα πολύ χαμηλή.

1. Ενώ είχε ηλιοφάνεια όλη τη μέρα, _____   **β.** αυτό το σαββατοκύριακο θα πάω σε ένα χιονοδρομικό κέντρο.

2. Καθώς τρώγαμε και πίναμε στο ουζερί, _____

3. Ενώ διάβασα πάρα πολύ για τις εξετάσεις, _____   **γ.** όπου με στέλνεις.

4. Δεν μπορώ να πηγαίνω _____   **δ.** ήρθε και ο φίλος σου.

5. Αν και ήπια καφέ το πρωί, _____   **ε.** μόλις σταματήσει η βροχή.

6. Δεν είναι έτσι _____   **στ.** νομίζω ότι είσαι θυμωμένη μαζί μου.

7. Έτσι όπως μου μιλάς, _____   **ζ.** δεν ξύπνησα ακόμη.

8. Θα φύγουμε, _____   **η.** δεν μπόρεσα τελικά να περάσω στο Πανεπιστήμιο.

θ. όπως νομίζεις.

Άσκηση 3

Γίνετε ζευγάρια και διαλέξτε το σωστό.

0. Φέτος πληρώσαμε πολλά χρήματα στο πετρέλαιο,
 α. αν και ο χειμώνας ήταν πολύ βαρύς.
 β. επειδή ο χειμώνας ήταν πολύ βαρύς.
 γ. μόλις ο χειμώνας ήταν πολύ βαρύς.

1. Ήρθα μόνο και μόνο
 α. αν και είσαι εσύ εδώ.
 β. επειδή είσαι εσύ εδώ.
 γ. όπως είσαι εσύ εδώ.

2. Αν και ο καιρός δεν βοήθησε,
 α. ο κόσμος γέμισε τις παραλίες το σαββατοκύριακο.
 β. ο κόσμος δεν πήγε πουθενά το σαββατοκύριακο.
 γ. έκανα αυτό που έπρεπε.

3. Αν και έχει πολλά κιλά,
 α. δεν φοράει ποτέ κραγιόν.
 β. δεν είναι ποτέ κομψή.
 γ. φοράει συνέχεια στενά ρούχα.

4. Ενώ ήξερα ότι θα βρέξει,
 α. δεν πήγα πουθενά το σαββατοκύριακο.
 β. κανόνισα να πάω το σαββατοκύριακο στο Πήλιο.
 γ. πήρα την ομπρέλα μου.

5. Μόλις χιονίσει,
 α. θα πάμε για σκι.
 β. θα πάμε στη θάλασσα.
 γ. θα πάμε στο εξωτερικό.

Άσκηση 4

Γίνετε ζευγάρια και βάλτε σε κύκλο το σωστό.

0. (Καθώς)/ Επειδή οδηγούσα για τη δουλειά μου, χτύπησε το τηλέφωνο κι έμαθα για το ατύχημα του άντρα μου.

1. Αν για τις καλοκαιρινές διακοπές σας ψάχνετε δροσερά και γραφικά μέρη, προτιμήστε το Μέτσοβο εκεί / όπου η θερμοκρασία δεν φτάνει ποτέ σε πολύ υψηλά επίπεδα.

2. Την ταινία «Για το κέφι του» ίσως τη θυμόμαστε από το Φεστιβάλ Θεσσαλονίκης του 1992, επειδή / αν και κέρδισε το βραβείο σκηνοθεσίας.

3. Η αφήγηση ξεκινάει στο Πεκίνο, το 1908, όπου / γιατί ένα αγόρι μεταφέρεται στην απαγορευμένη πόλη, τον χώρο κατοικίας του κινέζου αυτοκράτορα.

4. Όταν / Αν και φοράω πολύ χοντρά ρούχα, κρυώνω πάρα πολύ.

5. Αν και / Μόλις ξύπνησα, άνοιξα την τηλεόραση και έμαθα τα νέα.

6. Όπως / Όπου τον βλέπω τον καιρό, αύριο πάλι θα έχει κακοκαιρία.

Άσκηση 5

Γίνετε ζευγάρια και συμπληρώστε τα κενά με τις παρακάτω λέξεις.

επειδή, αν και, ενώ, μόλις, καθώς

0. Στην Ελλάδα πρέπει να φοράμε αντιηλιακό από τον Φεβρουάριο, _____επειδή_____ έχει πολύ ήλιο.

1. Η Αθανασία μιλάει πολύ ωραία, _____ διαβάζει πολλά βιβλία.

2. _____ είμαι πολύ κουρασμένη, δεν θα πάρω καθόλου άδεια φέτος, γιατί έχω πάρα πολλή δουλειά.

3. _____ κατεβήκαμε από το πλοίο, ο καιρός χάλασε και ήταν άσχημος σε όλες τις διακοπές.

4. _____ ο καιρός δεν ήταν πολύ καλός, περάσαμε πολύ ωραία στην εκδρομή μας.

5. _____ έβλεπα τηλεόραση το βράδυ, με πήρε ο ύπνος στον καναπέ.

6. Έξω έχει πολύ δυνατή καταιγίδα. _____ κρατούσα ομπρέλα, έγινα παπί.

7. Είμαι σίγουρη ότι θα περάσει στις εξετάσεις, _____ διάβασε πάρα πολύ.

8. _____ τον κάλεσα στη γιορτή μου, δεν ήρθε.

Άσκηση 6

Διάβασε τις παρακάτω παροιμίες και εκφράσεις. Μπορείς να εξηγήσεις τι σημαίνουν; Έχετε παρόμοιες εκφράσεις στη χώρα σου;

- Τι βλέπεις στις φωτογραφίες;
- Ενδιαφέρεσαι για θέματα που αφορούν το περιβάλλον; Γιατί;
- Γνωρίζεις κάτι για την αύξηση της θερμότητας στη γη;
- Ποιο νομίζεις ότι είναι το πιο σοβαρό περιβαλλοντικό πρόβλημα που αντιμετωπίζει ο πλανήτης μας;

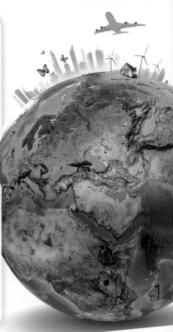

Συμβουλή:
Πριν ακούσεις το κείμενο, ρίξε μια ματιά στις προτάσεις και βρες τα σημεία που πρέπει να προσέξεις ιδιαίτερα.

Άσκηση 1
Άκου προσεκτικά μια συζήτηση και κράτησε σύντομες σημειώσεις.
(cd 2, 15)

0. Το θέμα της ραδιοφωνικής συζήτησης είναι __η μόλυνση του περιβάλλοντος__.

1. Τα εργοστάσια μολύνουν τον αέρα, γιατί παράγουν _____.

2. Ο ρυθμός που άλλαξε στο παρελθόν το κλίμα της γης _____.

3. Εξαιτίας της αύξησης της θερμοκρασίας του πλανήτη,

   α. _____, **β.** _____, **γ.** _____.

4. Οι πλημμύρες προκαλούν καταστροφές κυρίως _____.

5. Οι λίμνες και η θάλασσα μολύνονται από

   α. _____, **β.** _____, **γ.** _____.

6. Η λειτουργία των χωματερών _____.

Άσκηση 2
Άκου ξανά τη συζήτηση. Τι σου έκανε περισσότερο εντύπωση από τη συζήτηση που άκουσες; Συζήτησε με έναν συμμαθητή / μια συμμαθήτριά σου.
(cd 2, 15)

Λεξιλόγιο

Άσκηση 1

Γίνετε ζευγάρια, εκτυπώστε το κείμενο της κατανόησης προφορικού λόγου, δείτε τις υπογραμμισμένες λέξεις / φράσεις του κειμένου και βρείτε με ποιες από τις παρακάτω λέξεις / φράσεις ταιριάζουν στη σημασία.

0. ο βρόμικος αέρας που βγαίνει από τις μηχανές που καίνε βενζίνη, πετρέλαιο κτλ. = _καυσαέριο_

1. όλα όσα αποτελούν τη φύση γύρω μας = _____

2. η καταστροφή του εδάφους, του αέρα, της θάλασσας κτλ. από επικίνδυνες ουσίες για την υγεία μας, ρύπανση = _____

3. το είδος του καιρού που έχει μια περιοχή = _____

4. αυτό που χρησιμοποιούμε για να τυλίξουμε προϊόντα = _____

5. αέρια που είναι επικίνδυνα και είναι σαν δηλητήριο = _____

6. η φωτιά που προκαλεί καταστροφές = _____

7. τα αέρια που βρίσκονται γύρω από τη Γη ή άλλους πλανήτες = _____

8. φάρμακο για τις αρρώστιες των φυτών και των δέντρων = _____

9. εκεί όπου παράγονται προϊόντα, το εργοστάσιο = _____

10. μεγάλη ποσότητα νερού που σκεπάζει για λίγο μια περιοχή = _____

11. οι εκτάσεις και τα φυτά που φυτεύουμε σ' αυτές = _____

12. όταν δεν υπάρχει πολύ νερό, γιατί έχει πολύ καιρό να βρέξει = _____

13. ο Ήλιος, η Γη, ο Ουρανός, ο Κρόνος, ο Άρης κτλ. = _____

14. πολύ δυνατός ανεμοστρόβιλος = _____

Άσκηση 2

Γίνετε ζευγάρια, διαβάστε τους παρακάτω ορισμούς και συμπληρώστε τα κενά στις προτάσεις με τις λέξεις του κρυπτόλεξου.

0. Ο Βόρειος και ο Νότιος _____Πόλος_____ είναι τα δύο άκρα της γης.

1. Το χάρτινο κάλυμμα, το κουτί, το κιβώτιο ή το μπουκάλι κ.ά., όπου τοποθετούμε ένα αντικείμενο, λέγεται _____.

2. Κάδος _____ είναι το μεγάλο δοχείο από πλαστικό ή από μέταλλο όπου πετάμε τα σκουπίδια.

3. Η μεγάλη θερμότητα στον πλανήτη μας λέγεται αλλιώς και φαινόμενο του _____.

4. Ό,τι περισσεύει από το φαγητό που έφαγε κάποιος είναι τα _____ του.

5. Το φυσικό περιβάλλον και οι οργανισμοί (ζώα, φυτά) που ζουν μέσα σ' αυτό λέγονται αλλιώς και _____.

6. Η μεγάλη έκταση με χώμα, όπου μαζεύουμε και θάβουμε τα σκουπίδια των πόλεων, λέγεται _____.

7. _____ είναι το πάνω μέρος, η επιφάνεια της γης.

8. Όταν ένα άχρηστο αντικείμενο ή σκουπίδι γίνεται με ειδικό τρόπο και πάλι χρήσιμο, τότε _____.

0	Ι	Ε	Τ	Σ	Ι	Μ	Κ	Θ	Ω	Π	Ο	Λ	Ο	Σ	Ε
1	Χ	Α	Ι	Σ	Υ	Σ	Κ	Ε	Υ	Α	Σ	Ι	Α	Τ	Ε
2	Η	Λ	Ο	Α	Π	Ο	Ρ	Ρ	Ι	Μ	Μ	Α	Τ	Ω	Ν
3	Ε	Α	Κ	Ε	Θ	Ε	Ρ	Μ	Ο	Κ	Η	Π	Ι	Ο	Υ
4	Ο	Ι	Τ	Σ	Δ	Ρ	Υ	Α	Π	Ο	Φ	Α	Γ	Ι	Α
5	Ρ	Υ	Ο	Ι	Κ	Ο	Σ	Υ	Σ	Τ	Η	Μ	Α	Θ	Σ
6	Δ	Σ	Ω	Ι	Χ	Ω	Μ	Α	Τ	Ε	Ρ	Η	Ο	Δ	Ο
7	Λ	Ι	Δ	Ι	Γ	Μ	Ε	Δ	Α	Φ	Ο	Σ	Δ	Ο	Π
8	Π	Ρ	Α	Ν	Α	Κ	Υ	Κ	Λ	Ω	Ν	Ε	Τ	Α	Ι

ΛΕΞΙΛΟΓΙΟ

Άσκηση 3

Γίνετε ζευγάρια και αντιστοιχίστε τις λέξεις με τις εικόνες.

α. κάδος απορριμμάτων, *β.* μπαταρία, *γ.* αλουμίνιο, *δ.* πλαστικό, *ε.* γυαλί, *στ.* χωματερή, *ζ.* αποφάγια, *η.* κάδος ανακύκλωσης

α. παγετώνες, *β.* τυφώνας, *γ.* ανεμοστρόβιλος, *δ.* πυρκαγιά, *ε.* σεισμός, *στ.* πλημμύρα, *ζ.* ηφαίστειο

α. δάσος, *β.* λίμνη, *γ.* ρυάκι, *δ.* ποτάμι, *ε.* Βόρειος και Νότιος Πόλος, *στ.* έρημος, *ζ.* ωκεανός, *η.* φαράγγι, *θ.* πλανήτες

Άσκηση 4

Γίνετε ζευγάρια, ενώστε τις λέξεις με αντίθετη σημασία και κάνετε προτάσεις με αυτές.

0. σημαντικός	_στ_	**α.**	εμφάνιση
1. επικίνδυνος	_____	**β.**	μείωση
2. αύξηση	_____	**γ.**	απολυμαίνω
3. εξαφάνιση	_____	**δ.**	ψυχρός
4. μολύνω	_____	**ε.**	ακίνδυνος
5. θερμός	_____	**στ.**	ασήμαντος

Άσκηση 5

Γίνετε ζευγάρια και ενώστε τις λέξεις, για να κάνετε φράσεις που χρησιμοποιούνται πολύ συχνά. Με μερικές λέξεις μπορείτε να κάνετε περισσότερους από έναν συνδυασμούς. Μετά γράψτε προτάσεις με τις φράσεις που κάνατε.

0. τοξικά	_ε_	**α.**	συσκευασία
1. κάδος	_____	**β.**	ανακύκλωσης
2. χημικά	_____	**γ.**	απόβλητα
3. αγροτικές	_____	**δ.**	απορριμμάτων
4. χάρτινη	_____	**ε.**	αέρια
		στ.	καλλιέργειες

Άσκηση 6

Γίνετε ζευγάρια, δείτε τις παρακάτω λέξεις και συμπληρώστε τα κενά κάθε σειράς του πίνακα με λέξεις που ανήκουν στην ίδια οικογένεια.

ρυπαίνω, δασικός, καλλιεργώ, παραγωγικός, απειλή,
εξαφανίζω, μολύνω, αγρότης, ανακύκλωση, μυρωδιά

ρήμα	ουσιαστικό	επίθετο
0 _μολύνω_	μόλυνση	-
μυρίζω	1 _____	-
παράγω	παραγωγή	2 _____
3 _____	ρύπανση	-
απειλώ	4 _____	απειλητικός
-	δάσος	5 _____
6 _____	εξαφάνιση	εξαφανισμένος
ανακυκλώνω	7 _____	ανακυκλωμένος
8 _____	καλλιέργεια	καλλιεργημένος
-	9 _____	αγροτικός

Άσκηση 7

Γίνετε ζευγάρια και συμπληρώστε τα κενά με τις παρακάτω λέξεις.

χημικά, τοξικές, αλουμίνιο, έδαφος, ρύπανσης, περιβάλλον, μειώνει, απορριμμάτων, ποτάμια, αυξάνει, βιομηχανίες

6 τρόποι για την προστασία του περιβάλλοντος

Πολλοί άνθρωποι πιστεύουν ότι το ⁰ _περιβάλλον_ πρέπει να προστατεύεται από τις κυβερνήσεις, τις μεγάλες ¹_____ και τα εργοστάσια. Αυτό, όμως, δεν είναι σωστό. Όλοι μας πρέπει να προστατεύουμε το περιβάλλον. Τι πρέπει να κάνουμε; Χρειάζεται μερικές απλές κινήσεις και καλή θέληση. Διαβάστε 6 απλές κινήσεις που θα βοηθήσουν το περιβάλλον.

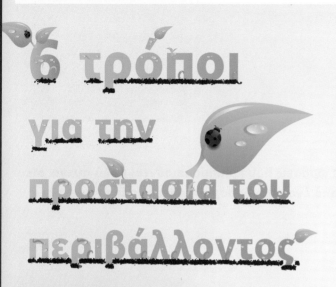

Ανακύκλωση

Μην πετάτε στους κάδους ²_____ τις χάρτινες σακούλες, το γυαλί, το πλαστικό και τα κουτάκια από ³_____. Ανακυκλώστε ό,τι μπορείτε. Αγοράστε προϊόντα που προέρχονται από ανακύκλωση. Είναι τόσο απλό!!!

Οικονομία στο νερό

Το νερό είναι πηγή ζωής!!! Δυστυχώς, όμως, εξαντλείται και πρέπει να κάνουμε οικονομία. Αν δεν κάνουμε κάτι για την εξοικονόμησή του, στο κοντινό μέλλον θα είναι πιο ακριβό κι από το χρυσάφι. Δεν είναι δύσκολο! Κλείστε τη βρύση όσο βουρτσίζετε τα δόντια σας. Κάντε ένα γρήγορο ντους και μη γεμίζετε την μπανιέρα σας με νερό. Βάλτε πλυντήριο, μόνο όταν ο κάδος είναι γεμάτος. Μη ρίχνετε λάδια και ⁴_____ στον νεροχύτη σας ή στον νιπτήρα σας, γιατί θα μολύνουν τα ⁵_____ και τελικά τις θάλασσες.

Οικονομία στο ηλεκτρικό ρεύμα

Όταν δεν χρειάζεστε μια ηλεκτρική συσκευή, κλείστε την. Αυτή η κίνηση ⁶_____ την κατανάλωση ηλεκτρικής ενέργειας και ⁷_____ τα χρήματα στην τσέπη σας.

Χρησιμοποιήστε μπαταρίες που φορτίζουν ξανά

Οι μπαταρίες είναι πολύ [8]_____ για το περιβάλλον και, δυστυχώς, δεν τις ανακυκλώνουμε. Τις πετάμε και γίνονται ο μεγάλος του εχθρός. Αν χρησιμοποιούμε μπαταρίες που φορτίζονται, φροντίζουμε πολύ το περιβάλλον μας.

Κόψτε το κάπνισμα

Όλοι ξέρουμε ότι το τσιγάρο βλάπτει την υγεία μας. Πολλοί άνθρωποι, όταν σβήνουν το τσιγάρο τους, το πετούν στο [9]_____ και το ρυπαίνουν. Επίσης, αυξάνουν τη μόλυνση του αέρα και βλάπτουν ακόμη και όσους δεν καπνίζουν. Είναι σωστό αυτό;

Ελέγξτε το αυτοκίνητό σας

Τα αυτοκίνητα αποτελούν σημαντική πηγή [10]_____ και ο αριθμός τους κάθε χρόνο αυξάνεται. Είναι σημαντικό να διατηρείτε το αυτοκίνητό σας σε καλή κατάσταση, από τη μηχανή του μέχρι και τα λάστιχά του.

Διασκευή κειμένου από http://aksioperierga.blogspot.gr

Άσκηση 8

Διάβασε ξανά τις λέξεις των ασκήσεων 1-7 και γράψε μια παράγραφο που να περιέχει τουλάχιστον οκτώ από τις λέξεις αυτές.

Άσκηση 1
Άκου και συμπλήρωσε τα κενά.
(cd 2, 16)

Στην Ελλάδα

Ο Φλεβάρης κι αν φλεβίσει καλοκαίρι θα μυρίσει.

Του Αυγούστου και του Γεναριού τα 2 χρυσά φεγγάρια.

Μάρτης είναι χάδια κάνει, πότε κλαίει, πότε γελάει.

Μάρτης γδάρτης και κακός παλουκοκάφτης.

Ο Νομός Έβρου βρίσκεται στο πιο βορειοανατολικό άκρο της Ελλάδας και είναι το φυσικό ⁰____σύνορο____ της χώρας με τη Βουλγαρία στα βόρεια και την Τουρκία στα ανατολικά.

Ο Νομός Έβρου είναι πλούσιος σε ¹_____. Ο κυριότερος ποταμός του είναι ο Έβρος. Το Δέλτα του ποταμού Έβρου αποτελεί έναν από τους πιο σημαντικούς υγρότοπους σε όλο τον κόσμο. Είναι εδώ και πολλά χρόνια Προστατευόμενη Περιοχή, καθώς έχει πολύ μεγάλη αξία για το ²_____.

Στο Δέλτα του Έβρου βρίσκουν καταφύγιο και τροφή χιλιάδες ³_____, αφού όλες τις εποχές του χρόνου το ⁴_____ είναι εξαιρετικό. Πουλιά από τη βόρεια Ευρώπη και τη Ρωσία έρχονται τον χειμώνα ή άλλα σταματούν εδώ κατά τις διαδρομές τους από την Αφρική στην Ευρώπη και αντίστροφα. Φοινικόπτερα, κύκνοι, νανόχηνες και χιλιάδες πάπιες παρατηρούνται σήμερα στο Δέλτα του Έβρου. Ροδοπελεκάνοι, χαλκόκοτες, αργυροπελεκάνοι, και δύο πάρα πολύ σπάνια πουλιά: η λεπτομύτα και ο ερωδιός.

304 είδη πουλιών, 46 είδη ⁵_____, 21 είδη ερπετών, περισσότερα από 40 είδη θηλαστικών και πάνω από 350 είδη ⁶_____ στις όχθες του, είναι το Δέλτα του Έβρου σε αριθμούς. Και είναι από τις φορές που οι αριθμοί δείχνουν την αλήθεια.

Οι επισκέπτες που θέλουν να γνωρίσουν το Δέλτα του Έβρου, μπορούν να ενημερώνονται, πριν τη βόλτα στο ποτάμι, από το Κέντρο Πληροφόρησης Δέλτα Έβρου που βρίσκεται στην Τραϊανούπολη και από το Τουριστικό Κέντρο Φερών.

Προφορά

Άσκηση 1

(cd 2, 17)

Διάβασε τις παρακάτω προτάσεις και βάλε σε κύκλο την εικόνα που νομίζεις ότι περιγράφουν. Μετά άκου για ποια εικόνα μιλάει ο ομιλητής.

ΧΑΛΙΑ που δεν φαντάζεσαι!

Αυτοί είναι οι ΝΟΜΟΙ της Ελλάδας!

δ.

Στρώμα ΜΟΝΟ 700 ευρώ!

στ.

Άσκηση 2

(cd 2, 18)

Άκου τις προτάσεις και στις παραπάνω εικόνες, βάλε τους αριθμούς 1-6, ανάλογα με τη σειρά που ακούγεται η περιγραφή τους.

Άσκηση 3

Γίνετε ζευγάρια και διαλέξτε το σωστό.

Μια φορά κι έναν καιρό ζούσε σε ένα σπίτι °(μόνος)/ μονός κι έρημος ένας άντρας ηλικιωμένος. Είχε πολύ κέφι, τραγουδούσε, χόρευε, δούλευε από το πρωί μέχρι το βράδυ και δεν είχε καθόλου προβλήματα υγείας. Όλοι στο χωριό τον φώναζαν ο γέρος, ο γερός. Ένα πρόβλημα είχε ¹ μονό / μόνο. Δεν μπορούσε και δεν είχε τον χρόνο να καθαρίσει το σπίτι του. Αποφάσισε, λοιπόν, να πάρει έναν άνθρωπο, για να τον βοηθάει στις ² δουλειές / δουλείες. Επειδή όλοι τον αγαπούσαν, πήγαν ³ πόλη / πολλοί στο σπίτι του, για να τον βοηθήσουν, ⁴ ωμός / όμως τελικά κανένας δεν έμεινε μαζί του. «Ποπό ⁵ βρόμα / βρομά!» έλεγαν όλοι, μόλις έφευγαν από το σπίτι του. «Κάθε γωνιά του σπιτιού ⁶ βρόμα / βρομά». Μια μέρα αποφάσισε να

προσπαθήσει μια κοπέλα όμορφη και πολύ ⁷ καλή / κάλλη. Είχε ⁸ πάνω / πανό της όλης της γης τα ⁹ κάλλη / καλή: ευγενική, μορφωμένη, καλόκαρδη. Όταν έμαθαν οι ¹⁰ φίλοι / φιλί της ότι ενδιαφέρεται για τη ¹¹ δουλεία / δουλειά της είπαν: «Βιολέτα, δεν ¹² κάνεις / κανείς γι' αυτή τη δουλειά. ¹³ Κάνεις / Κανείς δεν κάνει. Τόσοι και τόσοι είπαν όχι. Εσύ πώς θα τα καταφέρεις;». Η Βιολέτα δεν άκουγε τίποτα. Ήταν πολύ ¹⁴ αξία / άξια κοπέλα και ήξερε καλά την ¹⁵ αξία / άξια της. Είχε άλλωστε τόση ανάγκη από δουλειά. Πήγε, λοιπόν, στο σπίτι του γέρου του γερού. Από την αρχή της έκανε ¹⁶ πόλη / πολύ ¹⁷ καλή / κάλλη εντύπωση. Ήταν μια ¹⁸ έξοχη / εξοχή κατοικία στην ¹⁹ έξοχη / εξοχή.

Άσκηση 4

Με τις παρακάτω λέξεις κάνε μια ιστορία και πες τη δυνατά στην τάξη.

Γραμματική: Βλέπω και παρατηρώ ...

Διάβασε το κείμενο και απάντησε στις ερωτήσεις.

ΟΙΚΟΛΟΓΙΚΗ ΟΔΗΓΗΣΗ

Τα θετικά αποτελέσματα της οικολογικής οδήγησης είναι πολλά. Αν δεν οδηγούσαμε με λάθος τρόπο, δεν θα ήταν τόσο μολυσμένη η ατμόσφαιρα. Επίσης, θα εξοικονομούσαμε καύσιμα, αλλά και χρήματα. Δηλαδή, αν είχαμε αλλάξει εδώ και χρόνια τον τρόπο της οδήγησής μας, θα είχαμε βοηθήσει πάρα πολύ το περιβάλλον, αλλά και την τσέπη μας. Έτσι, πολλά από τα προβλήματα των πόλεων, ίσως να μην ήταν τόσο σοβαρά. Δυστυχώς, οι περισσότεροι δεν γνωρίζουμε την οικολογική οδήγηση. Ποτέ δεν είναι αργά! Ακολουθήστε τις παρακάτω συμβουλές και μάθετε πώς μπορούμε να οδηγούμε και να προστατεύουμε το περιβάλλον.

✓ Κάνετε συχνά έλεγχο στο αυτοκίνητό σας.
Αν το αυτοκίνητό σας είναι σε καλή κατάσταση, θα καίει λιγότερα καύσιμα και θα ρυπαίνει λιγότερο την ατμόσφαιρα.

✓ Μην αφήνετε τη μηχανή αναμμένη χωρίς λόγο.
Ρυπαίνετε το περιβάλλον και σπαταλάτε άδικα καύσιμα. Αν, δηλαδή, έχει μποτιλιάρισμα και είστε σταματημένοι πάνω από 3 λεπτά, σβήστε τη μηχανή.

✓ Ελέγχετε τα λάστιχα.
Αν τα λάστιχα του αυτοκινήτου χάλασαν, θα πρέπει να τα αλλάξετε. Ένα αυτοκίνητο με χαλασμένα λάστιχα καταναλώνει περισσότερη βενζίνη από όση χρειάζεται. Επίσης, τα χαλασμένα ή ξεφουσκωμένα λάστιχα είναι επικίνδυνα για την οδήγηση.

✓ Όχι στη νευρική οδήγηση.
Αν οδηγείτε νευρικά, καταναλώνετε περισσότερα καύσιμα και η ρύπανση της ατμόσφαιρας αυξάνεται. Επίσης, χαλάτε τα φρένα του αυτοκινήτου.

✓ Προσοχή στη χρήση του κλιματισμού.
Αν έχετε συνέχεια αναμμένο τον κλιματισμό, αυξάνεται η κατανάλωση καυσίμου και μπαταρίας του αυτοκινήτου.

✓ Μην πετάτε τα χρησιμοποιημένα λάδια του αυτοκινήτου.
Αν χρειάζεστε καινούρια λάδια, να δώσετε τα παλιά σε ένα συνεργείο. Μην τα πετάξετε στο έδαφος.

Διασκευή κειμένου από http://www.flowmagazine.gr

Ερωτήσεις:

1. Τι θα γινόταν, αν όλοι οδηγούσαμε με τον σωστό τρόπο;
2. Τι γίνεται, αν οδηγούμε νευρικά;
3. Σε ποια περίπτωση πρέπει να σβήσετε τη μηχανή του αυτοκινήτου;
4. Τι θα γίνει, αν τα λάστιχα του αυτοκινήτου μας χάλασαν;

Βλέπω

Δες με προσοχή τις παρακάτω προτάσεις.

A	
Αν το αυτοκίνητό σας **είναι** σε καλή κατάσταση,	**θα καίει** λιγότερα καύσιμα. **θα ρυπαίνει** λιγότερο την ατμόσφαιρα.
Αν οδηγείτε νευρικά,	**καταναλώνετε** περισσότερα καύσιμα.
Αν έχει μποτιλιάρισμα περισσότερο από 3 λεπτά,	**σβήστε** τη μηχανή.
Αν χρειάζεστε καινούρια λάδια,	**να δώσετε** τα παλιά σε ένα συνεργείο.
Αν τα λάστιχα του αυτοκινήτου **χάλασαν**,	θα πρέπει **να τα αλλάξετε**.

B	
Αν δεν **οδηγούσαμε** με λάθος τρόπο,	δεν **θα ήταν** τόσο μολυσμένη η ατμόσφαιρα. **θα εξοικονομούσαμε** καύσιμα, αλλά και χρήματα.
Αν είχαμε αλλάξει εδώ και χρόνια λίγο την οδήγηση μας,	**θα είχαμε** βοηθήσει πάρα πολύ το περιβάλλον, αλλά και την τσέπη μας.

και παρατηρώ ...

Απάντησε στις παρακάτω ερωτήσεις.

1. Ποιες από τις δύο ομάδες προτάσεων (Α, Β) εκφράζει το πραγματικό, κάτι δηλαδή που είναι δυνατό να γίνει ή έγινε;

   _____

2. Ποιες από τις δύο ομάδες προτάσεων (Α, Β) εκφράζει το μη πραγματικό, κάτι δηλαδή που δεν είναι δυνατό να γίνει ή δεν έγινε;

   _____

3. Ποιους χρόνους και ποιες εγκλίσεις χρησιμοποιούμε, όταν μιλάμε για το πραγματικό;

   _____

4. Ποιους χρόνους χρησιμοποιούμε, όταν μιλάμε για το μη πραγματικό;

   _____

ΓΡΑΜΜΑΤΙΚΗ

Άσκηση 1

Γίνετε ζευγάρια και ενώστε τις φράσεις στις δύο στήλες.

0. Αν με άκουγες,	ΟΤ	**α.**	τώρα δεν θα είχαμε πρόβλημα με τα σκουπίδια.
1. Αν έφαγες πολύ,	___	**β.**	μίλησέ της.
2. Αν δεν διάβαζες τόσο πολύ,	___	**γ.**	προστάτεψέ το.
3. Αν κερδίσεις στον διαγωνισμό,	___	**δ.**	θα αργήσεις στη δουλειά.
4. Αν πήγες,	___	**ε.**	θα πηγαίναμε μαζί στη θάλασσα.
5. Αν ανακυκλώναμε περισσότερο,	___	**στ.**	τώρα δεν θα έκλαιγες.
6. Αν ξυπνάς αργά το πρωί,	___	**ζ.**	καλά έκανες.
7. Αν σέβεσαι το περιβάλλον,	___	**η.**	θα πάρεις πολλά χρήματα.
8. Αν φύγεις από το σπίτι,	___	**θ.**	παίρνεις βάρος.
9. Αν αγαπάς τη Μαρία,	___	**ι.**	θα αργείς στη δουλειά.
10. Αν ξυπνήσεις αργά το πρωί,	___	**ια.**	δεν θα έψαχνε σε όλο το σπίτι.
11. Αν την είχε ρωτήσει για τα κλειδιά,	___	**ιβ.**	να κλείσεις τα φώτα.
12. Αν φορούσες πιο ζεστά ρούχα,	___	**ιγ.**	δεν θα μπορέσεις να κοιμηθείς.
13. Αν τρως τόσο πολύ,	___	**ιδ.**	τώρα δεν θα περνούσες στο Πανεπιστήμιο.
14. Αν μου τηλεφωνούσες,	___	**ιε.**	δεν θα είχες αρρωστήσει.

Άσκηση 2

Παίζουμε τένις! Γίνετε ζευγάρια και παίξτε τένις. Χρησιμοποιήστε τις λέξεις:

Αν έρθεις από το σπίτι, Αν έχει κρύο, Αν σου αρέσει το ποδήλατο, Αν ανακυκλώνεις το χαρτί, Αν προστατεύεις το περιβάλλον, Αν πονέσει το δόντι σου, Αν του μιλήσεις στο τηλέφωνο, Αν κάνει καλό καιρό αύριο

Παράδειγμα:

Μαθητής Α: *Αν έρθεις από το σπίτι,* **Μαθητής Β:** *πάρε και τη Μαρία μαζί σου. Αν έχει κρύο, κτλ.*

Άσκηση 3

Γίνετε ζευγάρια και συμπληρώστε τα κενά.

0. Αν ___πεινάς___ (εσύ / πεινάω) τόσο πολύ, ___φάε___ (εσύ / τρώω) και το δικό μου φαγητό.

1. Αν ___ (καίγομαι) τα δάση, δεν θα ___ (εμείς / έχω) οξυγόνο.

2. Αν ___ (εμείς / οδηγώ) οικολογικά, ___ (εμείς / προστατεύω) το περιβάλλον.

3. Αν ___ (εσύ / έρχομαι) αργά στο γραφείο, ο διευθυντής σου ___ (αυτός / κάνω) παρατήρηση.

4. Αν ___ (εσείς / κλείνω) τα φώτα στο σπίτι, ___ (εσείς / εξοικονομώ) ενέργεια.

5. Αν με ___ (αυτός / ρωτάω), δεν ___ (εγώ / απαντάω).

6. Αν ___ (εσύ / βγαίνω) το βράδυ, ___ (εσύ / παίρνω) με τηλέφωνο.

Άσκηση 4

Γίνετε ζευγάρια και συμπληρώστε τα κενά με τις παρακάτω λέξεις / φράσεις.

Αν φυτέψετε, θα έχουμε, Αν κόβουμε, βάζουμε, θα καλυτερέψει, καλλιεργήστε,
θα γίνουν, Αν φυτέψει, θα είναι, Αν δεν θέλετε, θα τρώτε, Αν φροντίσουμε

Φυτέψτε ένα δέντρο

Τα δέντρα είναι η πηγή του οξυγόνου μας.

0 ___Αν κόβουμε___ τα δέντρα, αντί να τα φυτεύουμε, 1_____ σε κίνδυνο τη ζωή μας, αλλά και τη ζωή των παιδιών μας. 2_____ ο καθένας μας ένα δέντρο, η ζωή μας 3_____ σημαντικά. 4_____ τα δέντρα και τα δάση, ο αέρας 5_____ πιο καθαρός. Τα δέντρα 6_____ πάλι αρκετά και 7_____ περισσότερη σκιά τις ζεστές μέρες του καλοκαιριού.

Καλλιεργήστε λαχανικά

Τα λαχανικά που τρώμε σήμερα καλλιεργούνται με χημικά και φυτοφάρμακα.

8_____ να τρώτε τέτοια επικίνδυνα τρόφιμα, 9_____ τα δικά σας. 10_____ δικά σας λαχανικά, χωρίς τα παραπάνω «συστατικά», 11_____ βιολογικά προϊόντα άριστης ποιότητας. Τα βιολογικά προϊόντα είναι πάρα πολύ καλά για την υγεία σας και για το περιβάλλον. Επίσης, τα βιολογικά προϊόντα είναι πιο νόστιμα.

Διασκευή κειμένου από http://aksioperierga.blogspot.gr

Άσκηση 5

Ρώτησε τον συμμαθητή / τη συμμαθήτριά σου τι θα κάνει προσωπικά, αν θέλει να μειώσει ...

* τα καυσαέρια στην πόλη του / της.
* τα σκουπίδια στην πόλη του / της.
* την ηχορύπανση στην πόλη του / της.
* την κατανάλωση ηλεκτρικής ενέργειας.
* την κατανάλωση νερού.

Απάντησε κι εσύ στις παραπάνω ερωτήσεις.

ΠΑΡΑΓΩΓΗ ΠΡΟΦΟΡΙΚΟΥ ΛΟΓΟΥ

Άσκηση 1

Γίνετε ζευγάρια και απαντήστε στις παρακάτω ερωτήσεις.

Συμβουλή:
Μη δίνεις μονολεκτικές απαντήσεις. Δεν υπάρχει σωστή και λάθος απάντηση. Απλώς αιτιολόγησε.

- Τι καιρό έχει συνήθως στη χώρα σου; Πώς είναι το κλίμα της;
- Θα ήθελες να ζήσεις σε μια χώρα που έχει μόνο καλοκαίρι ή μόνο χειμώνα; Γιατί;
- Παρακολουθείς τα δελτία καιρού; Γιατί;
- Εμπιστεύεσαι τις μετεωρολογικές προβλέψεις;
- Πόσο επηρεάζει ο καιρός την ψυχολογική σου διάθεση;
- Η Ελλάδα είναι μια χώρα γεμάτη φως και ήλιο. Πιστεύεις ότι αυτό είναι πλεονέκτημα για μια χώρα; Γιατί;
- Τι γνωρίζεις για τα περιβαλλοντικά προβλήματα;
- Ποιο είναι το πιο σοβαρό περιβαλλοντικό πρόβλημα στη χώρα σου; Πώς το αντιμετωπίζετε;

- Πιστεύεις ότι κάθε άνθρωπος ξεχωριστά μπορεί να προστατέψει το περιβάλλον; Με ποιους τρόπους;
- Τι ξέρεις για την ανακύκλωση; Εσύ ανακυκλώνεις; Τι;
- Ξέρεις για κάποιο είδος ζώου που βρίσκεται σε εξαφάνιση στη χώρα σου; Πώς προστατεύεται αυτό το είδος;
- Θα έπαιρνες μέρος σε μια εθελοντική ομάδα για την προστασία του περιβάλλοντος; Τι θα ήθελες να προσφέρεις στην ομάδα αυτή;

Άσκηση 2

Διάβασε τις παρακάτω φράσεις. Τι είναι για σένα η *οικολογία*;

Η οικολογία είναι ...	
τρόπος ζωής.	
πολιτισμός.	
κουραστική. Όλες οι οικολογικές συνήθειες είναι κουραστικές και κλέβουν χρόνο από τον άνθρωπο.	
το μέλλον των παιδιών μας.	
μια απάτη. Ο άνθρωπος δεν μπορεί να κάνει τίποτα, για να προστατέψει τη φύση.	
υποχρέωση του ανθρώπου προς τη φύση.	
σεβασμός προς τη φύση και τον άνθρωπο.	
ένα ψέμα. Ο σύγχρονος τρόπος ζωής δεν μπορεί να είναι οικολογικός.	
το μέλλον της παγκόσμιας οικονομίας.	

Άσκηση 3

Δες τις εικόνες και σημείωσε στον παρακάτω πίνακα ποια εικόνα περιγράφει κάθε πρόταση.

		1	2	3
α.	Σέβονται και αγαπούν το περιβάλλον.			
β.	Ίσως πηγαίνουν στη δουλειά τους.			
γ.	Τα παιδιά μαθαίνουν από μικρή ηλικία για την ανακύκλωση.			
δ.	Δεν προκαλούν ηχορύπανση.			
ε.	Μοιράζονται τα έξοδα για τη βενζίνη.			
στ.	Είναι όλοι χαμογελαστοί. Φαίνονται χαρούμενοι.			
ζ.	Πηγαίνουν στον ίδιο προορισμό, γι' αυτό χρησιμοποιούν το ίδιο μεταφορικό μέσο και έτσι προστατεύουν το περιβάλλον.			
η.	Ξέρουν τη σημασία που έχει η οικολογία για τον πλανήτη.			
θ.	Δεν συμβάλλουν καθόλου στην ατμοσφαιρική ρύπανση.			
ι.	Αν βρέξει, θα είναι πιο δύσκολο για αυτούς.			

Άσκηση 4
Άκου το κείμενο και συμπλήρωσε τα κενά.
(cd 2, 19)

GREECE
ALL TIME CLASSIC

Ελλάδα   Προορισμοί   Αξιοθέατα-Δραστηριότητες   Διάθεση για   Newsletter

http://www.visitgreece.gr

Οι μετακινήσεις με ⁰ ___oικολογικά___ μέσα μεταφοράς εμποδίζουν τις κλιματικές αλλαγές, αλλά και την αύξηση της ¹_____ ρύπανσης.

Ξέρετε ότι το φαινόμενο του θερμοκηπίου στην Ευρώπη προκαλείται σε μεγάλο βαθμό από τις μετακινήσεις των ανθρώπων; Μάλιστα, το 90% από αυτές τις μετακινήσεις γίνονται με αυτοκίνητο. Ωστόσο, οι μεταφορές με αυτοκίνητο μπορούν να γίνουν με άλλο τρόπο, αν υπάρχουν κατάλληλες υποδομές, ιδιαίτερα στις πόλεις.

Ποιος είναι, λοιπόν, ο καλύτερος τρόπος, για να βγουν οι άνθρωποι από τα αυτοκίνητα; Το ποδήλατο!

Τα ποδήλατα δεν παράγουν καθόλου ²_____ κι επομένως είναι ιδανικά οικολογικά οχήματα. Ο αριθμός των ποδηλάτων του ³_____ στις μέρες μας ξεπερνά το ένα δισεκατομμύριο. Σε αρκετές πόλεις της γης το ποδήλατο είναι το βασικό μέσο μεταφοράς. Στην Ευρώπη, χαρακτηριστικά παραδείγματα αποτελούν το Άμστερνταμ, η Κοπεγχάγη και η Βαρκελώνη.

Τα πλεονεκτήματά του είναι πάρα πολλά. Σέβεται το ⁴_____, τον πλανήτη, τον άνθρωπο, τη ζωή και τις επόμενες γενιές. Δεν ⁵_____ την ατμόσφαιρα, όπως κάνουν τα αυτοκίνητα. Το ποδήλατο δεν ⁶_____ θερμότητα κι επομένως δεν προκαλεί το φαινόμενο του θερμοκηπίου. Είναι αθόρυβο και κάνει τις πόλεις ήσυχες και ανθρώπινες. Αντίθετα, όλα τα υπόλοιπα μέσα μεταφοράς προκαλούν θόρυβο, ⁷_____, ενοχλούν τον άνθρωπο και το περιβάλλον.

Το ποδήλατο πιάνει λιγότερο χώρο και ⁸_____ πολύ πιο εύκολα, σε αντίθεση με όλα τα υπόλοιπα μεγάλα μέσα μεταφοράς.

Άσκηση 5

Δες με προσοχή τις φωτογραφίες και περίγραψέ τες.

Συμβουλή:

Μίλα για το θέμα τους, τις ομοιότητες και τις διαφορές τους. Ποια φωτογραφία σού αρέσει περισσότερο;

Χρήσιμο λεξιλόγιο

- μόλυνση
- κάδοι απορριμμάτων
- σκουπίδια

- χωματερή
- ανακύκλωση
- καυσαέριο
- ηχορύπανση

- προστασία
- περιβάλλον
- άγχος

Συμβουλή:

Υπογράμμισε τις λέξεις-κλειδιά που έχει κάθε ρόλος. Γράψε το λεξιλόγιο που θα χρειαστείς.

Αν ο συμμαθητής / η συμμαθήτριά σου μιλάει γρήγορα και δεν τον / την καταλαβαίνεις, μπορείς να πεις «Συγνώμη, δεν κατάλαβα, μπορείς να το ξαναπείς; Πιο αργά, παρακαλώ...»

Άσκηση 6

Γίνετε ζευγάρια και παίξτε τα παρακάτω παιχνίδια ρόλων.

Οικολογική σκέψη

Ρόλος Α

Ένας φίλος / Μια φίλη σου θέλει να πάτε μαζί στο κέντρο της πόλης για ψώνια. Επιμένει να πάτε με το αυτοκίνητό του / της. Του / Της λες ότι δεν θέλεις καθόλου να κατεβαίνεις στο κέντρο της πόλης με το αυτοκίνητο. Του / Της λες να πάτε με τα ποδήλατά σας ή με το λεωφορείο. Εκείνος / Εκείνη δεν συμφωνεί, γι' αυτό προσπαθείς να τον / την πείσεις.

Ρόλος Β

Θέλεις να πας στο κέντρο της πόλης για ψώνια και λες σε έναν φίλο / μια φίλη σου να πάτε μαζί με το αυτοκίνητό σου. Εκείνος / Εκείνη σου λέει ότι δεν θέλει καθόλου να κατεβαίνει στο κέντρο της πόλης με το αυτοκίνητο. Σου λέει να πάτε με τα ποδήλατά σας ή με το λεωφορείο. Εσύ δεν συμφωνείς, γι' αυτό προσπαθείς να τον / την πείσεις.

Διαφημίσεις

Ρόλος Α

Συζητάς με έναν φίλο / μια φίλη σου για τα περιβαλλοντικά προβλήματα στον πλανήτη. Εσύ πιστεύεις ότι ο άνθρωπος δεν μπορεί να προστατέψει το περιβάλλον σε ατομικό επίπεδο. Εκείνος / Εκείνη δεν συμφωνεί, γι' αυτό και προσπαθείς να τον / την πείσεις.

Ρόλος Β

Συζητάς με έναν φίλο / μια φίλη σου για τα περιβαλλοντικά προβλήματα στον πλανήτη. Εσύ πιστεύεις ότι ο άνθρωπος μπορεί να προστατέψει το περιβάλλον σε ατομικό επίπεδο. Εκείνος / Εκείνη διαφωνεί και γι' αυτό προσπαθείς να τον / την πείσεις.

ΠΑΡΑΓΩΓΗ ΓΡΑΠΤΟΥ ΛΟΓΟΥ

Άσκηση 1

Παρακάτω είναι ένα άρθρο για την εξοικονόμηση νερού στο σπίτι. Διάβασε προσεκτικά το κείμενο και διάλεξε έναν πλαγιότιτλο για κάθε παράγραφο.

λύσεις που προτείνονται, τρίτη λύση, παρουσίαση του προβλήματος, πρώτη λύση, συμπέρασμα, δεύτερη λύση

ΣΩΣΤΕ ΤΟ ΝΕΡΟ

1 _____ _____

Η έλλειψη νερού είναι ένα μεγάλο πρόβλημα της σύγχρονης εποχής. Η αύξηση του πληθυσμού της γης, η μόλυνση του νερού από τα φυτοφάρμακα ή από τα εργοστάσια και η υπερβολική σπατάλη στην καθημερινή ζωή έχουν οδηγήσει στην έλλειψή του. Γι' αυτό είναι υποχρέωση όλων μας να βοηθήσουμε στην εξοικονόμηση του νερού. Τι μπορεί, όμως, να κάνει ο καθένας από μας;

2 _____ _____

Καταρχήν, πρέπει να κλείνουμε τη βρύση, όταν δεν τη χρειαζόμαστε. Όταν πλένουμε πιάτα ή βουρτσίζουμε τα δόντια μας, δεν πρέπει να έχουμε τη βρύση συνέχεια ανοιχτή. Με αυτή την απλή κίνηση, μπορούμε να κάνουμε μεγάλη οικονομία.

3 _____ _____

Πολύ νερό ξοδεύεται, επίσης, όταν πλένουμε τα μπαλκόνια με το λάστιχο. Είναι πιο σωστό να τα σφουγγαρίζουμε, γιατί έτσι δεν καταναλώνουμε μεγάλη ποσότητα νερού. Τα μπαλκόνια μας παραμένουν καθαρά, χωρίς να κάνουμε κακό στο περιβάλλον.

4 _____ _____

Τέλος, συχνά γίνεται σπατάλη νερού, χωρίς να το καταλαβαίνουμε. Οι χαλασμένοι σωλήνες και οι βρύσες που τρέχουν σπαταλούν το νερό, χωρίς να το χρησιμοποιούμε. Γι' αυτό ας προσέξουμε τα υδραυλικά του σπιτιού και ας τα επισκευάσουμε, αν χαλάσουν.

5 _____ _____

Συμπερασματικά, αυτό που πρέπει να κάνει ο καθένας από μας είναι οικονομία στο νερό. Είναι άδικο να υπάρχουν άνθρωποι που πεθαίνουν, επειδή δεν έχουν να πιουν καθαρό νερό κι εμείς να το ξοδεύουμε χωρίς λόγο.

6 _____ _____

Άσκηση 2

Διάβασε προσεκτικά το παραπάνω κείμενο ξανά και βρες:

Με ποιες λέξεις / φράσεις μπορούμε να προτείνουμε λύσεις, να εκφράσουμε κάποιες ιδέες ή να δώσουμε συμβουλές:

_____

Άσκηση 3

Στην παρακάτω ακροστιχίδα γράψε σε κάθε γραμμή όσες περισσότερες λέξεις μπορείς που έχουν σχέση με το περιβάλλον και περιέχουν ή αρχίζουν από το κάθε γράμμα της λέξης *περιβάλλον*.

Π	ποτάμι,
Ε	
Ρ	
Ι	
Β	
Α	
Λ	
Λ	
Ο	
Ν	

Άσκηση 4

Είσαι δημοσιογράφος σε μια εφημερίδα και γράφεις ένα άρθρο για τα περιβαλλοντικά προβλήματα στις πόλεις. Περιγράφεις την περιβαλλοντική ρύπανση στις πόλεις και προτείνεις τα μέτρα που πρέπει να πάρει το κράτος για την αντιμετώπιση του προβλήματος. (150-200 λέξεις)

Συμβουλή:
Υπογράμμισε τις λέξεις-κλειδιά και, για κάθε λέξη-κλειδί, σημείωσε το λεξιλόγιο που θα σου χρειαστεί.

σχεδιάγραμμα / χρήσιμο λεξιλόγιο

Το κείμενο που έγραψα:

– είναι άρθρο.	
– έχει τίτλο.	
– περιγράφει το πρόβλημα.	
– προτείνει λύσεις.	
– καταλήγει σε ένα συμπέρασμα.	

Ώρα για τραγούδι

(cd 2, 20) Άκου μία φορά το τραγούδι.

Άσκηση 1
Άκου ξανά το τραγούδι και συμπλήρωσε τα κενά.

Την προσοχή σας, παρακαλώ!
Τον λόγο παίρνει το πλατάνι το σοφό,
που 'χει τις ρίζες του στο ⁰___έδαφος___ βαθιά,
τα φύλλα του είναι άπειρα, κάνουν παχιά σκιά.
Ακούστε τι έχει να σας πει πολύ προσεκτικά,
τα λόγια του πολύτιμα μαζί και σοβαρά.

Όσο βαθιά τις ρίζες κι αν απλώσω,
¹_____ και φάρμακα μονάχα θα ανταμώσω.
Άνθρωποι, απάνθρωποι, κουτοί και αλαζόνες,
πάψτε να ρίχνετε, μωρέ, στο ²_____ μόνο φόλες. (δις)

Την προσοχή σας, παρακαλώ...,
του ³_____ ας ακουστεί το γάργαρο νερό,
που λέει λόγια απλά, απλά και καθαρά,
για τις σοδειές που έχετε, για όλα τα σπαρτά.

Όσο πολύ κι αν προσπαθώ, να κάνω κάτι δεν μπορώ.
⁴_____ αλώβητα τώρα με κυριεύουν,
τα γάργαρά μου τα νερά συνέχεια τα νοθεύουν.
Άνθρωποι, απάνθρωποι, κουτοί και αλαζόνες,
πάψτε να ρίχνετε, μωρέ, στης γης τις φλέβες φόλες! (δις)

Προσοχή, προσοχή, σήμα κινδύνου απ' τη γη!
Προσοχή, προσοχή, το σπίτι μας αιμορραγεί. } (δις)

Την προσοχή σας, παρακαλώ...
Εκεί ψηλά στον ουρανό ένα πουλί παρατηρώ.
Πετά ελεύθερο, κοιτά, τα βλέπει όλα ⁵_____.
Μες το τραγούδι του μιλά για του ανθρώπου τα στραβά.

Άνθρωποι, απάνθρωποι, κουτοί και αλαζόνες }
τη γη την καταστρέψατε μέσα στους αιώνες. } (δις)

Προσοχή, προσοχή, σήμα κινδύνου απ' τη γη! }
Προσοχή, προσοχή, το σπίτι μας αιμορραγεί. } (δις)

Άσκηση 2
Ποια νομίζεις ότι θα είναι τα λόγια που λέει το πουλί;

Άσκηση 3
Κάντε ένα μικρό θεατρικό με το πλατάνι, το ποτάμι και το πουλί και παρουσιάστε το στην τάξη.

 Τώρα ξέρεις ...

	Ναι	Όχι
να κατανοείς ένα δελτίο καιρού;		
να μιλάς για τον καιρό;		
να κατανοείς κείμενα για το περιβάλλον;		
να μιλάς για τη μόλυνση στο περιβάλλον;		
να χρησιμοποιείς τους υποθετικούς λόγους;		
να χρησιμοποιείς δευτερεύουσες επιρρηματικές προτάσεις;		

Άσκηση 1

Ποιες από τις παρακάτω προτάσεις είναι Σωστές και ποιες Λάθος;

0. Υψηλές θερμοκρασίες θα έχει αύριο σε όλη τη χώρα. _Σ_

1. Τα φασόλια και τα ρεβίθια είναι τα αγαπημένα μου φρούτα. _____

2. Η Ελένη μού σέρβιρε ένα πολύ ωραίο δώρο. _____

3. Μου αρέσουν πολύ οι μπριζόλες και γενικότερα όλα τα θαλασσινά. _____

4. Αν δεν βλέπετε καλά, πηγαίνετε σε πνευμονολόγο. _____

5. Κάνετε ανακύκλωση και προστατέψτε το περιβάλλον. _____

6. Η Μαρία φροντίζει πολύ την εξωτερική της παρουσίαση. _____

7. Έδωσα το βιογραφικό μου σε πολλές εταιρείες, αλλά ακόμη δεν πήρα καμιά απάντηση. _____

Άσκηση 2

Ποια είναι τα αντίθετα των παρακάτω επιθέτων;

0. διαιτητικό	παχυντικό
1. φρέσκο	
2. κατάλληλος	
3. σημαντικός	
4. ευτυχώς	
5. ακίνδυνος	
7. ξεκούραστος	

Άσκηση 3

Διάλεξε το σωστό.

0. Κάθε πρωί πρέπει να τρώμε ένα (πλήρες)/ γεμάτο / μεγάλο πρωινό.

1. Οι ξηροί καρποί είναι τροφές με πολλά θρεπτικά / υγιεινά / τροφικά στοιχεία.

2. Η Ελένη έχει ταλέντο στο μαγειρείο / στον μάγειρα / στο μαγείρεμα.

3. Αυτό το παιδί δεν βάζει τίποτα στο στόμα του. Μόνο τσιμπάει / τρώει / καταβροχθίζει.

4. Όταν έχει καταιγίδες, φοβάμαι μη με χτυπήσει αστραπή / βροντή / κεραυνός.

5. Τα αυτοκίνητα παράγουν τοξικά αέρια / τοξικό άνεμο / τοξικό αέρα.

6. Πλησιάζουν οι ερωτήσεις / απαντήσεις / εξετάσεις. Έχω ένα άγχος...

7. Αύριο θα πάω για καριέρα / συνέντευξη / επαγγελματικό προσανατολισμό σε μια εταιρεία.

8. Ο πιλότος / μηχανοδηγός / καπετάνιος του τρένου μάς ενημέρωσε ότι θα έχουμε 10 λεπτά καθυστέρηση.

Παίξτε το επιτραπέζιο παιχνίδι.

Ποιο είναι το αντίθετο της λέξης «φοβάμαι»;

Γράψε μια πρόταση με τη φράση «μπήκε λουλάκι».

Περίγραψε μια εικόνα.

Τι σημαίνει η παροιμία «Άλλα λόγια ν' αγαπιόμαστε»;

Κάνε τη δοκιμασία.

Χάνεις τη σειρά σου.

Ποιο είναι το αγαπημένο σου επάγγελμα;

Τι κάνεις όταν βροντάει και αστράφτει;

Ποιο είναι το πιο σημαντικό πρόβλημα στο περιβάλλον κατά τη γνώμη σου;

Περίγραψε τον καιρό που κάνει σήμερα.

Κάνε τη δοκιμασία.

Πήγαινε δύο βήματα μπροστά.

Δοκιμασία

Διάλεξε έναν συμμαθητή / μια συμμαθήτριά σου. Ζήτησε να σου κάνει μια ερώτηση ή να σου πει να κάνεις κάτι. Αν μείνει ευχαριστημένος από την απάντησή σου, κέρδισες! Αλλώς, πηγαίνεις πάλι στην αρχή!

Άσκηση 5
Διάλεξε το σωστό.

0. Αν το μωρό σας δεν τρώει γιαούρτι,
_____ λίγη μπανάνα!
  α. προσθέσετε   **β.** προσθέστε

1. Αν θέλεις, _____ το βράδυ μαζί μας
σινεμά.
  α. έλα   **β.** έρχεστε

2. _____ πώς θα μείνετε για πάντα νέοι και
όμορφοι.
  α. Μάθετε   **β.** Μαθαίνετε

3. Από 'δω και πέρα τέλος τα τηγανητά.
_____ μόνο ψητά.
  α. Θα τρώμε   **β.** Θα φάμε

4. Απόψε το βράδυ _____ με τους
συναδέλφους μου.
  α. θα βγαίνουμε   **β.** θα βγούμε

5. Επιτέλους, _____ να μου λες ψέματα;
  α. θα σταματήσεις   **β.** θα σταματάς

6. _____ έφυγα πολύ νωρίς από το σπίτι,
δεν πρόλαβα το λεωφορείο. Είχε πολλή
κίνηση.
  α. Αν και   **β.** Επειδή

7. _____ μου τα λες, δεν νομίζω να φύγουμε αύριο.
  α. Όπως   **β.** Όταν

8. _____ γυμναστήριο, δεν θα σε πονούσε η μέση
σου.
  α. Αν πήγαινες   **β.** Αν πας

9. Αν δούλευα, _____ χρήματα να πάω διακοπές.
  α. θα είχα   **β.** θα έχω

10. _____ πήγαινε στη δουλειά, έπεσε κι έσπασε το
πόδι του.
  α. Καθώς   **β.** Επειδή

11. _____ πήγαινα σχολείο, περνούσα πολύ ωραία.
  α. Αν   **β.** Όταν

12. Αν πας στην αγορά, _____ λάδι.
  α. πάρτε   **β.** πάρε

13. Αν του τηλεφωνούσες, _____ τα νέα του.
  α. θα μάθαινες   **β.** θα μάθεις

14. _____ θέλει μπορεί να φύγει.
  α. Όποιος   **β.** Όπου

15. Ο Νίκος είπε _____ δουλεύει σε ένα
αρχιτεκτονικό γραφείο.
  α. ότι   **β.** που

Άσκηση 6
Βάλε τις λέξεις της παρένθεσης στον σωστό τύπο.

0. Κοιμήσου, αγόρι μου, αύριο __θα ξυπνήσεις__ (ξυπνώ) νωρίς για το σχολείο.

1. _____ (όχι έρχομαι), αν δε σου πω.

2. _____ (όχι βλέπω) που είμαι γεματούλα. Δεν τρώω τίποτα σου λέω.

3. _____ (γελώ) με την καρδιά μου. Ήταν πολύ αστεία η ταινία.

4. Αύριο _____ (ξυπνώ) με το καλό και θα φύγουμε.

5. Από 'δω και πέρα _____ (μαγειρεύω) πάντα στον ατμό.

6. Τώρα εσύ σίγουρα _____ (λέω) ότι σε κοροϊδεύω, αλλά ειλικρινά είναι έτσι όπως στα λέω.

7. _____ (φέρνω) ένα παγωτό, όταν θα γυρίσεις από έξω.

8. _____ (όποιος) κάλεσα στη γιορτή μου, ήρθαν.

9. Με _____ (όσος) φίλες μου μίλησα, μου είπαν ότι θα έρθουν αύριο.

10. _____ (όσα) μπλουζάκια κι αν έχω, πάντα χρειάζομαι κι άλλα.

ΠΙΣΤΟΠΟΙΗΣΗ
ΕΠΑΡΚΕΙΑΣ ΤΗΣ
ΕΛΛΗΝΟΜΑΘΕΙΑΣ
**ΕΞΕΤΑΣΕΙΣ
ΕΛΛΗΝΟΜΑΘΕΙΑΣ**

ΥΠΟΥΡΓΕΙΟ ΠΑΙΔΕΙΑΣ
ΚΑΙ ΘΡΗΣΚΕΥΜΑΤΩΝ
ΚΕΝΤΡΟ ΕΛΛΗΝΙΚΗΣ ΓΛΩΣΣΑΣ

ΕΠΙΠΕΔΟ **B1**

1. ΚΑΤΑΝΟΗΣΗ ΓΡΑΠΤΟΥ ΛΟΓΟΥ

ΔΙΑΡΚΕΙΑ ΕΞΕΤΑΣΗΣ: 40 λεπτά　　　　　　　　　　**(25 ΜΟΝΑΔΕΣ)**

Ερώτημα 1　　　　　　　　　　　　　　　　　　　　　　**(6 μονάδες)**

Διαβάζετε σ' ένα περιοδικό πληροφορίες για την ανακύκλωση χαρτιού. Το περιοδικό, όμως, είναι παλιό κι έτσι βλέπετε καθαρά μόνο ένα μέρος κάθε πληροφορίας. Στον πίνακα που ακολουθεί έχετε το υπόλοιπο μέρος κάθε πληροφορίας. Σημειώστε στον πίνακα τον αριθμό του πρώτου μέρους, όπως στο παράδειγμα. **ΠΡΟΣΕΞΤΕ:** οι σωστές απαντήσεις είναι **ΕΞΙ (6)** χωρίς το παράδειγμα. Υπάρχουν τρεις φράσεις στον πίνακα που δεν πρέπει να χρησιμοποιήσετε.

Internet　　　　　　　　　　　　　　　　　　　　　　　　　　　— □ ✕

←　→　⟳　✕　⌂　●　http://www.anakyklosi.com.gr　　　　　🔍 search...

Η ανακύκλωση του χαρτιού

Φανταστείτε έναν κύκλο. Δεν έχει ούτε αρχή ούτε τέλος. Έτσι είναι και ο κύκλος της ζωής στη φύση. Τα δέντρα έχουν κύκλους ζωής. Φυτρώνουν στη γη, βγάζουν ρίζες, κορμό, κλαδιά, καρπούς, ^{0}_____. Όταν πεθάνουν, επιστρέφουν στη γη και βοηθούν στη γέννηση νέων δέντρων. Όπως τα δέντρα, έτσι και τα προϊόντα που χρησιμοποιούμε στην καθημερινή μας ζωή έχουν έναν κύκλο ζωής.

Ποιος είναι ο κύκλος της ανακύκλωσης του χαρτιού;

Πρώτο βήμα: Συγκεντρώνουμε τα αντικείμενα και τα προϊόντα από χαρτί που δεν χρειαζόμαστε χωριστά και όχι μαζί με ^{1}_____.

Δεύτερο βήμα: Ο δήμος αλλά και οι έμποροι μαζεύουν τα χαρτιά που είναι για ανακύκλωση ^{2}_____.

Τρίτο βήμα: Κάποιες βιομηχανίες αγοράζουν το νέο, ανακυκλωμένο χαρτί ^{3}_____.

Κλείσιμο του κύκλου: Τα νέα προϊόντα από ανακυκλωμένο χαρτί επιστρέφουν ^{4}_____.

Τι πρέπει να γνωρίζουμε;

- Για να πετύχει η ανακύκλωση, πρέπει τα χαρτιά που μαζεύονται ^{5}_____.
- Η παραλαβή και η μεταφορά του χαρτιού που προορίζεται για ανακύκλωση, πρέπει να είναι σχετικά εύκολη δουλειά και για μας ^{6}_____.

α.	γερνάνε και πεθαίνουν.	*0*
β.	και για τους ανθρώπους που συλλέγουν το χαρτί.	
γ.	και το χρησιμοποιούν για την παραγωγή νέων προϊόντων.	
δ.	δημιουργεί 95% λιγότερη ρύπανση της ατμόσφαιρας.	
ε.	να μην είναι ανακατεμένα μαζί με άλλα ξένα υλικά.	
στ.	ξαναχρησιμοποιούμε το χαρτί από την άλλη μεριά.	
ζ.	και τα δίνουν σε ειδικές βιομηχανίες για επεξεργασία.	
η.	και πάλι στους καταναλωτές.	
θ.	τα υπόλοιπα σκουπίδια.	
ι.	με διαφορετικούς κάδους για κάθε υλικό.	

Ερώτημα 2   **(6 μονάδες)**

Ψάχνετε πληροφορίες για τις δημοτικές βιβλιοθήκες της πόλης σας. Βρίσκετε στο διαδίκτυο πληροφορίες για διάφορες βιβλιοθήκες. Στον πίνακα που ακολουθεί σημειώστε με ✓ τι προσφέρει η κάθε βιβλιοθήκη, όπως στο παράδειγμα.

ΠΡΟΣΕΞΤΕ: Πρέπει να σημειώσετε ΔΩΔΕΚΑ (12) ✓ χωρίς το παράδειγμα.

Δημοτική Βιβλιοθήκη Θέρμης

Λειτουργεί από το 1992. Στον χώρο της βιβλιοθήκης υπάρχει ηλεκτρονικός υπολογιστής. Επίσης, οι αναγνώστες μπορούν, οικονομικά, να φωτοτυπήσουν μέρη από τα βιβλία που τους ενδιαφέρουν.

Όλοι έχουν δικαίωμα να γίνουν μέλη της βιβλιοθήκης, μόνο με την ταυτότητα ή το διαβατήριό τους. Υπάρχει δυνατότητα δανεισμού δύο βιβλίων για δεκαπέντε ημέρες.

Δημοτική Βιβλιοθήκη Ευόσμου

Διαθέτει 20.000 τίτλους βιβλίων. Υπάρχουν και 5.500 τίτλοι βιβλίων που απευθύνονται σε παιδιά ηλικίας 5 έως 15 ετών. Απαριθμεί 10.000 μέλη (αναγνώστες), χιλιάδες επισκέψεις μαθητών και πολλές εκδηλώσεις, όπως παρουσιάσεις βιβλίων, θεατρικές παρουσιάσεις, αφηγήσεις παιδικών βιβλίων, κ.ά.

Οι κάτοικοι του δήμου Ευόσμου μπορούν να δανείζονται έως και τρία βιβλία για είκοσι ημέρες.

Δημοτική Βιβλιοθήκη Καλαμαριάς

Είναι μια βιβλιοθήκη με μεγάλο αριθμό χρηστών και απευθύνεται αποκλειστικά σε ενηλίκους. Μπορεί ο καθένας να γίνει μέλος και να δανείζεται έως τέσσερα βιβλία για τρεις εβδομάδες. Δυστυχώς, ακόμη δεν υπάρχουν ηλεκτρονικοί υπολογιστές. Υπάρχουν, όμως, φωτοτυπικά μηχανήματα που δίνουν τη δυνατότητα στα μέλη να φωτοτυπήσουν κάποιες σελίδες από τα βιβλία που θέλουν.

Τέλος, υπάρχουν χώροι για τη διοργάνωση πολιτιστικών εκδηλώσεων, διαλέξεων, ημερίδων και εκθέσεων βιβλίου.

Δημοτική Βιβλιοθήκη Σταυρούπολης

Διαθέτει μία μεγάλη αίθουσα εκδηλώσεων στην οποία μπορούν να οργανωθούν εκπαιδευτικές, μορφωτικές και ψυχαγωγικές δραστηριότητες σε συνεργασία με σχολεία και άλλους φορείς. Διαθέτει 6.771 βιβλία ποικίλων θεμάτων για παιδιά, μαθητές και ενηλίκους. Σύντομα πρόκειται να λειτουργήσει χώρος αναγνωστηρίου και στο μέλλον ελπίζουμε να υπάρχουν και ηλεκτρονικοί υπολογιστές.

Το κάθε μέλος μπορεί να δανειστεί έως δύο βιβλία κάθε φορά και για χρονικό διάστημα δύο εβδομάδων.

Δημοτική Βιβλιοθήκη Πολίχνης

Η Δημοτική Βιβλιοθήκη Πολίχνης αριθμεί περίπου 16.000 τίτλους και έχει μεγάλη συλλογή βιβλίων. Τα παιδιά και οι έφηβοι μπορούν να βρουν σημαντικά βιβλία, αλλά και βοηθήματα για τις σχολικές τους εργασίες. Όμως και κάθε ενήλικος μπορεί να βρει μια πλούσια συλλογή ελληνικών και ξένων λογοτεχνικών βιβλίων. Υπάρχουν πέντε ηλεκτρονικοί υπολογιστές με δωρεάν πρόσβαση στο διαδίκτυο. Με την ταυτότητα ή το διαβατήριό του μπορεί ο καθένας να γίνει μέλος της βιβλιοθήκης και να δανείζεται βιβλία για δεκαπέντε ημέρες.

ΔΗΜΟΤΙΚΗ ΒΙΒΛΙΟΘΗΚΗ	ΘΕΡΜΗΣ	ΕΥΟΣΜΟΥ	ΚΑΛΑΜΑΡΙΑΣ	ΣΤΑΥΡΟΥΠΟΛΗΣ	ΠΟΛΙΧΝΗΣ
Λειτουργία πριν από το 2000	✓				
Ηλεκτρονικός υπολογιστής					
Δυνατότητα φωτοτύπησης					
Συλλογή παιδικών βιβλίων					
Εκδηλώσεις σε χώρο της βιβλιοθήκης					
Δανεισμός για περισσότερο από 15 μέρες					

Ερώτημα 3 (6 μονάδες)

Διαβάζετε ένα απόσπασμα από το μυθιστόρημα της Άλκης Ζέη *Ο ψεύτης παππούς*. Στον πίνακα που ακολουθεί σημειώστε ✓ κάτω από το ΣΩΣΤΟ για τις προτάσεις που συμφωνούν με το κείμενο ή κάτω από το ΛΑΘΟΣ για τις προτάσεις που δεν συμφωνούν, όπως στο παράδειγμα.

ΠΡΟΣΕΞΤΕ: Πρέπει να σημειώσετε ΕΞΙ (6) ✓ χωρίς το παράδειγμα.

Ο παππούς έμενε σ' ένα παλιό τριώροφο σπίτι χωρίς ασανσέρ. Το διαμέρισμά του ήταν πολύ μικρό, στον τρίτο όροφο, κι ο ίδιος έλεγε πως του έκανε καλό ν' ανεβοκατεβαίνει τις σκάλες. Δύο δωμάτια είχε όλα κι όλα και μια κουζίνα τόσο μικρή, που το ψυγείο το 'χε στο διαδρομάκι, έτσι που μόλις μπορούσες να περάσεις. Από το ένα παράθυρο, όμως, έβλεπες την Ακρόπολη και από το άλλο το Αστεροσκοπείο.

Η αλήθεια είναι πως είχε κάτι μαγικό εκείνο το σπίτι. Πρώτα πρώτα όλοι οι τοίχοι ήταν γεμάτοι μόνο με φωτογραφίες και αφίσες, φωτογραφίες του παππού από ρόλους που είχε παίξει στο θέατρο, μα κι από άλλους ηθοποιούς, Έλληνες και ξένους. Στο ένα δωμάτιο, «το σαλόνι» που έλεγε η Λάρα, είχε έναν καναπέ που μπορεί να ήταν παλιός, μα δεν φαινόταν, γιατί επάνω του ήταν απλωμένο ένα πορτοκαλί ύφασμα με μπλε ρίγες και καθόσουν αναπαυτικά, επειδή μπορούσες ν' ακουμπάς στα μεγάλα μαξιλάρια, ένα μπλε και ένα πορτοκαλί. Η τηλεόραση ήταν στην άκρη, πάνω σ' ένα μικρό σκαμνάκι· υπήρχαν ακόμα τρεις καρέκλες σαν κι αυτές που έχουν συνήθως στα καφενεία. Εκεί έρχονταν και οι μαθητές του.

		ΣΩΣΤΟ	ΛΑΘΟΣ
0.	Το απόσπασμα αναφέρεται στο σπίτι του παππού ενός παιδιού.	✓	
1.	Το σπίτι του παππού ήταν καινούριο.		
2.	Ο παππούς ανεβοκατέβαινε στο σπίτι του από τις σκάλες.		
3.	Το σπίτι του παππού είχε θέα στην Ακρόπολη.		
4.	Στους τοίχους του σπιτιού υπήρχαν πολλοί πίνακες ζωγραφικής.		
5.	Ο παππούς στο παρελθόν ήταν ηθοποιός.		
6.	Ο παππούς δεχόταν τους μαθητές του στο «σαλόνι» του σπιτιού.		

Ερώτημα 4 (7 μονάδες)

Βρήκατε στο διαδίκτυο ένα άρθρο με μια έρευνα για το οικογενειακό τραπέζι. Μερικές λέξεις, όμως, δεν φαίνονται καλά. Στον πίνακα που ακολουθεί υπάρχουν οι λέξεις που ταιριάζουν στα κενά σημεία του κειμένου. Διαβάζετε προσεκτικά το κείμενο και συμπληρώνετε δίπλα σε κάθε λέξη του πίνακα τον αριθμό του κενού στο οποίο αυτή ταιριάζει, όπως στο παράδειγμα.

ΠΡΟΣΕΞΤΕ: Οι αριθμοί που πρέπει να συμπληρώσετε είναι ΕΠΤΑ (7) χωρίς το παράδειγμα.
Υπάρχουν έξι λέξεις που δεν ταιριάζουν σε κανένα κενό.

Οι καθημερινές υποχρεώσεις και οι πολλές ώρες δουλειάς σίγουρα κάνουν δύσκολη τη συγκέντρωση της οικογένειας γύρω από το τραπέζι. Σύμφωνα με τους ειδικούς, αν καταλάβουμε τα θετικά [0]_____ που έχει αυτή η συνήθεια για τα παιδιά, ίσως καταφέρουμε να βρούμε αυτόν τον χρόνο μέσα στη μέρα, κάθε μέρα. Η ώρα του φαγητού, υποστηρίζουν, δεν πρέπει να αποτελεί μοναχική διαδικασία, αλλά μια [1]_____ οικογενειακή στιγμή.

Πρόσφατη έρευνα υποστηρίζει ότι τα παιδιά από 9 έως 14 ετών που [2]_____ σε οικογενειακό κλίμα, καταναλώνουν περισσότερα φρούτα και λαχανικά και λιγότερα [3]_____ και τηγανητά φαγητά. Ένα άλλο πλεονέκτημα του οικογενειακού τραπεζιού είναι ότι τα παιδιά δοκιμάζουν πιο εύκολα νέες [4]_____. Οι ειδικοί, επίσης, έχουν βρει ότι τα οικογενειακά γεύματα τουλάχιστον 5 φορές την εβδομάδα απομακρύνουν τα παιδιά από τις κακές [5]_____, όπως το ποτό, το κάπνισμα κ.ά.

Αν τρώτε [6]_____ με τα παιδιά σας, υποστηρίζουν οι ειδικοί, τότε τα παιδιά θα τα πηγαίνουν καλύτερα στο σχολείο. Ο λόγος είναι ότι τα οικογενειακά γεύματα δίνουν την ευκαιρία στα παιδιά να [7]_____ με τους μεγαλύτερους, να ακούσουν πώς μιλάνε οι «μεγάλοι» μεταξύ τους, να μάθουν καινούριες λέξεις και έτσι να κάνουν πιο πλούσιο το λεξιλόγιό τους.

α.	αποτελέσματα	0
β.	αναψυκτικά	
γ.	επαγγελματική	
δ.	συχνά	
ε.	επιτρέψουν	
στ.	μειονεκτήματα	
ζ.	ευχάριστη	
η.	τροφές	
θ.	ποτέ	
ι.	τρώνε	
ια.	χωρίς	
ιβ.	συζητήσουν	
ιγ.	συνήθειες	
ιδ.	νυχτερινή	

ΔΙΑΡΚΕΙΑ ΕΞΕΤΑΣΗΣ: 25 λεπτά   **(25 ΜΟΝΑΔΕΣ)**

Ερώτημα 1   **(12 μονάδες)**

Θα ακούσετε δύο (2) φορές μία ραδιοφωνική εκπομπή. Ο καλεσμένος της εκπομπής περιγράφει μια εκδρομή που έκανε. Επειδή αυτά που ακούτε σας ενδιαφέρουν, κρατάτε πολύ σύντομες σημειώσεις, 1-3 λέξεις, όπως στο παράδειγμα.

ΠΡΟΣΕΞΤΕ: Οι σημειώσεις που πρέπει να κρατήσετε είναι **ΔΩΔΕΚΑ (12)** χωρίς το παράδειγμα.

0. Ο καλεσμένος μιλά για ένα ελληνικό νησί, _____ Τη Σκύρο _____.

1. Οι δύο άντρες ξεκίνησαν για τη Σκύρο τον μήνα _____.

2. Η Σκύρος είναι το πιο _____ νησί των Βόρειων Σποράδων.

3. Η απόσταση ανάμεσα στην Εύβοια και στη Σκύρο είναι περίπου _____.

4. Στο νησί η μετακίνηση γίνεται με αυτοκίνητο ή με _____.

5. Η διάρκεια παραμονής των δύο αντρών στην περιοχή Μώλος ήταν _____.

6. Οι δύο άντρες έπιναν καφέ και έμαθαν _____ του νησιού.

7. Στη Σκύρο έζησε ο μυθικός ήρωας _____.

8. Στην πρωτεύουσα του νησιού είναι δύσκολη η μετακίνηση με _____.

9. Οι πιο γνωστές τοπικές γεύσεις της Σκύρου είναι _____.

10. Το πιο γνωστό ζώο στη Σκύρο είναι _____.

11. Η διάρκεια της διαδρομής μέχρι το Κάστρο της Σκύρου είναι περίπου _____.

Ερώτημα 2   **(13 μονάδες)**

Θα ακούσετε δύο φορές μία συζήτηση σε μια ραδιοφωνική εκπομπή. Δύο ιδιοκτήτες ξενοδοχείων συνομιλούν με μία δημοσιογράφο. Καθώς ακούτε τη συζήτηση, στον πίνακα που έχετε μπροστά σας σημειώνετε √ στις πληροφορίες που ταιριάζουν σε κάθε ξενοδοχείο, όπως στο παράδειγμα.

ΠΡΟΣΕΞΤΕ: Πρέπει να σημειώσετε συνολικά **ΔΕΚΑΤΡΙΑ (13)** √ χωρίς το παράδειγμα. Ορισμένες πληροφορίες ταιριάζουν και στα δύο ξενοδοχεία.

	Ξενοδοχείο Παλλάς	Ξενοδοχείο Αύρα
Λειτουργία πριν από το 2000	√	
Στο κέντρο της πόλης		
Οικογενειακή επιχείρηση		
Περισσότερα από 50 δωμάτια		
Παραδοσιακή διακόσμηση		
Εστιατόριο		
Διοργάνωση κοινωνικών εκδηλώσεων		
Πισίνα		
Αθλητικές εγκαταστάσεις		
Χώρος για παιδικές δραστηριότητες		
Οικονομικές προσφορές στο κοινό		

3. ΠΑΡΑΓΩΓΗ ΓΡΑΠΤΟΥ ΛΟΓΟΥ

ΔΙΑΡΚΕΙΑ ΕΞΕΤΑΣΗΣ: 55 λεπτά **(25 ΜΟΝΑΔΕΣ)**

Πρώτο μέρος **(12 μονάδες)**

Ο / Η συνάδελφός σας εδώ και τρεις μήνες λείπει από το γραφείο, επειδή είχε ένα πολύ σοβαρό πρόβλημα υγείας. Του / Της γράφετε ένα γράμμα, για να ρωτήσετε για την υγεία του / της και πότε θα ξαναγυρίσει στη δουλειά. Επίσης, του / της γράφετε τα νέα του γραφείου, την πορεία των εργασιών σας όλο αυτό το διάστημα που λείπει, καθώς και ό,τι άλλο νομίζετε ότι τον / την ενδιαφέρει να μάθει. (150 λέξεις)

ΠΡΟΣΕΞΤΕ: Στο τέλος της επιστολής μην υπογράψετε με το όνομά σας.

_____ Μαΐου _____

Αγαπημένη μου Μαρία,

_____

_____

_____

_____

_____

_____

_____

Δεύτερο μέρος **(13 μονάδες)**

Ζείτε απέναντι από ένα δημοτικό πάρκο της πόλης σας. Εδώ και πολύ καιρό το πάρκο είναι σε πολύ κακή κατάσταση, γεμάτο σκουπίδια και σπασμένα αντικείμενα. Επιπλέον, καθημερινά αργά το βράδυ, στο πάρκο αυτό μαζεύονται διάφοροι άνθρωποι που κάνουν πολλή φασαρία. Γράφετε ένα γράμμα στον Δήμαρχο της πόλης, του εξηγείτε την κατάσταση που ζείτε εδώ και αρκετούς μήνες και κάνετε τα παράπονά σας. Του ζητάτε ευγενικά να λύσει το πρόβλημα που υπάρχει στην περιοχή σας και του προτείνετε τρόπους με τους οποίους μπορεί να κάνει το πάρκο καλύτερο, ώστε να το χρησιμοποιούν οι κάτοικοι της περιοχής. (150 λέξεις)

ΠΡΟΣΕΞΤΕ: στο τέλος της επιστολής μην υπογράψετε με το όνομά σας.

_____ Μαΐου _____

Κύριε Δήμαρχε,

_____

_____

_____

_____

4. ΠΑΡΑΓΩΓΗ ΠΡΟΦΟΡΙΚΟΥ ΛΟΓΟΥ

ΔΙΑΡΚΕΙΑ ΕΞΕΤΑΣΗΣ: 12 λεπτά   **(25 ΜΟΝΑΔΕΣ)**

Πρώτο μέρος

- Πώς λέγεστε;
- Από πού είστε;
- Με τι ασχολείστε;
- Μένετε μόνος / -η ή με την οικογένειά σας;

- Πόσα μέλη έχει η οικογένειά σας;
- Πώς περνάτε τον ελεύθερο χρόνο σας;
- Ποιες γλώσσες μιλάτε; Γιατί τις μάθατε;

Δεύτερο μέρος

- Συμμετέχετε στην ανακύκλωση προϊόντων; Αν ναι, με ποιον τρόπο; Τι είδους προϊόντα ανακυκλώνετε; Αν όχι, τι γνωρίζετε για την ανακύκλωση;
- Σας αρέσει να τρώτε από έξω ή προτιμάτε το σπιτικό φαγητό; Γιατί;
- Ποιο φαγητό σας αρέσει; Με τι υλικά φτιάχνεται;
- Σε ποια πόλη σάς αρέσει να ζείτε; Γιατί;
- Από ποιο μέσο (τηλεόραση, εφημερίδες, διαδίκτυο) ενημερώνεστε; Γιατί;

- Υπάρχουν δανειστικές βιβλιοθήκες στο μέρος που μένετε; Έχετε πάει σε κάποια από αυτές; Αν ναι, τι είδους βιβλίο / -α δανειστήκατε;
- Ποιο βιβλίο διαβάσατε τελευταία και σας άρεσε; Γιατί;
- Ποιο είναι το πιο πρόσφατο ταξίδι που κάνατε; Τι σας έμεινε αξέχαστο από το ταξίδι αυτό;
- Γνωρίζετε κάποια άτομα της τρίτης ηλικίας (ηλικιωμένα); Ποια είναι αυτά; Ποια είναι η σχέση σας μαζί τους;

Τρίτο Μέρος - Παιχνίδια Ρόλων

1. Αγαπημένα φαγητά
Συζητάτε με έναν φίλο/μια φίλη σας για τα αγαπημένα σας φαγητά.

Ρόλος Α
Του/Της λέτε ότι τρώτε πολύ κρέας, πολλά τηγανητά και πολύ ψωμί. Ο φίλος/Η φίλη σάς λέει ότι αυτό δεν είναι καλό για την υγεία σας. Εσείς του/της απαντάτε και του/της λέτε γιατί δεν μπορείτε να σταματήσετε αυτή τη διατροφή.

Ρόλος Β
Ο φίλος/Η φίλη σας σας λέει ότι τα αγαπημένα του/της φαγητά είναι το κρέας, τα τηγανητά και το ψωμί. Εσείς προσπαθείτε να τον/την πείσετε ότι αυτό δεν είναι καλό για την υγεία του/της.

2. Οικογένεια ή φίλοι;
Ρόλος Α
Ένας φίλος/Μια φίλη σας πιστεύει ότι οι φίλοι είναι πιο σημαντικοί από την οικογένεια. Εσείς διαφωνείτε, γιατί πιστεύετε περισσότερο στη σημασία της οικογένειας στη ζωή του ανθρώπου. Προσπαθείτε να τον/την πείσετε.

Ρόλος Β
Ένας φίλος/Μια φίλη πιστεύει ότι η οικογένεια είναι πιο σημαντική από τους φίλους. Εσείς διαφωνείτε, γιατί πιστεύετε περισσότερο στη σημασία των φίλων στη ζωή του ανθρώπου. Προσπαθείτε να τον/την πείσετε.

3. Στη δανειστική βιβλιοθήκη
Ρόλος Α
Ετοιμάζετε μια γραπτή εργασία (για το σχολείο/το Πανεπιστήμιο/τη δουλειά σας) και χρειάζεστε κάποια βιβλία. Πηγαίνετε στη δημοτική βιβλιοθήκη της πόλης σας. Ο/Η υπάλληλος σάς βοηθά στην εγγραφή σας και προσπαθεί, επίσης, να σας βοηθήσει να βρείτε τα βιβλία που χρειάζεστε. Απαντάτε στις ερωτήσεις του/της υπαλλήλου και του/της δίνετε όλες τις απαραίτητες πληροφορίες για τα βιβλία που θέλετε.

Ρόλος Β
Εργάζεστε στη δημοτική βιβλιοθήκη της πόλης σας. Κάποιος/Κάποια που ετοιμάζει μια γραπτή εργασία (για το σχολείο/το Πανεπιστήμιο/τη δουλειά του/της) χρειάζεται κάποια βιβλία. Τον/Την βοηθάτε να κάνει την εγγραφή του/της και προσπαθείτε, επίσης, να τον/την βοηθήσετε να βρει τα βιβλία που χρειάζεται. Ζητάτε όλες τις απαραίτητες πληροφορίες, για να τον/την εξυπηρετήσετε.

4. Αλλαγή κατοικίας

Ρόλος Α

Αποφασίσατε να αφήσετε το πατρικό σας σπίτι και να νοικιάσετε ένα σπίτι, για να ζήσετε μόνος/μόνη σας. Οι γονείς σας διαφωνούν με αυτήν την απόφασή σας. Προσπαθείτε να τους πείσετε.

Ρόλος Β

Ο γιος/Η κόρη σας αποφάσισε να φύγει από το σπίτι σας, για να νοικιάσει ένα σπίτι όπου θα ζήσει μόνος του/μόνη της. Εσείς διαφωνείτε με αυτήν την απόφασή του/της. Προσπαθείτε να τον κάνετε να αλλάξει γνώμη.

5. Επιλογή επαγγέλματος

Ρόλος Α

Πριν από δύο μέρες ένα Πανεπιστήμιο του εξωτερικού σας έκανε δεκτό/δεκτή στην Ιατρική Σχολή. Είστε πολύ ενθουσιασμένος/ ενθουσιασμένη και το λέτε σε έναν φίλο/μια φίλη σας. Εκείνος/ Εκείνη δεν ενθουσιάζεται καθόλου και σας λέει ότι το καλύτερο για σας είναι να αναλάβετε την οικογενειακή σας επιχείρηση και όχι να ξεκινήσετε σπουδές στο εξωτερικό. Προσπαθείτε να τον/την πείσετε.

Ρόλος Β

Ένας φίλος/Μια φίλη σας σας λέει ενθουσιασμένος/ενθουσιασμένη ότι ένα Πανεπιστήμιο του εξωτερικού τον/την δέχτηκε στην Ιατρική Σχολή. Εσείς δεν ενθουσιάζεστε καθόλου και προσπαθείτε να τον/ την πείσετε ότι θα πρέπει να αναλάβει την οικογενειακή του/της επιχείρηση και όχι να ξεκινήσει σπουδές στο εξωτερικό.

6. Ψώνια από το διαδίκτυο;

Ρόλος Α

Ένας φίλος/Μια φίλη σας σας ζητά να πάτε μαζί στην αγορά, για να ψωνίσει ρούχα. Του/Της λέτε ότι δεν σας αρέσει καθόλου να πηγαίνετε στην αγορά και ότι προτιμάτε να κάνετε τις αγορές σας από το διαδίκτυο (ίντερνετ). Εκείνος/Εκείνη διαφωνεί με την αγορά προϊόντων από το διαδίκτυο, γι' αυτό προσπαθείτε να τον/την πείσετε.

Ρόλος Β

Ζητάτε από έναν φίλο/μια φίλη σας να πάτε μαζί στην αγορά, για να ψωνίσετε ρούχα. Εκείνος/ Εκείνη σας λέει ότι δεν του/της αρέσει καθόλου να πηγαίνει στην αγορά και ότι προτιμάει να κάνει αγορές από το διαδίκτυο. Εσείς διαφωνείτε με τις αγορές από το διαδίκτυο, γι' αυτό προσπαθείτε να τον/την πείσετε.

7. Καλοκαιρινές διακοπές

Ρόλος Α

Ο φίλος/Η φίλη σας σας κάλεσε να περάσετε μαζί τις καλοκαιρινές διακοπές στο εξοχικό σπίτι που έχει στη θάλασσα. Εσείς έχετε ήδη κανονίσει για το πού θα πάτε το καλοκαίρι. Τον/Την ευχαριστείτε και προσπαθείτε με ευγενικό τρόπο να αρνηθείτε την πρόσκληση. Του/Της εξηγείτε τους λόγους. Εκείνος/ Εκείνη προσπαθεί να σας κάνει να αλλάξετε την απόφασή σας.

Ρόλος Β

Καλέσατε τον φίλο/την φίλη σας να περάσετε μαζί τις καλοκαιρινές διακοπές στο εξοχικό σπίτι που έχετε στη θάλασσα. Εκείνος/Εκείνη σας ευχαριστεί για την πρόσκληση, αλλά σας λέει ότι δεν μπορεί να έρθει και σας εξηγεί τους λόγους. Προσπαθείτε να τον/την πείσετε να αλλάξει απόφαση.

ΕΛΛΗΝΙΚΗ ΔΗΜΟΚΡΑΤΙΑ
ΥΠΟΥΡΓΕΙΟ ΠΑΙΔΕΙΑΣ ΚΑΙ ΘΡΗΣΚΕΥΜΑΤΩΝ
ΚΕΝΤΡΟ ΕΛΛΗΝΙΚΗΣ ΓΛΩΣΣΑΣ

ΚΛΙΚ

στα ελληνικά

ΓΛΩΣΣΑΡΙ

ΕΛΛΗΝΟ-ΑΓΓΛΙΚΟ

Μέθοδος εκμάθησης της ελληνικής ως δεύτερης/ξένης γλώσσας

επίπεδο Β1

ΕΛΛΗΝΙΚΗ ΔΗΜΟΚΡΑΤΙΑ
ΥΠΟΥΡΓΕΙΟ ΠΑΙΔΕΙΑΣ ΚΑΙ ΘΡΗΣΚΕΥΜΑΤΩΝ
ΚΕΝΤΡΟ ΕΛΛΗΝΙΚΗΣ ΓΛΩΣΣΑΣ

ΓΛΩΣΣΑΡΙ
ΕΛΛΗΝΟ-ΑΓΓΛΙΚΟ

επίπεδο Β1

Το τεύχος *ΚΛΙΚ στα ελληνικά – Γλωσσάρι ελληνο-αγγλικό* συνοδεύει το βιβλίο των Μ. Καρακύργιου & Β. Παναγιωτίδου *ΚΛΙΚ στα ελληνικά, επίπεδο Β1,* ISBN: 978-960-7779-62-5, Θεσσαλονίκη 2014, ανατ. 2022.

Σύνταξη & Επιμέλεια: Αθανασία Μαργώνη
                                       Κατερίνα Πρανέντση

Σχεδιασμός: Εκδόσεις Ζήτη

© Κέντρο Ελληνικής Γλώσσας
Καραμαούνα 1, Πλατεία Σκρα, 551 32 Καλαμαριά, Θεσσαλονίκη
τηλ.: +302313 331500

ηλεκτρονικό ταχυδρομείο: centre@komvos.edu.gr
ιστοσελίδα: https://www.greeklanguage.gr/

Α, α = άλφα

αβγό/αυγό, το = egg
αγαπάω & -ώ = to love
αγάπη, η = love
αγαπημένος, -η, -ο = favorite, beloved, dear
αγαπητός, -ή, -ό = dear, darling, popular
αγγελία, η = announcement, advertisement
αγγίζω = to touch
αγγλική γλώσσα, η — αγγλικά, τα = English
αγγούρι, το = cucumber
αγελάδα, η = cow
αγένεια, η = rudeness, impoliteness
αγιόκλημα, το = honeysuckle
Άγιος Μαυρίκιος, ο [place name] = Mauritius
άγιος, ο — αγία, η = saint
αγκαλιά, η = embrace, hug
αγκαλιάζω = to embrace, to hug
αγκινάρα, η = artichoke
άγνωστος, ο — άγνωστη, η [n.] = stranger
άγνωστος, -η, -ο [adj.] = unknown, unfamiliar
αγορά, η = purchase, shopping
αγορά, η [place] = market, marketplace
αγοράζω = to buy
αγοραπωλησία, η = transaction, sale, trade, purchase
αγορασμένος, -η, -ο = bought, purchased
αγοραστής, ο — αγοράστρια, η = buyer, purchaser, shopper, customer
αγόρι, το = boy
αγριεύω = to roughen, to become wild, to make angry
Αγρίνιο, το [place name] = Agrinio
άγριος, -α, -ο = wild, savage
αγρός, ο = field
αγρότης, ο — αγρότισσα, η = farmer
αγροτικός, -ή, -ό = farming, agricultural, agrarian
άγχος, το [see also αγωνία] = stress, anxiety, worry
αγχωμένος, -η, -ο = stressed, anxious

αγχώνομαι = to stress out
αγχώνω = to make tense, to make nervous
αγχωτικός, -ή, -ό = stressful
αγώνας, ο = match, game
αγωνία, η [see also άγχος] = stress, anxiety, worry
άδεια, η = leave, permit
αδειάζω = to empty, to clear
άδειος, -α, -ο = empty, vacant
αδερφή, η = sister
αδερφός, ο = brother
άδικος, -η, -ο = unfair, wrongful, unjust
αδικία, η = injustice
αδυναμία, η = weakness, weak spot
αδύναμος, -η, -ο = weak, frail
αδυνατίζω = to get thin, to lose weight
αδύνατος, -η, -ο = thin, slim
αέρας, ο = wind, air
αέριο, το = gas
αεροδρόμιο, το = airport
αεροπλάνο, το = airplane
αεροπορικός, -ή, -ό = air, aviation, of air travel
    αεροπορικό ταξίδι, το = airplane travel
αεροσυνοδός, ο/η = flight attendant
Αθήνα, η [place name] = Athens
άθλημα, το = sport
άθληση, η = gymnastics, athletics, sport, the practice of sport
αθλητής, ο — αθλήτρια, η = athlete
αθλητικός, -ή, -ό = athletic
    αθλητικοί αγώνες, οι = sports games
αθλητισμός, ο = sports
αθλούμαι = to work out, to exercise
αθόρυβος, -η, -ο = silent, quiet
Αιγαίο, το [place name] = the Aegean sea
Αιγόκερως, ο/η = Capricorn
Αιγύπτιος, -α, -ο = Egyptian
αίθουσα, η = hall, room, chamber, classroom
αίμα, το = blood
αιμορραγώ = to bleed
Αινστάιν, Άλμπερτ, ο [proper name] = Einstein, Albert (a famous physicist)

αισθάνομαι = to feel, to sense
αίσθημα, το = feeling, emotion, sentiment
αισθηματικός, -ή, -ό = emotional, sentimental
αισθητική, η = aesthetics
αισιοδοξία, η = optimism
αισιόδοξος, -η, -ο = optimist
αισιοδοξώ = to be optimistic
αίτηση, η = application, application form
αιτία, η = cause, reason
αιτιολογία, η = reasoning, explanation
αιτιολογώ = to justify
αιώνας, ο = century
ακατάλληλος, -η, -ο = inappropriate
ακίνδυνος, -η, -ο = harmless
ακίνητος, -η, -ο = still, motionless
ακολουθώ = to follow
ακόμη [quantitative] = even, more
ακόμη [temporal] = yet, still
άκομψος, -η, -ο = inelegant, in poor taste
ακούγομαι = to be heard
ακουμπάω & -ώ = to lean, to touch
ακουστικός, -ή, -ό = hearing, acoustic, auditory
ακούω = to hear, to listen to
άκρη, η = edge, end
ακριβός, -ή, -ό = expensive, costly
ακριβώς [adv.] = exactly, precisely
άκρο, το = edge, end, end point
ακρογιαλιά, η = seaside, beach
Ακρόπολη, η [place name] = Acropolis
ακροστιχίδα, η = acrostic, acronym
ακτή, η = beach
ακτινογραφία, η = X-ray
ακτινολόγος, ο/η = radiologist
άκυρος, -η, -ο = invalid
ακυρώνομαι = to be canceled, to be invalidated
ακυρώνω = to cancel, to invalidate
ακύρωση, η = cancellation, invalidation
αλάτι, το = salt
αλείφω = to spread, to anoint, to smear, to coat

Αλέξανδρος, ο [proper name] = Alexander

αλεπού, η = fox

αλεύρι, το = flour

αλευρώνω = to flour, to dust with flour

αλήθεια [adv.; see also *αληθινά*] = really, truly

αλήθεια, η [n.] = truth

αληθινός, -ή, -ό = true, real

αληθινά [adv.; see also *αλήθεια*] = really, truly

αλκοόλ, το = alcohol

αλκοολούχος, -α, -ο = alcoholic

άλλος, -η, -ο = another

αλλά [see also *μα, όμως*] = but

αλλαγή, η = change

αλλαγμένος, -η, -ο = turned around, changed, altered

αλλάζω = to change, to alter
αλλάζω γνώμη = to change my mind

αλλαντικό, το = deli meat

αλλεργία, η = allergy

αλλεργικός, -ή, -ό = allergic

αλλιώς [adv.; see also *διαφορετικά*] = otherwise, differently

άλλος, -η, -ο = other, another, else

άλλωστε = besides, moreover, after all

αλμύρα, η = saltiness

άλογο, το = horse

αλοιφή, η [Greek dish/food] = paste, dip

αλουμίνιο, το = aluminum

αλουμινόχαρτο, το = aluminum foil

αλώβητα [adv.] = untouched, unscathed

αμαξοστοιχία, η = train

αμερικανικός, -ή, -ό [adj.] = American

Αμερικανός, ο — Αμερικανίδα, η = American

Αμερική, η [place name] = America, USA

άμεσα [adv.] = promptly, directly

αμέσως [adv.] = immediately, right away

αμοιβαίος, -α, -ο = mutual, reciprocal

αμοιβαιότητα, η = mutuality

Αμοργός, η [place name] = Amorgos

Άμστερνταμ, το [place name] = Amsterdam

αμύγδαλο, το = almond

αμυγδαλωτός, -ή, -ό = almond-shaped

άμυνα, η = defence

αν = if

αν και = although, even though

ανάβω = to switch on, to fire up

αναγκάζομαι = to be forced, to be obliged

αναγκάζω = to force, to oblige, to compel

αναγκαίος, -α, -ο = necessary, essential

αναγκαστικός, -ή, -ό = forced, obligatory, compulsory

ανάγκη, η = need, necessity

αναγνωρίζω = to recognize, to acknowledge

ανάγνωση, η = reading

αναγνωστήριο, το = reading room

αναγνώστης, ο — αναγνώστρια, η = reader

αναζητάω & -ώ = to seek, to look for

αναίσθητος, -η, -ο = insensitive, unconscious

ανακαίνιση, η = renovation, restoration

ανακαινισμένος, -η, -ο = renovated, restored

ανακαλύπτω = to discover, to find out

ανακάλυψη, η = discovery, find

ανακατεμένος, -η, -ο = mixed, blended

ανακατεύω = to mix, to blend, to stir,

ανακεφαλαίωση, η = summary

ανακοινώνω = to announce

ανακυκλωμένος, -η, -ο = recycled

ανακυκλώνω = to recycle

ανακύκλωση, η = recycling

αναλαμβάνω = to take over, to undertake, to take upon oneself

ανάλογα [adv.] = depending on, accordingly

αναμένω = to expect, to wait

ανάμεσα [adv.] = between

αναμμένος, -η, -ο = switched on

ανάμνηση, η = memory

ανανάς, ο = pineapple

ανανεώνω = to renew

αναπαυτικά [adv.] = comfortably

αναπηρία, η = disability

αναπνοή, η = breath, breathing

ανάπτυξη, η = development, growth

αναπτύσσομαι = to be developed, to grow

αναπτύσσω = to develop

αναρρώνω = to recover, to recuperate

ανάρρωση, η = recovery, recuperation, convalescence

αναρρωτικός, -ή, -ό = recuperative, convalescent

αναρωτιέμαι = to wonder, to ask myself

αναστατωμένος, -η, -ο = upset

ανατολικός, -ή, -ό = east, eastern

ανατροφή, η = upbringing, breeding, nurture

αναφέρομαι = to refer, to talk about

αναφέρω = to mention, to report

αναφορά, η = reference, report

αναχώρηση, η = departure

αναχωρώ = to depart

αναψυκτικό, το = refreshment, beverage

ανεβαίνω = to rise, to climb, to get on
ανεβαίνει μια θεατρική παράσταση = a play is put on

ανεβοκατεβαίνω = to go up and down, to fluctuate

ανεκτίμητος, -η, -ο = priceless, invaluable

άνεμος, ο = wind

ανεμοστρόβιλος, ο = tornado

ανεξάρτητος, -η, -ο = independent

ανεργία, η = unemployment

άνεργος, ο — άνεργη, η = unemployed

άνεση, η = comfort

άνετα [adv.] = comfortably

άνετος, -η, -ο = comfortable, comfy, cosy

ανεύθυνος, -η, -ο = irresponsible

ανευθυνότητα, η = irresponsibility

άνηθος, ο = dill
ανήκω = to belong
ανησυχητικός, -ή, -ό = worrying, alarming
ανησυχία, η = worry, concern, restlessness
ανησυχώ = to worry
ανθεκτικός, -ή, -ό = durable, resistant
ανθοδοχείο, το = vase
ανθοπωλείο, το = flower shop
ανθοπώλης, ο/η = florist
ανθότυρο, το = a kind of soft cheese
ανθρώπινος, -η, -ο = human, humane
άνθρωπος, ο = human, human being, person
ανθρωπότητα, η = humanity
ανθυγιεινός, -ή, -ό = unhealthy
ανίκανος, -η, -ο = inefficient, incapable
ανιψιός, ο — ανιψιά, η = nephew, niece
Άννα, η [proper name] = Anna
άνοδος, η = ascension, ascent, accession, rise, increase
άνοιγμα, το = opening
ανοίγω = to open
άνοιξη, η = spring
ανοιχτός, -ή, -ό = open
ανοιχτωσιά, η = openness, open space
ανοργάνωτος, -η, -ο = disorganized
ανταγωνισμός, ο = competition
ανταλλαγή, η = exchange
ανταλλάσσω = to exchange
ανταμείβω = to reward
ανταμώνω = to meet
ανταποκρίνομαι = to respond
ανταύγεια, η = glow, reflection, coloured highlight (in hair)
αντέχω = to endure, to bear, to withstand
αντί = instead of, in place of
αντιβίωση, η = antibiotics
αντίγραφο, το = copy
αντιγράφω = to copy
αντίδραση, η = reaction
αντιδραστικός, -ή, -ό = reactive, reactionary
αντιδρώ = to react

αντιηλιακό/αντηλιακό, το = sun block, sunscreen
αντίθεση, η = contradiction, contrast
αντίθετα [adv.] = on the contrary
αντίθετος, -η, -ο = opposite, contrary, conflicting
αντικαθιστώ = to replace, to substitute, to supplant, to relieve
αντικαταβολή, η = payment upon delivery
αντικατάσταση, η = replacement, substitution
αντικειμενικότητα, η = objectivity, impartiality
αντικείμενο, το [see also πράγμα] = object, thing
αντικοινωνικός, -ή, -ό = antisocial
αντικολλητικός, -ή, -ό = nonstick
αντικρίζω = to face
αντίληψη, η = perception, understanding, opinion
αντίλογος, ο = riposte, counterargument
αντιμετωπίζω = to confront, to face, to encounter, to cope with
αντιμετώπιση, η = confrontation, dealing
αντιπαθητικός, -ή, -ό = obnoxious, disagreeable, unpleasant
αντίπαλος, -η, -ο = opponent
αντιπροσωπεύω = to represent
αντιπρόσωπος, ο/η = representative
αντίρρηση, η = objection
αντίστοιχα [adv.] = accordingly
αντιστοιχίζω = to match
αντιστοιχώ = to correspond
αντίστροφα [adv.] = contrarily
αντίχειρας, ο = thumb
αντοχή, η = endurance, durability
άντρας, ο = man, husband
αντρικός, -ή, -ό = male
Αντώνης, ο [proper name] = Anthony
αντωνυμία, η = pronoun
Άνω Πορόια [place name] = Ano Poroia
ανώι, το = first floor
άνω κάτω = in a mess
ανώνυμος, -η, -ο = anonymous

ανώριμος, -η, -ο = immature
ανωριμότητα, η = immaturity
ανώτερος, -η, -ο = superior, higher, upper
ανώφελος, -η, -ο = fruitless, pointless
αξεσουάρ, το = accessory
αξέχαστος, -η, -ο = unforgettable
αξέχαστα [adv.] = unforgotten, unforgettable
άξιος, -α, -ο = worthy, capable
αξία, η = value, worth
αξίζω = to be worth
αξιοθέατο, το = sight, attraction
αξιόλογος, -η, -ο = distinguished, meritorious
αξιολόγηση, η = evaluation, assessment
αξιοποίηση, η = utilization
αξιοποιώ = to make good use of, to utilize
αόριστος, -η, -ο = indefinite
αόριστο άρθρο = indefinite article
αόριστα [adv.] = indefinitely
απαγορευμένος, -η, -ο = prohibited, forbidden
απαγορεύω = to forbid
απαισιόδοξος, -η, -ο = pessimist
απαίσιος, -α, -ο = awful, terrible, horrible
απαίτηση, η = demand, requirement
απαιτητικός, -ή, -ό = demanding
απαιτώ = to demand, to require
απάνθρωπος, -η, -ο = inhuman
απαντάω & -ώ = to answer, to respond, to reply
απάντηση, η = answer, response, reply
απαραίτητος, -η, -ο = necessary, essential, required
απαριθμώ = to recite, to enumerate, to list
απασχόληση, η = work, employment, occupation
απασχολούμαι = to be kept busy, to be employed, to be occupied
απασχολώ = to trouble, to bother, to employ, to occupy
απάτη, η = fraud, scam
απειλή, η = threat

απειλητικός, -ή, -ό = threatening
απειλητικά [adv.] = in a threatening way
απειλούμαι = to be threatened
απειλώ = to threaten
άπειρος, -η, -ο = inexperienced
απελπίζομαι = to despair
απελπισία, η = despair
απελπισμένος, -η, -ο = desperate
απελπιστικός, -ή, -ό = hopeless
απέναντι [adv.] = across, opposite
απεριόριστος, -η, -ο = boundless, limitless, unlimited
απευθύνομαι = to be addressed, to address someone
απέχω = to be at a distance, to be far, to abstain
απλά [adv.] = simply, only
άπλα, η = roominess, spaciousness
απλός, -ή, -ό = simple, plain
απλότητα, η = simplicity
απλωμένος, -η, -ο = outstretched, spread out
απλώνω = to spread
απλώς [adv.] = only, simply
από = from, since
από τότε = since then
απόβλητο, το = waste, sewage
απογειώνομαι = to take off
απογειώνω = to make [sth] take off, to make [sth] fly, to soar
απογείωση, η = take-off, lift-off
απόγευμα, το = afternoon, evening
απογευματινός, -ή, -ό = afternoon, evening
απογοητευμένος, -η, -ο = disappointed
απογοήτευση, η = disappointment
απογοητευτικός, -ή, -ό = disappointing
απογοητεύω = to disappoint
απόδειξη, η = proof, receipt
αποδίδω = to attribute, to perform, to be efficient
αποδρώ = to escape, to get away
αποζημίωση, η = compensation
αποθαρρύνω = to discourage, to dishearten
αποθήκη, η = storage room
αποικία, η = colony
αποκαλώ = to call, to name

αποκλεισμός, ο = exclusion
αποκλειστικά [adv.] = exclusively
αποκριάτικος, -η, -ο = halloween, carnival
απόκτηση, η = acquisition
αποκτώ = to have, to obtain, to acquire
απολαμβάνω = to enjoy
απόλαυση, η = enjoyment, pleasure
απολαυστικός, -ή, -ό = enjoyable
απολυμαίνω = to disinfect
απόλυτος, -η, -ο = absolute
απόλυτα/απολύτως [adv.] = absolutely
απολυτήριο, το = certificate, diploma
απόμακρος, -η, -ο = distant
απομακρύνω = to remove
απομονωμένος, -η, -ο = isolated
απομονώνω = to isolate
απομόνωση, η = isolation
απορία, η = question, query
απορρίμματα = garbage, waste, trash
απορώ = to wonder
αποσκευή, η = suitcase, baggage, luggage
απόσπασμα, το = passage, extract
απόσταση, η = distance
αποστολή, η = shipment, dispatch, expedition
Αποστόλης, ο [proper name] = Apostolis
αποτέλεσμα, το = result
αποτελεσματικός, -ή, -ό = effective
αποτελεσματικά [adv.] = effectively
αποτελούμαι = to be composed of, to consist of
αποτελώ = to constitute
αποτυχαίνω = to fail
αποτυχία, η = failure
απουσιάζω = to be absent
αποφάγι, το = leftovers
απόφαση, η = decision
αποφασίζω = to decide, to make up my mind
αποφασισμένος, -η, -ο = determined
αποφασιστικός, -ή, -ό = decisive
αποφεύγω = to avoid
απόφοιτος, ο — απόφοιτη, η = graduate

αποχαιρετώ = to say goodbye, to bid [sb] farewell
απόχρωση, η = hue, tint, shade, tone, nuance
απόψε [adv.] = tonight
άποψη, η = opinion
απρόθυμος, -η, -ο = reluctant
απρόσεκτος, -η, -ο = careless
αράζω = to relax, to lounge, to hang
αραιωμένος, -η, -ο = diluted
αρακάς, ο = peas
αραχτός, -ή, -ό = loafing around, loafing about, hanging around
αργά [adv.] = slowly, late
Αργεντινή, η [place name] = Argentina
αργία, η = public holiday
αργκό, η = slang
αργός, -ή, -ό = slow
Άργος, το [place name] = Argos
αργότερα [adv.] = later
αργυροπελεκάνος, ο = the Dalmatian pelican, pelecanus crispus
αργώ = to be late
(μου) αρέσει = to like
Άρης, ο [planet]= Mars
Άρης, ο [proper name] = Aris, Ares
άρθρο, το = article
αριθμός, ο = number
αριθμώ = to enumerate
άριστος, -η, -ο = excellent, perfect
αριστερά [adv.] = (to the) left
αριστερός, -ή, -ό = left
αριστοκρατικός, -ή, -ό = aristocratic, classy
Αρίων, ο [proper name] = Arion
αρκετός, -ή, -ό = enough, plenty
αρκούδα, η — αρκούδι, το = bear
αρμονία, η = harmony
άρνηση, η = negation
αρνητικός, -ή, -ό = negative
αρνητικά [adv.] = negatively
αρνί, το = lamb
αρνούμαι = to deny, to refuse, to decline
αρραβωνιαστικός, ο — αρραβωνιαστικιά, η = fiancé, fiancée
αρρωσταίνω = to become sick, to get sick
αρρώστια, η = illness
αρρωστιάρης, -α, -ικο = ill, sick, who becomes ill often

άρρωστος, -η, -ο = ill, sick
αρσενικός, -ή, -ό = male, masculine
Άρτεμη, η [proper name] = Artemis
αρχαίος, -α, -ο = ancient
αρχαιότητα, η = antiquity,
    ancient times
αρχείο, το = file
αρχή, η = beginning, start
    αρχές, οι = in the beginning
αρχίζω = to begin, to start
αρχικά [adv.] = initially, firstly
αρχικός, -ή, -ό = initial
αρχιτέκτονας, ο/η = architect
αρχιτεκτονικός, -ή, -ό = architectural
αρχιτεκτονική, η = architecture
άρχοντας, ο — αρχόντισσα, η =
    master, lady
αρχοντικό, το = villa, mansion
άρωμα, το = perfume, scent
αρωματίζω = to scent, to perfume,
    to flavor, to spice
αρωματικός, -ή, -ό = aromatic
αρωματισμός, ο = the act of
    flavoring or spicing,
    of adding flavor or scent
ας = let(s)
ασανσέρ, το = lift, elevator
ασήμαντος, -η, -ο = unimportant,
    insignificant
ασθένεια, η = disease, sickness
ασθενής, ο/η [n.] = patient
ασθενής, -ής, -ές [adj.] = mild,
    weak
ασθενοφόρο, το = ambulance
Ασία, η [place name] = Asia
άσκηση, η = exercise, task
ασκώ = to use
ασπρομάλλης, -α, -ικο =
    white-haired
άσπρος, -η, -ο = white
αστείος, -α, -ο = funny
αστέρι, το = star
αστερισμός, ο = constellation
Αστεροσκοπείο, το = observatory
αστικός, -ή, -ό = urban
αστράγαλος, ο = ankle
αστραπή, η = lightning
αστράφτει [weather] = lightning
    flashes, lightning strikes
αστραφτερός, -ή, -ό = sparkling,
    shiny

αστράφτω = to sparkle, to shine,
    to gleam
αστροφυσικός, ο/η = astrophysicict
αστυνομία, η = police
αστυνομικός, -ή, -ό = police, crime
    novel
αστυνομικός, ο/η = policeman/po-
    lice woman
Αστυπάλαια, η [place name] =
    Astypalaia
ασφάλεια, η = safety, security
ασφαλίζω = to secure
ασφαλισμένος, -η, -ο = insured
ασφαλιστικός, -ή, -ό = insurance,
    safety, actuarial
άσχημα [adv.] = badly
άσχημος, -η, -ο = ugly
ασχολία, η = occupation, diversion,
    hobby
ασχολούμαι = to be occupied with
ατμομάγειρας, ο = steam cooker
ατμός, ο = vapor, steam
ατμόσφαιρα, η = atmosphere
ατομικός, -ή, -ό = individual
άτομο, το [human being] = person
ατσαλάκωτος, -η, -ο = uncreased
Αττική, η [place name] = Attica
ατύχημα, το = accident
ατυχία, η = misfortune
αυγή, η = dawn
αυθεντικός, -ή, -ό = authentic,
    original
αυλή, η = yard
αυξάνω = to increase
αυξημένος, -η, -ο = increased
αύξηση, η = increase, raise
αύριο [adv.] = tomorrow
αυστηρός, -ή, -ό = strict
αυστηρότητα, η = austerity, severity,
    sternness
Αυστραλία, η [place name] =
    Australia
αυτί, το = ear
αυτοκίνητο, το = car
αυτοκράτορας, ο — αυτοκράτειρα,
    η = emperor
αυτόνομος, -η, -ο = independent
αυτονομία, η = autonomy
αυτοπεποίθηση, η = self-confidence
αυτός, -ή, -ό [for persons] = he, she,
    it

αυτός, -ή, -ό [not for persons] = this
    αυτοί, -ές, -ά = these, they
αυτοσχέδιος, -α, -ο = improvised
αυτοσχεδιάζω = to improvise
αυτοσχεδιασμός, ο = improvisation
αφαιρώ = to subtract
αφαλός, ο = belly button
αφεντικό, το = boss
αφετηρία, η = start, beginning,
    starting line
αφή, η = touch
αφήγηση, η = narration
αφηγητής, ο — αφηγήτρια, η =
    narrator
αφηγούμαι = to narrate
αφήνω = to leave, to let go
αφιέρωμα, το = dedication, tribute
αφιερωμένος, -η, -ο = dedicated
αφιερώνω = to dedicate
αφιέρωση, η = dedication
αφιλόξενος, -η, -ο = hostile,
    inhospitable
άφιξη, η = arrival
αφίσα, η = poster
αφορώ = to concern
αφοσίωση, η = dedication, devotion
αφού = since
Αφρική, η [place name] = Africa
άφωνος, -η, -ο = speechless
αχλάδι, το = pear
αχλαδιά, η = pear tree
άχνη, η = powdered sugar
άχρηστος, -η, -ο = useless
αχυρένιος, -α, -ο = made of straw
άχυρο, το = straw
αχώριστος, -η, -ο = inseparable

Β, β = βήτα

βαγόνι, το = carriage, railway car
βάζω = to put
    βάζω βάρος = to gain weight
βαθύς, -ιά, -ύ = deep
βαθιά [adv.] = deeply
βαθμίδα, η = grade
βαθμολογία, η — βαθμολόγηση, η
    = grading
βαθμολογούμαι = to be graded
βαθμολογώ = to grade
βαθμός, ο = grade, degree
βάθος, το = background, depth

βάθρα, η = a natural pool (in Samothraki)

βαλίτσα, η = suitcase

βαλκανικός, -ή, -ό = Balkan

Βαλτική, η [place name] = the Baltics

βαμβακερός, -ή, -ό = cotton

βαμβάκι, το = cotton

βανίλια, η = vanilla

βαρέλι, το — βαρέλα, η = barrel

βαρετός, -ή, -ό = boring

βαριέμαι = to be bored

βάρκα, η = boat

βαρκάδα, η = boat ride

Βαρκελώνη, η [place name] = Barcelona

βάρος, το = weight

βαρύς, -ιά, -ύ = heavy

βάσανο, το = torture, torment

βάση, η = base

βασίζομαι = to depend on, to rely

βασικός, -ή, -ό = basic, main

Βασίλης, ο [proper name] = Vassilis

βασιλικός, ο = basil

βασιλόπουλο, το — βασιλοπούλα η = young king or prince, young queen or princess

βατραχοπέδιλο, το = flipper

βάτραχος, ο = frog

βάφομαι = to put on make up

βάφτιση, η — βαφτίσια, τα = christening

βάφω = to paint, to dye

βγάζω = to take out, to take off

βγαίνω = to get out, to go out

βδομάδα, η [see also εβδομάδα] = week

βέβαιος, -α, -ο = certain

βέβαια [adv.] = of course, certainly

βεβαιότητα, η = certainty

βεβαιώνω = to confirm, to affirm

βεγγέρα, η = visit, dinner party

Βέλγιο, το [place name] = Belgium

Βέλγος, ο — Βελγίδα, η = Belgian

βελόνα, η = needle

βελτιώνομαι = to get better, to improve

βελτιώνω = to improve, to make better

βενζινάδικο, το = gas station

βενζίνη, η = gas, petrol

βεράντα, η = terrace

βερικοκιά, η = apricot tree

βερίκοκο, το = apricot

βερμούδα, η = shorts

βήμα, το = step

βήχας, ο = cough

βήχω = to cough

βία, η = violence

βιάζομαι = to be in a rush, to be in a hurry, to hurry up

βιαστικός, -ή, -ό = hasty

βιαστικά [adv.] = in a rush, hurriedly

βιασύνη, η = hurry, rush

βιβλίο, το = book

βιβλιοθήκη, η [furniture] = bookcase

βιβλιοθήκη, η [room, building] = library

βιβλιοπωλείο, το = bookstore, bookshop

βιβλιοπώλης, ο/η = bookseller

βίζα, η = visa

βίλα, η = villa

βιογραφικό, το = curriculum vitae / CV, resumé

βιολετής, -ιά, -ί = violet
βιολετί [color] = violet

βιολογικός, -ή, -ό = biological

βιομηχανία, η = industry

βιομηχανικός, -ή, -ό = industrial

βιταμίνη, η = vitamin

βλαβερός, -ή, -ό = harmful

βλάβη, η = damage

βλάπτω = to damage, to harm

βλέμμα, το = look, glance

βλέπω = to see, to look, to watch

βλεφαρίδα, η = eyelash

βοηθάω & -ώ = to help

βοήθεια, η = help, assistance

βοήθημα, το = textbook

βοηθητικός, -ή, -ό = supplementary

βόλεϊ, το = volleyball (team sport)

βολεύω = to settle, to arrange, to accommodate, to be convenient, to manage

βολικός, -ή, -ό = comfortable, convenient

βόλτα, η = walk, stroll

βόρεια [adv.] = (to the) north

βορειοδυτικά = northwest

βόρειος, -α, -ο = northern

βοριάς, ο = northerly wind

βότανο, το = herb

βουβάλι, το = buffalo

βούλα, η = point, dot

Βουλγαρία, η [place name] = Bulgaria

βουλευτής, ο — βουλευτής/βουλευτίνα, η = member of parliament

βουνό, το = mountain

βουρτσίζω = to brush

βουτιά, η = dive

βούτυρο, το = butter

βουτυρωμένος, -η, -ο = buttered

βραβείο, το = prize, award

βραβεύομαι = to be awarded, to receive a prize or award

βραβεύω = to award

βραδιά, η = night, evening

βραδιάζει = it's getting dark

βραδινό, το = dinner, supper

βραδινός, -ή, -ό = evening

βράδυ, το = evening

Βραζιλία, η [place name] = Brazil

βράζω = to boil

βράσιμο, το = boiling

βραστός, -ή, -ό = boiled

βραχιόλι, το = bracelet

βράχος, ο = rock

βρεγμένος, -η, -ο = wet

Βρετανία, η [place name] = Great Britain

βρεφικός, -ή, -ό = infant

βρέχομαι = to get wet

βρέχω = to wet, to damp
βρέχει [weather] = it's raining

βρίζω = to swear

βρισιά, η = swear word

βρίσκομαι = to be located, to be situated

βρίσκω = to find

βρόμα, η = dirt, filth

βρομώ = to stink, to be filthy

βρομιάρης, -α, -ικο = dirty

βρόμικος, -η, -ο = dirty

βροντάω & -ώ = to thunder

βροντερός, -ή, -ό = thunderous

βροντή, η = thunder

βροχερός, -ή, -ό = rainy

βροχή, η = rain

Βρυξέλλες, οι [place name] = Brussels

βρύση, η = tap, faucet
βυθός, ο = seabed
βωβός, -ή, -ό = silent, mute

Γ, γ = γάμα

γάβρος, ο = anchovy
γαζώνω = to sew
γαϊδουράκι, το = small donkey
γαϊτάνι, το = a decorative cord
    edging (on clothes)
γάλα, το = milk
γαλάζιος, -α, -ο = sky, light blue
γαλακτοκομικός, -ή, -ό = dairy
γαλανός, -ή, -ό = blue
γαλατάς, ο = milkman
γαλήνη, η = calm, peace
Γαλλία, η [place name] = France
γαλλική γλώσσα, η — γαλλικά, τα =
    French
γαλοπούλα, η = turkey
γάμος, ο = wedding, marriage
γαμπρός, ο = son-in-law, brother-
    in-law
γάργαρος, -η, -ο = gurgling, clear
γαρίφαλο, το = carnation
γάτα, η = cat
γεγονός, το = fact
γεια = hi, hello
γείτονας, ο — γειτόνισσα, η =
    neighbor
γειτονιά, η = neighborhood
γειτονικός, -ή, -ό = neighboring
γελάω & -ώ = to laugh
γέλιο, το = laugh
γεμάτος, -η, -ο = full, chubby
γεμίζω = to fill
γεμιστά, τα [Greek dish/food] =
    stuffed vegetables (with rice
    and/or minced meat and
    various herbs)
    γεμιστές πιπεριές, οι = stuffed
    peppers
γενέθλια, τα = birthday
γενιά, η = generation
γενικός, -ή, -ό = general
γενικά [adv.]= generally
γενική (πτώση), η [grammar] =
    possessive case
γέννα, η = birth
γεννάω & -ώ = to give birth

γεννημένος, -η, -ο = born
γέννηση, η = birth
γεννιέμαι = to be born
γένος, το = gender
γερά [adv.] = strongly, firmly
γεράκι, το = hawk
γεράματα, τα = old age
γεράνι, το = geranium
γερασμένος, -η, -ο = old
γέρικος, -η, -ο = old
Γερμανία, η [place name] = Germany
γερνάω & -ώ = to get older
γερός, -ή, -ό = strong, firm, healthy
γέρος, ο — γριά, η = old man, old
    woman
γεύμα, το = meal
γευματίζω = to have a meal
γεύομαι = to taste
γεύση, η = taste
γευστικός, -ή, -ό = tasty
γεφύρι, το = bridge
γεωμετρία, η = geometry
γεωπόνος, ο/η = agronomist
γεωργός, ο = farmer
γη, η = earth
γήπεδο, το = playing field
για = for
    γι' αυτό = that's why
γιαγιά, η = grandmother, grandma
γιακάς, ο = collar
Γιάννενα, τα [place name] = Giannena
Γιάννης, ο [proper name] = John
γιαουρτάς, ο = man who sells
    yoghurt
γιαούρτι, το = yoghurt
γιασεμί, το = jasmine
γιατί [explanatory] = because
γιατί [interrogative] = why
γιατρός, ο/η = doctor, physician
γίδι, το = goat
γίνομαι = to become
γιορταστικός, -ή, -ό = festive
γιορτή, η = party, feast
γιος, ο = son
γιουβαρλάκια, τα [Greek dish/food]=
    giouvarlakia (rice meat ball
    soup with egg-lemon sauce)
γιουβέτσι, το [Greek dish/food] =
    giouvetsi (veal and orzo baked
    in tomato sauce)
γκάμα, η = range, variety

γκαράζ, το = garage
γκέμι, το = bridle
γκρι [color] = grey
γκρίζος, -α, -ο = grey
γκρίνια, η = nagging
γκρινιάζω = to nag
γκρινιάρης, -α, -ικο = nagging
    γκρινιάρης, ο = Ludo (board
    game)
γλάστρα, η = flowerpot
γλεντάω & -ώ = to celebrate,
    to party, to have fun
γλέντι, το = party
γλύκα, η = sweetness
γλυκαίνω = to sweeten
γλυκό, το = sweet, candy, dessert
    γλυκό του κουταλιού = spoon
    sweets, preserves
    γλυκό του ταψιού = baked
    dessert, a dessert made in a
    sheet pan
γλυκός, -ιά, -ό = sweet, cute
γλυπτική, η = sculpture
γλώσσα μητρική, η = mother
    tongue
γλώσσα, η [linguistics] = language
Γλώσσα, η [school subject] =
    language (Greek, English, etc.)
γνώμη, η = opinion
γνωρίζω [see also ξέρω] = to know
γνωριμία, η = acquaintance
γνώρισμα, το = feature
γνώση, η = knowledge
γνωστός, -ή, -ό [see also διάσημος,
    επώνυμος] = (well) known,
    famous
γόβα, η = high-heeled shoe, pumps
γοητεία, η = charm
γοητευτικός, -ή, -ό = charming
γοητεύω = to fascinate, to charm
γόνατο, το = knee
γονέας, ο — γονιός, ο = parent
    γονείς, οι = parents
γοργός, -ή, -ό [see also γρήγορος] =
    quick, fast, rapid, speedy
γουλί, το = bald, clean-shaven
γούνα, η = fur
γούνινος, -η, -ο = furry
γούρι, το = lucky charm
γουρλής, ο — γουρλού, η = person
    who brings good look to others

γουρούνι, το = pig
γούστο, το = taste
γραβάτα, η = tie
γράμμα, το = letter
γραμμάριο, το = gram
γραμματέας, ο/η = secretary
γραμματική, η = grammar
γραμματικός, -ή, -ό = grammatical
γραμματόσημο, το = stamp
γραμμένος, -η, -ο = written
γραμμή, η = line
γραπτός, -ή, -ό = written
    γραπτά, τα = exam papers
    γραπτές εξετάσεις, οι = written
    exams
γραφείο, το [furniture] = desk
γραφείο, το [room, service] = office
γραφικός, -ή, -ό = picturesque
γραφίστας, ο — γραφίστρια, η =
    graphic designer
γράφω = to write
γρήγορα [adv.] = fast, quickly
γρήγορος, -η, -ο [see also γοργός] =
    quick, fast, rapid, speedy
γρουσούζης, -α, -ικο = jinx
γυαλί, το = glass
γυαλιά, τα = spectacles, eyeglasses
    γυαλιά ηλίου, τα = sunglasses
γυάλινος, -η, -ο = glass
γυμνός, -ή, -ό = bare, naked
γυμνάζομαι = to work out, to
    exercise
Γυμνάσιο, το = High school,
    Secondary school
γυμναστήριο, το = gym
γυμναστής, ο — γυμνάστρια, η =
    trainer, fitness instructor
γυμναστική, η = exercise,
    gymnastics
γυναίκα, η = woman
γυναικολόγος, ο/η = gynecologist,
    obstetrician
γυρίζω — γυρνάω & -ώ = to come
    back, to return, to turn around
γύρος, ο [Greek dish/food] = gyros
γύρω [adv.] = around
γωνία/ιά, η = corner
γωνιακός, -ή, -ό = situated in a
    corner

Δ, δ = δέλτα

δανείζομαι = to borrow
δάνειο, το = loan
δανεισμός, ο = borrowing, lending
δανειστικός, -ή, -ό = loan
δαντέλα, η = lace
δασικός, -ή, -ό = woodland
δάσκαλος, ο — δασκάλα, η = teacher
δάσος, το = forest
δάφνη, η = laurel
δαχτυλίδι, το = ring
δάχτυλο, το = finger
δείγμα, το = sample, specimen
δείπνο, το = supper, dinner
δείχνω = to show
δέκα = ten
δεκάδα, η = ten
δεκαετία, η = decade
δεκαήμερο, το = ten day period
δεκατιανό, το = snack at 10 o'clock
    in the morning, morning snack
δεκτός, -ή, -ό = accepted
δελφίνι, το = dolphin
δέμα, το = parcel, package
δένομαι = to be bound
δένω = to tie
δεξιά [adv.] = (to the) right
δεξιός, -ά, -ό = right
δεξιότητα, η = skill
δεξίωση, η = reception
δέρμα, το = skin, leather
δερμάτινος, -η, -ο = leather
δερματολόγος, ο/η = dermatologist
δεσμός, ο = bond
Δευτέρα, η = Monday
δεύτερος, -η, -ο = second
δέχομαι = to accept
δηλαδή = meaning, that is
δηλητηριάζομαι = to be poisoned
δηλητηριάζω = to poison
δηλητηρίαση, η = poisoning
δηλητηριασμένος, -η, -ο = poisoned
δηλητήριο, το = poison
Δήλος, η [place name] = Delos
δηλώνω = to state
δήλωση, η = statement, report
δήμαρχος, ο/η = mayor/mayoress
δημητριακά, τα = cereal
Δημητρός, ο [proper name] =
    Dimitros

δημιουργία, η = creation
δημιουργικός, -ή, -ό = creative
δημιουργός, ο/η = creator
δημιουργούμαι = to be created
δημιουργώ = to create, to make
δήμος, ο = municipality
δημοσιογράφος, ο/η = journalist,
    reporter
δημοσιοποίηση, η = publication
δημόσιος, -α, -ο = public
δημοτικός, -ή, -ό = municipal
    δημοτικό σχολείο, το =
    Elementary/Primary School
δημοφιλής, -ής, -ές = popular,
    famous
διαβάζω = to read
διάβασμα, το = reading, study
διαβατήριο, το = passport
διαγράφω = to delete, to erase
διαγώνια [adv.] = diagonally
διαγωνίζομαι = to compete
διαγώνισμα, το = test
διαγωνισμός, ο = competition
διαδικασία, η = process, procedure
διαδικτυακός, -ή, -ό = online,
    internet
διαδίκτυο, το = internet
διαδοχικά [adv.] = successively,
    consecutively
διαδοχικός, -ή, -ό = successive,
    consecutive
διαδρομή, η = way, path, route,
    itinerary
διάδρομος, ο = corridor
διαζύγιο, το = divorce
διάθεση, η = mood
διαθέσιμος, -η, -ο = available
διαθέτω = to possess, to have
διαίρεση, η = division
δίαιτα, η = diet
διαιτητικός, -ή, -ό = dietary
διαιτολόγος, ο = dietitian,
    nutritionist
διακοπή, η = break, interruption
    διακοπές, οι = holidays,
    vacation
διακοσιοστός, -ή, -ό = two
    hundredth
διακόσμηση, η = decoration
διακοσμητής, ο — διακοσμήτρια, η
    = decorator

διακοσμητικός, -ή, -ό = decorative
διακοσμώ = to decorate
διακρίνομαι = to be distinguished
διακρίνω = to distinguish
διαλέγω = to choose
διάλειμμα, το = break
διάλεξη, η = lecture
διάλογος, ο = dialogue
διαλύω = to dissolve
διαμάντι, το = diamond
διαμένω = to stay, to live
διαμέρισμα, το = apartment, flat
διαμονή, η = stay, accommodation
διαμορφώνω = to form, to shape
διαμπερές, το = with openings
    or windows on opposite sides,
    through and through
διανομή, η = delivery
διανυκτέρευση, η = staying
    overnight, spending the night,
    overnight stop, all night service
διανυκτερεύω = to spend the night
διαπροσωπικός, -ή, -ό =
    interpersonal
διάρκεια, η = duration, length
διαρκώ = to last, to endure
διαρρύθμιση, η = arrangement
διάσημος, -η, -ο [see also γνωστός,
    επώνυμος] = famous, well-
    known
διασκεδάζω = to have fun, to enjoy
    myself, to have a good time
διασκέδαση, η = entertainment, fun,
    amusement
διασκεδαστικός, -ή, -ό = entertain-
    ing
διασκευασμένος, -η, -ο = adapted
διασκευή, η = adaptation
διάσταση, η = dimension
διασταύρωση, η = intersection
διάστημα, το = space, period, time
διαταγή, η = order
διατηρούμαι = to be maintained, to
    be preserved
διατροφή, η = nutrition, diet,
    alimentation
διατυπώνομαι = to be formulated,
    to be expressed
διαφέρω = to differ from
διαφήμιση, η = advertisement, ad
διαφορά, η = difference

διαφορετικά [adv.; see also αλλιώς] =
    differently, otherwise
διαφορετικός, -ή, -ό = different
διάφορος, -η, -ο = different, various
διαφωνία, η = disagreement,
    dispute, argument
διαφωνώ = to disagree, to argue
διδάκτορας, ο/η = doctor, Ph.D.,
    Doctor of Philosophy
διδασκαλία, η = teaching,
    instruction
διδάσκω = to teach
δίδυμος, ο — δίδυμη, η = twin
    (sibling)
διεθνής, -ής, -ές = international
διεύθυνση, η [post] = address
διεύθυνση, η = administration,
    direction, management
διευθυντής, ο — διευθύντρια, η =
    manager, director
διήγημα, το = short story
διηγούμαι = to narrate
δικαίωμα, το = right
δικαστήριο, το = court of law
δικαστής, ο/η = judge
δίκη, η = trial
δικηγόρος, ο/η = lawyer, attorney,
    solicitor
δίκιο, το = right
δίκλινο (δωμάτιο), το = double room
δικός, -ή, -ό / δικοί, -ές, -ά μου = my,
    mine
δικός, -ή, -ό / δικοί, -ές, -ά σου =
    your, yours
δικός, -ή, -ό / δικοί, -ές, -ά του
    [masc.] = his
δικός, -ή, -ό / δικοί, -ές, -ά της = her,
    hers
δικός, -ή, -ό / δικοί, -ές, -ά του
    [neutr.] = its
δικός, -ή, -ό / δικοί, -ές, -ά μας = our,
    ours
δικός, -ή, -ό / δικοί, -ές, -ά σας =
    your, yours
δικός, -ή, -ό / δικοί, -ές, -ά τους =
    their, theirs
δίκτυο, το = network
δίνω = to give
διόδια, τα = tolls
διοργανώνω = to host,
    to organize

διοργάνωση, η = event
διορθώνω = to correct
δίπλα [adv.] = beside, next
διπλανός, -ή, -ό = nearby
διπλός, -ή, -ό = double
δίπλωμα, το = license
διπλωματικός, -ή, -ό = diplomatic
δισεκατομμύριο, το = billion
δίχως [see also χωρίς] = without
διψάω & -ώ = to be thirsty
διώροφος, -η, -ο = with two floors
διώχνω = to send away
δοκιμάζω = to taste, to try out
δοκιμασία, η = trial
δοκιμασμένος, -η, -ο = tested
δοκιμαστήριο, το = fitting room
δοκιμαστικός, -ή, -ό = testing, trial
δοκιμή, η = trial
δοκίμιο, το = essay
δόντι, το = tooth
δόξα, η = glory, fame
δόρυ, το = lance
δορυφορικός, -ή, -ό = satellite
δόση, η = installment, dose
δουλεία, η = slavery
δουλειά, η = work, job
    δουλειές σπιτιού, οι =
    housework, housekeeping
    chores
δουλεύω = to work
δούλος, ο — δούλη, η = slave
δοχείο, το = container
Δράμα, η [place name] = Drama
δραπετεύω = to escape
δράση, η = effect, action
δραστήριος, -α, -ο = active
δραστηριότητα, η = activity
δρόμος, ο = road, street
δροσερός, -ή, -ό = cool
δροσίζω = to cool
δυάρι, το = two bedroom
    apartment
δύναμη, η = force, power, energy
δυναμικός, -ή, -ό = vigorous,
    dynamic, energetic
δυναμισμός, ο = dynamism
δυναμώνω = strengthen, to grow
    strong
δυναμωτικός, -ή, -ό = strengthening
δυνατά [adv.] = strongly, loudly
δυνατός, -ή, -ό = strong

δυνατότητα, η = possibility, potential

δύο = two

δύο φορές = twice

δυόσμος, ο = spearmint

δυσαρέσκεια, η = displeasure

δυσάρεστος, -η, -ο = unpleasant

δυσάρεστα [adv.] = unpleasantly

δυσαρεστημένος, -η, -ο = dissatisfied, unhappy, disappointed

δύση, η = west, sunset

δύσκολα [adv.] = hard, with difficulty

δυσκολεύομαι = to have a hard time, to have trouble, to have difficulty in

δυσκολεύω = to make harder, to make difficult

δυσκολία, η = difficulty, trouble

δύσκολος, -η, -ο = difficult

δυστυχία, η = misfortune, unhappiness

δυστυχώς [adv.] = unfortunately, sadly

δυτικά [adv.] = west

δυτικός, -ή, -ό = western

δύω = to set

Δωδεκάνησα, τα [place name] = Dodekanisa

δώμα, το = small appartement on the top floor

δωμάτιο, το = room

δωρεάν [adv.] = free of charge

δωρίζω = to donate, to offer

δώρο, το = present

Ε, ε = έψιλον

εαυτός, ο = self

εβδομάδα, η [see also βδομάδα] = week

Έβρος, ο [place name] = Evros

εγγονή, η = granddaughter

εγγόνι, το = grandchild

εγγονός, ο = grandson

εγγραφή, η = registration

έγγραφο, το = document

εγκαίνια, τα = opening, opening night

εγκαίρως [adv.] = in time

εγκαταλείπω = to abandon, to leave

εγκατάσταση, η = establishment

εγκέφαλος, ο = brain

έγκλημα, το = crime

εγκληματολογικός, -ή, -ό = forensic, criminological

εγκυμοσύνη, η = pregnancy

έγκυος, η = pregnant woman

εγώ = I

εγωιστής, ο — εγωίστρια, η = egoist

έδαφος, το = soil, ground

έδρα, η = seat

εδώ [adv.] = here

εδώ γύρω = around here

εδώ και πολύ καιρό = for a long time

εθελοντής, ο — εθελόντρια, η = volunteer

εθελοντικός, -ή, -ό = voluntary

έθιμο, το = custom, tradition

εθνικότητα, η = nationality

εθνότητα, η = ethnicity

ειδήσεις, οι = news

ειδικά [adv.] = especially, specifically

ειδικευμένος, -η, -ο = skilled, trained

ειδικός, ο/η [n.] = expert, specialist

είδος, το = kind, type, species

εικόνα, η = image, picture

εικονικός, -ή, -ό = virtual

είκοσι = twenty

ειλικρινά [adv.] = honestly, frankly

ειλικρίνεια, η = honesty

είμαι [infinitive] = to be

είμαι [1st singular] = I am

ειρήνη, η = peace

εισαγωγή, η = introduction

εισιτήριο, το = ticket

είσοδος, η = entrance

εκατομμύριο, το = million

εκατοντάδα, η = hundred, hundreds of

εκβιάζω = to blackmail

εκβιασμός, ο = blackmail, extortion

εκβιαστής, ο — εκβιάστρια, η = blackmailer

εκβιαστικός, -ή, -ό = extortionate

εκδηλώνομαι = to be expressed

εκδήλωση, η = event, show

εκδίδω = to publish, to issue, to release

έκδοση, η = publication

εκδοτήριο, το = ticket office

εκδοτικός, -ή, -ό = publishing, issuing

εκδρομή, η = excursion

εκεί [adv.] = there

εκείνος, -η, -ο = him, her, this/that

εκείνη [accusative] = her

εκείνον [accusative] = him

έκθεση [school subject] = essay writing

έκθεση, η = exhibition, exposition

εκκλησία, η = church

εκλογή, η = election

εκμεταλλεύομαι = to take advantage of

Εκουαδόρ, το [place name] = Ecuador

εκπαιδεύομαι = to get trained, to get my education

εκπαιδευόμενος, -η, -ο = trainee

εκπαίδευση, η = education, training

εκπαιδευτικός, -ή, -ό = educational

εκπληκτικός, -ή, -ό = amazing, astonishing, wonderful

έκπληξη, η = surprise

εκπομπή, η = show, program

έκπτωση, η = discount

εκπτώσεις, οι = sales

εκπτωτικός, -ή, -ό = cut-rate, discount

έκταση, η = area, range

εκτίμηση, η = esteem, respect, estimation

εκτός [adv.] = besides

έκτος, -η, -ο = sixth

εκτυπώνω = to print

εκτυπωτής, ο = printer

εκφοβίζω = to bully, to intimidate

εκφοβισμός, ο = bullying, intimidation

εκφοβιστής, ο — εκφοβίστρια, η = bully

εκφοβιστικός, -ή, -ό = intimidating

εκφράζομαι = to express myself, to be expressed

εκφράζω = to express, to state

έκφραση, η = expression

ελαιόλαδο, το = olive oil

ελάττωμα, το = flaw

ελαττωματικός, -ή, -ό = faulty, defective

ελαφρύς, -ιά, -ύ = light

Ελβετία, η [place name] = Switzerland

Ελεγκάκη, η [proper name] = Elegaki (character from a novel)

έλεγχος, ο = check, inspection, control

ελέγχω = to check, to inspect, to control

Ελένη, η [proper name] = Helen

ελευθερία, η = freedom

ελεύθερος, -η, -ο = free

ελευθερώνω = to free, to release, to set free

ελέφαντας, ο = elephant

ελιά, η = mole, olive

Ελλάδα, η [place name] = Greece

έλλειψη, η = shortage, lack

ελληνική γλώσσα, η — ελληνικά, τα [language] = Greek

ελληνικός, -ή, -ό = Greek, Hellenic

Ελπίδα, η [proper name] = Elpida

ελπίδα, η = hope

ελπίζω = to hope

εμείς = we

εμένα = me

εμπειρία, η = experience

έμπειρος, -η, -ο = experienced, skilled

εμπιστεύομαι = to trust

εμπιστοσύνη, η = trust, faith

έμπνευση, η = inspiration

εμποδίζω = to prevent

εμπόδιο, το = obstacle, barrier

εμπόρευμα, το = merchandise, goods

εμπορεύομαι = to trade, to sell

εμπορικός, -ή, -ό = commercial

εμπόριο, το = trade, commerce

έμπορος, ο/η = trader, merchant

εμφανίζομαι = to appear

εμφάνιση, η = appearance, look

έμφαση, η = emphasis

εμφιαλωμένος, -η, -ο = bottled

εναλλακτικός, -ή, -ό = alternate, alternative

ένας, μια, ένα [indefinite article] = a/an

ένας, μία, ένα [numerical] = one

ενδιάμεσος, -η, -ο = in between

ενδιαφέρομαι = to be interested in

ενδιαφέρον, το [n.] = interest

ενδιαφέρων, -ουσα, -ον [adj.] = interesting

ενδυμασία, η = clothing, clothes

ενέργεια, η = action, energy

ενεργώ = to act, to do

ενήλικος, ο — ενήλικη, η = adult

ενημερωμένος, -η, -ο = informed, up-to-date

ενημερώνομαι = to be informed

ενημερώνω = to inform, to notify

ενημέρωση, η = update, information

ενημερωτικός, -ή, -ό = informative

ενθάρρυνση, η = encouragement

ενθαρρυντικός, -ή, -ό = encouraging

ενθαρρύνω = to encourage

ενθουσιάζω = to excite

ενικός, ο = singular

εννιάχρονος, -η, -ο = nine years old

εννοώ = to mean

ενοικίαση, η = renting, leasing

ενοικιαστής, ο — ενοικιάστρια, η = tenant

ενοίκιο, το [see also νοίκι] = rent

ενορχήστρωση, η = instrumentation

ενότητα, η = unity

ενοχλητικός, -ή, -ό = annoying, disturbing

ενοχλούμαι = to be disturbed, to be annoyed

ενοχλώ = to annoy, to disturb

εντάξει [adv.] = okay, all right

ένταση, η = tension

εντελώς [adv.] = totally, completely

έντονος, -η, -ο = intense

έντυπο, το = form, document

εντύπωση, η = impression, idea

εντυπωσιάζω = to impress

εντυπωσιακός, -ή, -ό = astonishing, impressive

ενώ [adv.] = while

ενωμένος, -η, -ο = joined, united

ενώνω = to join, to unite

εξάδα, η = six pack, half a dozen

εξαιρετικός, -ή, -ό = great, perfect, excellent

εξαιτίας = because of, due to

εξακολουθώ = to continue, to go on

εξάμηνο, το = semester

εξαντλητικός, -ή, -ό = exhausting, tiring

εξαντλούμαι = to be exhausted, to run out

εξάρτημα, το = part

εξαρτώμαι = to depend on

εξασφαλίζω = to secure, to ensure

εξαφανίζω = to make [sb/sth] disappear, to extinguish

εξαφάνιση, η = disappearance

εξαφανισμένος, -η, -ο = missing, disappeared

εξέλιξη, η = evolution, development

εξελίσσομαι = to be evolved, to develop

εξερευνώ = to explore

εξετάζομαι = to be examined

εξετάζω = to examine, to test

εξέταση, η = examination, exam εξετάσεις, οι = examinations, exams

εξεταστής, ο — εξετάστρια, η = examiner

εξεταστικός, -ή, -ό = examining

εξηγούμαι = to be explained, to explain myself

εξηγώ = to explain

εξής [adv.] = the following

έξοδο, το = expense, cost

έξοδος, η = exit, going out, a night out

εξοικονόμηση, η = saving

εξοικονομώ = to save

εξοπλίζω = to equip, to arm

εξοπλισμένος, -η, -ο = equipped

εξοπλισμός, ο = equipment, gear

εξοργισμένος, -η, -ο = furious

εξουσία, η = power, authority

έξοχος, -η, -ο = superb, excellent, exquisite

εξοχή, η = countryside

εξοχικό, το = cottage, summer home, vacation home

εξυπηρέτηση, η = service, support

εξυπηρετικός, -ή, -ό = helpful

εξυπηρετώ = to serve

εξυπνάδα, η = cleverness, intelligence, smartness

έξυπνος, -η, -ο = clever, smart

έξω [adv.] = out
έξω από = outside

εξωτερικός, -η, -ο [adj.] = external

εξωτερικό, το [n.] = overseas, abroad

εξωτικός, -ή, -ό = exotic

επάγγελμα, το = profession, job

επαγγελματίας, ο/η = professional

επαγγελματικός, -ή, -ό = professional

επαγγελματισμός, ο = professionalism

επαναλαμβάνω = to repeat, to iterate

επανάληψη, η = repetition, iteration

επανάσταση, η = revolution

επαρχία, η = province

επαφή, η = connection, contact

επείγων, -ουσα, -ον = urgent

επειδή = because

επεισόδιο, το = episode

επένδυση, η = investment

επεξεργασία, η = processing, editing

επηρεάζομαι = to be affected, to be influenced

επηρεάζω = to affect, to influence

επιβάλλω = to impose

επιβάτης, ο/η = passenger

επιβιβάζομαι = to board

επιδερμίδα, η = skin, complexion

επιδιορθώνω = to fix, to mend, to repair

επιδιώκω = to pursue

επιδόρπιο, το = dessert

επίδοση, η = performance

επίθεση, η = attack

επιθετικός, -ή, -ό = aggressive

επίθετο, το [grammar] = adjective

επιθυμία, η = desire, wish

επιθυμώ = to desire, to want

επικαιρότητα, η = current affairs

επικίνδυνος, -η, -ο = dangerous, risky

επικοινωνία, η = communication, contact

επικοινωνώ = to contact, to get in touch

επιλεγμένος, -η, -ο = chosen, selected

επιλέγω = to choose, to select, to pick

επιλεκτικός, -ή, -ό = selective

επιλογή, η = choice, selection

επίλογος, ο = conclusion, afterword

επιμένω = to insist

επίμονος, -η, -ο = persistent

επίμονα [adv.] = persistently

επιμονή, η = persistence

επίπεδο, το = level

επιπλέον [adv.] = moreover, furthermore, additionally

έπιπλο, το = furniture

επιπλωμένος, -η, -ο = furnished

επίπτωση, η = effect, impact

επίρρημα, το = adverb

επίσημος, -η, -ο = official, formal

επίσης [adv.] = also, too, as well

επισκέπτης, ο — επισκέπτρια, η = visitor, guest

επισκέπτομαι = to visit

επισκευάζω = to repair, to fix

επισκευή, η = repair, fix

επίσκεψη, η = visit

επιστήμη, η = science

επιστήμονας, ο/η = scientist

επιστημονικός, -ή, -ό = scientific

επιστολή, η = letter

επιστρέφω = to come back, to return

επιστροφή, η = return

επιτέλους [adv.] = at last, finally

επίτευγμα, το = accomplishment, achievement

επίτηδες [adv.] = deliberately

επιτραπέζιος, -α, -ο = board, table top

επιτρέπω = to allow, to permit, to let

επιτροπή, η = committee

επιτυχημένος, -η, -ο = successful

επιτυχία, η = success

επιφάνεια, η = surface

επιχείρημα, το = argument, point

επιχειρηματίας, ο/η = businessman, businesswoman

επιχείρηση, η = business, company

επόμενος, -η, -ο = next, following

επομένως [adv.] = thus, therefore

εποχή, η = season, time

εποχιακός, -ή, -ό = seasonal

επώνυμο, το = surname

επώνυμος, -η, -ο [see also γνωστός, διάσημος] = famous, celebrity

εργάζομαι = to work

εργαζόμενος, ο — εργαζόμενη, η = employee, worker

εργασία, η = work, project

εργάτης, ο — εργάτρια, η = worker, laborer

εργατικός, -ή, -ό = work, working, labor

εργατική τάξη, η = labor class, working class

έργο, το = work, artwork, project, play

εργοδότης, ο — εργοδότρια, η = employer

εργοστάσιο, το = factory

εργοτάξιο, το = construction site

έρευνα, η = research

ερευνητής, ο — ερευνήτρια, η = researcher

ερευνώ = to research

έρημος, -η, -ο = alone, desolate, lonesome, deserted

ερμηνεία, η = acting, interpretation

ερμηνεύω = to interpret, to act

ερπετό, το = reptile

έρχομαι = to come, to arrive

ερωδιός, ο = heron

έρωτας, ο = love

ερωτευμένος, -η, -ο = in love

ερωτεύομαι = to fall in love

ερώτημα, το = question, query

ερώτηση, η = question, query

ερωτικός, -ή, -ό = desiring, love, amorous, erotic

εσένα = you

έσοδο, το = income

εστιατόριο, το = restaurant

έστω = even if

εσύ, εσείς = you [sigular/plural]

εσωτερικά [adv.] = internally

εταιρεία, η = company, firm, enterprise

ετεροθαλής, ο/η = half-brother, half-sister, step-brother, step-sister

ετικέτα, η = label, tag

ετοιμάζομαι = to get ready

ετοιμάζω [see also προετοιμάζω] = to prepare

έτοιμος, -η, -ο = ready

έτος, το [see also χρόνος] = year

έτσι [adv.] = this way, thus, so

έτσι κι έτσι = so and so

ευαισθησία, η = sensitivity, sensibility
ευαίσθητος, -η, -ο = sensitive
ευγένεια, η = kindness, politeness
ευγενικός, -ή, -ό = kind, polite
ευέλικτος, -η, -ο = flexible
ευθύνη, η = responsibility
ευθύνομαι = to be responsible
ευκαιρία, η = opportunity, chance
εύκολα [adv.] = easily
ευκολία, η = ease, convenience
εύκολος, -η, -ο = easy
ευπρόσδεκτος, -η, -ο = welcome
Ευρυπίδης, ο [proper name] = Euripides
ευρύχωρος, -η, -ο = spacious, roomy
ευρώ, το = Euro
Ευρωπαϊκή Ένωση, η = European Union
ευρωπαϊκός, -ή, -ό = European
Ευρωπαίος,ο — Ευρωπαία, η = European
Ευρώπη, η = Europe
ευτυχία, η = happiness
ευτυχισμένος, -η, -ο = happy
ευτυχώς [adv.] = luckily, fortunately
ευχαριστημένος, -η, -ο = pleased, content, satisfied
ευχαρίστηση, η = pleasure
ευχαριστιέμαι = to enjoy, to take pleasure in
ευχάριστος, -η, -ο = pleasant
ευχαριστώ = to thank
    Ευχαριστώ! = Thanks! / Thank you!
ευχή, η = wish
εύχομαι = to wish
ευωδιάζω = to scent, to smell good
εφαρμογή, η = implementation, enforcement, fit
εφηβεία, η = adolescence, puberty
έφηβος, ο — έφηβη, η = teenager
εφημερίδα, η = newspaper
εφιάλτης, ο = nightmare
εφτά = seven
εχθρικός, -ή, -ό = hostile
εχθρός, ο = enemy
έχω = to have

Ζ, ζ = ζήτα

ζακέτα, η = sweater, jacket
ζάλη, η — ζαλάδα, η = dizziness
ζαλίζομαι = to feel dizzy, to get dizzy
ζαλισμένος, -η, -ο = dizzy
ζαμπόν, το = ham
ζάρι, το = dice
ζάχαρη, η = sugar
ζαχαροπλαστείο, το = candy shop, pastry shop
ζαχαροπλαστική, η = pastry making
ζεσταίνομαι = to be warmed, to feel hot
ζεσταίνω = to warm [sth] up
ζεστασιά, η = heat, warmth
ζέστη, η = heat, warmth
ζεστός, -ή, -ό = warm, hot
ζευγάρι, το = pair
ζευγαρώνω = to pair, to mate
ζηλιάρης, -α, -ικο = jealous
ζημιά, η = damage
ζητάω & -ώ = to ask for, to demand
ζήτημα, το = issue, matter
ζιβάγκο, το = turtleneck
ζόρι, το = pressure, a hard time
ζορίζω = to force
ζουμερός, -ή, -ό = juicy
ζυμαρικό, το = pasta
ζύμη, η = dough
ζύμωμα, το = kneading
ζυμώνω = to knead
ζω = to live
ζωγραφίζω = to paint, to draw
ζωγραφική, η = painting, drawing
ζώδιο, το = astrological sign
Ζωή, η [proper name] = Zoe
ζωή, η = life
ζωηρός, -ή, -ό = naughty, lively
ζώνη, η [clothes] = belt
ζώνη, η = zone, area
ζωντανεύω = to bring to life
ζωντανός, -ή, -ό = alive, living
ζώο, το = animal

Η, η = ήτα

ηθοποιός, ο/η = actor, actress
ήθος, το = morals
ηλεκτρικός, -ή, -ό = electric
    ηλεκτρική ενέργεια, η = electricity
    ηλεκτρική συσκευή, η = electric device
    ηλεκτρικό ρεύμα, το = electric current, electricity
ηλεκτρισμός, ο = electricity
ηλεκτρολογικός, -ή, -ό = electrical
ηλεκτρολόγος, ο = electrician
ηλεκτρονικός, -ή, -ό = electronic
    ηλεκτρονικός υπολογιστής, ο = personal computer
ηλεκτροπληξία, η = electrocution, electric shock
ηλιακός, -ή, -ό = solar
ηλικία, η = age
ηλικιωμένος, ο — ηλικιωμένη, η = elderly, old, senior
ήλιος, ο = sun
ηλιοφάνεια, η = sunshine
ημέρα, η [see also *μέρα*] = day
ημερίδα, η = meeting
ημερολόγιο, το = calendar
ημερομηνία, η = date
ημιδιατροφή, η = half board
ηπειρωτικός, -ή, -ό = continental
ήπιος, -α, -ο = mild, gentle
ήρεμα [adv.] = calmly, peacefully
ηρεμία, η = calm, peacefulness
ήρεμος, -η, -ο = calm, peaceful
ηρεμώ = to calm, to calm down
ήρωας, ο — ηρωίδα, η = hero, heroine
ήσυχα [adv.] = quietly
ησυχία, η = silence, quietness, calmness
ήσυχος, -η, -ο = silent, quiet, calm
ηφαίστιο, το = volcano
ηχογραφώ = to record
ηχορύπανση, η = noise pollution
ήχος, ο = sound

Θ, θ = θήτα

θάβω = to bury
θαλασσής, -ιά, -ί = light blue
θάλασσα, η = sea
θαλάσσιος, -α, -ο = marine
θαλασσινός, -ή, -ό = sea, marine
θαλασσινά, τα = seafood
θαμμένος, -η, -ο = buried
θάνατος, ο = death
θαρραλέος, -α, -ο = brave,
        courageous
θάρρος, το = bravery, courage
θαυμάζω = to admire
θαυμάσιος, -α, -ο = wonderful
θέα, η = view
θέαμα, το = show
θεαματικός, -ή, -ό = spectacular
θεατής, ο/η = spectator, viewer
θεατρικός, -ή, -ό = theatrical
        θεατρικό έργο, το = play,
        drama
θέατρο, το = theater
θεία, η = aunt
θείος, ο = uncle
θέληση, η = willpower
θέλω = to want
θέμα, το = subject, subject matter
Θεόδωρος, ο [proper name] =
        Theodore
θεραπεία, η = treatment
θεραπεύομαι = to be cured, to be
        healed
θέρετρο, το = resort
θερίζω = to decimate, to reap, to
        harvest
θερινός, -ή, -ό = summertime
θερμός, -ή, -ό = hot
Θερμαϊκός, ο [place name] =
        Thermaikos bay
θερμαίνω = to warm, to heat
θέρμανση, η = heating
θερμίδα, η = calorie
θερμοκήπιο, το = greenhouse
θερμοκρασία, η = temperature
θερμόμετρο, το = thermometer
θερμότητα, η = warmth, heat
θέση, η = seat, place, position
Θεσσαλονίκη, η [place name] =
        Thessaloniki
θετικός, -ή, -ό = positive

θετικά [adv.] = positively
θεωρητικός, -ή, -ό = theoretical
θεωρούμαι = to be considered
θηλαστικό, το = mammal
θηλιά, η = noose
θηλυκός, -ή, -ό = female, feminine
θησαυρός, ο = treasure
θλίψη, η = sadness
θολός, -ή, -ό = blurry
θόρυβος, ο = noise
Θράκη, η [place name] = Thrace
θρανίο, το = school desk
θρασύς, -εία, -ύ = insolent,
        audacious
θράσος, το = nerve, audacity,
        insolence
θρεπτικός, -ή, -ό = nutritious
θρησκευτικός, -ή, -ό = religious
θρίλερ, το = thriller, horror movie
θύμα, το = victim
θυμάμαι = to remember
θυμίζω = to remind
θυμός, ο = anger
θυμωμένος, -η, -ο = angry
θυμώνω = to become angry, to get
        mad
θυρίδα, η = locker, safe deposit box,
        post office box
θύτης, ο/η = offender, perpetrator

Ι, ι = γιώτα

Ιανουάριος, ο — Γενάρης, ο =
        January
Ιαπωνία, η [place name] = Japan
ιατρείο, το = doctor's office
ιατρικός, -ή, -ό = medical
ιβουάρ, το = ivory
ιδανικά [adv.] = ideally
ιδανικός, -ή, -ό = ideal, perfect
ιδέα, η = idea, suggestion
ιδιαίτερος, -η, -ο = special, particular
ιδιαίτερα [adv.] = particularly,
        specifically, in particular
ιδιαιτερότητα, η = peculiarity,
        distinctiveness
ιδιοκτήτης, ο — ιδιοκτήτρια, η =
        owner
ίδιος, -α, -ο = the same
ιδιότροπος, -η, -ο = eccentric
ιδιωτικός, -ή, -ό = personal, private

ίδρυμα, το = institute, institution,
        foundation
ίδρυση, η = establishment,
        founding
ιδρώνω = to sweat
ιερός, -ή, -ό = holy, sacred
ικανοποίηση, η = satisfaction
ικανοποιητικός, -ή, -ό = satisfying
ικανοποιούμαι = to be satisfied
ικανοποιώ = to satisfy, to fulfill
ικανός, -ή, -ό = capable, able
ικανότητα, η = capability, ability,
        skill
Ιούλιος, ο = July
Ιούνιος, ο = June
ιππασία, η = horseback riding
ίσιος, -α, -ο = straight
ισόγειο, το = ground floor
ισότιμος, -η, -ο = equivalent
Ισπανία, η [place name] = Spain
ιστορία, η = history, story
ιστορικός, -ή, -ό = historic
ιστοσελίδα, η = webpage
ισχυρός, -ή, -ό = strong, severe,
        powerful
ίσως [adv.] = maybe, perhaps
Ιταλία, η [place name] = Italy
ιταλικός, -ή, -ό = italian

Κ, κ = κάπα

κάβα, η = wine cellar, liquor store
Καβάλα, η [place name] = Kavala
καβγάς, ο = fight, argument, row
κάδος, ο = bucket, bin
κάδρο, το = frame, picture frame
καημένος, -η, -ο = poor thing
καθαρίζω = to clean
καθαριότητα, η = cleaning,
        cleanliness
καθαριστήριο, το = dry cleaner
καθαριστικό, το = detergent,
        cleanser
καθαρός, -ή, -ό = clean
κάθε = every
        κάθε φορά, η = every time
καθένας, καθεμία, καθένα =
        everyone, anyone
κάθετα [adv.] = vertically, across
καθηγητής, ο — καθηγήτρια, η =
        professor, teacher

καθήκον, το = duty
καθημερινά [adv.] = daily, every day
καθημερινός, -ή, -ό = everyday
καθημερινότητα, η = daily life
κάθισμα, το = seat
καθιστικό, το = living room
καθόλου [adv.] = any, at all
κάθομαι = to sit, to have a seat, to
    sit down
καθορίζω = to define
καθρέφτης, ο = mirror
καθυστερημένος, -η, -ο = delayed
καθυστέρηση, η = delay
καθυστερώ = to be late, to delay
καθώς [adv.] = while, as, since
και = and
καινούριος, -α, -ο [see also νέος] = new
Κάιρο, το [place name] = Cairo
καιρός, ο = weather
    αυτόν τον καιρό = at the
    moment
    δελτίο καιρού, το = weather
    forcast
    σε λίγο καιρό = in a while
καίω = to burn
κακοκαιρία, η = bad weather
κακός, -ή, -ό = bad
καλά [adv.] = good, well
καλάθι, το = basket, bin
καλαμαράκι, το = squid
Καλαμάτα, η [place name] =
    Kalamata
καλεσμένος, -η, -ο = invited, guest
καλημέρα, η = goodmorning
καληνύχτα, η = goodnight
καλλιέργεια, η = farming, crop
καλλιεργημένος, -η, -ο = cultivated
καλλιεργούμαι = to be cultivated
καλλιεργώ = to cultivate
καλλιτέχνης, ο/η = artist
καλλιτεχνικός, -ή, -ό = artistic
καλλυντικό, το = cosmetic
καλοκαίρι, το = summer
καλοκαιρινός, -ή, -ό = summery,
    summer
καλόκαρδος, -η, -ο = goodhearted
καλοπέραση, η = a good and
    comfortable life, a good time
καλορίζικος, -η, -ο = [sb or sth] who
    has good luck, who has good
    fate

καλοριφέρ, το = radiator, heater
καλός, -ή, -ό = good
    για το δικό σας καλό = for your
    own good
καλότυχος, -η, -ο = person who has
    good luck
καλούπι, το = mold, cast
κάλυμμα, το = cover, top
καλύπτω = to cover
καλύτερος, -η, -ο = better
καλυτερεύω = to improve, to get
    better
καλώ [on the phone] = to call
καλώ [to a party, an event, etc.; see
    also προσκαλώ] = to invite
καλωσορίζω = to welcome
καμπάνα [shape]= flared
κάμπιγκ, το = camping
καμπίνα, η = cabin
καναπές, ο = sofa, couch
κανάτι, το = cruse, pitcher, jug
κανέλα, η = cinnamon
κανένας (/κανείς), καμία/καμιά,
    κανένα [affirmative] = nobody,
    no one
κανένας (/κανείς), καμία/καμιά,
    κανένα [interrogative] = any,
    anybody, anyone
κανό, το = canoe
κανόνας, ο = rule, regulation
κανονίζω = to arrange
κανονικά [adv.] = normally, regularly
κανονικός, -ή, -ό = normal, regular
καντίνα, η = canteen
κάνω [price; see also κοστίζω] = to
    cost
κάνω = to do, to make
    κάνω παιδί = to have a child
    κάνει/έχει κρύο = it is cold
καπετάνιος, ο = captain
καπνίζω = to smoke
κάπνισμα, το = smoking
καπνός, ο = smoke
κάποιος, -α [pronoun] = someone
κάποιος, -α, -ο [used as adj.] = some, a
κάπου [adv.] = somewhere
καράβι, το [see also πλοίο] = boat,
    ship
κάρδαμο, το = cardamom
καρδιά, η = heart
καρδιολόγος, ο/η = cardiologist

καρέ, το [hairdo] = bobbed hair,
    bob
καρέκλα, η = chair
καριέρα, η = career
καρκίνος, ο = cancer
καρό = checked
κάρο, το = wagon
καρότο, το = carrot
καρπός, ο [body part] = wrist
καρπός, ο = fruit
καρπούζι, το = watermelon
κάρτα, η = card
καρύδα, η = coconut
καρύδι, το = walnut
καρύκευμα, το = seasoning
καρφίτσα, η = pin
κασέρι, το = a kind of cheese
κασκόλ, το = scarf
καστανάς, ο = man who sells
    roasted chestnuts
καστανός, -ή, -ό = brown
κάστρο, το = castle
Κάστρο, το [place name]= Kastro
καταβροχθίζω = to devour
καταγγελία, η = complaint,
    accusation
κατάγομαι = to be descended,
    descendant
καταγωγή, η = descent, origin
κατάδυση, η = diving
καταιγίδα, η = storm
καταλαβαίνω = to understand
καταλήγω = to end up
κατάλληλος, -η, -ο = appropriate,
    suitable
κατάλογος, ο = list, catalogue
κατάλυμα, το = accomodation
καταναλώνομαι = to be consumed
καταναλώνω = to consume
κατανάλωση, η = consumption
καταναλωτής, ο — καταναλώτρια, η
    = consumer
καταναλωτικός, -ή, -ό = consumerist
κατανόηση, η = understanding,
    comprehension
    κατανόηση γραπτού λόγου, η =
    reading comprehension
    κατανόηση προφορικού λόγου,
    η = listening comprehension
κατανοώ = to understand, to
    comprehend

καταπιέζω = to supress

καταπίνω = to swallow

καταπληκτικά = amazingly, wonderfully

καταπληκτικός, -ή, -ό = amazing, wonderful

καταπράσινος, -η, -ο = bright green, leafy

καταριέμαι = to curse

καταρχήν [adv.] = in principle

κατασκευάζω = to build, to construct

κατασκευασμένος, -η, -ο = built, constructed

κατασκευαστικός, -ή, -ό = constructional

κατασκευή, η = construction, building

κατασκήνωση, η = camping

κατάσταση, η = state, condition, situation

κατάστημα, το [see also μαγαζί] = store, shop

καταστρέφομαι = to be destroyed

καταστρέφω = to destroy, to ruin

καταστροφή, η = destruction

καταστροφικός, -ή, -ό = destructive

κατάστρωμα, το = deck

κατατεθέν = registered [trademark]

καταφέρνω = to manage, to achieve, to make it

καταφύγιο, το = shelter

κατάψυξη, η = freezer

κατεβάζω = to lower

κατεβαίνω = to go down, to get down

Κατερίνα, η [proper name] = Catherine

κατηγορία, η = category, accusation

κατηγορώ = accuse, blame

κάτι = something

κατοικημένος, -η, -ο = inhabited

κατοικία, η = residence

κατοικίδιο, το = pet

κάτοικος, ο/η = inhabitant

κατοικούμαι = to be lived in

κατοικώ = inhabit, live

κάτοψη, η = floor plan

κατσαρόλα, η = pot, saucepan

κάτω [adv.] = down

κάτω από = under

κατώι, το = the ground floor of old rural houses

κατώτερος, -η, -ο = lower

καυσαέριο, το = exhaust gas

καύσιμο, το = fuel

καύσωνας, ο = heatwave

καυτός, -ή, -ό = hot

καφέ [color] = brown

καφενείο, το — καφενές, ο = coffee shop

καφές, ο = coffee

καφετζής, ο — καφετζού, η = barista, person who makes coffee in a coffee shop

κέικ, το = cake

κείμενο, το = text

κελί, το = cell

Κελσίου (βαθμοί)= Celsius (degrees)

κενό, το = gap, void, vacuum

κεντάω & -ώ = to embroider

κέντημα, το = embroidery

κεντρικά [adv.] = centrally

κεντρικός, -ή, -ό = central

κεντρικό δελτίο ειδήσεων = main newscast

κέντρο, το = center

κεραία, η = antenna

κεραμίδι, το = roof tile

κεράσι, το = cherry

κέρασμα, το = treat

κεραυνός, ο = thunder

κερδίζω = to win

κερί, το = candle

Κερκίνη, η [place name] = (Lake) Kerkini

Κέρκυρα, η [place name] = Corfu

κέρμα, το = coin

κερνάω = to treat

κεφάλι, το = head

κεφαλοτύρι, το = kefalotiri (a hard, salty cheese)

κέφι, το = joy

κεφτές, ο = meatball

κήπος, ο = garden

κηπουρός, ο/η = gardener

Κηφισιά, η [place name] = Kifisia

κιβώτιο, το = case, box

κιβωτός, η = ark

κιθάρα, η = guitar

κιλό, το = kg, kilo

κιμάς, ο = minced meat

Κίνα, η [place name] = China

κινδυνεύω = to be in danger, to be at risk

κίνδυνος, ο = danger, risk

Κινέζος, ο — Κινέζα, η = Chinese

κινηματογραφικός, -ή, -ό = cinematic

κινηματογράφος, ο [see also σινεμά] = cinema, movies

κίνηση, η = traffic, movement

κινητικός, -ή, -ό = energetic, kinetic

κινητό τηλέφωνο, το = mobile phone

κινούμαι = to move

κινούμενα σχέδια, τα = cartoons

κιόλας [adv.] = already

κίτρινος, -η, -ο [color] = yellow

κλαδί, το = branch

κλαίω = to cry, to shed tears

κλάμα, το = crying

κλασικός, -ή, -ό = classical, classic

κλαψιάρης, -α, -ικο = weepy

κλέβω = to steal

κλειδαριά, η = lock

κλειδί, το = key

κλειδί-λέξη, η = key word

κλειδώνω = to lock, to lock up

κλείνω [a door, a window, the radio] = to close, to shut, to turn off

κλείνω [a table at a restaurant] = to reserve

κλείνω [a ticket, a room at a hotel, etc.] = to book

κλείσιμο, το = closure

κλεισμένος, -η, -ο = closed, shut

κλειστός, -ή, -ό = shut, closed, turned off

κλέφτης, ο — κλέφτρα, η = thief, robber

κλίμα, το = climate

κλιματικός, -ή, -ό = climatic

κλιματισμός, ο = air conditioning

κλιματιστικό, το = air conditioner

κλινικός, -ή, -ό = clinical

κλίνομαι = to be formed, to be conjugated

κλοπή, η = theft, robbery

κλωστή, η = thread

κόβω = to cut, to chop,

κοιλιά, η = belly

κοιμάμαι = to sleep

κοινός, -ή, -ό = common
κοινό, το = audience
κοινότητα, η = community
κοινόχρηστος, -η, -ο = shared
κοινωνία, η = society
κοινωνικός, -ή, -ό = social
κοινωνικότητα, η = sociability
κοιτάω & -ώ / κοιτάζω = to look (at)
κόκαλο, το = bone
κοκκινιστό, το [Greek dish/food]= kokkinisto (veal cooked in red sauce)
κόκκινος, -η, -ο = red
κόκορας, ο — κοκόρι, το = rooster
κολιέ, το = necklace
κολλάω & -ώ = to stick
κολλητός, -ή, -ό = best friend
κολοκύθι, το = zucchini, pumpkin
κολοκυθόπιτα, η = zucchini pie, pumpkin pie
κολόνα, η = column, pillar
κολόνια, η = cologne, perfume
κόλπος, ο = gulf
κολύμβηση, η = swimming
κολυμβητήριο, το = swimming pool
κολυμπάω & -ώ = to swim
κολύμπι, το = swimming
κομμάτι, το [see also μέρος] = part, piece
κομμωτήριο, το = hair salon
κομψός, -ή, -ό = elegant
κομψότητα, η = elegance
κονιάκ, το = brandy
κοντά [adv.] = close, near, nearby
κοντινός, -ή, -ό = close, nearby
κοντός, -ή, -ό = short
κοπάδι, το = herd
Κοπεγχάγη, η [place name] = Copenhagen
κοπέλα, η = girl
κοπιάζω = to labor, to toil
κόπος, ο = effort
κοραλλί [color] = deep pink
κοράλλι, το = coral
κόρη, η = daughter
κορινθιακός, -ή, -ό = Corinthian
κορίτσι, το = girl
κορμί, το = body
κορμός, ο = trunk
κόρνα, η = horn
κορνίζα, η = frame

κοροϊδευτικός, -ή, -ό = mocking
κοροϊδεύω = to fool, to mock
κοροϊδία, η = mockery
κορυφαίος, -α, -ο = leading, top
κορυφή, η = top, peak
κοσκινίζω = to sieve
κόσμημα, το = jewelry
κοσμικός, -ή, -ό = social
κοσμοπολίτικος, -η, -ο = cosmopolitan
κόσμος, ο = people, crowd, world
κοστίζω [see also κάνω] = to cost
κόστος, το = cost, price
κοστούμι, το = suit, costume
κοτόπουλο, το — κότα, η = chicken
κοτόσουπα, η = chicken soup
κότσος, ο = bun
κουβέντα, η = conversation, chat
κουβεντιάζω = to chat, to have a talk
κουβέρτα, η = blanket
κουδούνι, το = doorbell
κουζίνα ηλεκτρική, η [appliance] = (electric) stove, (electric) cooker
κουζίνα, η [room] = kitchen
κουκούλα, η = hood
κουλούρι, το = bagel
κουλούρι σουσαμένιο = sesame bagel
κουλουρτζής, ο = man who sells bagels
κουλτούρα, η = culture
κουμπί, το = button
κουνάω & -ώ = to shake, to swing
κουνέλι, το = bunny, rabbit
κούνια, η = swing, cradle
κουνιέμαι = to move, to swing
κουνουπίδι, το = cauliflower
κουράζομαι = to get tired
κουράζω = to tire
κούραση, η = tiredness, fatigue
κουρασμένος, -η, -ο = tired
κουραστικός, -ή, -ό = tiring
κούρεμα, το = haircut
κουρτίνα, η = curtain
κουσκούσι, το [food] = cous cous
κουτάλα, η = ladle
κουτάλι, το = spoon
κουταλάκι του γλυκού [cooking] = teaspoon

κουταλιά, η = tablespoon, spoonful
κουτί, το = box
κουτός, -ή, -ό = dumb, foolish
κουτσομπολιό, το = gossip
κούφωμα, το = wooden case, door or window frame
κοχύλι, το = seashell
κραγιόν, το = lipstick
κράνος, το = helmet
κρασί, το = wine
κρατάω & -ώ = to hold, to last
κράτηση, η = booking, reservation
κρατικός, -ή, -ό = national, of state
κράτος, το = state
κρέας, το = meat
κρεατικά, τα = meats
κρεατόσουπα, η = meat soup
κρεβάτι, το = bed
κρεβατοκάμαρα, η = bedroom
κρεμ [color] = pale yellow, cream
κρέμα, η = cream
κρεμαστός, -ή, -ό = hanging
κρεμμύδι, το = onion
κρεοπώλης, ο/η = butcher
Κρήτη, η [place name] = Crete
Κρητικός, -ιά, -ό = Cretan / from Crete
κρίνομαι = to be judged, to be rated
κρίνω = judge, to rate
κρίση, η = judgement, decision, crisis
κριτήριο, το = criterion
κριτής, ο/η = judge
κριτικός, -ή, -ό = critic, critical
κριτική, η = criticism
κροκάδι, το = yolk
κροκέτα, η = croquette
Κρόνος, ο [planet] = Saturn
κρουαζιέρα, η = cruise
κρύβομαι = to be hidden, to hide myself
κρύβω = to hide
κρυμμένος, -η, -ο = hidden
κρύο, το = cold
κρύος, -α, -ο = cold, chilly
κρυπτόλεξο, το = word search puzzle
κρύωμα, το = cold, flu
κρυώνω = to be cold, to get cold
κτίριο, το = building
κυβέρνηση, η = government

κύβος, ο = cube
Κυκλάδες, οι [place name] = Cyclades
κυκλικός, -ή, -ό = round, circular
κύκλος, ο = circle
κυκλοφορία, η = circulation, traffic
κυκλοφοριακός, -ή, -ό = traffic
κυκλοφορώ = to go around, to go about, to circulate
κυκλώνω = encircle
κύκνος, ο = swan
κυλάω & -ώ = to flow
κύμα, το = wave
κυνηγάω & -ώ = to hunt
κυνήγι, το = hunt
κυρία, η = lady, madam
Κυριακή, η = Sunday
κυριαρχώ = to dominate
κυριεύω = to overwhelm, to conquer
κυριολεκτικά [adv.] = literally
κύριος, ο = sir, mister
κύριος, -α, -ο = main
κυριότερος, -η, -ο = most important
κυρίως [adv.] = mainly
κυρίως πιάτο, το = main course
κύρος, το = prestige
κώδικας, ο = code
κωμικός, -ή, -ό = comic, funny
κωμωδία, η = comedy
κώνος, ο = cone
Κωνσταντινούπολη, η [place name] = Constantinople/Istanbul
Κως, η [place name] = Κος
Κώστας, ο [proper name] = Kostas

Λ, λ = λάμδα

λαβύρινθος, ο = labyrinth
λαδερά, τα [Greek dish/food] = dishes cooked with olive oil (usually vegetables)
λάδι, το = oil
λαδί [color]= olive
λαδόκολα, η = baking paper
λάθος [adj.] = false, incorrect, wrong
λάθος, το [n.] = mistake, error
λαϊκός, -ή, -ό = folk
λαίμαργα [adv.] = greedily
λαιμός, ο = neck
λαλάω & -ώ = to crow

λαμπερός, -ή, -ό = shiny
λάμπω = to shine
λαός, ο = people
λαπάς, ο = mashed, overcooked rice
Λάρνακα, η [place name] = Larnaca
λάστιχο, το = tire, hose
λατρεύω = to adore
λαχανί [color]= lime green
λαχανικό, το = vegetable
λέγομαι = to be said, to be named
λείπω = to be absent, to be missing
λειτουργία, η = service, operation, function, mass
λειτουργικός, -ή, -ό = functional
λειτουργώ = to work, to function
λεκάνη, η = basin
λεκές, ο = stain
λεκτικός, -ή, -ό = verbal
λεμόνι, το = lemon
λεμονιά, η = lemon tree
λέξη, η = word
λεξικό, το = dictionary
λεξιλόγιο, το = vocabulary
λεπτό, το = minute
λεπτομέρεια, η = detail
λεπτομύτα, η = slender-billed curlew [bird]
λεπτός, -ή, -ό = slim, thin
Λευτέρης, ο [proper name] = Lefteris
λεφτά, τα [see also χρήματα] = money
λέω = to say
λεωφορείο, το = bus
λήγω [action] = to end
λήγω [product] = to expire
λήξη, η = expiry, expiration, termination, end
λησμονιέμαι = to be forgotten
λιακάδα, η = sunshine
λιβάδι, το = meadow
λίγοι, -ες, -α [countable] = a few
λίγος, -η, -ο [uncountable] = some, a little
(για) λίγο [temporal] = for a while
(σε) λίγο [temporal] = in a while
λιγότερος, -η, -ο = less, fewer
λικέρ, το = liqueur
λιμάνι, το = port, harbor
λίμνη, η = lake
λιοντάρι, το = lion
λιπαρός, -ή, -ό = oily, fatty

λίπασμα, το = fertilizer
λίπος, το = fat
λίστα, η = list
λιωμένος, -η, -ο = melted
λιώνω = to melt
λογαριάζω = to calculate
λογαριασμός, ο = bill, account
λόγια, τα = words
λογικός, -ή, -ό = sensible, reasonable
λογιών λογιών = of all sorts
λόγος, ο = reason, cause, talk, speech
λογοτεχνία, η = literature
λογοτεχνικός, -ή, -ό = literary
λοιπόν = so, well
λούζομαι = to take a shower
λουκάνικο, το = sausage
λουκουμάς, ο = doughnut
λουλούδι, το = flower
λύκος, ο = wolf
λύνω = to solve, to untie
λυπάμαι = to be sorry, to be sad
λύπη, η = sorrow, sadness
λυπημένος, -η, -ο = sad
λύση, η = solution, answer
Λωξάντρα, η [proper name] = Loxandra [character from a novel]

Μ, μ = μι

μ.μ. [abbr.] = p.m., after noon
μα [see also αλλά, όμως] = but
μαγαζί, το [see also κατάστημα] = shop, store
μαγεία, η = magic
μάγειρας, ο = cook, chef
μαγειρείο, το = cookshop, cook house, tavern
μαγειρεμένος, -η, -ο = cooked
μαγειρεύω = to cook
μαγειρική, η — μαγείρεμα, το = cooking
μαγειρίτσα, η [Greek dish/food]= magiritsa (an Easter specialty, made with offal and greens)
μαγευτικός, -ή, -ό = enchanting, bewitching, magic
μαγεύω = to enchant, to bewitch, to put a spell on [sb]
μαγιά, η = yeast

μαγικός, -ή, -ό = magical
μαγιό, το = swim suit, bathing suit
μαγκιά, η = swagger
μάγος, ο — μάγισσα, η = magician, wizard
μάγουλο, το = cheek
μαζεύω [clothes] = to shrink
μαζεύω [see also συλλέγω] = to collect, to gather
μαζεύω από κάτω = to pick up
μαζί [adv.] = together
μαζί με = with
μαζικός, -ή, -ό = mass
μαθαίνω = to learn
μάθημα, το = subject, lesson, course, class
μαθηματικά, τα = mathematics, maths
μαθηματικός, ο/η = mathematician
μαθητής, ο — μαθήτρια, η = student, pupil
μαϊμού, η = monkey
μαϊντανός, ο = parsley
Μαίρη, η [proper name] = Mary
μακάρι = if only, I wish
μακαρόνια, τα = macaroni, spaghetti, pasta
μακέτα, η = maquette, model
μακρύς, -ιά, -ύ = long
μακριά [adv.] = far, far away, away
μακρινός, -ή, -ό = faraway
μακρόστενος, -η, -ο = rectangular
μακρυμάλλης, -α, -ικο = long haired
Μαλαισία, η [place name] = Malaysia
μαλακός, -ή, -ό = soft, smooth
μάλιστα [adv.] = indeed, actually
μαλλί, το = wool
μαλλιά, τα = hair
μάλλινος, -η, -ο = made of wool, woolen
μάλλον [adv.] = probably, likely
μαλώνω = to quarrel, to argue, to fight
μαμά, η [see also μητέρα] = mom, mommy
μανάβης, ο — μανάβισσα, η = greengrocer
μανάβικο, το = grocery store
μανεκέν, το = model
μανίκι, το = sleeve
μανιτάρι, το = mushroom

μανούρι, το = manouri (a soft cheese)
μανταλάκι, το = clothespin
μαντεύω = to guess
μαντίλι, το = handkerchief
μαξιλάρι, το = pillow
Μαργαρίτα, η [proper name] = Margaret, Marguerite
Μαρία, η [proper name] = Maria
Μαρίνα, η [proper name] = Marina
μάρκα αυτοκινήτου, η = car model
μαρκαδόρος, ο = marker
Μαρόκο, το [place name] = Morocco
μαρούλι, το = lettuce
Μάρτιος, ο = March
μάρτυρας, ο/η = witness
μαρτυρία, η = testimony
μαρτυράω & -ώ = to reveal
μασάω & -ώ = to chew
μάσημα, το = chewing
μαστίχα, η = mastic, an aromatic spice
μάτι, το = eye
μαύρος, -η, -ο = black
μαυρομάτης, -α, -ικο = black eyed
μαχαίρι, το = knife
μαχλέπι, το = mahleb, an aromatic spice
μεγαλείο, το = greatness
μεγάλος, -η, -ο [age] = grown up, adult
μεγάλος, -η, -ο [size] = big, large
μεγαλόσωμος, -η, -ο = well-built
μεγαλούπολη, η = big city
μεγαλώνω [age] = to grow up, to grow old
μεγαλώνω [size] = to get/become bigger
μέγαρο, το = palace
μέγεθος, το = size
μεζές, ο = snack, delicacy, appetizer
μεζονέτα, η = two storey single house
μεζούρα, η = tape measure, measuring cup
μεθαύριο [adv.] = the day after tomorrow, in two days
μέθη, η = intoxication
μέθοδος, η = method, way
μεθώ = to get drunk
μείγμα, το = blend

μειονέκτημα, το = disadvantage
μειωμένος, -η, -ο = reduced, decreased
μειώνω = to decrease, to reduce
μείωση, η = reduction, decrease
μελαχρινός, -ή, -ό = dark haired
μελετάω & -ώ = to study
μελέτη, η = study, reading
μέλι, το = honey
μελισσοκόμος, ο/η = beekeeper
μελιτζανοσαλάτα, η [Greek dish/food] = eggplant salad (in the form of a spread or dip)
μέλλον, το = future
μέλος, το = member
μέντα, η = peppermint
μένω = to live, to stay, to remain
μέρα, η [see also ημέρα] = day
μεράκι, το = artistry
μερίδα, η = portion
μερικός, -ή, -ό = some, partial
μερική απασχόληση, η = part time job
μερικοί, -ές, -ά = some, several
μεροκάματο, το = daily pay, daily wage
μέρος, το [see also κομμάτι] = part, place, locatiom
μέσος, -η, -ο = middle
μέσα [adv.] = in, into
μεσαίος, -α, -ο = middle
μεσάνυχτα, τα = midnight
μεσάτος, -η, -ο = form fitting in the waist
μέση, η = waist
μεσημέρι, το = noon
μεσημεριανός, -ή, -ό = noon, midday
μεσημεριανό, το = lunch
μεσίτης, ο — μεσίτρια, η = broker, real estate agent
μέσο, το = medium, means of transport
μέσα, τα = media
μεσογειακός, -ή, -ό = Mediterranean
Μεσόγειος, η [place name] = the Mediterranean
μετά [adv.] = after, afterwards
μεταβολισμός, ο = metabolism
μετακίνηση, η = transportation
μετακινώ = to move, to transfer

μετακομίζω = to move

μετακόμιση, η = move, moving

μέταλλο, το = metal

μεταμορφώνομαι = to be transformed

μετανάστης, ο — μετανάστρια, η = immigrant

μετανιώνω = to regret

μετάξι, το = silk

μεταξύ [adv.] = between

μεταξωτός, -ή, -ό = silk

μετατρέπω = to convert

μετατροπή, η = change, modification, conversion

μεταφέρω = to transfer, to transport, to carry

μεταφορά, η = transfer, transport, transportation

μεταφορικός, -ή, -ό = transport
    μεταφορικό μέσο, το = means of transport

μεταφορικά [adv.] = metaphorically, figuratively

μεταφράζω = to translate

μεταφραστής, ο — μεταφράστρια, η = translator

μεταχειρίζομαι = to handle, to use

μετεωρολογικός, -ή, -ό = meteorological

μετεωρολόγος, ο/η = meteorologist

μετράω & -ώ = count

μέτρηση, η = measurement

μετρητός, -ή, -ό = calculable, countable
    μετρητά, τα [money] = cash

μέτριος, -α, -ο = medium, average

μέτρο, το = meter, measure

μέτωπο, το = forehead

μέχρι = until, till, up to, by

μηδέν = zero

μηδενίζω = to nullify, to eliminate, to turn back to zero

μηλιά, η = apple tree

μήλο, το = apple

μήνας, ο = month

μηνιαίος, -α, -ο = monthly

μήνυμα, το = message

μήπως = whether, if

μητέρα, η [see also μαμά] = mother

μηχανάκι, το = motorbike

μηχανή, η — μηχάνημα, το = machine, engine

μηχανικός, ο/η = engineer, mechanic

μηχανοδηγός, ο = train driver

μικροβιολόγος, ο/η = microbiologist

μικρός, -ή, -ό [age; see also νέος] = little, young

μικρός, -ή, -ό [size] = small, little

μικροσκόπιο, το = microscope

μικρόσωμος, -η, -ο = petite, little

μιλάω & -ώ = to talk, to speak

μίνι [adj.] = very small, miniscule

μίξερ, το = mixer

μισθός, ο = salary, wage

μισός, -ή, -ό = half

μίσος, το = hate

μισοτιμής [adv.] = at half price, very cheap

μισώ = to hate

Μιχάλης, ο [proper name] = Michael

Μογγολία, η [place name] = Mongolia

μόδα, η = fashion, trend

μόδιστρος, ο — μοδίστρα, η = fashion designer, tailor, seamstress

μοιάζω = to look like, to resemble

μοίρα, η = fate, destiny

μοιράζομαι = to share

μοιραίος, -α, -ο = fatal

μόλις [adv.] = just, only

μολονότι = although, though

μολύβι, το = pencil

μόλυνση, η = pollution

μολύνω = to pollute

μονός, -ή, -ό = single

μοναδικά [adv.] = uniquely

μοναδικός, -ή, -ό [see also μόνος] = unique, one of a kind, only

μοναξιά, η = loneliness, solitude

μοναχός, -ή, -ό = all alone

μονάχα [adv.] = only

μοναχικός, -ή, -ό = lonely

μοναχοπαίδι, το = only child

μόνιμος, -η, -ο = permanent
    μόνιμα [adv.] = permanently

μονιμότητα, η = permanence, tenure

μόνο [adv.] = only

μονοκατοικία, η = detached house

μονόκλινο (δωμάτιο), το = single room

μονολεκτικός, -ή, -ό = with one word

μόνος, -η, -ο [see also μοναδικός] = alone, only

μονόχρωμος, -η, -ο = plain, monochrome, in a single hue

μοντέλο, το = model

μοντέρνος, -α, -ο = modern

μονώροφος, -η, -ο = with a single floor

μόνωση, η = insulation

μορταδέλα, η = bologna, mortadella

μορφή, η = shape, form

μορφωμένος, -η, -ο = educated

μόρφωση, η = education

μοσχοβολάω = to smell nice

μοτοσικλέτα, η = motorcycle

μουσακάς, ο [Greek dish/food] = moussaka (made with ground meat ragù, sliced eggplant, sliced potatos and béchamel sauce)

μουσείο, το = museum

μούσι, το = beard

μουσική, η = music

μουσικός, ο/η = musician

μουσικός, -ή, -ό = musical
    μουσικό όργανο, το = musical instrument

μουστάκι, το = mustache

μπαγιάτικος, -η, -ο = stale

μπαίνω = to get into, to enter

μπακλαβάς, ο [Greek dish/food] = baklava (a dessert made of thin pastry, nuts, and syrup)

μπάλα, η = ball

μπαλέτο, το = ballet

μπαλκόνι, το = balcony

μπαμπάς, ο [see also πατέρας] = dad, daddy

μπανάνα, η = banana

μπανιέρα, η = bath tub

μπάνιο, το [room] = bathroom, bath

μπάνιο, το = bathing, swimming
    κάνω μπάνιο = to have/take a bath, to swim, to have a swim

μπάντα, η = band

Μπαξέδες, οι [place name] = Baxedes

μπαρ, το = bar
μπάσκετ, το = basketball
μπαταρία, η = battery
μπαχαρικό, το = spice
μπεζ [color] = egg shell, beige
μπέικιν πάουντερ, το = baking powder
μπέικον, το = bacon
μπέμπης, ο — μπέμπα, η = baby boy, baby girl
μπερδεύω = to confuse, to tangle
μπιμπερό, το = baby bottle
μπιφτέκι, το = burger
μπλε [color] = blue
μπλούζα, η = shirt
μπογιά, η = paint
μπολ, το = bowl
μπόλικος, -η, -ο = plenty
μπομπονιέρα, η = jordan almonds, wedding favor
μπορώ = can, to be able to
μπότα, η = boot
μποτιλιάρισμα, το = traffic jam
μπουκάλι, το = bottle
μπουκέτο, το = bouquet, a bunch of flowers
μπουρνούζι, το = bathrobe
μπουφάν, το = jacket, coat
μπουφές, ο = buffet
μποφόρ, το = beaufort scale, unit to measure wind force
μπριζόλα, η = steak
μπρίκι, το = coffee pot, ibrik
μπρόκολο, το = broccoli
μπροστά [adv.] = ahead
    μπροστά από = in front of
μπροστινός, -ή, -ό = anterior
μπύρα, η = beer
μυαλό, το = mind, brain
μύγα, η = fly
μυγιάζομαι = to be easily affected or angered by [sth] trivial
μύδι, το = mussel
    μύδια σαγανάκι, τα = fried mussels
    μυδοπίλαφο, το = mussels with rice
μυθιστόρημα, το = novel
μυρίζω = to smell
μυρμήγκι, το = ant
μυρωδιά, η = smell, scent

μυς, ο = muscle
μυστήριο, το = mystery
μυστικό, το = secret
μύτη, η = nose
μωβ [color] = purple

Ν, ν = νι

νανόχηνα, η = lesser white-fronted goose
ναυάγιο, το = shipwreck
Ναύπακτος, η [place name] = Nafpaktos
ναύτης, ο — ναυτικός, ο = sailor
νέα, τα = news
νεανικός, -ή, -ό = youthful
νεαρός, -ή, -ό = young
νεόδμητος, -η, -ο = newly built
νεοκλασικός, -ή, -ό = neoclassical
νέος, -α, -ο [age; see also μικρός] = young
νέος, -α, -ο [condition; see also καινούριος] = new
νερό, το = water
νεροχύτης, ο = sink, wash basin
νεύρα, τα = bad temper
νευριάζω = to get angry, to get irritated, to get mad
νευρικός, -ή, -ό = nervous, anxious
νεύρο, το = nerve
νεφρίτης, ο = jade
νέφωση, η = cloudy
νηπιαγωγείο, το = kindergarten
νηπιακός, -ή, -ό = toddler
νησί, το = island
νηστικός, -ή, -ό = hungry, starved
νικάω & -ώ = to win
νίκη, η = victory
νικητής, ο — νικήτρια, η = winner
Νικολέτα, η [proper name] = Nikoleta
νιπτήρας, ο = sink
νιώθω = to feel
Νοέμβριος, ο = November
νόημα, το = meaning, point
νοηματικός, -ή, -ό = conceptual, notional
νοθεύω = to adulterate, to falsify
νοιάζομαι = to care
νοίκι, το [see also ενοίκιο] = rent
νοικιάζω = to rent

νοικοκύρης, ο — νοικοκυρά, η = landlord, landlady
νοικοκυριό, το = household
νομάς, ο = nomad
νομίζω = to think, to believe
νομική, η = law school
νομικός, ο/η = lawyer, jurist
νόμισμα, το = coin
νομός, ο = district, county
νόμος, ο = law
νοσοκομείο, το = hospital
νοσοκόμος, ο — νοσοκόμα, η = nurse
νοστιμεύω = to spice up, to flavor with
νοστιμιά, η = flavor
νόστιμος, -η, -ο = delicious, flavorful, tasty
νοτιανατολικός, -ή, -ό = southeast
νότιος, -α, -ο = southern
νούμερο, το [see also αριθμός] = number
ντάκος, ο [Greek dish/food] = dakos (barley toast with tomato, feta, and olive oil)
ντάλα [adv.] = full, right in the middle of
νταντά, η = babysitter
ντεκολτέ, το = cleavage
ντοκιμαντέρ, το = documentary
ντολμάς, ο [Greek dish/food]= dolma (rice and/or meat ball wrapped in cabbage or grape leaves)
ντομάτα, η = tomato
ντόπιος, -α, -ο = local
ντουλάπα, η = closet, wardrobe
ντουλάπι, το = cupboard
ντους, το = shower
ντρέπομαι = to be ashamed, to be embarrassed
ντυμένος, -η, -ο = dressed
ντύνομαι = to get dressed
ντύσιμο, το = outfit
νυστάζω = to be sleepy
νύφη, η = bride, daughter-in-law, sister-in-law
νύχι, το = nail
νύχτα, η = night
νυχτερινός, -ή, -ό = night, overnight
νωρίς [adv.] = early

Ξ, ξ = ξι

ξάδερφος, ο — ξαδέρφη, η = cousin
ξακουστός, -ή, -ό = famous, well-known
ξανά [adv.] = again
ξαναβλέπω = to see again
ξαναγίνομαι = to become again, to be made again
ξαναγυρίζω = to go back, to return
ξαναδιαβάζω = to read again
ξαναδίνω = to give again
ξαναθυμάμαι = to remember again, to recall
ξαναλέω = to repeat, to say again
ξαναμαζεύω = to regather
ξαναμιλάω & -ώ = to talk again
ξαναπαίρνω = to take again
ξαναπερνάω & -ώ = to come/pass again
ξαναπηγαίνω = to go back, to go again
ξανασκέφτομαι = to reconsider
ξαναφωνάζω = to recall
ξανθός, -ή & -ιά, -ό = blond
ξαφνικός, -ή, -ό = sudden
ξαφνικά, ξάφνου [adv.] = suddenly
ξεβάφω = to bleach, to fade
ξεκινάω & -ώ [non transitive] = to depart, to go
ξεκινάω & -ώ [transitive] = to begin, to start
ξεκίνημα, το = start, beginning
ξεκολλάω = to come off
ξεκουράζομαι = to rest, to relax
ξεκουράζω = to rest, to relax
ξεκούραση, η = rest
ξεκούραστος, -η, -ο = relaxed, rested
ξεναγός, ο/η = tour guide
ξενοδοχείο, το = hotel
ξένος, -η, -ο [adj.] = foreign
ξένος, ο — ξένος, η [n.] = stranger, foreigner
ξενυχτάω & -ώ = to stay out late
ξενύχτι, το = staying out late, all-nighter
ξεπερνάω [a problem, a difficulty] = to overcome
ξεπερνάω [to go beyond] = to exceed, to surpass
ξεπλένω = to wash out, to rinse

ξερός, -ή, -ό = dry, stale
ξέρω [see also γνωρίζω] = to know
ξεσπάω = burst
ξεφάντωμα, το = revelry, fun
ξεφεύγω = to get away from
ξεφλουδίζω = to peel
ξεφουσκωμένος, -η, -ο = deflated
ξεχειλώνω = to stretch out
ξεχνάω & -ώ = to forget
ξεχνιέμαι = to be forgotten, to forget myself, to lose track of time
ξεχωρίζω = to distinguish, to be distinguished
ξεχωριστά [adv.] = individually, separately
ξεχωριστός, -ή, -ό = special, separate
ξημερώνω = to dawn
ξηρασία, η = drought
ξηρός, -ή, -ό = dry
ξηρός καρπός, ο = dried nuts
ξηρότητα, η = dryness
ξινός, -ή, -ό = sour, tart
ξοδεύω = to spend
ξύλινος, -η, -ο = wooden
ξύλο, το = wood
ξυλοδαρμός, ο = beating
ξυπνάω & -ώ = to wake up
ξύπνημα, το = awakening
ξυρίζομαι = to shave
ξύσμα, το = peel, zest

Ο, ο = όμικρον

ο, η, το [definite article] = the
ό,τι = whatever, anything
ογδόντα = eighty
όγδοος, -η, -ο = eighth
οδηγάω & -ώ = to drive, to guide
οδήγηση, η = driving
οδηγία, η = instruction, direction
οδηγός, ο/η = driver, guide
οδικός, -ή, -ό = road
οδοντίατρος, ο/η = dentist
οδός, η = road, street
οθόνη, η = screen
οικία,η = house
οικιακός, -ή, -ό = domestic
οικογένεια, η = family

οικογενειακός, -ή, -ό = family
οικογενειακή κατάσταση, η = marital status
οικογενειακό δέντρο, το = family tree
οικοδεσπότης, ο — οικοδέσποινα, η = host, hostess
οικοδομή, η = building, construction
οικολογικός, -ή, -ό = ecological, environmentally friendly
οικονομία, η = economy
οικονομικός, -ή, -ό = economic, cheap
οικονομικά [adv.] = economically, financially
οίκος, ο = house
οινόπνευμα, το = alcohol, spirit
Οκτώβριος, ο = October
Όλγα, η [proper name] = Olga
όλος, -η, -ο = whole, entire
όλοι, -ες, -α = all, every
ολόκληρος, -η, -ο = whole, entire
ολοκληρωμένος, -η, -ο = complete
ολοκληρώνω = to complete, to finish
ολοκλήρωση, η = completion
ολοφάνερα [adv.] = noticeably
ολυμπιακός, -ή, -ό = olympic
ομάδα, η = team
ομαδικός, -ή, -ό = group, team
ομελέτα, η = omelette, scrambled eggs
ομιλητής, ο — ομιλήτρια, η = speaker, lecturer
ομιλία, η = speech
ομίχλη, η = mist, fog
όμοιος, -α, -ο = same, similar
ομοιότητα, η = similarity, resemblance
ομορφιά, η = beauty
όμορφος, -η, -ο = beautiful, pretty
ομπρέλα, η = umbrella
όμως [see also αλλά, μα] = but, yet
ονειρεμένος, -η, -ο = dreamy
ονειρεύομαι = to dream
όνειρο, το = dream
όνομα, το = name
ονομάζομαι = to be named
ονοματεπώνυμο, το = full name
οξυγόνο, το = oxygen

όπλο, το = weapon
όποιος, -α, -ο = whoever
οποιοσδήποτε, οποιαδήποτε, οποιοδήποτε = anyone
οπτικός, -ή, -ό = optical, visual
όπως [adv.] = like, such as
οπωσδήποτε [adv.] = certainly
οργανισμός, ο = organism
όργανο, το = tool, instrument
οργανωμένος, -η, -ο = organized
οργανώνω = to organize
οργάνωση, η = organization
οργανωτικός, -ή, -ό = organizational
ορεινός, -ή, -ό = mountainous
ορεκτικός, -ή, -ό = appetizing
όρεξη, η = appetite, mood
όρθιος, -α, -ο = standing
ορθοπεδικός, ο/η = orthopaedist
ορθοπεταλιά, η = pedaling
οριζόντια [adv.] = horizontally
οριζόντιος, -α, -ο = horizontal
όριο, το = limit
ορισμένος, -η, -ο = certain
ορισμός, ο = definition
οριστικό άρθρο = definite article
όρος, ο = term
οροφοδιαμέρισμα, το = one floor apartment
όροφος, ο = floor
ορχήστρα, η = orchestra
όσος, -η, -ο = any, as much as, as long as
όσα = all that
όσπριο, το = legume
οστό, το = bone
οστρακοειδής, -ής, -ές = shellfish
όταν = when
ότι = that
ουδέτερος, -η, -ο = neutral
ουζερί, το = greek tavern
ούζο, το [Greek alcoholic drink] = ouzo
ουρά, η = queue, line
ουρανός, ο = sky
ουσία, η = point, substance
ουσιαστικό, το = noun
ούτε = not even
οφείλομαι = to be owed
οφείλω = to owe
όφελος, το = advantage, benefit

οφθαλμίατρος, ο/η = ophthalmologist, oculist, eye specialist
όχημα, το = vehicle
όχι = no

Π, π = πι

παγάκι, το = ice cube
παγετώνας, ο = glacier
παγκάκι, το = bench
πάγκος, ο = counter, bench
παγκόσμιος, -α, -ο = global, universal
πάγος, ο = ice
παγωμένος, -η, -ο = frozen
παγωνιά, η = freezing cold
παγώνω = to freeze
παγωτατζής, ο = ice cream man
παγωτό, το = ice cream
παζάρι, το = marketplace, bazaar
παθαίνω = to suffer from, [sth] happens to me
παιδεία, η = education
παιδί, το = child, kid
παιδίατρος, ο/η = pediatrician
παιδικός, -ή, -ό = infantile, children's
παιδική χαρά, η = playground
παιδότοπος, ο = playground, playing facilities
παίζω = to play
παίκτης, ο — παίκτρια, η = player
παινεύω = to praise
παίρνω = to take
παίρνω μέρος = to take part, participate
παιχνίδι, το = game, toy
παιχνιδιάρης, -α, ικο = playful
πακέτο, το = package
παλ = pale, very soft hue
παλάμη, η = palm, hand
παλάτι, το = palace
παλέτα, η = palette
πάλι [adv.] = again
παλιός, -ά, -ό = old
παλιά [adv.] = in the past, once
παλτό, το = coat
Παναγιώτης, ο [proper name] = Panagiotis
πανάκριβος, -η, -ο = extremely expensive

πανελλαδικός, -ή, -ό = panhellenic
πανέμορφος, -η, -ο = gorgeous
πανεπιστημιακός, -ή, -ό = university, academic
πανεπιστήμιο, το = university
πανηγύρι, το = fair
πανί, το = cloth, fabric
πανικός, ο = panic
πανό, το = banner
πάντα [adv.] = always
παντελόνι, το = trousers (a pair of), pants
παντζάρι, το = beet
παντοπωλείο, το = grocery store
παντού [adv.] = everywhere
παντόφλα, η = slipper
παντρεύομαι = to get married
πάνω [adv.] = up, on, above
παξιμάδι, το = rusk, crouton
παπαγαλία, η = reciting [sth] by heart
παπάγια, η = papaya
Παπαδιαμάντης, Αλέξανδρος, ο [proper name] = Papadiamantis, Alexander (Greek novelist, short-story writer and poet)
παπάς, ο = priest
παπί, το = soaking wet
πάπια, η = duck
πάπλωμα, το = blanket, comforter, duvet, quilt
παπούτσι, το = shoe
παππούς, ο = grandfather
παροχή, η = facility
παραγγελία, η — παραγγελιά, η = order
παραγγέλλω/παραγγέλνω = to order
παράγομαι = to be produced
παράγοντας, ο = factor, agent
παράγραφος, η = paragraph
παράγω = to produce
παραγωγή, η = production
παραγωγή γραπτού λόγου = writing
παραγωγή προφορικού λόγου = speaking
παραγωγικός, -ή, -ό = productive
παράδειγμα, το = example
παραδεισένιος, -α, -ο = heavenly
παραδέχομαι = to admit, to accept

παραδίδω = to deliver
παράδοση, η = tradition, delivery
παραδοσιακός, -ή, -ό = traditional
παράθυρο, το = window
παρακαλώ = to please
    Παρακαλώ! [in response to "Thank you!"] = You 're welcome!
    Σε/Σας παρακαλώ! = Please!
παρακάνω = to overdo, to go too far
παρακάτω [adv.] = below, following
παρακολουθώ = to watch, to attend, to monitor, to observe
παραλαβή, η = receipt, pickup
παραλαμβάνω = to receive
παραλία, η = beach, coast
παράλια, τα = coastline
παράλληλα [adv.] = meanwhile, parallelly
παραμένω = to remain, to stay
παραμονή, η = eve, the day before
παράνομος, -η, -ο = illegal
παράξενος, -η, -ο = strange, odd
παραπάνω / πιο πάνω [adv.] = above, more
παραπονιέμαι = to complain
παράπονο, το = complaint
παράς, ο = money
παρασκευάζομαι = to be produced, to be prepared
Παρασκευή, η = Friday
παράσταση, η = show, performance
παρασύρομαι = to be carried away, to get carried away
παρατάω & -ώ = to abandon, to give up
παρατήρηση, η = comment, remark, observation
παρατηρώ = to observe, to notice
παρατσούκλι, το = nickname
παρέα, η = company
παρελθόν, το = past
παρένθεση, η = parenthesis, bracket
παρεξήγηση, η = misunderstanding
παρέχω = to provide
παρκάρισμα, το = parking
πάρκιγκ, το = parking spot, parking garage
πάρκο, το = park
παροιμία, η = proverb, saying
παρόλο που = even though

παρόμοιος, -α, -ο = similar
παρομοίωση, η = simile
παρόν, το = present
παρουσία, η = appearance, presence
παρουσιάζομαι = to appear, to be present, to be presented
παρουσιάζω = to present, to display
παρουσίαση, η = presentation
πάρτι, το = party
πασπαλίζω = to sprinkle
παστίτσιο, το [Greek dish/food]= pasticchio (made with macaroni, minced meat ragù, and béchamel sauce, resembles lasagna)
Πάσχα, το = Easter
πατάτα, η = potato
    πατατοσαλάτα, η = potato salad
πατάω & -ώ = step
πατέρας, [see also μπαμπάς] = father
πατίνι, το = ice-skate, roller-skate
πατρίδα, η = homeland
πατρικός, -ή, -ό = paternal
πάτωμα, το = floor
παύω = to stop
παχύς, -ιά, -ύ = fat
παχαίνω = to gain weight
πάχος, το = fat
παχουλός, -ή, -ό = plump, chubby
παχυντικός, -ή, -ό = fattening
πεδινός, -ή, -ό = flat, level, of a plain
πεζός, -ή, -ό = pedestrian
πεθαίνω = to die, to pass away
πεθερός, ο — πεθερά, η = father-in-law, mother-in-law
πείθω = to persuade, to convince
πείνα, η = hunger, famine
πεινάω & -ώ = to be hungry
πείραγμα, το = teasing
πειράζω = to mess around with, to harm, to tease
    πειράζει = it matters
πεισματάρης, -α, -ικο = stubborn
πειστικός, -ή, -ό = convincing, persuasive
Πεκίνο, το [place name] = Beijing
πέλαγος, το = sea
πελάτης, ο — πελάτισσα, η = client, customer

Πελοπόννησος, η [place name] = Peloponisos
πέμπτος, -η, -ο = fifth
πέντε = five
πεπόνι, το = melon
Πέραν, το [place name] = Peran
πέρασμα, το = passage, pass
περασμένος, -η, -ο = past, gone, previous
περαστικός, -ή, -ό = passing, passer-by
    Περαστικά! = Get well soon!
περιβάλλον, το = environment
περιβαλλοντικός, -ή, -ό = environmental
περιγραφή, η = description
περιγράφω = to describe
περίεργος, -η, -ο = curious
περιεχόμενο, το = content
περιέχω = to contain, to include
περιθώριο, το = room, margin
περιλαμβάνω = to include
περιμένω = to wait, to look for
περιοδικό, το = magazine
περίοδος, η = period, time
περιορισμένος, -η, -ο = confined, limited
περιοχή, η = region, district, area
περιπέτεια, η = action movie, adventure
περιπετειώδης, -ης, -ες = adventurous
περιποιούμαι = to look after, to take care of
περίπου [adv.] = about, more or less, sort of
περιπτεράς, ο = man who works in a kiosk
περίπτωση, η = case
περισσεύω = to be superfluous, to be in excess, to be left over
περισσότερος, -η, -ο = more, most
περίσταση, η = occasion
περιστατικό, το = incident
περνάω & -ώ = to pass
περπατάω & -ώ = to walk
περπάτημα, το = walking
Περσεφόνη, η [proper name] = Persephone
πέρσι [adv.] = last year
περσινός, -ή, -ό = last year's

πετάω & -ώ [non transitive] = to fly

πετάω & -ώ [transitive] = to throw, to throw away

πετιέμαι = to pop out

πέτρα, η = stone, rock

πετράδι, το = gem

πετρέλαιο, το = oil, diesel

πέτρινος, -η, -ο = stony

πετρόλ [color] = teal

Πέτρος, ο [proper name] = Peter

πετσέτα, η = towel

πετυχαίνω = to succeed

πετυχημένος, -η, -ο = successful

πέφτω = to fall

πηγάδι, το = well

πηγαίνω = to go

πηγή, η = source, spring

πήλινος, -η, -ο = made of clay, ceramic, earthenware

πηλός, ο = clay

πιάνω = to pick up on, to catch, to catch on

πιάτο, το = plate, dish

πιγούνι, το = chin

πιέζομαι = to be pushed, to be pressured

πίεση, η = pressure

πιεστικός, -ή, -ό = pressing, pushing, urgent

πιέτα, η = pleat

πιθανός, -ή, -ό = possible

πιθανότητα, η = possibility

πικάντικη [Greek dish/food] = pikantiki, or else politiki (a salad made with shredded cabbage, carrots, celery, red peppers, and parsley)

πίκλα, η = pickle

πικρός, -ή, -ό = bitter

πικραμένος, -η, -ο = bitter, sad, disappointed

πιλάτες, το = pilates

πιλοτή, η = free space on the ground floor

πιλοτικός, -ή, -ό = pilot

πιλότος, ο = pilot

πίνακας, ο [exercise] = chart, table

πίνακας, ο [work of art] = painting

πινακοθήκη, η = gallery

πινέλο, το = brush

πίνω = to drink

πιο [adv.] = more

πιόνι, το = pawn, piece

πιπέρι, το = pepper

πισίνα, η = (swimming) pool

πιστεύω = to believe

πίστη, η = faith, belief

πιστολάκι, το = hairdryer

πιστός, -ή, -ό = loyal, faithful

πιστωτικός, -ή, -ό = credit

πίσω [adv.] = behind

πίτα, η = pie

πλαγιαστός, -ή, -ό = sideways, inclined, aslant, reclining, recumbent

πλαγιότιτλος, ο = section heading

πλάθω = to mold, to roll

πλάι [adv.] = side

πλαίσιο, το = context, framework

πλακάκι, το = tile

πλακατζής, ο = worker who lays tiles

πλακώνω = to press down, to cover

πλανήτης, ο = planet

πλαστελίνη, η = play dough, plasticine

πλαστικός, -ή, -ό = plastic

πλατύς, -ιά, -ύ = wide

πλάτανος, ο — πλατάνι, το = plane tree, sycamore

πλατεία, η = square

πλάτη, η = back

πλάτος, το = width

πλέκω = to knit

πλένομαι = to be washed, to wash myself

πλένω = to wash

πλεονέκτημα, το = advantage

πλευρά, η = side

πληθυντικός, ο = plural

πληκτρολογώ = to type

πλημμύρα, η = flood

πλήρης, -ης, -ες = complete

πληροφορία, η — πληροφορίες, οι = information, info

πληροφοριακός, -ή, -ό = informative

πληροφορώ = to inform

πληρωμή, η = payment

πληρώνω = to pay

πλήρως [adv.] = completely, totally

πλησιάζω = to get near, to approach

πλοίο, το [see also καράβι] = boat, ship

πλοκή, η = plot

πλούσιος, -α, -ο = rich, wealthy

πλούτος, ο = wealth

πλυντήριο, το = washing machine βάζω πλυντήριο = to do the laundry

πλύσιμο, το = washing

πνευματικός, -ή, -ό = intellectual πνευματικό κέντρο = cultural club

πνεύμονας, ο = lung

πνευμονολόγος, ο/η = pulmonologist

πνέω = to blow, to breath, to waft

ποδαρικό, το = good luck that [sb] brings, being the first one to enter at a specific time of the year, e.g. at New Year's Day

ποδηλάτης, ο — ποδηλάτισσα, η = cyclist

ποδήλατο, το = bicycle, bike

πόδι, το = foot, leg

ποδιά, η = apron

ποδόσφαιρο, το = football, soccer

ποιανού, -ής [person] = whose

ποίημα, το = poem

ποικιλία, η = variety, selection

ποιος, -α, -ο [human beings] = who ποιον, ποια [accusative for a person] = whom

ποιος, -α, -ο [objects] = which

ποιότητα, η = quality

πόλεμος, ο = war

πόλη, η = city

πολιτεία, η = state

πολίτης, ο/η = citizen, civilian

πολίτικος, -η, -ο = from Constantinople/Istanbul

πολιτικός, -ή, -ό = political

πολιτική, η = politics

πολιτισμός, ο = civilization, culture

πολιτιστικός, -ή, -ό = cultural

πολλοί, -ές, -ά [countable] = many, a lot of

πόλος, ο = pole

πολύ [adv.] = much

πολυθρόνα, η = armchair

πολυκατάστημα, το = department store

πολυκατοικία, η = apartment building

πολύξερος, -η, -ο = knowledgeable, know-it-all

πολύς, πολλή, πολύ [uncountable] = much

πολυταξιδευμένος, -η, -ο = who has travelled extensively

πολυτέλεια, η = luxury

πολυτελής, -ής, -ές = luxurious

πολύτιμος, -η, -ο = precious, valuable

πολύχρωμος, -η, -ο = colorful

πονάω & -ώ = to hurt, to feel pain, to be in pain

πονηρός, -ή, -ό = sneaky

πονοκέφαλος, ο = headache

πόνος, ο = pain, ache

ποντίκι, το = mouse

ποπ μουσική, η = pop music

Πόπη, η [proper name] = Popi (usually short for Penelope)

πορεία, η = route

πόρτα, η = door

πορτοκαλί [color] = orange

πορτοκάλι, το = orange

πορτοφόλι, το = wallet

πορτρέτο, το = portrait

πόσος, -η, -ο [uncountable] = how much

    πόσοι, -ες, -α [countable] = how many

    πόσων χρονών είσαι; = How old are you?

ποσοστό, το = percentage

ποσότητα, η = quantity

ποτάμι, το = river

ποτέ [adv.] = never

πότε = when

ποτήρι, το = glass, cup

ποτίζω = to water

ποτό, το = drink

πού [interrogative] = where

πουά = spotted, polka dotted

πουθενά [adv.] = nowhere

πουκάμισο, το = shirt

πουλάω & -ώ = to sell

πουλερικό, το = poultry

πουλημένος, -η, -ο = sellout, sold out

πουλί, το = bird

πουλιέμαι = to be for sale

πουλόβερ, το = sweater

πουρές, ο = mashed potatoes

πράγμα, το [see also αντικείμενο] = thing

πραγματικός, -ή, -ό = real, true, genuine

    πραγματικά [adv.] = really, indeed, in fact

πραγματικότητα, η = reality

πραγματοποιώ = to realize, to accomplish

πρακτικός, -ή, -ό = practical, functional

πράξη, η [mathematics] = operation, calculation

πράξη, η = act

πράσινος, -η, -ο = green

πρεμιέρα, η = premiere, opening night

πρέπει = must, to have to

πριν = before

προάστιο, το = suburb

προβάλλομαι = to play, to show

πρόβειος, -α, -ο = dairy product made from sheep's milk

προβλέπω = to foresee, to expect

πρόβλεψη, η = prediction

πρόβλημα, το = problem

προβολή, η [movie] = screening

πρόγνωση, η = forecast, prediction

πρόγραμμα, το = program

προγραμματιστής, ο — προγραμμα-τίστρια, η = developer, computer programmer

προδίδω = to betray

προεξέχω = to stand out

προέρχομαι = to come from, to originate

προετοιμάζομαι = to prepare myself

προετοιμάζω [see also ετοιμάζω] = to prepare

προετοιμασία, η = preparation

προηγούμενος, -η, -ο = previous, last

πρόθεση, η = preposition, intention

πρόθυμος, -η, -ο = willing

προϊόν, το = product

προϊστάμενος, ο — προϊσταμένη, η = director, chief, supervisor

προκαλώ = to provoke, to cause

πρόκειται = it's going to, it's about to

πρόκληση, η = provocation, challenge

προκλητικός, -ή, -ό = provocative

προκοπή, η = prosperity, hard work

προλαβαίνω = to be in time for, to catch up with

προξενιό, το = matchmaking

προοδεύω = to make progress

πρόοδος, η = progress

προορίζω = to destine, to intend for

προορισμός, ο = destination

προπόνηση, η = practice, training

προπονούμαι = to train, to work out

προπώληση, η = pre-sale

προς = to, towards

προσανατολισμός, ο = orientation

προσαρμόζομαι = to be adapted, to adapt myself

προσβάλλω = to offend

πρόσβαση, η = access

προσβλητικός, -ή, -ό = offensive

προσβολή, η = offence

προσγειώνομαι = to land

προσγείωση, η = landing

προσέγγιση, η = approach

προσεκτικός, -ή, -ό = careful

    προσεκτικά [adv.] = carefully

προσευχή, η = prayer

προσέχω = to be careful, to pay attention to

πρόσθετος, -η, -ο = additional

προσθέτω = to add

προσκαλώ [see also καλώ] = to invite

προσλαμβάνω = to hire

προσόν, το = qualification

προσοχή, η = attention

προσπάθεια, η = effort, try, attempt

προσπαθώ = to try, to make an effort

προσπερνάω & -ώ = to pass, to skip

προστασία, η = protection

προστατεύομαι = to guard against

προστατευόμενος, -η, -ο = protected, protégé

προστατεύω = to protect, to keep safe

προστάτης, ο — προστάτιδα, η = protector

πρόστιμο, το = fine

πρόσφατος, -η, -ο = recent

πρόσφατα [adv.] = recently
προσφέρω = to offer
προσφορά, η = bargain, offer
προσωπικό, το = staff
προσωπικός, -ή, -ό = personal, private
προσωπικότητα, η = personality
πρόσωπο, το = person
πρόσωπο, το [body part] = face
προσωρινός, -ή, -ό = temporary
πρόταση, η = sentence, suggestion, proposal
προτείνω = to suggest, to propose
προτέρημα, το = virtue
προτιμάω & -ώ = to prefer
προτίμηση, η = preference
προφίλ, το = profile
προφορικός, -ή, -ό = oral
προφορικές εξετάσεις, οι = oral exams
προφυλάσσω = to protect
πρόχειρα [adv.] = casually, makeshift
προχθές [adv.] = the day before yesterday
προχωράω & -ώ = to move forward, to proceed
πρώην, ο/η = ex, former
πρωί, το = morning
πρωινό, το = morning
πρωινό (γεύμα), το = breakfast
πρωινός, -ή, -ό [adj.] = morning, early
πρώτα [adv.] = firstly, first of all, in the first place
πρωταγωνιστής, ο —
πρωταγωνίστρια, η = protagonist, leading person
πρωταγωνιστικός, -ή, -ό = leading
πρωταγωνιστώ = to play a leading part
πρωτεΐνη, η = protein
πρωτεύουσα, η = capital
πρωτοβρόχια, τα = the first rain of the fall season
Πρωτομαγιά, η = May Day
πρώτος, -η, -ο = first
Πρωτοχρονιά, η = New Year's Day
πτήση, η = flight
πτυχίο, το = degree, diploma
πυκνός, -ή, -ό = thick, dense

πυραμίδα [stereometry] = pyramid
πυρκαγιά, η = fire
πυροσβέστης, ο = fireman
πώληση, η = sale
πωλητής, ο — πωλήτρια, η = seller, salesman/saleswoman
πώς = how

Ρ, ρ = ρο

ράβω = to sew
ραδιοφωνικός, -ή, -ό = radio
ραδιόφωνο, το = radio
ρακή, η [Greek alcoholic drink] = raki, very popular in Crete and the Cyclades
ρακόμελο, το [Greek alcoholic drink] = rakomelo, usually made with the combination of raki and honey and other spices
ραντεβού, το = date, appointement
ραπ μουσική, η = rap music
ράφι, το = shelf
ράφτης, ο — ράφτρα, η = tailor, seamstress
ράφτιγκ , το = rafting
ράψιμο, το = sewing
ρεβανί, το [Greek dish/food] = revani, basbousa (a sweet cake made with semolina and eggs and soaked in simple syrup)
ρεβεγιόν, το = celebration
ρεβίθι, το = chickpea
ρεκόρ, το = record
ρεμπέτικο, το = urban folk song, mainly from Asia Minor
ρεσιτάλ, το = music recital, concert
ρετιρέ, το = penthouse
ρεύμα, το [see also ηλεκτρικό ρεύμα] = electricity
ρήμα, το = verb
ρίγα, η = stripe
ρίγανη, η = oregano
ριγέ, το = striped
ρίζα, η = root
ρινόκερος, ο = rhinocerus
ρίχνω = to throw, to drop
ρίχνω μια ματιά = to have a look
ροδάκινο, το = peach
ρόδι, το = pomegranate

ροδίζω [cooking] = to brown
ροδοπελεκάνος, ο = great white pelican
ροζ [color] = pink
ροκ μουσική, η = rock music
ρόκα, η = arugula
ροκφόρ, το = roquefort cheese
ρολόι, το = watch, clock
ρολόι τοίχου = wall clock
ρόλος, ο = role, part
ρομαντικός, -ή, -ό = romantic
ρόμπα, η = robe
ρουζ, το = make up, rouge
ρουτίνα, η = routine
ρούχο, το = clothes, an item of clothing
ρόφημα, το = beverage, drink
ρύζι, το = rice
ρυθμίζω = to arrange, to adjust
ρυθμός, ο = rhythm
ρυπαίνω = to pollute
ρύπανση, η = pollution
ρυτίδα, η = wrinkle
ρώγα, η = grape
Ρωσία, η = Russia
ρωσικός, -ή, -ό = Russian
ρωτάω & -ώ = to ask

Σ, σ = σίγμα

Σάββατο, το = Saturday
σαββατοκύριακο, το = weekend
σαγιονάρα, η = flip flop
σακάκι, το = jacket, blazer
σακίδιο, το = backpack
σάκος, ο = sack
σακούλα, η = plastic bag
σάκχαρο, το = sugar
σαλάμι, το = salami
σαλάτα, η = salad
σαλεπτζής, ο = man who sells salep (a traditional winter beverage)
σαλόνι, το = living room
Σαμοθράκη, η [place name] = Samothraki
σανδάλι, το = sandal
σάντουιτς, το = sandwich
σάουνα, η = sauna
σαπίζω = to rot
σαπούνι, το = soap
σαράντα = forty

σαρδέλα, η = sardine
σαρίκι, το = turban
σαφάρι, το = safari
σβήνω = to delete, to erase, to turn off
σβησμένος, -η, -ο = extinct, deleted, erased, off
σγουρομάλλης, -α, -ικο = curly haired
σγουρός, -ή, -ό = curly
σε = at, to
   σε σχέση με = relating to
σεβασμός, ο = respect
σέβομαι = to respect
σεζόν, η = season
σειρά, η = order, line, row, queue, series
σεισμός, ο = earthquake
σελίδα, η = page
σεμνός, -ή, -ό = modest, humble
σεμνότητα, η = modesty
σενάριο, το = screenplay
σεντόνι, το = sheet
σερβίρισμα, το = serving
σερβίρω = to serve
σερβιτόρος, ο — σερβιτόρα, η = waiter/waitress
σερβίτσιο, το = dinnerware, china
σεφ, ο/η = chef
σηκώνομαι = to get up
σηκώνω = to pick up, to raise
σημάδι, το = sign
σημαίνω = to mean, to stand for
σημαντικός, -ή, -ό = important, significant
σημασία, η = meaning, importance
σημείο, το = point, spot
σημειωμένος, -η, -ο = marked
σημειώνω = to take down notes, to write down
σημείωση, η = note, memo
   κρατάω σημειώσεις = to take down notes, to keep notes to write down
σήμερα [adv.] = today
σημερινός, -ή, -ό = modern, today's
σιγά [adv.] = slowly, silently
σιγή, η = silence
σίγουρα [adv.] = definitely, sure, certainly, of course
σιγουριά, η = certainty

σίγουρος, -η, -ο = certain, sure
σιδέρωμα, το = ironing
σιδερώνω = to iron
σιδηροδρομικός, -ή, -ό = railway
σιέλ [color] = arctic blue
σινεμά, το [see also κινηματογράφος] = cinema, movie theater
σιτεύω = to age meat after butchering
σκάζω = to chap
σκάλα, η = staircase
σκαλί, το = stair step
σκαμνί, το = stool
σκάνδαλο, το = scandal
σκαντζόχοιρος, ο = hedgehog
σκάφος, το = ship, yacht
σκεπάζω = to cover
σκεπή, η = roof
σκεπτικός, -ή, -ό = pensive, skeptical, contemplative, thoughtful
σκέφτομαι = to think
σκέψη, η = thought
σκηνή, η [theater, circus, concert] = stage, scene
σκηνή, η [camping] = tent
σκηνικό, το = set, scenery
σκηνοθεσία, η = direction
σκηνοθέτης, ο/η = director
σκηνοθετικός, -ή, -ό = relating to direction (movie/theater)
σκηνοθετώ = to direct
σκιά, η = shade
σκίζω = to tear
σκισμένος, -η, -ο = torn
σκληρά [adv.] = roughly, hard
σκληρός, -ή, -ό = hard, stiff
σκοινί, το = rope
σκόνη, η = powder, dust
σκοπεύω = to intend, to aim
σκοπός, ο = aim, goal, target
σκόρδο, το = garlic
σκορπίζω = to scatter
σκοτεινός, -ή, -ό = dark
σκοτεινιάζω = to get dark
σκοτώνω = to kill, to murder
σκουλαρίκι, το = earring
σκουντάω & -ώ = to poke, to nudge
σκουπίδι, το = trash, garbage
σκουπίζω = to wipe, to sweep

σκούφος, ο — σκουφί, το = beanie, hat
σκύβω = to bend over, to lean forward
σκύλος, ο — σκυλί, το = dog
σλαβικός, -ή, -ό = Slav, Slavic
σμήνος, το = flock
Σμύρνη, η [place name] = Smyrna
σοβαρά [adv.] = seriously, really
σοβαρός, -ή, -ό = serious
σόδα, η [cooking] = baking soda
σοδειά, η = crop
σοκολάτα, η — σοκολατάκι, το = chocolate, candy bar
σοκολατί [color] = chocolate brown
σολομός, ο = salmon
σουηδική γλώσσα, η — σουηδικά, τα = Swedish
σούπα, η = soup
σούπερ μάρκετ, το = supermarket
σοφιστικέ = sophisticated
σοφίτα, η = attic
σπάζω = to smash, to break
σπανακόπιτα, η [Greek dish/food] = spanakopita, a spinach pie
σπανακόρυζο, το [Greek dish/food] = spanakorizo, a spinach and rice pilaf
σπάνιος, -α, -ο = rare
σπάνια [adv.] = rarely, seldom
σπαρτό, το = crops
σπάσιμο, το = crack, fracture
σπασμένος, -η, -ο = broken
σπάταλος, -η, -ο = wasteful
σπαταλάω & -ώ = to waste
σπατάλη, η = waste
σπίτι, το [family] = home
σπίτι, το [residence] = house
σπιτικός, -ή, -ό = house, home, home-made, domestic
σπιτοκαλυβάκι, το = very small house
σπορ, το [dress code] = casual
Σποράδες, οι [place name] = Sporades
σπόρος, ο = seed
σπουδάζω = to study
σπουδαίος, -α, -ο = great
σπουδές, οι = studies
σπρώξιμο, το = push
σπρώχνω = to push

σπυρί, το = pimple
σταδιακά [adv.] = gradually
σταθερός, -ή, -ό = stable
στάθμευση, η = parking
σταθμός, ο = station, landmark
σταματάω & -ώ = to stop
σταματημένος, -η, -ο = at a
    standstill, stopped
στάση λεωφορείου, η = bus stop
στάση, η = poise, stance, posture,
    pose, attidute
    στάση προσευχής = prayer
    position
σταυρόλεξο, το = crossword puzzle
σταφίδα, η = raisin
σταφύλι, το = grape
σταχτής, -ιά, ί = grey in color
στέγη, η = roof
στέγνωμα, το = drying
στεγνώνω = to dry
στεγνωτήριο, το = dryer
στέκι, το = hangout
στέκομαι = to stand, to be standing
Στέλιος, ο [proper name] = Stelios
στέλνω = to send
στεναχωρημένος, -η, -ο = sad,
    unhappy, depressed
στεναχωριέμαι = to worry
στενεύω = to take in, to narrow
στενός, -ή, -ό = narrow, tight
στενόχωρος, -η, -ο = poky, small
    and cramped
στενοχώρια, η = sadness
στεριά, η = land
στήλη, η = column
στήριγμα, το = pillar, brace, support
στηρίζω = to support
στήριξη, η = support
στίβος, ο = track
στιγμή, η = moment
στιγμιαίος, -α, -ο = instant
στιλ, το = style
στιλό, το = pen
στίχος, ο = lyric, line, verse
στοιχείο, το = data, element
στοίχημα, το = bet
στολή, η = costume, uniform
στολίδι, το = decoration, ornament
στολισμένος, -η, -ο = decorated,
    ornate
στόμα, το = mouth

στομάχι, το = stomach
στοργή, η = affection
στοργικός, -ή, -ό = caring,
    affectionate
στούντιο, το = studio
στοχεύω = to target, to aim
στόχος, ο = aim, target
στραβός, -ή, -ό = crooked, bent,
    twisted, wry
στραγάλι, το = roasted chickpeas
    used as dry nuts
στραπατσάδα, η [Greek dish/food] =
    strapatsada (a dish made with
    tomatos and eggs)
στρατηγική, η = strategy
στρατιώτης, ο = soldier
στρατιωτικός, -ή, -ό = military
στρατός, ο = army, military
στρέμμα, το = area unit,
    equivalent to 0.1 hectares or
    approximately 0.25 acres
στρες, το = stress, anxiety
στρογγυλός, -ή, -ό = round
στρώμα, το = mattress
στρώνω = to lay, to set, to make
στύβω = to squeeze
συγγενής, ο/η = relative
συγγενικός, -ή, -ό = kindred, related
συγγνώμη, η = apology
    Συγγνώμη! = I'm sorry!
συγγραφέας, ο/η = author
συγκάτοικος, ο/η = roommate,
    flatmate
συγκεκριμένος, -η, -ο = specific
συγκεκριμένα [adv.] = specifically
συγκεντρωμένος, -η, -ο = focused
συγκεντρώνω = to gather, to collect
συγκέντρωση, η = gathering
συγκίνηση, η = emotion
συγκινητικός, -ή, -ό = touching
συγκλονιστικός, -ή, -ό = amazing
συγκοινωνία, η = public transport
συγκρίνω = to compare
σύγκριση, η = comparison
συγκρότημα, το = group, band
σύγκρουση, η = crash, conflict,
    collision
συγχαρητήρια, τα = congratulations
σύγχρονος, -η, -ο = modern,
    contemporary
συγχωρώ = to forgive

συζητάω & -ώ = to discuss
συζήτηση, η = conversation, talk,
    discussion
συζητιέμαι = to be discussed
σύκο, το = fig
συλλαβή, η = syllable
συλλέγω [see also μαζεύω] = to
    collect
συλλογή, η = collection
συμβαίνω = to happen, to occur
συμβάλλω = to contribute
συμβόλαιο, το = contract
συμβολίζω = to symbolize
συμβολικός, -ή, -ό = symbolic
σύμβολο, το = symbol
συμβουλεύομαι = to consult
συμβουλευτικός, -ή, -ό = advisory
συμβουλεύω = to advise, to give
    advice
συμβουλή, η = advice
σύμβουλος, ο/η = consultant, advisor
συμμαθητής, ο — συμμαθήτρια, η =
    schoolmate, classmate
συμμαχία, η = alliance
συμμαχικός, -ή, -ό = allied
συμμετέχω = to participate, to take
    part in
συμπάθεια, η = liking
συμπαθητικός, -ή, -ό = nice,
    charming
συμπαθώ = to like
συμπαράσταση, η = support
συμπέρασμα, το = conclusion
συμπερασματικά [adv.] = in
    conclusion
συμπεριλαμβάνομαι = to be
    included
συμπεριφέρομαι = to behave
συμπεριφορά, η = behaviour,
    attitude
συμπληρωμένος, -η, -ο = filled out,
    completed
συμπληρώνω = to complete, to fill
συμφέρον, το = interest
συμφέρω = to be good for, to be a
    bargain
συμφοιτητής, ο — συμφοιτήτρια, η
    = classmate
συμφορά, η = misfortune
σύμφωνα [adv.] = according to
συμφωνία, η = agreement

συμφωνώ = to agree

συνάδελφος, ο/η = colleague

συναίσθημα, το = feeling

συναισθηματικός, -ή, -ό = sentimental

συναντάω & -ώ = to meet, to come across

συνάντηση, η = meeting

συναντιέμαι = to meet with

συναυλία, η = concert

συνδρομή, η = subscription

συνδυάζω = to combine

συνδυασμός, ο = combination

συνέντευξη, η = interview

συνέπεια, η = consequence, consistency, punctuality

συνεργάζομαι = to collaborate

συνεργασία, η = collaboration

συνεργείο, το = garage, workshop

συνέχεια [adv.] = all the time, constantly, continuously

συνέχεια, η = continuation
στη συνέχεια = afterwards, after that

συνεχίζομαι = to be continued

συνεχίζω = to continue

συνεχώς [adv.] = constantly

συνήθεια, η = habit

συνηθίζω = to get used to, to get accustomed to

συνηθισμένος, -η, -ο = usual

συνήθως [adv.] = usually

σύνθεση, η = composition, arrangement, synthesis

συνθέτης, ο — συνθέτρια, η = composer

συνθετικός, -ή, -ό = synthetic

συνθέτω = to compose

συνθήκη, η = circumstance, condition

συννεφιά, η = cloud cover

συννεφιάζω = to become cloudy

συννεφιασμένος, -η, -ο = cloudy

σύννεφο, το = cloud

συνοδεύομαι = to be accompanied

συνοδεύω = to accompany

συνοικία, η = neighborhood

συνολικός, -ή, -ό = whole

σύνολο, το = whole, total, sum

συνομιλία, η = conversation

σύνορο, το = border

συνταγή, η = recipe

συνταξιούχος, ο/η = retired

συντελεστής, ο = factor, coefficient

συντηρητικός, -ή, -ό = conservative, preservative

σύντομα [adv.] = soon, shortly

σύντομος, -η, -ο = short, brief

συντροφεύω = keep [sb] company, accompany

συντροφιά, η = company

συντροφικότητα, η = companionship, camaraderie

σύντροφος, ο/η = companion, comrade

Συρία, η [place name] = Syria

συρτάρι, το = drawer

συσκευασία, η = packaging

συσκευή, η = device, appliance

συστατικό, το = ingredient

σύστημα, το = system

συστηματικός, -ή, -ό = regular, systematic

συστήνω = to introduce, to recommend

συχνά [adv.] = often

συχνός, -ή, -ό = often, frequent

σφάλμα, το = mistake, error

σφιχτός, -ή, -ό = tight, close

σφουγγάρι, το = sponge

σφουγγαρίζω = to mop

σφραγίδα, η = seal, stamp

σχεδιάγραμμα, το = sketch, diagram

σχεδιάζω = to draw, to design, to plan

σχεδιασμένος, -η, -ο = designed, planned, drawn, drafted

σχεδιαστής, ο — σχεδιάστρια, η = designer

σχέδιο, το = drawing, pattern, plan

σχεδόν [adv.] = almost

σχέση, η = relationship

σχετικός, -ή, -ό = relevant

σχετικά [adv.] = concerning, regarding, in regard to

σχήμα, το = shape

σχηματίζω = to form, to shape

σχηματισμός, ο = formation

σχολείο, το — σχολή, η = school

σχολιάζω = to comment

σχολικός, -ή, -ό = school

σχόλιο, το = comment

σωλήνας, ο = tube, pipe

σώμα, το = body

σωματικός, -ή, -ό = physical

σωσίβιο, το = lifejacket

σωστά [adv.] = right, correctly

σωστός, -ή, -ό = right, correct

Σωτήρης, ο [proper name] = Sotiris

Τ, τ = ταυ

τ.μ. [abbr.] = m^2, square metre

ταβέρνα, η = tavern

τάβλι, το = backgammon

ταγέρ, το = suit

Ταϊλάνδη, η [place name] = Thailand

ταινία, η = movie, film
ταινία μικρού μήκος = short film

ταιριάζω = to fit, to match, to suit

τακούνι, το = heel

τακτικά [adv.] = regularly

τακτοποιώ = to settle, to arrange

ταλαιπωρούμαι = to be discomforted, to have a rough time

ταλαιπωρώ = to trouble, to pester, to harass, to give [sb] a rough time

ταλέντο, το = talent

ταμείο, το = cash register

ταμίας, ο/η = cashier

τάξη, η [persons] = class

τάξη, η [room] = classroom

ταξί, το = taxi, cab

ταξιδεύω = to travel, to take a trip, to make a journey

ταξίδι, το = travel, journey, trip

ταξιδιωτικός, -ή, -ό = travelling

ταξιτζής, ο = taxi driver

ταραγμένος, -η, -ο = upset, agitated, disturbed, disconcerted, troubled

ταράζομαι = to worry, to be upset

ταραχή, η = commotion, agitation, turmoil, disturbance

ταρό, τα = tarot cards

Τάσος, ο [proper name] = Tassos

Ταύρος, ο [place name] = Taurus

ταυτότητα αστυνομική, η = identification card / ID

ταυτόχρονος, -η, -ο = simultaneous, concurrent, contemporaneous

ταχυδρομείο, το = post office
ταχύτητα, η = speed
ταψί, το = tray, baking sheet
τέλεια [adv.] = perfect
τελεία, η = dot
τέλειος, -α, -ο = perfect
τελειώνω = to end, to finish
τελετή, η = ceremony
τελευταίος, -α, -ο = last, final
τελικά [adv.] = finally, after all
τελικός, -ή, -ό = final
τέλος, το = end
τελωνείο, το = customs
τεμπέλης, -α, -ικο = lazy
τεμπελιά, η = laziness
τεμπελιάζω = to laze, to idle
τενεκές, ο = tin container
τένις, το = tennis
τέρας, το = monster
τεράστιος, -α, -ο = huge, enormous
τέσσερις, -α = four
τέταρτος, -η, -ο = fourth
τέτοιος, -α, -ο = such
τετραγωνικός, -ή, -ό = square
τετράγωνο, το = square
τετράδιο, το = notebook
τετραώροφος, -η, -ο = with four
    floors
τέχνη, η = art
τεχνικός, -ή, -ό = technical
τεχνίτης, ο = handyman,
    craftsman
τεχνολογία, η = technology
τζάζ, η = jazz
τζάκι, το = fireplace
τζακούζι, το = jacuzzi
τζάμπα [adv.] = for free, free of
    charge
τζατζίκι, το [Greek dish/food]=
    tzatziki (a sauce or dip made
    with yogurt, cucumbers and
    garlic)
τζιν, το = jeans
τζιτζίκι, το = cicada
τηγανητός, -ή, -ό = fried
τηγάνι, το = frying pan, skillet
τηγανίζω = to fry
τηγάνισμα, το = frying
τηγανίτα, η = pancake
τηλεοπτικός, -ή, -ό = on-screen, on
    television

τηλεόραση, η = television/TV
    στην τηλεόραση = on
    television / on TV
τηλεφώνημα, το = call, phonecall
τηλέφωνο, το = telephone, phone
    παίρνω τηλέφωνο = to call, to
    phone, to make a phonecall
τηλεφωνώ = to call, to phone, to
    make a phonecall
τι = what
τιμάω & -ώ = to praise, to honor
τιμή, η [person] = honor
τιμή, η [item] = price
τιμωρία, η = punishment
τίνος, τίνων = whose
τίποτα = nothing
τίτλος, ο = title
τμήμα, το = part, section,
    department
τοίχος, ο = wall
τολμάω & -ώ = to dare
τόλμη, η = daring, courage
τομέας, ο = field, area
τονίζω = to point out, to highlight
τονισμένος, -η, -ο = stressed,
    emphasized
τονισμός, ο = accentuation,
    intonation
τόνος, ο = accent, stress, hue, tint
τονώνω = to boost
τοξικός, -ή, -ό = toxic
τόξο, το = arc
τοπικός, -ή, -ό = local, regional
τοπίο, το = landscape
τοποθεσία, η = location
τοποθέτηση, η = placing, placement
τοποθετώ = to place, to locate
τόπος, ο = place, area
Τορόντο, το [place name] = Toronto
τόσος, -η, -ο [uncountable] = so/that
    much
τότε [adv.] = then
τουαλέτα, η = bathroom
τούβλο, το = brick
τουλάχιστον [adv.] = at least
τουρισμός, ο = tourism
τουρίστας, ο — τουρίστρια, η =
    tourist
τουριστικός, -ή, -ό = tourist, touristic
Τουρκία, η [place name] = Turkey
τούρκικος, -η, -ο = Turkish

τραγικός, -ή, -ό = tragic
τραγουδάω & -ώ = to sing
τραγούδι, το = song
τραγουδιστής, ο — τραγουδίστρια, η
    = singer
τρανός, -ή, -ό = important, large
τράπεζα, η = bank
τραπεζαρία, η = dining room
τραπέζι, το = table
τραπεζομάντιλο, το = tablecloth
τραυματίας, ο/η = injured, wounded
τρεις, τρία = three
τρελός, -ή, -ό = crazy, mad
τρελαίνομαι = to go crazy, to go mad
τρεμοσβήνω = flicker
τρέμω = to shiver
τρένο, το = train
τρέξιμο, το = running
τρέφομαι = to be fed,
    to be nourished
τρέχω = to run
τριανταφυλλιά, η = rosebush
τριαντάφυλλο, το = rose
τριάρι, το = three bedroom apart-
    ment
τρίμηνο, το = three month period
Τρίπολη, η [place name] = Tripoli
τρίτος, -η, -ο = third
τριώροφος, -η, -ο = with three floors
τρομάζω = to scare, to frighten
τρομερός, -ή, -ό = terrible, horrible,
    awful
τρομοκρατημένος, -η, -ο = terrified,
    horrified
τρομοκρατία, η = terrorism
τρομοκρατούμαι = to be terrified
τρομοκρατώ = to terrify, to horrify
τρόπος, ο = way, manner, style
τροφή, η — τρόφιμο, το = food
τροφικός, -ή, -ό = food, alimentary,
    nutritive
Τροχαία, η = traffic police
τροχονόμος, ο/η = traffic controller
τρυφερός, -ή, -ό = tender, gentle,
    soft
τρυφερότητα, η = tenderness
τρώω = to eat
τσαγκάρης, ο = shoemaker, cobbler
τσάι, το = tea
τσάντα, η = bag, purse
τσέπη, η = pocket

τσιγάρο, το = cigarette

τσιγκούνης, -α, -ικο = stingy, parsimonious, tightfisted, miserly

τσικουδιά, η [Greek alcoholic drink] = tsikoudia, raki

τσιμέντο, το = cement, concrete

τσιμπάω & -ώ = to pinch

τσίμπημα, το = pinch, sting, insect bite

τσίπουρο, το [Greek alcoholic drink] = tsipouro (twice distilled, usually flavored with anise or fennel)

τσουλήθρα, η = slide

τσουρέκι, το [Greek dish/food] = tsoureki (a sweet brioche-like bread, enriched with eggs, and flavored with mahleb or mastic, usually braided)

τυλίγω = to enfold, to wrap, to roll

τυπάς, o = character

τυπικός, -ή, -ό = typical, formal, conventional, usual

τύπος, o = type, kind

τυρί, το = cheese

τυροπιτάκι, το = handheld individual little cheese pie

τυροσαλάτα, η [Greek dish/food] = tyrosalata, a feta dip (sometimes spicy)

τυφώνας, o = hurricane, typhoon

τυχερός, -ή, -ό = lucky

τύχη, η = luck

τώρα [adv.] = now

Υ, υ = ύψιλον

υγεία, η = health

υγιεινός, -ή, -ό = healthy

υγρός, -ή, -ό = liquid, wet

υγρασία, η = humidity, moisture

υγρότοπος, o = wetland

υδατάνθρακας, o = carbohydrate

υδράργυρος, o = mercury

υδραυλικά, τα = plumbing

υδραυλικός, o = plumber

Υεμένη, η [place name] = Yemen

υιοθετούμαι = to be adopted

ύλη, η = matter

υλικό, το [cooking] = ingredient

υλικό, το = material

υλοποιώ = to realize, to implement

υπαίθριος, -α, -ο = outdoor

υπάλληλος, o/η = employee, clerk

υπάρχω = to exist, to be
υπάρχει = there is

υπερβολικός, -ή, -ό = extravagant, extreme, excessive

υπέροχος, -η, -ο = marvellous, wonderful, splendid

υπερσύγχρονος, -η, -ο = ultramodern

υπερωρία, η = overtime, extra time

υπεύθυνος, -η, -ο = responsible, manager

υπευθυνότητα, η = responsibility

υπηρεσία, η = service, agency, office

υπνοδωμάτιο, το = bedroom

ύπνος, o = sleep

υπνόσακος, o = sleeping bag

υποβρύχιο, το = submarine

υποβρύχιο, το [Greek dish/food]= ipovrichio (a kind of spoon sweet, usually vanilla-flavored; it is usually served on a teaspoon and dipped into a glass of cold water)

υπόγειος, -α, -ο = underground

υπογραμμίζω = to underline

υπογραμμισμένος, -η, -ο = accented, emphasized, underlined

υπογράφω = to sign

υποδομή, η = infrastructure, substructure

υπόθεση, η = case, hypothesis, assumption

υπολογίζω = to calculate, to estimate, to count on

υπολογισμένος, -η, -ο = calculated

υπολογισμός, o = calculation, estimation

υπολογιστής, o = computer

υπόλοιπος, -η, -ο = remaining, rest of

υπομονετικός, -ή, -ό = patient

υπομονή, η = patience

υποστηρίζω = to support

υποστήριξη, η = support

υπόσχομαι = to promise

υποτροφία, η = scholarship

υπουργείο, το = ministry

υποχρέωση, η = obligation, responsibility, duty

υποχρεωτικά [adv.] = necessarily, mandatorily

υποχρεωτικός, -ή, -ό = obligatory, mandatory

υποψήφιος, -α, -ο = candidate

υποψηφιότητα, η = candidacy, nomination

ύστερα [adv.] = after, aftertwards, then

ύφασμα, το = cloth, fabric

υφασμάτινος, -η, -ο = made of cloth

ύφος, το = expression, style

υψηλός, -ή, -ό = high, tall, big
υψηλή θερμοκρασία = high temperature

ύψος, το = height

Φ, φ = φι

φαγητό, το = food

φαίνομαι = to seem, to be visible

φαινόμενο, το = phenomenon

φάκελος, o = envelope

φακή, η = lentil

φακός, o = flashlight, camera lens

φαλάκρα, η = baldness, bald spot

Φανάρι, το [place name]= Fanari, a neighborhood in Constantinople

φανάρι, το = traffic light

φανερώνω = to reveal, to show

φαντάζομαι = to imagine

φαντασία, η = fantasy

φανταστικά [adv.] = wonderfully

φανταστικός, -ή, -ό = imaginary, unreal

φαράγγι, το = canyon

φαρδύς, -ιά, -ύ = broad, wide

φαρμακείο, το = pharmacy, drugstore

φάρμακο, το = drug, medicine

φάρος, o = lighthouse

φασολάκι, το = green bean

φασαρία, η = fuss, noise

φάση, η = phase, stage

φασολάδα, η = bean soup

φασόλι, το = bean

φεγγάρι, το = moon

φερμουάρ, το = zipper

φέρνω = to bring
φέρομαι = to behave
φέρσιμο, το = attitude
φέσι, το = fez
φεστιβάλ, το = festival
φέτα, η [Greek dish/food]= feta
    cheese
φέτα, η = slice
φετινός, -ή, -ό = of this year, this
    year's
φέτος [adv.] = this year
φεύγω = to leave, to pass away
φήμη, η = rumor, reputation
φημίζομαι = to be well known for
    [sth]
φημισμένος, -η, -ο = famous
φθηνός, -ή, -ό = cheap
φθινοπωρινός, -ή, -ό = fall, autumn,
    autumnal
φθινόπωρο, το = autumn, fall
φιδάκι, το = Snakes and Ladders
    board game
φίλαθλος, -η, -ο = sports fan
Φιλανδία, η [place name] = Finland
φιλενάδα, η = girlfriend
φιλί, το = kiss
φιλία, η = friendship
φιλικά [adv.] = sincerely
φιλικός, -ή, -ό = friendly
φιλοδοξία, η = ambition
φιλόξενος, -η, -ο = hospitable,
    welcoming
φιλοξενία, η = hospitality
φιλοξενούμαι = to lodge, to be a
    guest
φιλοξενούμενος, -η, -ο = guest
φιλοξενώ = to host, to offer
    hospitality
φίλος, ο — φίλη, η = friend
φιστίκι, το = pistachio
φλέβα, η = vein
φλιτζάνι, το = cup
φλόγα, η = flame
φλούδι, το = peel
φοβάμαι = to be afraid of, to fear
φοβερός, -ή, -ό = terrifying
φοβερίζω = to threaten
φοβισμένος, -η, -ο = frightened
φόβος, ο = fear
φογάτσα, η [Greek dish/food] =
    traditional tsoureki from Corfu

φοινικόπτερο, το = flamingo
φοίτηση, η = attendance
φοιτητής, ο — φοιτήτρια, η =
    student
    φοιτητική εστία = student
    dorm
φοιτώ = to study
φορά, η = time, occasion, course
    μία φορά = once
    δύο φορές = twice
φοράω & -ώ = to wear
φορέας, ο = sector, organization
φόρεμα, το = dress
φορεσιά, η = costume
φόρμα, η [state] = fitness, form,
    shape
φόρμα, η [clothing] = tracksuit
φορολογικός, -ή, -ό = tax
φόρος, ο = tax
φορτώνω = to load
φουντούκι, το = hazelnut
φούρνος, ο [store] = bakery
φούρνος, ο [appliance] = oven
    φούρνος μικροκυμάτων, ο =
    microwave oven
    του φούρνου = food cooked in
    the oven
φουσκώνω = to expand, to inflate
φούστα, η = skirt
φουστάνι, το = dress
φράγμα, το = dam
φράουλα, η = strawberry
φράση, η = phrase
φρένο, το = brake
φρέσκος, -ια, -ο = fresh
φροντίζω = to take care of, to look
    after
φροντιστήριο, το = tutorial lessons
φρούτο, το = fruit
φρύδι, το = eyebrow
φταίω = to be responsible, to be at
    fault
φτάνω = to arrive, to reach
φτερό, το = feather, wing
φτήνια, η = cheapness
φτηνός, -ή, -ό = cheap
φτιαγμένος, -η, -ο = made,
    manufactured
φτιάχνω = to make, to repair
φτώχεια, η = poverty
φτωχός, -ή, -ό = poor

φυλή, η = tribe, race
φυλλάδιο, το = booklet, leaflet
φύλλο, το = leaf
φυσάω & -ώ = to blow
φύση, η = nature
φυσικά [adv.] = of course, certainly
φυσικός, -ή, -ό = natural
    φυσικό αέριο, το = natural gas
φυσιογνωμικός, -ή, -ό =
    physiognomic
φυσιολογικός, -ή, -ό = normal
φυσιολογικά [adv.] = normally
φυτεύω = to plant
φυτικός, -ή, -ό = vegetal
φυτό, το = plant
φυτοφάρμακο, το = pesticide
φωλιά, η = nest, hole
φωνάζω = to shout, to yell
φως, το = light
φωτεινός, -ή, -ό = bright
φωτιά, η = fire
φωτίζω = to light, to illuminate, to
    light up
φωτισμός, ο = lighting
φωτιστικό, το = lamp
φωτογραφία, η = picture, photo
φωτογραφίζω = to take a picture
φωτογραφικός, -ή, -ό =
    photographic
    φωτογραφική μηχανή, η =
    camera
φωτοτυπικός, -ή, -ό = photocopying
φωτοτυπώ = to photocopy

Χ, χ = χι

χαγιάτι, το = roofed balcony at the
    front of the house
χάδι, το = touch, caress
χαδιάρης, -α, -ικο = tender, who
    likes caresses and displays of
    affection
χαιρετάω & -ώ = to say hello, to
    greet, to salute
χαιρετίσματα, τα = greetings
χαίρομαι = to be glad, to be happy
χακί [color] = khaki
χαλάζι, το = hail
χαλαρός, -ή, -ό = loose, relaxed
χαλαρώνω = to loosen, to relax
χαλάρωση, η = relaxation

χαλασμένος, -η, -ο = broken, damaged, spoiled
χαλάω & -ώ = to break down, to spoil, to destroy
χαλβάς, ο [Greek dish/food] = halvah, a dense sweet, made with semolina or tahini
χαλί, το = carpet
Χαλκιδική, η [place name] = Chalkidiki
χαλκόκοτα, η [bird] = glossy ibis
χαμάμ, το = Turkish bath
χαμένος, -η, -ο = lost
χαμηλά [adv.] = low
χαμηλός, -ή, -ό = short, low
χαμηλώνω = to lower
χαμογελαστός, -ή, -ό = smiling
χαμογελάω & -ώ = to smile
χαμόγελο, το = smile
χαμός, ο = a bit of a mess, commotion
χάνι = inn, hostel
χάνω = to lose, to miss
χάπι, το = pill
Χαρά, η [proper name] = Chara
χαρά, η = happiness, joy
χαρακτήρας, ο = character, personality
χαρακτηρίζω = to characterize
χαρακτηριστικός, -ή, -ό = typical, characteristic
χάρη, η = favor
χαρίζω = to donate, to gift
χάρος, ο = death
χαρούμενος, -η, -ο = happy
χάρτης, ο = map
χαρτί, το = paper
χαρτιά, τα = playing cards
χάρτινος, -η, -ο = papery, made of paper
χασάπης, ο = butcher
χάσιμο, το = loss
χάσιμο χρόνου = a waste of time
χασμουριέμαι = to yawn
χασομέρι, το = fussing, dalliance, procrastination
χείλι, το = lip
χειμερινός, -ή, -ό = winterly
χειμώνας, ο = winter
χειμωνιάτικος, -η, -ο = winterly

χειρονομία, η = gesture
χειροτεχνία, η = crafts
χειρουργός, ο/η = surgeon
χελώνα, η = turtle
χέρι, το = hand, arm
χημεία, η = chemistry
χημικός, -ή, -ό = chemical
χήρος, ο — χήρα, η = widower/widow
χιλιάδα, η = thousand
χίλιοι, -ες, -α = thousand
χιλιομετρικός, -ή, -ό = kilometric
χιλιόμετρο, το = km, kilometer
χιμπατζής, ο = chimpanzee
χιόνι, το = snow
χιονίζει = it's snowing
χιονισμένος, -η, -ο = snowy
χιονοδρομικός, -ή, -ό = ski, skiing
χιονοδρομικό κέντρο, το = ski resort
χιονόπτωση, η = snowfall
Χίος, η [place name] = Chios
χιούμορ, το = humor
χλιαρός, -ή, -ό = lukewarm
χλωμός, -ή, -ό = pale
χοίρος, ο = pig
χολ, το = hall, vestibule
χόμπι, το = hobby
Χονγκ Κονγκ, το [place name] = Hong Kong
χοντρός, -ή, -ό = fat, thick
χορεύω = to dance
χορογραφία, η = choreography
χορογράφος, ο/η = choreographer
χορογραφώ = to choreograph
χορός, ο = dance
χορταίνω = to feel full, to be satiated
χορτασμένος, -η, -ο = full, satiated
χορταστικός, -ή, -ό = filling
χόρτο, το = grass
χόρτα, τα [Greek dish/food]= greens (usually eaten as a salad, usually blanched or steamed)
χορωδία, η = chorus
χουβαρντάς, ο = bighearted, generous
χρειάζομαι = to need
χρεώνω = to charge
χρήμα, το — χρήματα, τα [see also λεφτά] = money
χρηματοδοτώ = to fund, to finance

χρήση, η = use, usage
χρησιμοποιώ = to use
χρήσιμος, -η, -ο = useful
χρήστης, ο — χρήστρια, η = user
Χριστίνα [proper name] = Christina
χρονικός, -ή, -ό = temporal
χρόνος, ο = time
χρόνος, ο — χρόνια, τα = year(s)
χρυσός, -ή, -ό = golden
χρυσάφι, το = gold
χρώμα, το = color
χρωματιστός, -ή, -ό = colorful
χρωστάω & -ώ = to owe
χταπόδι, το = octopus
χτενίζομαι = to comb my hair
χτένισμα, το = hairstyle, hairdo
χτες/χθες [adv.] = yesterday
χτίζω = to build, to construct
χτίσιμο, το = building, construction
χτισμένος, -η, -ο = built, constructed
χτίστης, ο = builder
χτυπάω & -ώ = to knock, to hit
χτυπάει το τηλέφωνο = the phone is ringing
χτύπημα, το = hit
χυλός, ο = porridge
χύμα = in bulk, unpacked, loose, pell-mell, in a heap
χυμός, ο = juice
χώμα, το = soil, earth, ground
χωματερή, η = rubbish dump, garbage dump
χωμάτινος, -η, -ο = earthen
χωμένος, -η, -ο = hidden, nested
χώρα, η = country
χωράφι, το = field
χωράω & -ώ = to fit
χωριάτικος, -η, -ο = country, village, peasant, rustic
χωρίζω = to divide, to separate
χωριό, το = village
χωρίς [see also δίχως] = without
χωριστά, χώρια [adv.] = separately
χώρος, ο = space, room

Ψ, ψ = ψι

ψαλίδι, το = scissors
ψαράς, ο = fisherman
ψάρεμα, το = fishing

ψάρι, το = fish
    ψαρικά, τα = plates with fish
    ψαρόσουπα, η = fish soup
ψάχνω = to search, to look for
ψέμα, το = lie
ψεύτης, ο — ψεύτρα, η = liar
ψηλός, -ή, -ό = tall, high
ψηλοτάκουνος, -η, -ο = high-heeled
ψηλώνω = to grow taller
ψημένος, -η, -ο = grilled, roasted,
    baked
ψήνω = to grill, to roast, to bake
ψήσιμο, το = grilling, roasting,
    baking
ψητός, -ή, -ό = grilled, roasted,
    baked,
ψιλικατζής, ο = owner of a small
    convenience store or kiosk
ψίχα, η = breadcrumb
ψίχουλο, το = breadcrumb
ψόφιος, -α, -ο = dead

ψυγείο, το = refrigerator, fridge
ψυχαγωγία, η = entertainment,
    amusement
ψυχαγωγικός, -ή, -ό = entertaining
ψυχαγωγώ = to entertain, to amuse
ψυχή, η = soul
ψυχίατρος, ο/η = psychiatrist
ψυχολογία, η = psychology
ψυχολογικός, -ή, -ό = psychological
ψυχολόγος, ο/η = psychologist
ψύχος, το — ψύχρα, η = cold
ψυχρός, -ή, -ό = cold
ψύχραιμος, -η, -ο = calm, composed
ψυχραιμία, η = calmness, cool,
    composure, aplomb
ψυχραίνω = to make cold,
    to freeze out
ψωμί, το = bread
ψώνια, τα = shopping
ψωνίζω = to shop,
    to go shopping

Ω, ω = ωμέγα

ωδείο, το = conservatory
ωκεανός, ο = ocean
ωμός, -ή, -ό = raw
ώμος, ο = shoulder
ώρα, η = hour
ωραία [adv.] = nice, nicely
ωραίος, -α, -ο = nice, beautiful
ωράριο, το = schedule, working
    hours
ώριμος, -η, -ο = mature
ωριμάζω = to mature
ωριμότητα, η = maturity
ως = until, till
ωστόσο = however
ωτορινολαρυγγολόγος, ο/η = ear,
    throat and nose doctor
ωφέλεια, η = usefulness
ωφέλιμος, -η, -ο = useful
ωφελώ = to profit, to benefit

Συνδεθείτε με το
www.greek-language.gr

γλῶσσαν νωμᾶν

ΚΕΝΤΡΟ ΕΛΛΗΝΙΚΗΣ ΓΛΩΣΣΑΣ

ΜΕΛΟΣ ΤΗΣ ΕΥΡΩΠΑΪΚΗΣ ΟΜΟΣΠΟΝΔΙΑΣ
ΕΘΝΙΚΩΝ ΙΔΡΥΜΑΤΩΝ ΓΙΑ ΤΗ ΓΛΩΣΣΑ (EFNIL)